PQ
1919
R5
1973

Scarron, Paul, 1610-1660.
   Le roman comique. Nouv. éd. revue,
corr. et augm. [Chronologie, introd.; et
bibliographie par Marcle Simon. Établissement
du texte et notes par Émile Magne] Paris,
Garnier.
   xxxii, 440 p. illus.
   Bibliography: p. [xxvii]-xxix.

   I. Simon, Marcel. II. Magne, Emile, 1877-
1953. III. Title.

Le Roman comique

Scarron

Le Roman comique

Nouvelle édition revue, corrigée et augmentée

Éditions Garnier Frères
19, Rue des Plantes, 75014 Paris

Chronologie, introduction

et bibliographie

par

Marcel Simon

Agrégé des Lettres,
Maître-Assistant
à l'Université de Caen

Établissement du texte

et notes

par

Émile Magne

Édition illustrée

L'Auberge, par J. Callot.

Musée du Mans   *Cl. B. N.*

PORTRAIT DE SCARRON provenant de la collection de Mme Jubinal.

MADAME SCARRON, d'après un portrait de Mignard.

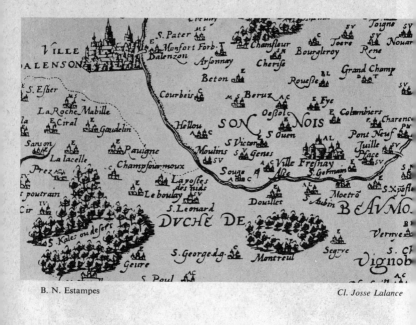

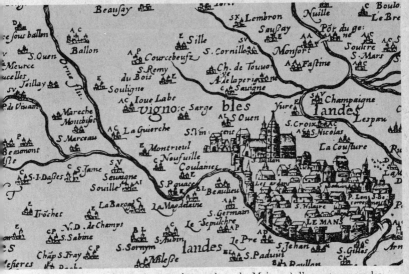

CARTE DU XVIIe siècle représentant la province du Maine où l'on retrouvera les différents lieux mentionnés dans *le Roman comique* ou fréquentés par Scarron pendant son séjour au Mans ; gravée par Jean Leclerc.

LE
ROMANT
COMIQVE.
DE Mᴿ SCARRON.

SECONDE PARTIE.
DEDIE'E

A MADAME
FOVCQVET
LA SVR-INTENDANTE.

A PARIS,

Chez GVILLAVME DE LVYNE, Libraire
Iuré, au Palais, dans la Salle des Merciers,
à la Iustice.

M. DC. LVII.
AVEC PRIVILEGE DV ROY.

Page de titre de l'édition originale de la 2ᵉ partie du *Roman comique*, 1657.

B. N. Estampes   L'ARRIVÉE DES COMÉDIENS, par Surugue d'après Pater.   *Cl. B. N.*

BATAILLE ARRIVÉE DANS UN TRIPOT, par Oudry.

« ...les deux jeunes hommes... entrèrent... chacun sa raquette en sa main. » (p. 8.)

LE IEV
ROYAL DE
LA PAVLME.

A. PARIS
Chez Charles Hulpeau
163.

B. N. Imprimés

Cl. B. N

LE JEU ROYAL DE LA PAULME.
Frontispice de l'édition Hulpeau, Paris, 1632.

« *Ragotin s'étant trouvé auprès de mademoiselle de la Caverne, dans le*
temps qu'elle sortait du jeu de paume où l'on avait joué... » (p. 109.)

La bataille des Ponts-de-Cé.

« J'ai joué à La Flèche la déroute du Pont-de-Cé... » (p. 46.)

NEVERS, par Israël Silvestre (partie gauche d'une vue générale).

« *A Nevers... j'allai me promener sur un grand pont de pierre qui traverse la rivière de Loire.* » (p. 112.)

B. N. Estampes

LE COLLÈGE DE LA FLÈCHE.

Cl. B. N.

« J'étais écolier à La Flèche, quand votre troupe y vint représenter. » (p. 179.)

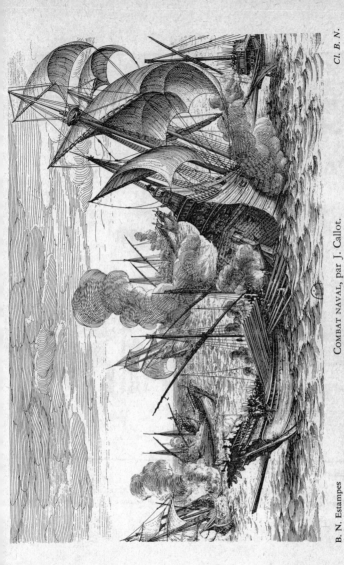

COMBAT NAVAL, par J. Callot.

CL. B. N.

« *Les six galères de Naples en trouvèrent huit turques presque à la vue de Messine et n'hésitèrent point à les attaquer.* » (p. 285.)

Vcuë du Portail de l'Abbaye de St Pierre
de la Cousture de l'Ordre de St Benoist
congregation de St Maur, Size dehors
la Ville du Mans, ſur le chemin de Paris
1695.

S.t Denis paroiſe
du Porc 4 bourg de la cousture

LE PORTAIL DE L'ABBAYE DE LA COUTURE, 1695.

« ... lequel il pria de se lever pour faire une promenade jusques à la Cousture, qui est une
très belle abbaye » (p. 308-309).

EXÉCUTION DE CHALAIS le 19 août 1626.
« *Nous arrivâmes à Nantes, où l'on fit la première exécution des rebelles sur la personne
du comte de Chalais qui y eut la tête tranchée...* » (p. 356).

Danseurs de sarabande, ballet représenté en 1629.

« *Le Destin et l'Étoile dansèrent la sarabande avec l'admiration de toute la compagnie* » (p. 366).

CHRONOLOGIE

1610, 4 JUILLET : Naissance à Paris de Paul Scarron, fils
de Paul Scarron, Conseiller au Parlement de Paris, et
de Gabrielle Goguet. La famille de Scarron, de noble
origine piémontaise, avait émigré en France au XVe
siècle, et fourni à l'administration et à la justice françaises nombre de grands commis et de magistrats.

1613, 10 SEPTEMBRE : Décès de la mère de Scarron. Des
huit enfants qu'elle avait donnés au Conseiller, cinq
moururent en bas âge ; ne survécurent que Paul et ses
deux sœurs aînées, Anne et Françoise.

1617 : Le Conseiller Scarron, surnommé l'Apôtre en
raison de sa dévotion exclusive et indiscrète pour son
saint patron, se remarie avec Françoise de Plaix dont
il aura quatre enfants. Le poète a vilipendé sa marâtre
à qui l'on s'accorde à reconnaître un caractère autori-
taire et un penchant immodéré pour l'argent et pour
la chicane.

1622–1623 : Séjour de Scarron à Charleville, chez un
parent.

1624 : De retour à Paris, Scarron poursuit ses études ;

on n'a pas de renseignements assurés sur son éducation, mais on sait qu'il détesta toute sa vie les pédants, « envieux animaux » ; il acquit des connaissances solides dans les littératures anciennes et modernes.

1629 : Scarron est voué à la carrière ecclésiastique et prend le « petit collet ». Cela ne l'empêche pas de mener une vie mondaine dépourvue d'austérité. On le trouve dans les compagnies brillantes, chez la célèbre Marion de Lorme. Il fait la connaissance de l'abbé de Gondi, le futur « coadjuteur » et cardinal de Retz et fréquente des poètes : Tristan L'Hermite, Scudéry, Saint-Amant.

1631 : La première œuvre publiée de Scarron figure parmi les pièces liminaires pour la tragi-comédie de Georges de Scudéry, *Ligdamon et Lidias* ; il s'agit d'un huitain.

1633 : — Scarron est agréé comme « domestique » par Charles de Beaumanoir de Lavardin, évêque du Mans, prélat distingué et libéral. L'emploi du jeune clerc n'est pas nettement défini.

1634 : La présence de Scarron au Mans est attestée par un acte de baptême qu'il signe le 26 avril en qualité de parrain. Sa commère est Dame Marguerite Le Divin, veuve de Jean Bautru ; elle figurerait dans *le Roman comique* sous le nom de Madame Bouvillon.

1635 : Au début de l'année, il accompagne son maître à Rome. Il y fait la connaissance du médecin Bourdelot, du peintre Poussin et du poète François Mainard.

— Retour au Mans à l'automne.

1636, 18 DÉCEMBRE : Scarron devient officiellement Chanoine de la Cathédrale Saint-Julien du Mans, mais ses droits sont contestés par le neveu du chanoine

qu'il remplace. Il fréquente assidûment la noble société
de la province et tout particulièrement la famille de
Lavardin, le comte de Tresmes, gouverneur du Maine,
et le comte de Belin (le marquis d'Orsé du *Roman
comique*).

1637 : Dans l'entourage du comte de Belin, Scarron
rencontre Rotrou et Mairet ; il prend parti dans la
« Querelle du Cid » et lance un violent pamphlet contre
Corneille.

29 SEPTEMBRE : mort du comte de Belin.

21 NOVEMBRE : mort de Monseigneur de Beaumanoir.

1638 : Scarron est atteint d'un mal redoutable dont
l'origine demeure mystérieuse. Il ne s'agit sans doute
pas d'une « maladie de garçon » aggravée par les soins
d'un charlatan, comme le voulait Tallemant des Réaux,
mais d'un « rhumatisme tuberculeux ankylosant »,
selon le diagnostic des médecins modernes qui ont
étudié son cas.

En novembre, dans l'*Epitalame du Comte de Tessé
et de Mademoiselle de Laverdin* — sa première œuvre
poétique véritable — Scarron se voit :

> En danger d'estre cul de jatte
> ... Sans remuer ni pied ni patte.

1640 : Scarron fréquente le salon de Marie de Hautefort
qui, exilée au Mans à la fin de 1639 pour avoir su s'attirer l'amitié amoureuse du Roi, réunissait autour
d'elle la société lettrée. Le poète se lia d'amitié avec
la jeune fille qui lui conserva sa protection toute sa
vie.

— Au printemps de 1640, Scarron quitte Le Mans
pour regagner la capitale. Son père ne s'y trouve plus,
exilé par Richelieu après le refus du Parlement
d'enregistrer un « Édit portant création en titre d'office ».

1641 : La maladie de Scarron s'aggrave. Le poète va chercher un soulagement à Bourbon-l'Archambault dont les eaux thermales sont réputées (août-septembre).

1642, MAI-JUIN : Nouvelle cure à Bourbon-l'Archambault; elle ne semble pas avoir produit de meilleurs résultats que la précédente, mais, cette année encore, Scarron a été fort bien accueilli par la société distinguée qui est venue prendre les eaux, et notamment par Gaston d'Orléans. Scarron compose à ce sujet *Les Deux Légendes de Bourbon.*

1643 : Année importante pour la fortune littéraire de Scarron. Toussaint Quinet édite en juillet le *Recueil de quelques vers burlesques* qui contient 3 410 vers dont près de 3 000 inédits.

— Mort de Paul Scarron « l'Apôtre »; sa succession fait l'objet d'un très long procès entre les enfants du premier lit et Françoise de Plaix et ses propres enfants.

— Marie de Hautefort, rappelée à la cour après la mort du Roi, présente Scarron à Anne d'Autriche; le poète sollicite l'« office si nouveau » de malade de la Reine. Il reçoit un don de 500 écus.

1644 : Publication de la *Suitte des œuvres burlesques de Mr Scarron* et du premier poème travesti de Scarron : *Typhon ou la Gigantomachie.* « Poème burlesque dédié à Mgr. L'Éminentissime Cardinal Mazarin. » Mazarin n'accorde aucune gratification à l'auteur, mais la Reine lui octroie désormais une pension annuelle de 500 écus.

1645 : Première tentative de Scarron au théâtre : *Jodelet ou le Maître valet* (représenté dès 1643 ?) obtient un vif succès. Le poète écrira plus tard que le *Typhon* et le *Jodelet* l'ont « fait fameux écrivain ».

1646 : Scarron revient au Mans pour assister au chapitre général de la Saint Julien. Il y reste six semaines.

SEPTEMBRE : *Epitalame, Ou ce qui vous plaira, sur le mariage de Monsieur le Mareschal de Schomberg et de Mme d'Hautefort.*

1648 : Publication en mars du 1ᵉʳ livre, en juillet du 2ᵉ livre du *Virgile travesty en vers burlesques de Monsieur Scarron.* Le poète, dit le Privilège, s'est « diverty à composer et mettre en vers burlesques les douze livres de *l'Enéide*... durant quelques relasches de sa maladie ». Scarron, qui jouissait déjà d'une belle notoriété, devient un écrivain considérable, véritablement populaire.

OCTOBRE : Publication, toujours chez Toussaint Quinet, de *La Relation véritable de tout ce qui s'est passé en l'autre Monde au combat des Parques et des Poëtes, sur la mort de Voiture. Et autres pièces burlesques.*

Scarron signale, dans son adresse liminaire à Sarasin et Ménage qu'il a commencé « un petit Roman »... « qui promettait quelque chose », mais dont le héros est prématurément condamné à la pendaison. Il s'agit là, d'une première version, perdue depuis, du *Roman comique.*

1648-1649 : C'est la Fronde. Scarron, d'abord réticent, prend parti contre la Cour, peut-être influencé par Retz, sans doute irrité par les difficultés qu'il rencontrait pour se faire payer sa pension. Il voit en Mazarin l'origine de tout le mal et pense à sa *Mazarinade* (commencée en février 1649, publiée seulement en 1651) dont le titre fit fortune.

1649 : Publication des 3ᵉ et 4ᵉ livres du *Virgile travesty.*

1650 : Scarron quitte le Marais pour s'installer à l'Hôtel de Troyes. Son appartement reçoit la visite de nom-

breux frondeurs, au premier rang desquels se trouvait
le Coadjuteur.

— C'est l'époque où Scarron entreprend de traduire
les œuvres de Gassendi. Il renonce assez vite à cette
tâche. Son voisin et ami Cabart de Villermont ren-
force son goût pour la littérature espagnole.

Ce même Cabart de Villermont lui fait connaître
alors la jeune Françoise d'Aubigné, petite fille d'A-
grippa d'Aubigné. Scarron correspondra avec la jeune
fille, de vingt-cinq ans sa cadette, sans qu'on sache à
quelle date prit naissance le projet de mariage.

1651 : Publication par Toussaint Quinet, au début de
l'année, du 6e livre du *Virgile travesty*, et quelques mois
plus tard du *Romant comique* (1re partie). (Achevé
d'imprimer le 15 septembre.)

— Scarron vend son canonicat du Mans au secrétaire de Ménage, Girault.

DÉCEMBRE : Scarron forme le projet de participer
à l'expédition organisée par la nouvelle Compagnie
des Indes, dont il est actionnaire, pour coloniser la
Guyane.

1652, AVRIL : Scarron épouse Françoise d'Aubigné.
— A l'automne, Scarron se rend en Touraine avec
sa jeune femme; d'aucuns le crurent parti pour
l'Amérique...

1653, FÉVRIER : Retour à Paris. Scarron va habiter chez
sa sœur Françoise, rue des Douze-Portes.

Scarron fait imprimer chez Augustin Courbé *Dom
Japhet d'Arménie*, comédie qui avait remporté un vif
succès quelques années auparavant.

1654 : Publication chez Guillaume de Luyne, gendre et
successeur de Toussaint Quinet, des *Œuvres de Monsieur Scarron*, seul recueil collectif publié par l'auteur.

MARS : Le ménage Scarron s'installe plus conforta-
blement rue Neuve-Saint-Louis (actuellement 56, rue
de Turenne). C'est là que se réunissent les nombreux
amis du poète : grands seigneurs comme le duc de Saint-
Aignan, le duc de Grammont, Charles de Lorraine,
duc d'Elbeuf ; hommes de guerre comme le maréchal
d'Albret et Turenne ; nobles femmes d'esprit, telles
Madame de La Sablière, Madame de Sévigné, Mademoiselle de Scudéry ; hommes de lettres innombrables :
il faudrait nommer la plupart des écrivains célèbres
de ce temps.

A cette époque, comme l'atteste une dédicace de
1655, grâce à Pellisson, Scarron devient l'obligé du
Surintendant Foucquet, qu'il appelle son « patron »,
pour une pension annuelle de 1 600 livres.

Scarron écrit *L'Écolier de Salamanque ou les Ennemis
généreux, tragi-comédie* (Privilège du 4 décembre).

1655, JANVIER : Scarron a l'idée de publier une Gazette
hebdomadaire. Ce travail lui devient vite fastidieux ;
sa santé est mauvaise (il doit se faire opérer pour un
mal d'oreille) et il ne va pas au-delà de la quinzième
Gazette du 22 juin 1655.

— Publication par Antoine de Sommaville de la
première des *Nouvelles tragi-comiques : La Précaution
inutile* dont Molière s'inspirera dans *L'École des femmes.*

1656 : *Léandre et Héro. Ode burlesque à Mgr Foucquet...*

1657 : Scarron se lance dans des entreprises hasardeuses
pour améliorer sa situation financière. Il obtient « la
permission d'avoir et dresser en la maison où il demeure
un laboratoire avec toutes sortes de fourneaux, four-
naises, forges, vaisseaux » pour « composer des baumes
et médicaments qui peuvent servir aux plus dangereuses maladies du corps humain » et, après avoir
« médité la manière de rendre l'or en liqueur potable »,
celle « d'en faire quelques expériences ».

— *Le Romant comique de Mr. Scarron. Seconde partie.* (Achevé d'imprimer le 20 septembre.)

1659 : Scarron écrit les célèbres *Épistres chagrines* : à Monsieur d'Elbene, à Monseigneur le Mareschal d'Albret.

— Scarron conçoit le projet de fonder une société de déchargeurs officiels de façon à normaliser le transport des marchandises des portes de Paris au centre de la ville. Cette entreprise, écrivait-il, « est la dernière espérance de ma femme et de moi ». Cette espérance fut quelque peu déçue.

1660, MARS : *Épistre chagrine à Mademoiselle de Scudéry.*

— Le poète compose *Le Testament de Monsieur Scarron, son épitaphe et son portrait en vers burlesques.*

— Nuit du 6 au 7 octobre. *Mort de Scarron.* A-t-il fait la fin « la plus belle du monde », comme l'écrivit sa sœur ? Fut-il seulement soucieux de « sauver les apparences », selon la formule de Tallemant des Réaux ? Ce n'est pas le moindre secret de la vie de Scarron. Sans doute convient-il de s'en tenir aux intentions avérées du poète et de le laisser conclure :

> Celuy qui cy maintenant dort
> Fit plus de pitié que d'envie
> Et souffrit mille fois la mort
> Avant que de perdre la vie.
>
> Passant, ne fais icy de bruit :
> Garde bien que tu ne l'esveille,
> Car voicy la première nuit
> Que le pauvre Scaron sommeille.

INTRODUCTION

C HAQUE année est décerné le « prix Scarron » ; cependant, du poète français le plus célèbre des années 1650, il ne subsiste que le nom. On aime à évoquer cette destinée exemplaire du « malade de la Reine » voué à divertir toute une société, du premier époux de Madame de Maintenon mourant dans le dénuement ; mais on oublie très souvent l'écrivain : le mythe a éclipsé l'œuvre. La fortune littéraire de Scarron n'eut pourtant rien d'éphémère ; Racine, nous dit son fils, se plaisait fort à le lire — en cachette de Boileau — et, s'il est vrai que, dans la seconde moitié du XVIIe siècle, la renommée du poète burlesque est allée décroissant, *Le Roman comique*, lui, a traversé sans encombre l'âge classique : il a connu 20 rééditions de 1662 à 1700. Voilà qui nous force à réfléchir sur les survivances de l'esprit burlesque et ses rapports avec le goût classique, qu'on a trop souvent minimisés.

Six années séparent la publication des deux premières parties du *Roman comique* de Scarron, les seules qui nous intéressent ici, même si l'usage veut que leur soit ajoutée la suite dite d'Offray qui leur peut servir de faire-valoir.

Scarron ne fut pas un enfant prodige. S'il montra très tôt son goût pour la poésie, ses premiers vers imprimés ne le furent qu'en 1631 ; encore s'agissait-il d'un maigre huitain accompagnant, comme c'en était alors l'usage, l'œuvre d'un de ses amis. Son talent de prosateur ne se manifesta que vingt ans plus tard — on oubliera facilement, en effet, le pamphlet anti-cornélien auquel il collabora en 1637 — avec la publication de la première partie du *Roman comique*; Scarron avait alors 41 ans.

Le Virgile travesty, dont les six premiers livres avaient été imprimés, assurait à son auteur une immense popularité et de solides revenus. Les succès de Scarron au théâtre ne sont pas moins significatifs de son accord avec le public de ce temps. Scarron voulut-il alors « s'essayer » en un genre fort apprécié à l'époque? Fut-il influencé par son ami Cabart de Villermont, comme celui-ci l'a prétendu? La question est difficile à trancher. On ne saurait même dire avec certitude quand Scarron commença la rédaction de son roman. Ce fut, dit Cabart de Villermont, à l'Hôtel de Troyes (où il vint habiter soit à la fin de 1649, soit au début de 1650) « qu'il fit à ma persuasion le premier volume de son *Roman comique* qu'il dédia au cardinal de Retz, pour lors coadjuteur de Paris ». « Je lui fournis », continue cet ami obligeant, « les quatre nouvelles en espagnol, qui sont si agréablement traduites dans ses deux volumes, aussi bien que les quatre autres qu'il a traduites et qu'il a données à part. » Si l'on en croit toujours Cabart, Scarron n'aurait pas pensé tout de suite à écrire un roman autour de ces nouvelles, et il aurait fallu l'intercession de Cervantès. « Je lui proposai, écrit Cabart, une nouvelle traduction de *Don Quichotte*, au lieu de la morale de Gassendi sur la traduction de laquelle je le trouvai attaché, mais il n'en voulut point tâter à cause de la précédente traduction par Oudin... Je lui dis qu'il fallait donc qu'il entreprît quelque ouvrage de son chef et de son caractère enjoué... et qu'il y mêlât des nouvelles... en quoi il imiterait au moins *Don Quichotte*. » Un exemple illustre, un « support » assuré; cela ne peut que séduire Scarron, même si les nouvelles espagnoles ne le peuvent soutenir aussi constamment que l'*Enéide*, même si *Don Quichotte* est fort loin de lui fournir un canevas comme l'avait fait naguère *El Marquès del Cigarral* pour son *Don Japhet d'Arménie*.

Quoi qu'il en soit, ce récit imposerait à la rédaction du *Roman comique* la date de 1650 comme point de départ. Or, Scarron lui-même fait mention, dès 1648, dans la lettre à « Messieurs Ménage et Sarrazin » qui ouvre sa *Relation véritable*..., d'un roman commencé « il y a quelque temps, qui promettoit quelque chose » ; « mais, par malheur ou par ma faute, poursuit Scarron, je n'ai pu empêcher mon héros d'être condamné à être pendu à Pontoise ». Si l'on rapproche cette affirmation de la remarque de Sorel dans sa *Bibliothèque française* : « on aurait su (si Scarron avait achevé son roman) s'il n'aurait pu empêcher que son principal héros ne fût pas pendu à Pontoise, comme il avait accoutumé de dire », on est amené à penser qu'il s'agissait bien, dès 1647-1648, d'une ébauche du *Roman comique*. Sans doute le héros en question est-il la Rappinière que Monsieur de la Garouffière « avait empêché d'être roué en Bretagne » (*Le Roman comique*, II, xiii, p. 221). Scarron aurait donc imaginé un « petit roman » comme il le dit lui-même, dont la première esquisse ne l'aurait point satisfait, dont il aurait profondément modifié la trame, sans abandonner pour autant, comme en témoigne Sorel, son idée de conclusion. On en doit rester à des hypothèses.

La rédaction de l'œuvre n'alla pas sans difficulté; peut-être Scarron n'était-il pas assez assuré dans le genre romanesque pour retrouver sa légendaire facilité de poète dont il disait en souriant :

> ... J'écrirais jusqu'à demain
> Si je ne retirais ma main.

Il éprouvait le besoin d'« essayer » son œuvre; c'est Segrais qui rapporte l'anecdote : « Je me souviens qu'é-

tant allé le voir un jour avec l'abbé de Franquetot :
« Prenez un siège, nous dit-il, et mettez-vous là que
j'essaye mon *Roman comique*. » En même temps, il prit
quelques cahiers de son ouvrage et nous lut quelque
chose ; et lorsqu'il vit que nous riions, « Bon, dit-il,
voilà qui va bien ; mon livre sera bien reçu, puisqu'il fait
rire des personnes si habiles ». Et alors il commença à
recevoir nos compliments. Il appelait cela essayer son
roman, de même que l'on essaye un habit. »

Le 20 août 1650, le roi accorde à Toussaint Quinet un
privilège pour *Le Roman comique*, valable 7 ans, mais ce
n'est que le 15 septembre 1651 qu'est achevé d'imprimer,
pour la première fois, cet in-octavo de 527 pages. De
1648, selon l'hypothèse la plus vraisemblable, jusqu'à la
sortie des presses de Toussaint Quinet, quelque trois
années se sont écoulées. Ce ne furent pas, pour Scarron,
des années perdues : *Le Virgile travesty* fut rédigé, livre
après livre, pour répondre à la demande du libraire ;
d'autres poèmes burlesques, condamnés au succès, aidè-
rent Scarron à subsister : *La Relation véritable*, *Les Triolets
de la Cour*, *Sur la Conférence de Ruel en mars (1649)*,
Les Œuvres burlesques de M. Scarron, *IIIe partie*. N'oublions pas non plus *L'Héritier ridicule* et *La Mazarinade*.
C'est dire que *Le Roman comique* fut sans doute assez
souvent enlevé du métier.

Cette première partie fut réimprimée en 1652, 1654,
1655 ; elle fit l'objet, cette même année, d'une contre-
façon hollandaise ; c'est en 1655 également que Scarron
fit publier la deuxième édition, dûment corrigée, de cette
première partie. Le 18 décembre 1654, un privilège est
accordé pour la deuxième partie du *Roman comique* ;
Guillaume de Luyne, successeur de Toussaint Quinet
en est le bénéficiaire. Il faudra attendre près de trois ans
pour que soit achevée d'imprimer la seconde partie, le
20 septembre 1657. L'on sait qu'entre 1651 et 1657 la
vie privée de Scarron, sa vie mondaine, fut fort bien
remplie, si son œuvre littéraire fut moins abondante que
pendant le lustre précédent.

La composition du *Roman comique* s'étend donc sur une décennie : 1647-1657. On ne peut manquer de remarquer que cette œuvre, dont les héros accomplissent leurs exploits dans le Maine, est quasi contemporaine du séjour que fit au Mans Scarron, désireux de satisfaire aux obligations de sa charge. On admettait que le petit chanoine fût absent « propter infirmitatem », comme il est écrit dans les registres du chapitre, mais Scarron avait tout intérêt à surveiller son bénéfice. Il vint donc au Mans au début de 1646 et y demeura peu de temps : six semaines ou deux mois. Ce bref séjour est plaisamment évoqué dans l'*Epistre à Madame d'Hautefort* qui raconte un accident de brancard dont fut victime Scarron, et qui n'est pas sans analogie avec celui que rapporte le chapitre VII de la première partie du roman *(L'Aventure des brancards)*. De nombreuses coïncidences de dates peuvent être établies entre les événements décrits dans le roman et la réalité contemporaine à laquelle les personnages font plus d'une allusion : qu'il s'agisse des guerres menées par la Papauté, et auxquelles participent respectivement Destin et Verville : contre Parme en 1649, contre les Turcs en 1645 ; qu'il s'agisse de références à des œuvres littéraires publiées en 1649 : *Le Grand Cyrus*, ou représentées en 1647 : *Don Japhet d'Arménie*, ou en 1651 : *Nicomède*. Toutes ces dates, on le voit, se rapportent à la période 1645-1651. Même si l'on fait la part de la fantaisie, on constate que les événements vécus ou évoqués dans *Le Roman comique* sont proches de la date du second voyage de l'auteur, assez éloignés du temps de son premier séjour (1634-1640). Des événements plus anciens y sont narrés quand La Caverne, La Rancune ou Ragotin revivent leur passé; mais le théâtre d'A. Hardy ou de Théophile de Viau ne concerne pas directement la jeunesse du contemporain de Corneille que fut Scarron. Il semble donc que le retour au Mans ait ravivé d'anciens souvenirs, assez nets, assez riches pour qu'en soit tissée la toile de fond du roman.

Est-ce à dire que *Le Roman comique* n'est que le récit

des aventures mancelles d'une troupe de comédiens ambulants? Ce serait restreindre par trop la signification de l'adjectif : comique. Il désigne assurément quiconque fait métier d'écrire ou de jouer des comédies; il traduit aussi le caractère d'une œuvre qui, telle la comédie, emprunte son sujet à la vie courante. Si les théoriciens du xviie siècle étaient soucieux de rattacher les romans à un grand genre : la poésie épique, dont « ils ne sont distingués, écrit d'Aubignac, que par la versification », le grand praticien de « l'histoire comique » que fut Sorel distinguait bien des « pièces héroïques (pièces de théâtre ou romans) qui ne sont que fiction », les romans comiques qui ont pour objet « les actions communes de la vie » et où il est plus facile de « rencontrer la vérité ».

L'œuvre de Scarron appartient, de fait, à une longue lignée d'œuvres comiques; citons les *Histoires comiques* de Du Souhait (1613), l'*Histoire comique de Francion* (1623) et *Polyandre, histoire comique...* (1648) de Charles Sorel. Le succès de ces romans s'expliquait fort bien par la lassitude des lecteurs devant la surabondance de romans sentimentaux racontant des aventures incroyables; les histoires que l'on souhaitait lire, dit encore Sorel, devaient représenter « les humeurs des personnes comme elles sont, et faire une naïve peinture de leur condition et de leur naturel ».

Scarron a repris à son compte certains de ces principes dans les déclarations théoriques semées çà et là dans son roman et, tout particulièrement, dans les débuts de chapitres; cette quête de la vérité apparaît aussi dans la conduite même de l'œuvre. Scarron ne se pose pas en romancier seul maître avant Dieu de l'organisation de son récit : il se veut « chronologiste fidèle », proclamant que son roman est une « véritable histoire ». Il connaît les devoirs que lui assigne sa fonction : « un fidèle et exact historien, écrit-il (II, xvi), est obligé à particulariser les accidents importants de son histoire et les lieux où ils se sont passés ». Le romancier doit s'informer auprès des témoins des événements qu'il raconte, il ne doit pas

dissimuler ses ignorances. Il ajoute à la crédibilité de son
récit en faisant référence à des faits historiques incontes-
tables. Sans doute Scarron affirme-t-il souvent ces exigences d'un air goguenard, sans doute ses prétentions
à la vérité sont-elles parfois emphatiques ; il n'en reste
pas moins que son roman se situe fort loin de ces romans
qui « disent tout » parce qu'ils inventent tout. On connaît son attaque véhémente contre ces « faiseurs de
roman » omniscients « qui règlent toutes les heures du
jour de leurs héros, les font lever de bon matin, conter
leur histoire jusqu'à l'heure du dîner, dîner fort légèrement et après dîner reprendre leur histoire ou s'enfoncer
dans un bois pour y parler tout seul, si ce n'est quand ils
ont quelque chose à dire aux arbres et aux rochers ; à
l'heure du souper, se trouver à point nommé dans le
lieu où l'on mange, où ils soupirent et rêvent au lieu de
manger, et puis s'en vont faire des châteaux en Espagne
sur quelque terrasse qui regarde la mer... » (I, ix). Ces
attitudes conventionnelles, ces enchaînements stéréo-
typés situent ces héros de roman bien loin de la vie
courante que les romans comiques veulent décrire.

C'est une « vérité moyenne » que recherche avant tout
Scarron, mais cela ne veut pas dire que ses héros soient
uniformes ; du romanesque Destin au grotesque Ragotin,
la variété est grande. Ce qui importe à l'auteur c'est
que ses personnages se comportent conformément à la
logique de leur caractère, celui-ci leur ayant été donné
d'entrée de jeu. La conduite de Ragotin est parfaitement
cohérente : le petit homme réagit en chaque circonstance
suivant les impulsions de sa nature vaniteuse et colérique.
L'idéalisation systématique est impossible, ainsi, le
brave Destin lui-même connaît la peur (II, i) ; en revanche, La Rancune, personnage désagréable et malhonnête,
se montre ami fidèle et dévoué. Comme le disait Huet,
« les romans sont des fictions de choses qui ont pu être,
et qui n'ont point été ». Les proclamations de fidélité
à la vérité ne vont pas sans dissonances, nous l'avons
vu ; c'est de la vraisemblance que Scarron cherche le

plus à se rapprocher. La vraisemblance, disait Corneille dans son *Discours de la tragédie*, peut être exigée du romancier, en raison de l'extrême liberté dont celui-ci bénéficie. Le Roman, écrivait-il n'a aucune des contraintes du théâtre : « il donne aux actions qu'il décrit tout le loisir qu'il leur faut pour arriver ; il place ceux qu'il fait parler, agir ou rêver, dans une chambre, dans une forêt, en place publique, selon qu'il est plus à propos pour leur action particulière... s'il fait arriver ou raconter quelque chose en présence de trente personnes, il en peut décrire les divers sentiments l'un après l'autre. C'est pourquoi il n'a jamais aucune liberté de se départir de la vraisemblance, parce qu'il n'a jamais aucune raison ni excuse légitime pour s'en écarter ». Aussi le romancier se montre-t-il très prudent dans l'interprétation des faits et gestes de ses personnages ; il s'avoue souvent incapable de décider ou d'expliquer à coup sûr. On peut noter la place importante laissée aux suppositions multiples, comme celle-ci : « Ragotin, après avoir fait travailler à son pied, dormit le reste du jour, soit qu'il en eût envie ou qu'il fût bien aise de ne paraître pas en public, après les mauvaises affaires qui lui étaient arrivées » (II, VIII). Ces refus d'interpréter, ces aveux d'ignorance favorisent, au demeurant, la brièveté de la narration et le goût de la vérité psychologique est renforcé par les exigences de l'art du récit.

On sait, écrit Scarron (II, XIX), « qu'il y a des choses fausses qui ont quelquefois plus d'apparence de vérité que la vérité même. » C'est dire que les critères de la vraisemblance ne sont ni absolus ni universels ; il convient de s'interdire de porter un jugement définitif sur la qualité de la fiction au nom des exigences d'un réalisme prétendu, que le XVIIe siècle a toujours ignoré. Les romans, affirmait Huet, « sont des fictions d'aventures amoureuses » et cette définition qui ne paraît convenir qu'au « roman sentimental » peut fort bien s'appliquer au *Roman comique*. Les récits d'aventures amoureuses, qu'elles soient espagnoles, romaines ou françaises, voire mancelles,

occupent une place importante dans l'œuvre de Scarron ;
les amours de Destin et de L'Étoile, doublées par celles
de Léandre et d'Angélique, constituent la trame même
du roman ; on peut dire que tout le monde est voué à
l'amour, même ceux qui en ont passé l'âge, comme
Ragotin, même ceux qui semblaient avoir étouffé leur
sensibilité, comme La Rappinière ; c'est l'amour qui
suscite nombre d'épisodes annexes, qu'il s'agisse d'aubade
ou d'enlèvement. Il serait vain de dissimuler cette
importance du « romanesque » ; Huet, du reste, n'hésitait
pas à admettre que « la fiction totale de l'argument est
plus recevable dans les Romans dont les acteurs sont de
médiocre fortune, comme dans les Romans comiques, que
dans les grands Romans ».

Scarron a toujours dédaigné les grands romans, et si
son exigence de vérité se résout le plus souvent en souci
de vraisemblance, celui-ci s'accommode fort bien de la
fiction. Il est temps d'aborder la question du « réalisme »
supposé du *Roman comique* et des inévitables « clés » de
l'œuvre. *Le Roman comique* se déroule dans le Maine,
on le sait ; ses personnages sont des Manceaux du XVIIe
siècle que Scarron a connus et qu'il a portraiturés avec
exactitude, on l'a dit. Dès la fin du XVIIe, et durant le
XVIIIe siècle, l'étranger de passage au Mans cherchait
la maison de Ragotin et s'enquérait de la descendance
de Madame Bouvillon ; voilà au moins une preuve du
succès de l'œuvre de Scarron. Un trousseau de clés assez
complet était en usage dès cette époque, mais il fallut
les recherches attentives de l'érudit manceau H. Chardon
pour que ces analogies fussent érigées en système.
Ragotin est Ambrois Denisot, secrétaire de l'évêque du
temps de Scarron ; La Rappinière est, en fait, François
Nourry de Vauseillon ; il n'est jusqu'au curé de Domfront
qui ne trouve son original en la personne d'Ambroise Le
Rées ; etc. A dire vrai, aucune de ces identifications
n'est convaincante ; tout au plus s'agit-il de vagues simi-
litudes : on isole quelques traits de la personnalité d'un
des héros du roman et on les retrouve nécessairement

chez un contemporain manceau de Scarron. La Rappinière est lieutenant de prévôt; on trouvera bien un lieutenant de prévôt de l'époque nommément désigné dans
les Archives; peu importe si on n'y rencontre aucune
mention de ses brigandages, peu importe si aucun témoignage ne signale qu'il « était lors le rieur de la ville du
Mans » : Scarron a portraituré un personnage avec qui
il avait eu maille à partir. L'exemple célèbre de Ragotin-
Denisot est encore plus significatif : les points communs
entre les deux hommes sont les suivants : ils sont veufs
et ont des prétentions littéraires. Mais Scarron donne
deux indications de caractère objectif concernant la
parenté de la famille Ragotin : dans le chapitre xvi de la
Seconde partie, Ragotin se dit allié du prévôt du Mans
qui « avait épousé une Portail », les Portail étant
« parents des Ragotins »; à la fin du même chapitre,
Ragotin déclare être parent de l'Élu Du Rignon. Or, il
existait bien un président en l'élection de La Ferté
nommé Du Bignon; il y avait bien, dans le Maine, une
famille de parlementaires célèbres : les Portail. On n'a
jamais pu établir les liens de parenté qui unissaient l'une
et l'autre famille aux Denisot-Ragotin présumés. On doit
même aller plus loin et affirmer que Ragotin ne peut être
Ambrois Denisot. Ragotin évoque (I, x) ses souvenirs
de jeunesse : il joua à La Flèche, au cours d'une représentation de collège, « La Déroute du Pont-de-Cé »; cette
pièce, qui rapporte des événements de 1620, n'a pu être
représentée qu'après cette date; or, Ambrois Denisot
a été baptisé le 14 août 1584. Voilà un vieil écolier ! On
pourrait objecter que les notations historiques dues à
Scarron sont de pure fantaisie; comment fonder, en ce
cas, des analogies « historiques »?

Il est plus sage de se résigner à faire la part belle à
l'imagination de Scarron, même si pour notre auteur,
l'invention ne consistait pas « à faire quelque chose de
rien », et s'il lui était nécessaire de prendre appui sur la
réalité mouvante de ses souvenirs.

Il faut donc chercher ailleurs que dans le réalisme l'explication de l'œuvre. On la trouvera plus sûrement dans la tendance profonde de l'esprit de Scarron, tendance qui le porta toujours au burlesque. Il existe une unité réelle dans l'œuvre de Scarron ; passant de *Don Japhet d'Arménie* au *Roman comique*, du *Roman comique* au *Virgile Travesty*, travaillant à l'ode burlesque *Léandre et Héro* en même temps qu'à la seconde partie du *Roman comique*, Scarron ne se métamorphose pas, et il est peu de ses œuvres qui ne puissent être qualifiées de burlesques, bien que toutes les constantes du genre n'y figurent pas. Charles Sorel, qui accueillit avec faveur dans sa *Bibliothèque française* le roman de son rival, le range parmi les romans « satiriques et comiques en effet, mais... aussi burlesques ». Scarron y décrit la vie de « quelques comédiens et d'autres gens de toutes conditions, avec des naïvetés incomparables, et il leur arrive à tous de fort plaisantes aventures. Cela est d'un style particulier à l'auteur, qui est de faire raillerie de tout, même dans les narrations où il parle de lui-même, ce qui est proprement le burlesque, plutôt que le comique ».

Cela ne signifie pas que *Le Roman comique* soit, comme Sorel voulait que fût son *Berger extravagant*, « le tombeau des romans », un « anti-roman », suivant la formule moderne. Le roman de Scarron n'est pas conduit par le principe de parodie continue des romans héroïques, il ne cherche pas constamment à se « moquer des autres », comme le disait Sorel de son propre ouvrage. Il ne s'agit pas d'un travestissement et, s'il y a raillerie des goûts littéraires du temps, c'est raillerie éparse. On connaît la parodie du style emphatique qui orne les préambules de tout grand roman qui se respecte : « Le soleil avait achevé plus de la moitié de sa course et son char, ayant attrapé le penchant du monde, roulait plus vite qu'il ne voulait » (I, i). On peut citer aussi quelques récits de combats qui transposent les glorieux exploits des héros de roman (I, iii) : « Ce parent fut investi par un ami de la Rappinière pour faire diversion... deux pères capucins, qui se jetèrent par charité dans le champ de bataille, mirent entre les combattants, non pas une paix bien affermie, mais firent au moins accorder quelques trêves, pendant lesquelles on put négocier, sans préjudice des informations qui se firent de part et d'autre. Le comédien Destin fit des prouesses à coups de poing, dont on parle encore dans la ville du Mans ». Les godelureaux manceaux savent recourir aux interpellations homériques : « Fils de chienne », disent-ils au « valet de tripot ». Ce sont là traits épars, assez rares, qui montrent que Scarron conserve quelques velléités satiriques, même si le désir d'instruire, qu'Huet imposait au romancier, se manifeste avec moins d'évidence dans le corps du récit que dans la dédicace « A Madame la Surintendante » qui ouvre la seconde partie.

Avant tout Scarron s'amuse; sa fantaisie se donne libre cours et l'auteur se plaît à rompre l'harmonie, à cultiver la dissonance pour elle-même. Les termes inadéquats sont employés à plaisir, qu'il s'agisse de mots bas : « les museaux sanglants furent lavés », de termes techniques dont l'usage pédantesque peut sembler inopportun : « ces petits éléphants ailés pourvus de proboscides et armés d'aiguillons » (II, xvi) pour désigner des mouches à miel. Scarron recourt parfois aussi au vocabulaire scientifique, incongru dans un contexte trivial : « un coup le fit aller choir sur le cul aux pieds des comédiennes, après une rétrogradation fort précipitée ». (I, x) (Rétrogradation : terme d'astronomie, écrit Furetière; « on ne le dit guère que des planètes. ») En revanche, on ne peut noter qu'un tout petit nombre d'archaïsmes, alors qu'ils foisonnent dans les poèmes travestis de l'auteur.

Scarron se livre sans réserve aux joies de la fantaisie verbale. Certes, les litanies sont rares et réservées à Ragotin : on sait comment est évoquée sa petitesse; mais les créations incongrues sont plus nombreuses : citons « quelque bravoure... filoutière », et ces témoignages d'une emphase plaisante : « Elle dit cela d'un ton si gravement cabarétique », « cette grêle de souffle-

tades ». On joue avec les mots : « le concert était ainsi
déconcerté » ; les termes de la hiérarchie nobiliaire viennent en renfort : « en un temps où tout le monde se
marquise lui-même ». La dissonance se fonde souvent
sur le contraste : l'abstrait et le concret se mêlent bizar-
rement dans cette réflexion de La Rancune : « je reprenais mon siège, ma couronne et ma gravité ». Ici, ce sont
deux mondes fort éloignés qui interfèrent en une péri-
phrase explosive : « le visage de cette nymphe taver-
nière était le plus petit, et son ventre le plus gros du
Maine ».

Ce qui caractérise le plus nettement ce burlesque, c'est
la présence goguenarde de l'auteur dans toute son œuvre.
On pourrait dire, sans exagérer beaucoup, que Scarron
est le personnage principal du *Roman comique*. Sans doute
a-t-il réussi à créer des types suffisamment originaux pour
passer à la postérité : Ragotin, La Rancune, La Rappinière, Madame Bouvillon ; cependant, ce qui donne à
l'œuvre sa coloration particulière, ce qui l'oriente et,
éventuellement, la désoriente, c'est la présence constante
de l'auteur. On ne compte plus les commentaires malicieux de Scarron, qui rompt un récit par une réflexion
saugrenue, voire un jugement sévère sur son œuvre, ainsi
(I, XII) : « Je suis trop homme d'honneur pour n'avertir
pas le lecteur bénévole que, s'il est scandalisé de toutes
les badineries qu'il a vues jusques ici dans le présent
livre, il fera fort bien de n'en lire pas davantage ». Certes,
Scarron réagit contre l'arbitraire des romans héroïques,
mais il n'en reste pas moins libre de se livrer à sa fantaisie
et de mener son lecteur où bon lui semble, de choisir en
ses lieu et place : « Je ne vous dirai point comment... il
suffit que vous sachiez... » ; cette affirmation désinvolte
revient souvent sous sa plume, encore qu'on doive noter
que, dans la seconde partie de l'œuvre, la verve de Scarron
se fait plus discrète. Ainsi s'expliquent les nombreuses
transitions factices, les multiples pirouettes esquissées en
fin de chapitre, les titres plaisamment révélateurs de la
belle humeur de notre romancier.

Cette fantaisie n'est pas toujours innocente. Le comique n'est, assurément, pas souvent « significatif », au sens baudelairien du terme, mais il procède d'une intention délibérée chez Scarron de soumettre au jugement de l'intelligence toute l'activité humaine. Les appels à l'esprit critique du lecteur sont très fréquents même lorsqu'il s'agit de lui demander d'apprécier la réussite du romancier, même lorsque Scarron juge favorablement telle de ses formules ; il a créé un doute préalable quand il affirme (I, v) : « La Rappinière lui fit cent questions sur la comédie, et, de fil en aiguille (il me semble que ce proverbe est ici fort bien appliqué), lui demanda... » Touchant l'organisation même de son œuvre, Scarron s'efforce de créer une certaine ambiguïté : si le lecteur, écrit-il, (I, xii) « a de la peine à se douter de ce qu'il verra, peut-être que j'en suis logé là aussi bien que lui, qu'un chapitre attire l'autre et que je fais dans mon livre comme ceux qui mettent la bride sur le col de leurs chevaux et les laissent aller sur leur bonne foi. Peut-être aussi que j'ai un dessein arrêté... » Scarron ne se prive pas de mêler les époques, il refuse de hiérarchiser les épisodes, s'étendant complaisamment sur des incidents sans importance, escamotant quasi des péripéties essentielles : on pense tout de suite aux révélations de Doguin et au mystère qui entoure la fin du chapitre vi de la Première partie. Le plan d'ensemble de l'œuvre nous échappe, mais n'oublions pas que le roman est inachevé et que rien n'indique que Scarron ait jamais pensé lui imposer une conclusion ; il s'agit, dans une certaine mesure, d'une œuvre « ouverte », comme nombre de romans picaresques et l'incertitude plaisante qui préside à l'enchaînement des épisodes témoigne de l'esprit sceptique et de la fantaisie désinvolte de l'écrivain burlesque.

Ce parti pris de plaisanterie impose à l'œuvre une certaine construction : les événements sérieux, voire tragiques, le romanesque, la farce coexistent dans *Le Roman comique*, mais la succession même des chapitres révèle la recherche des disparates. Ce n'est pas par hasard si une disgrâce particulièrement grotesque du « désastreux Ragotin » (II, xvi) succède immédiatement au récit assez tendu des règlements de comptes entre Destin et La Rappinière (II, xv); de même, les aventures pathétiques des *Deux frères rivaux* précèdent le combat de Ragotin, contre un bouc (II, xix et xx). Cette alternance régulière, à la fin du roman, n'est pas sans précédents; qu'il suffise de rappeler comment, dans le chapitre xii de la Première partie, Destin combat contre des marauds en « jou[ant] des mains » et se fait « mordre au gras de la jambe » avant de raconter, dans le chapitre xiii ses exploits guerriers de gentilhomme. Ce « contrepoint » comique confère à l'œuvre son originalité et suggère qu'entre les deux aspects de la vie, qu'on la considère comme drame ou comme spectacle plaisant, l'écrivain burlesque se refuse à choisir définitivement, mais croit nécessaire d'indiquer l'ambivalence des actions humaines. Scarron ne veut pas porter de jugement, mais, goguenard, souligne des parallélismes qui, plus efficacement que des diatribes véhémentes, dénoncent la vanité.

L'ambiguïté du Burlesque apparaît nettement. Au départ, sans doute, se situe la prise de conscience d'une réalité humaine; mais, très vite, on dépasse cette réalité, on schématise ou l'on gonfle les faits jusqu'à leur éclatement, on reconstruit. Il y a un irréalisme foncier dans ce dépassement systématique du réel; le monde est quasiment nié en même temps qu'il est proposé. Le juge souverain reste l'intelligence humaine; c'est dire que le pathétique est très fermement refusé. Le rythme même des narrations de scènes cruelles, surabondantes dans ce roman sans pitié, empêche le lecteur de s'attendrir, qu'il se précipite pour éviter que l'attention ne se fixe sur les détails pénibles, ou, au contraire, qu'il soit ralenti pour arrêter l'attention sur un détail insignifiant. Les scènes de combat sont, à cet égard, exemplaires. Les héros de l'œuvre ne sont pas moins significatifs; Scarron les a voulus nombreux pour une raison bien précise, qui se rapporte à cette vision du monde : « Puisqu'il n'y a rien de plus parfait qu'un héros de livre, écrit-il (I, v), demi-douzaine de héros ou soi-disant tels feront plus d'honneur au mien qu'un seul qui serait peut-être celui dont on parlerait le moins, comme il n'y a qu'heur et malheur en ce monde. » Leur créateur les a volontiers maltraités : Ragotin est un héros de tragédie à qui les lois du genre ont manqué. « En vérité, dit Scarron du « demi-homme », quand la fortune a commencé de persécuter un misérable, elle le persécute toujours. » (II, XVII.) On ne racontera pas les disgrâces de Ragotin, mais on fera remarquer que le « demi-homme » suscite le rire et ne mérite pas la pitié, tant il use d'obstination pour se mettre dans son tort et tant il se tire rageusement ou vaniteusement des mauvais pas. Scarron, plus disgrâcié encore que son héros, a refusé d'être Ragotin : son esprit l'a sauvé.

Le Roman comique occupe une place privilégiée dans la carrière littéraire de Scarron : il révèle, avec une relative discrétion, les dons et les limites de l'auteur burlesque; soucieux de naturel, de vraisemblance, désireux de n'être pas dupe et de bien contrôler les mouvements de l'imagination et de la sensibilité, Scarron apparaît beaucoup plus proche des grands écrivains classiques qu'on ne le soupçonnait dès l'abord. Sans doute le sens de la mesure ne lui fut-il pas très généreusement octroyé, sans doute le genre burlesque excluait-il, par son essence même, le goût de l'harmonie; il reste que *Le Roman comique*, échappant, du fait de la tradition romanesque, aux outrances du burlesque versifié, échappant, par la volonté de son auteur, aux conventions du Roman héroïque, prépare, en un certain sens, l'avènement du roman classique.

Scarron rêvait à une troisième partie qui, écrit-il dans une lettre de 1659, aurait commencé ainsi : « Il n'y avait point encore eu de Précieuses dans le monde, et

ces Jansénistes d'amour n'avaient point encore commencé
à mépriser le genre humain. On n'avait point encore ouï
parler du trait des traits, du dernier doux, et du premier
désobligeant, quand le petit Ragotin... »

Scarron raillant les Précieuses ! Molière et, qui sait,
Boileau lui-même, n'auraient-ils pas applaudi ?

Marcel SIMON.

BIBLIOGRAPHIE

I. Bibliographie

Magne (E.) — *Bibliographie générale des œuvres de Scarron*. Paris, 1924.

Collinet (J.-P.) — *Scarron, « Le Roman comique »*. Université de Grenoble. U.E.R. de lettres. Recherches et travaux, nov. 1970. Bulletin n° 2.

II. Éditions

— Originales.

Première partie.

Le Romant comique. Paris, Toussaint Quinet, 1651, in-8° (Achevé d'imprimer le 15 septembre).

Deuxième partie.

Le Romant comique de Mr. Scarron. Seconde partie. Dédiée à Mme Foucquet la surintendante. Paris, Guillaume de Luyne, 1657, in-8° (Achevé d'imprimer le 20 septembre).

Troisième partie. Lyon, Offray, 1663, in-12. (Hypothèse d'E. Magne).

— Œuvres complètes.

> *Œuvres de Monsieur Scarron. Nouvelle édition, Revue, corrigée et augmentée de quantité de Piéces omises dans les Éditions précédentes.* Amsterdam, J. Wetstein et G. Smith, 1737, 10 vol. in-12.

> *Œuvres de Scarron, Nouvelle édition, Plus correcte que toutes les précédentes.* Paris, Jean-François Bastien, 1786, 7 vol. in-8°.

— Éditions modernes.

> *Le Roman comique* par Scarron, édition Victor Fournel. Paris, Jannet, 1857, 2 vol. (Bibl. Elzévirienne).

> *Le Roman comique.* Édition Émile Magne. Paris, Garnier, 1938.

> *Le Romant comique.* Édition Henri Bénac. Paris, Les Belles Lettres, 1951, 2 vol. (Les textes français).

> *Le Romant comique* dans *Romanciers du XVIIe siècle.* Édition Antoine Adam. Paris, Gallimard, 1958 (Bibliothèque de la Pléiade).

III. Études

CHARDON (H.). — *La Troupe du « Roman comique » dévoilée et les Comédiens de campagne au XVIIe siècle.* Paris, 1876.

MORILLOT (P.) — *Scarron, étude biographique et littéraire.* Paris, 1888 (Réimpression : Genève, Slatkine, 1970).

CHARDON (H.) — *Scarron inconnu et les types des personnages du « Roman comique ».* Paris, 1903-1904, 2 vol.

REYNIER (G.) — *Le Roman réaliste au XVIIe siècle.* Paris, 1914.

MAGNE (E.) — *Scarron et son milieu.* Paris, 1924 (nouvelle édition).

D'ALMERAS (H.) — *Le Roman comique de Scarron.*

Paris, 1931 (Collection : Les grands événements littéraires).

HAINSWORTH (G.) — Les « *Novelas ejemplares* » *de Cervantès en France au XVIIe siècle*. Paris, 1933.

RATNER (M.) — *Theory and criticism of the Novel in France from « L'Astrée » to 1750*. New-York, 1938.

MICHAUT (G.) — *Scarron. « Le Roman comique »*. Paris 1941 (Les cours de Sorbonne).

ADAM (A.) — *Histoire de la littérature française au XVIIe siècle*. Tome II. Paris, Domat, 1951.

BAR (F.) — *Le Genre burlesque en France au XVIIe siècle. Étude de style*. Paris, d'Artrey, 1960.

CADOREL (R.) — *Scarron et la nouvelle espagnole dans « Le Roman comique »*. Aix-en-Provence, 1960.

CADOREL (R.) — *Les Nouvelles espagnoles du « Roman comique »*. Revue de Littérature comparée, 1962, avril-juin.

MORTIER (R.) — *La Fonction des nouvelles dans le « Roman comique »*. Cahiers de l'Association internationale des études françaises, no 18, mars 1966.

COULET (H.) — *Le Roman jusqu'à la Révolution*. Tome I. Paris, A. Colin, 1967.

OPPERMAN (H.-N.) — *Oudry illustrateur : « Le Roman comique » de Scarron*. Gazette des beaux-arts, 1967, décembre.

TRUCHET (J.) — *« Le Roman comique » de Scarron et l'univers théâtral*. Dans « Dramaturgie et Société ». Tome I. Paris, éditions du C.N.R.S. 1968, 2 vol.

MOREL (J.) — *La Composition du « Roman comique »*. L'Information littéraire, 1970; novembre-décembre, no 5.

Actes du colloque Renaissance-Classicisme du Maine 1971. Études sur Scarron par R. FROMILHAGUE, R. GARAPON, P. LERAT, M. SIMON. Paris, Nizet, 1973. (A paraître.)

Principales Éditions anciennes du « Roman Comique »

PREMIÈRE PARTIE

LE ROMANT COMIQUE. Paris, Toussainct Quinet, 1651, in-8º.
8 feuillets non chiffrés. Pages 1 à 527. 3 pages non chiffrées.
Édition originale.

LE ROMANT COMIQUE. Paris, Toussainct Quinet, 1652, in-8º.
Mêmes texte et pagination.

LE ROMANT COMIQUE. Paris, Toussainct Quinet, 1654, in-8º.
Mêmes texte et paginatior.

LE ROMANT COMIQUE. Première Partie. Paris, Guillaume de
Luyne, 1655, in-8º.

Mêmes texte et pagination.

LE ROMANT COMIQUE. Première Partie. Paris, Guillaume de
Luyne, 1655, in-8º.

8 feuillets non chiffrés. Pages 1 à 491. 3 pages non chiffrées.
Deuxième édition originale corrigée par Scarron.

LE ROMANT COMIQUE. Par M\ Scarron. Leiden, Jean Sambix,
1655, in-12. Texte non corrigé. **Édition elzévirienne.**

LE ROMANT COMIQUE. Première Partie. Paris, Guillaume de
Luyne, 1657, in-8º.

DEUXIÈME PARTIE

LE ROMANT COMIQUE DE M\ SCARRON. SECONDE PARTIE.
Dédiée à Mme Foucquet la surintendante. Paris, Guillaume de
Luyne, 1657, in-8º.

7 feuillets non chiffrés. Pages 1 à 541. 3 pages non chiffrées.
Édition originale de la deuxième Partie.

Toutes les éditions postérieures à 1657 du *Roman comique*
contiennent les deux parties réunies. Nous renvoyons, pour la
liste de ces éditions, à notre ouvrage : *Bibliographie générale des
Œuvres de Scarron*, Paris, L. Giraud-Badin, 1924, in-8º.

La troisième partie du *Roman comique* n'a pu être encore retrouvée en édition originale. Nous présumons qu'elle dut paraître à Lyon, chez Antoine Offray, à la date de 1663 et sous le format in-12.

Suites du « Roman comique »

En plus de la troisième partie ci-dessus indiquée et attribuée à Jean Girault, chanoine du Mans, deux autres suites furent, au cours du temps, données à l'œuvre de Scarron :

1º LA SUITE DU ROMAN COMIQUE. TROISIÈME PARTIE. Paris, Claude Barbin, 1679, in-12.

Cette prose, dédiée au duc du Maine, est signée du nom d'un romancier fécond de cette époque, le sieur de Preschac.

2º SUITE ET CONCLUSION DU ROMAN COMIQUE DE SCARRON. PAR M. D. L. PREMIÈRE [ET SECONDE] PARTIE. A Amsterdam, et se trouve à Rouen, chez Le Boucher fils, et à Paris, chez Pillot, 1771, 2 vol. in-8º.

Il n'a pas été possible de connaître le nom caché sous les initiales de ce lointain continuateur de Scarron.

AU COADJUTEUR [1]

OUI, MONSEIGNEUR,

Votre nom seul porte avec soi tous les titres et tous les éloges que l'on peut donner aux personnes les plus illustres de notre siècle. Il fera passer mon livre pour bon, quelque méchant qu'il puisse être; et ceux même qui trouveront que je le pouvais mieux faire, seront contraints d'avouer que je ne le pouvais mieux dédier. Quand l'honneur que vous me faites de m'aimer, que vous m'avez témoigné par tant de bontés et tant de visites, ne porterait pas mon inclination à rechercher soigneusement les moyens de vous plaire, elle s'y porterait d'elle-même. Aussi vous ai-je destiné mon Roman dès le temps que j'eus l'honneur de vous en lire le commencement, qui ne vous déplut pas. C'est ce qui m'a donné courage de l'achever plus que toute autre chose, et ce qui m'empêche de rougir en vous faisant un si mauvais présent. Si vous le recevez pour plus qu'il ne vaut, ou si la moindre partie vous en plaît, je ne me changerais pas au plus dispos homme de France. Mais, MONSEIGNEUR, je n'oserais espérer que vous le lisiez; ce serait trop de temps perdu à une personne qui l'emploie si utilement que vous faites et qui a bien d'autres choses à faire. Je serai assez récompensé de mon livre si vous daignez seulement le recevoir et si vous croyez sur ma parole, puisque c'est tout ce qui me reste, que je suis de toute mon âme,

MONSEIGNEUR,

Votre très humble, très obéissant
et très-obligé serviteur,

SCARRON.

Au lecteur
scandalisé des fautes d'impression qui sont dans mon
livre.

Je ne te donne point d'autre *Errata* de mon livre, que
mon livre même, qui est tout plein de fautes. L'Imprimeur y a moins failli que moi, qui ai la mauvaise coutume de ne faire bien souvent ce que je donne à imprimer,
que la veille du jour que l'on imprime : Tellement
qu'ayant encore dans la tête, ce qu'il y a si peu de temps
que j'ai composé, je relis les feuilles que l'on m'apporte
à corriger à peu près de la même façon que je récitais au
Collège la leçon que n'avais pas eu le temps d'apprendre :
Je veux dire en parcourant des yeux quelque ligne, et
passant par dessus ce que je n'avais pas encore oublié.
Si tu es en peine de savoir pourquoi je me presse tant,
c'est ce que je ne te veux pas dire; et si tu ne te soucies
pas de le savoir, je me soucie encore moins de te l'apprendre. Ceux qui savent discerner le bon et le mauvais
de ce qu'ils lisent, reconnaîtront bientôt les fautes, que
j'aurai été capable de faire et ceux qui n'entendent pas ce
qu'ils lisent, ne remarqueront pas que j'aurai failli. Voilà,
Lecteur Bénévole, ou Malevole, tout ce que j'ai à te dire,
si mon livre te plaît assez pour te faire souhaiter de le voir
plus correct; achètes-en assez pour le faire imprimer une
seconde fois, et je te promets que tu le verras, revu,
augmenté et corrigé.

Scarron.

LE ROMAN COMIQUE

PREMIÈRE PARTIE [2]

CHAPITRE PREMIER

UNE TROUPE DE COMÉDIENS ARRIVE
DANS LA VILLE DU MANS

LE soleil avait achevé plus de la moitié de sa course et son char, ayant attrapé le penchant du monde, roulait plus vite qu'il ne voulait. Si ses chevaux eussent voulu profiter de la pente du chemin, ils eussent achevé ce qui restait du jour en moins d'un demi-quart d'heure; mais, au lieu de tirer de toute leur force, ils ne s'amusaient qu'à faire des courbettes, respirant un air marin qui les faisait hennir et les avertissait que la mer était proche, où l'on dit que leur maître se couche toutes les nuits. Pour parler plus humainement et plus intelligiblement, il était entre cinq et six quand une charrette entra dans les halles du Mans. Cette charrette était attelée de quatre bœufs fort maigres, conduits par une jument poulinière dont le poulain allait et venait à l'entour de la charrette comme un petit fou qu'il était. La charrette était pleine de coffres, de malles et de gros paquets de toiles peintes qui faisaient comme une pyramide au haut de laquelle paraissait une demoiselle habillée moitié ville, moitié campagne. Un jeune homme, aussi pauvre d'habits que riche de mine, marchait à côté de la charrette. Il avait un grand emplâtre sur le visage, qui lui couvrait un œil et la moitié de la joue, et portait un grand fusil sur son

épaule, dont il avait assassiné plusieurs pies, geais et
corneilles, qui lui faisaient comme une bandoulière, au
bas de laquelle pendaient par les pieds une poule et un
oison qui avaient bien la mine d'avoir été pris à la petite
guerre. Au lieu de chapeau, il n'avait qu'un bonnet de
nuit, entortillé de jarretières de différentes couleurs, et
cet habillement de tête était une manière de turban qui
n'était encore qu'ébauché et auquel on n'avait pas encore
donné la dernière main. Son pourpoint était une casaque
de grisette, ceinte avec une courroie, laquelle lui servait
aussi à soutenir une épée qui était si longue qu'on ne s'en
pouvait aider adroitement sans fourchette. Il portait
des chausses troussées à bas d'attaches, comme celles
des comédiens quand ils représentent un héros de l'antiquité, et il avait, au lieu de souliers, des brodequins à
l'antique que les boues avaient gâtés jusqu'à la cheville
du pied. Un vieillard vêtu plus régulièrement, quoique
très-mal, marchait à côté de lui. Il portait sur ses épaules
une basse de viole et, parce qu'il se courbait un peu en
marchant, on l'eût pris de loin pour une grosse tortue
qui marchait sur les jambes de derrière. Quelque critique
murmurera de la comparaison, à cause du peu de proportion qu'il y a d'une tortue à un homme; mais j'entends
parler des grandes tortues qui se trouvent dans les Indes
et, de plus, je m'en sers de ma seule autorité. Retournons
à notre caravane. Elle passa devant le tripot de la Biche[3],
à la porte duquel étaient assemblés quantité des plus
gros bourgeois de la ville. La nouveauté de l'attirail,
et le bruit de la canaille qui s'était assemblée autour de
la charrette, furent cause que tous ces honorables bourg-
mestres jetèrent les yeux sur nos inconnus. Un lieutenant
de prévôt, entre autres, nommé la Rappinière, les vint
accoster et leur demanda avec une autorité de magistrat
quelles gens ils étaient. Le jeune homme dont je vous
viens de parler prit la parole, et, sans mettre les mains
au turban, parce que, de l'une il tenait son fusil et de
l'autre la garde de son épée, de peur qu'elle ne lui battît
les jambes, lui dit qu'ils étaient Français de naissance,

comédiens de profession; que son nom de théâtre était
Le Destin [4]; celui de son vieil camarade, la Rancune [5],
et celui de la demoiselle qui était juchée comme une
poule au haut de leur bagage, la Caverne [6]. Ce nom bizarre
fit rire quelques-uns de la compagnie; sur quoi le jeune
comédien ajouta que le nom de Caverne ne devait pas
sembler plus étrange à des hommes d'esprit que ceux de
la Montagne, la Vallée, la Rose ou l'Épine. La conversation finit par quelques coups de poing et jurements
de Dieu que l'on entendit au devant de la charrette.
C'était le valet du tripot qui avait battu le charretier
sans dire gare, parce que ses bœufs et sa jument usaient
trop librement d'un amas de foin qui était devant la
porte. On apaisa la noise, et la maîtresse du tripot, qui
aimait la comédie plus que sermon ni vêpres, par une
générosité inouïe en une maîtresse de tripot, permit au
charretier de faire manger ses bêtes tout leur soûl. Il
accepta l'offre qu'elle lui fit, et, cependant que ses bêtes
mangèrent, l'auteur se reposa quelque temps et se mit
à songer à ce qu'il dirait dans le second chapitre.

CHAPITRE II

QUEL HOMME ÉTAIT LE SIEUR DE LA RAPPINIÈRE

Le sieur de la Rappinière [7] était lors le rieur de la ville
du Mans. Il n'y a point de petite ville qui n'ait son rieur.
La ville de Paris n'en a pas pour un, elle en a dans chaque
quartier, et moi-même qui vous parle, je l'aurais été du
mien si j'avais voulu; mais il y a longtemps, comme tout
le monde sait, que j'ai renoncé à toutes les vanités du
monde. Pour revenir au sieur de la Rappinière, il renoua
bientôt la conversation que les coups de poing avaient
interrompue, et demanda au jeune comédien si leur
troupe n'était composée que de mademoiselle de la
Caverne, de M. de la Rancune et de lui. Notre troupe

est aussi complète que celle du prince d'Orange [8] ou de
Son Altesse d'Épernon [9], lui répondit-il; mais par une
disgrâce qui nous est arrivée à Tours, où notre étourdi de
portier a tué un des fusiliers de l'intendant de la province,
nous avons été contraints de nous sauver un pied chaussé
et l'autre nu, en l'équipage que vous nous voyez. Ces
fusiliers de M. l'intendant en ont fait autant à la Flèche,
dit la Rappinière. Que le feu saint Antoine les arde! dit
la tripotière, ils sont cause que nous n'aurons pas la
comédie. Il ne tiendrait pas à nous, répondit le vieil
comédien, si nous avions les clefs de nos coffres pour
avoir nos habits; et nous divertirions quatre ou cinq jours
MM. de la ville, devant que de gagner Alençon, où le reste
de la troupe a le rendez-vous. La réponse du comédien
fit ouvrir les oreilles à tout le monde. La Rappinière
offrit une vieille robe de sa femme à la Caverne, et la
tripotière deux ou trois paires d'habits, qu'elle avait en
gage, à Destin et à la Rancune. Mais, ajouta quelqu'un
de la compagnie, vous n'êtes que trois. J'ai joué une pièce
moi seul, dit la Rancune, et ai fa't en même temps le
roi, la reine et l'ambassadeur. Je parlais en fausset quand
je faisais la reine; je parlais du nez pour l'ambassadeur,
et me tournais vers ma couronne que je posais sur une
chaise; et pour le roi, je reprenais mon siège, ma couronne
et ma gravité, et grossissais un peu ma voix. Et qu'ainsi
ne soit, si vous voulez contenter notre charretier et
payer notre dépense en l'hôtellerie, fournissez vos habits,
et nous jouerons devant que la nuit vienne, ou bien nous
irons boire, avec votre permission, et nous reposer, car
nous avons fait une grande journée. Le parti plut à la
compagnie, et le diable de la Rappinière, qui s'avisait
toujours de quelque malice, dit qu'il ne fallait point
d'autres habits que ceux de deux jeunes hommes de la
ville qui jouaient une partie dans le tripot et que mademoiselle de la Caverne, en son habit d'ordinaire, pourrait
passer pour tout ce que l'on voudrait en une comédie
Aussitôt dit, aussitôt fait : en moins d'un demi-quart
d'heure, les comédiens eurent bu chacun deux ou trois

coups, furent travestis, et l'assemblée qui s'était grossie,
ayant pris place en une chambre haute, on vit, derrière
un drap sale que l'on leva, le comédien Destin couché
sur un matelas, un corbillon dans la tête, qui lui servait
de couronne, se frottant un peu les yeux comme un
homme qui s'éveille et récitant du ton de Mondory [10] le
rôle d'Hérode, qui commence par

> *Fantôme injurieux qui trouble mon repos.*

L'emplâtre qui lui couvrait la moitié du visage ne
l'empêcha pas de faire voir qu'il était excellent comédien.
Mademoiselle de la Caverne fit des merveilles dans les
rôles de Marianne et de Salomé; la Rancune satisfit tout
le monde dans les autres rôles de la pièce, et elle s'en
allait être conduite à bonne fin, quand le diable, qui ne
dort jamais, s'en mêla et fit finir la tragédie, non pas
par la mort de Marianne et par les désespoirs d'Hérode [11],
mais par mille coups de poing, autant de soufflets, un
nombre effroyable de coups de pied, des juremens qui
ne se peuvent compter, et ensuite une belle information
que fit faire le sieur de la Rappinière, le plus expert de
tous les hommes en pareille matière.

CHAPITRE III

LE DÉPLORABLE SUCCÈS QU'EUT LA COMÉDIE

Dans toutes les villes subalternes du royaume, il y a
d'ordinaire un tripot où s'assemblent tous les jours les
fainéants de la ville, les uns pour jouer, les autres pour
regarder ceux qui jouent; c'est là que l'on rime richement
en Dieu, que l'on épargne fort peu le prochain et que les
absents sont assassinés à coups de langue. On n'y fait
quartier à personne, tout le monde y vit de Turc à Maure
et chacun y est reçu pour railler selon le talent qu'il en
a eu du Seigneur. C'est en un de ces tripots-là, si je m'en

souviens, que j'ai laissé trois personnes comiques, récitant la Marianne devant une honorable compagnie, à
laquelle présidait le sieur de la Rappinière. Au même
temps qu'Hérode et Marianne s'entre-disaient leurs véri-
tés, les deux jeunes hommes de qui l'on avait pris si librement les habits, entrèrent dans la chambre en caleçons,
et chacun sa raquette en sa main. Ils avaient négligé
de se faire frotter pour venir entendre la comédie. Leurs
habits, que portaient Hérode et Pherore, leur ayant
d'abord frappé la vue, le plus colère des deux s'adressant
au valet du tripot : Fils de chienne, lui dit-il, pourquoi
as-tu donné mon habit à ce bateleur ? Ce valet, qui le
connaissait pour un grand brutal, lui dit en toute humilité
que ce n'était pas lui. Et qui donc, barbe de cocu?
ajouta-t-il. Le pauvre valet n'osait en accuser la Rappinière en sa présence; mais lui, qui était le plus insolent
de tous les hommes, lui dit en se levant de sa chaise :
C'est moi, qu'en voulez-vous dire? Que vous êtes un sot,
repartit l'autre en lui déchargeant un démesuré coup de
sa raquette sur les oreilles. La Rappinière fut si surpris
d'être prévenu d'un coup, lui qui avait accoutumé d'en
user ainsi, qu'il demeura comme immobile, ou d'admiration, ou parce qu'il n'était pas encore assez en colère
et qu'il lui en fallait beaucoup pour se résoudre à se battre,
ne fût-ce qu'à coups de poing; et peut-être que la chose
en fût demeurée là, si son valet, qui avait plus de colère
que lui, ne se fût jeté sur l'agresseur en lui donnant dans
le beau milieu du visage un coup de poing avec toutes ses
circonstances, et ensuite une grande quantité d'autres
où ils purent aller. La Rappinière le prit en queue et se
mit à travailler sur lui en coups de poing, comme un
homme qui a été offensé le premier; un parent de son
adversaire prit la Rappinière de la même façon. Ce
parent fut investi par un ami de la Rappinière pour faire
diversion; celui-ci le fut d'un autre et celui-là d'un autre;
enfin tout le monde prit parti dans la chambre. L'un
jurait, l'autre injuriait, tous s'entre-battaient. La tripotière, qui voyait rompre ses meubles, emplissait l'air

de cris pitoyables. Vraisemblablement ils devaient tous
périr par coups d'escabeaux, de pieds et de poings, si
quelques-uns des magistrats de la ville, qui se promenaient
sous les halles avec le sénéchal du Maine, ne fussent
accourus à la rumeur. Quelques-uns furent d'avis de
jeter deux ou trois seaux d'eau sur les combattants, et
le remède eût peut-être réussi; mais ils se séparèrent de
lassitude, outre que deux pères capucins, qui se jetèrent
par charité dans le champ de bataille, mirent entre les
combattants, non pas une paix bien affermie, mais firent
au moins accorder quelques trêves, pendant lesquelles
on put négocier, sans préjudice des informations qui se
firent de part et d'autre. Le comédien Destin fit des
prouesses à coups de poing, dont l'on parle encore dans
la ville du Mans, suivant ce qu'en ont raconté les deux
jouvenceaux, auteurs de la querelle, avec lesquels il eut
particulièrement affaire, et qu'il pensa rouer de coups,
outre quantité d'autres du parti contraire qu'il mit hors
de combat du premier coup. Il perdit son emplâtre durant
la mêlée, et l'on remarqua qu'il avait le visage aussi
beau que la taille riche. Les museaux sanglants furent
lavés d'eau fraîche, les collets déchirés furent changés,
on appliqua quelques cataplasmes, et même l'on fit
quelques points d'aiguille, et les meubles furent aussi
remis en leur place, non pas du tout si entiers qu'alors
qu'on les désarrangea. Enfin, un moment après, il ne
resta plus rien du combat, que beaucoup d'animosité
qui paraissait sur le visage des uns et des autres. Les
pauvres comédiens sortirent avec la Rappinière, qui verbalisa le dernier. Comme ils passaient du tripot sous les
halles, ils furent investis par sept ou huit braves, l'épée
à la main. La Rappinière, selon sa coutume, eut grande
peur et pensa bien avoir quelque chose de pis, si Destin
ne se fût généreusement jeté au-devant d'un coup d'épée
qui lui allait passer au travers du corps; il ne put pourtant si bien le parer qu'il ne reçût une légère blessure
dans le bras. Il mit l'épée à la main en même temps, et
en moins de rien fit voler à terre deux épées, ouvrit deux

ou trois têtes, donna force coups sur les oreilles et déconfit si bien MM. de l'embuscade que tous les assistants avouèrent qu'ils n'avaient jamais vu un si vaillant homme. Cette partie ainsi avortée avait été dressée à la Rappinière par deux petits nobles, dont l'un avait épousé la sœur de celui qui commença le combat par un grand coup de raquette; et vraisemblablement la Rappinière était gâté, sans le vaillant défenseur que Dieu lui suscita en notre vaillant comédien. Le bienfait trouva place en son cœur de roche; et, sans vouloir permettre que ces pauvres restes d'une troupe délabrée allassent loger en une hôtellerie, il les emmena chez lui où le charretier déchargea le bagage comique et s'en retourna à son village.

CHAPITRE IV

DANS LEQUEL ON CONTINUE A PARLER DU SIEUR DE LA RAPPINIÈRE ET DE CE QUI ARRIVA LA NUIT EN SA MAISON.

Mademoiselle de la Rappinière [12] reçut la compagnie avec force compliments, comme elle était la femme du monde qui se plaisait le plus à en faire. Elle n'était pas laide, quoique si maigre et si sèche qu'elle n'avait jamais mouché de chandelle avec les doigts que le feu n'y prît; j'en pourrais dire cent choses rares, que je laisse de peur d'être trop long. En moins de rien les deux dames furent si grandes camarades qu'elles s'entr'appelèrent ma chère et ma fidèle. La Rappinière, qui avait de la mauvaise gloire autant que barbier de la ville, dit, en entrant, qu'on allât à la cuisine et à l'office faire hâter le souper. C'était une pure rodomontade : outre son vieil valet, qui pansait même ses chevaux, il n'y avait dans le logis qu'une jeune servante et une autre vieille boiteuse, et qui avait du mal comme un chien. Sa vanité fut punie

par une grande confusion. Il mangeait d'ordinaire au
cabaret aux dépens des sots, et sa femme et son train si
réglés étaient réduits au potage aux choux, selon la
coutume du pays. Voulant paraître devant ses hôtes et
les régaler, il pensa couler par derrière son dos quelques
monnaie à son valet pour aller quérir de quoi souper;
par la faute du valet ou du maître, l'argent tomba sur
la chaise où il était assis, et de la chaise en bas. La Rappinière en devint tout violet, sa femme en rougit, le valet
en jura, la Caverne en sourit, la Rancune n'y prit peut-
être pas garde, et, pour Destin, je n'ai pas bien su l'effet
que cela fit sur son esprit. L'argent fut ramassé, et, en
attendant le souper, on fit conversation. La Rappinière
demanda au Destin pourquoi il se déguisait le visage
d'un emplâtre. Il lui dit qu'il en avait sujet et que, se
voyant travesti par accident, il avait voulu ôter aussi la
connaissance de son visage à quelques ennemis qu'il
avait. Enfin le souper vint, bon ou mauvais; la Rappinière but tant qu'il s'enivra et la Rancune s'en donna
aussi jusques aux gardes. Le Destin soupa fort sobrement
en honnête homme, la Caverne en comédienne affamée
et mademoiselle de la Rappinière en femme qui veut
profiter de l'occasion, c'est-à-dire tant qu'elle en fut
dévoyée. Tandis que les valets mangèrent et que l'on
dressa les lits, la Rappinière les accabla de cent contes
pleins de vanité. Destin coucha seul en une petite chambre,
la Caverne, avec la fille de chambre, dans un cabinet,
et la Rancune, avec le valet, je ne sais où. Ils avaient
tous envie de dormir, les uns de lassitude, les autres
d'avoir trop soupé, et cependant ils ne dormirent guère
tant il est vrai qu'il n'y a rien de certain en ce monde.
Après le premier sommeil, mademoiselle de la Rappinière
eut envie d'aller où les rois ne peuvent aller qu'en personne; son mari se réveilla bientôt après, et, quoiqu'il
fût bien soûl, sentit bien qu'il était seul. Il appela sa
femme et on ne lui répondit point. Avoir quelque soupçon,
se mettre en colère, se lever de furie, ce ne fut qu'une
même chose. A la sortie de sa chambre, il entendit

marcher devant lui, il suivit quelque temps le bruit
qu'il entendait, et, au milieu d'une petite galerie qui
conduisait à la chambre de Destin, il se trouva si près de
ce qu'il suivait qu'il crut lui marcher sur les talons. Il
pensa se jeter sur sa femme et la saisir en criant : Ah!
putain! Ses mains ne trouvèrent rien et, ses pieds rencontrant quelque chose, il donna du nez en terre et se
sentit enfoncer dans l'estomac quelque chose de pointu.
Il cria effroyablement au meurtre et on m'a poignardé,
sans quitter sa femme qu'il pensait tenir par les cheveux
et qui se débattait sous lui. A ses cris, ses injures et ses
jurements, toute la maison fut en rumeur et tout le
monde vint à son aide en même temps : la servante, avec
une chandelle, la Rancune et le valet en chemises sales,
la Caverne en jupe fort méchante, le Destin l'épée à la
main, et mademoiselle de la Rappinière vint la dernière
et fut bien étonnée, aussi bien que les autres, de trouver
son mari tout furieux, luttant contre une chèvre qui
allaitait, dans la maison, les petits d'une chienne morte
en couche. Jamais homme ne fut plus confus que la
Rappinière. Sa femme, qui se douta bien de la pensée
qu'il avait eue, lui demanda s'il était fou. Il répondit,
sans savoir quasi ce qu'il disait, qu'il avait pris la chèvre
pour un voleur. Le Destin devina ce qui en était; chacun
regagna son lit et crut ce qu'il voulut de l'aventure, et la
chèvre fut renfermée avec ses petits chiens.

CHAPITRE V

QUI NE CONTIENT PAS GRAND'CHOSE

Le comédien la Rancune un des principaux héros de
notre roman; car il n'y en aura pas pour un dans ce
livre-ci; et puisqu'il n'y a rien de plus parfait qu'un héros
de livre, demi-douzaine de héros ou soi-disant tels feront
plus d'honneur au mien qu'un seul qui serait peut-être

celui dont on parlerait le moins, comme il n'y a qu'heur
et malheur en ce monde. La Rancune donc était de ces
misanthropes qui haïssent tout le monde, et qui ne
s'aiment pas eux-mêmes et j'ai su de beaucoup de personnes qu'on ne l'avait jamais vu rire. Il avait assez
d'esprit, et faisait assez bien de méchants vers; d'ailleurs,
nullement homme d'honneur, malicieux comme un vieil
singe, et envieux comme un chien. Il trouvait à redire
en tous ceux de sa profession. Bellerose [13] était trop
affecté, Mondori rude, Floridor [14] trop froid, et ainsi des
autres; et je crois qu'il eût aisément laissé conclure qu'il
avait été le seul comédien sans défaut; et cependant il
n'était plus souffert dans la troupe, qu'à cause qu'il
avait vieilli dans le métier. Au temps qu'on était réduit
aux pièces de Hardi, il jouait en fausset, et, sous les
masques, les rôles de nourrice. Depuis qu'on commença
à mieux faire la comédie, il était le surveillant du portier,
jouait les rôles de confidents, ambassadeurs et recors,
quand il fallait accompagner un roi, prendre ou assassiner quelqu'un, ou donner bataille; il chantait une
méchante taille aux trios, du temps qu'on en chantait,
et se farinait à la farce [15]. Sur ces beaux talents-là, il
avait fondé une vanité insupportable, laquelle était jointe
à une raillerie continuelle, une médisance qui ne s'épui-
sait point et une humeur querelleuse qui était pourtant
soutenue par quelque valeur. Tout cela le faisait craindre
à ses compagnons; avec le seul Destin il était doux
comme un agneau et se montrait devant lui raisonnable
autant que son naturel le pouvait permettre. On a voulu
dire qu'il en avait été battu; mais ce bruit-là n'a pas duré
longtemps, non plus que celui de l'amour qu'il avait pour
le bien d'autrui jusqu'à s'en saisir furtivement; avec
tout cela, le meilleur homme du monde. Je vous ai dit,
ce me semble, qu'il coucha avec le valet de la Rappinière, qui s'appelait Doguin. Soit que le lit où il coucha
ne fût pas bon ou que Doguin ne fût pas bon coucheur,
il ne put dormir de toute la nuit. Il se leva dès le point
du jour, aussi bien que Doguin, qui fut appelé par son

maître; et, passant devant la chambre de la Rappinière,
lui alla donner le bonjour. La Rappinière reçut son
compliment avec un faste de prévôt provincial et ne lui
rendit pas la dixième partie des civilités qu'il en reçut;
mais, comme les comédiens jouent toutes sortes de personnages, il ne s'en émut guère. La Rappinière lui fit
cent questions sur la comédie, et, de fil en aiguille (il me
semble que ce proverbe est ici fort bien appliqué), lui
demanda depuis quand ils avaient Le Destin dans leur
troupe et ajouta qu'il était excellent comédien. Ce qui
reluit n'est pas or, repartit la Rancune; du temps que
je jouais les premiers rôles, il n'eût joué que les pages;
comment saurait-il un métier qu'il n'a jamais appris ?
Il y a fort peu de temps qu'il est dans la comédie : on ne
devient pas comédien comme un champignon; parce
qu'il est jeune, il plaît; si vous le connaissiez comme
moi, vous en rabattriez plus de la moitié. Au reste, il fait
l'entendu, comme s'il était sorti de la côte de saint Louis,
et cependant il ne découvre point qui il est, ni d'où il
est, non plus qu'une belle Chloris qui l'accompagne, qu'il
appelle sa sœur, et Dieu veuille qu'elle le soit. Tel que
je suis, je lui ai sauvé la vie dans Paris, aux dépens de
deux bons coups d'épée; et il en a été si méconnaissant,
qu'au lieu de me suivre quand on me porta à quatre chez
un chirurgien, il passa la nuit à chercher dans les boues
je ne sais quel bijou de diamants qui n'était peut-être
que d'Alençon, et qu'il disait que ceux qui nous atta-
quèrent lui avaient pris. La Rappinière demanda à la
Rancune comment ce malheur-là lui était arrivé. Ce fut
le jour des Rois, sur le Pont-Neuf, répondit la Rancune.
Ces dernières paroles troublèrent extrêmement la Rappinière et son valet Doguin; ils pâlirent et rougirent l'un
et l'autre; et la Rappinière changea de discours si vite
et avec un si grand désordre d'esprit que la Rancune
s'en étonna. Le bourreau de la ville et quelques archers,
qui entrèrent dans la chambre, rompirent la conversation et firent grand plaisir à la Rancune, qui sentait
bien que ce qu'il avait dit avait frappé la Rappinière en

quelque endroit bien tendre sans pouvoir deviner la part
qu'il y pouvait prendre. Cependant le pauvre Destin,
qui avait été si bien sur le tapis, était bien en peine;
la Rancune le trouva avec mademoiselle de la Caverne,
bien empêché à faire avouer à un vieil tailleur qu'il avait
mal ouï et encore plus mal travaillé. Le sujet de leur
différend était qu'en déchargeant le bagage comique,
Le Destin avait trouvé deux pourpoints et un haut-de-
chausses fort usés; qu'il les avait donnés à ce vieil tailleur
pour en tirer une manière d'habit plus à la mode que les
chausses de pages qu'il portait et que le tailleur, au lieu
d'employer un des pourpoints pour raccommoder l'autre
et le haut-de-chausses aussi, par une faute de jugement
indigne d'un homme qui avait raccommodé des vieilles
hardes toute sa vie, avait rhabillé les deux pourpoints
des meilleurs morceaux du haut-de-chausses, tellement
que le pauvre Destin, avec tant de pourpoints et si peu
de haut-de-chausses, se trouvait réduit à garder la
chambre ou à faire courir les enfants après lui, comme
il avait fait déjà avec son habit comique. La libéralité
de la Rappinière répara la faute du tailleur, qui profita
des deux pourpoints rhabillés, et Le Destin fut régalé
de l'habit d'un voleur qu'il avait fait rouer depuis peu.
Le bourreau, qui s'y trouva présent et qui avait laissé
cet habit en garde à la servante de la Rappinière, dit
fort insolemment que l'habit était à lui, mais la Rappinière le menaça de lui faire perdre sa charge. L'habit
se trouva assez juste pour Le Destin, qui sortit avec
la Rappinière et la Rancune. Ils dînèrent en un cabaret
aux dépens d'un bourgeois qui avait affaire de la Rappinière. Mademoiselle de la Caverne s'amusa à savonner
son collet sale et tint compagnie à son hôtesse. Le même
jour, Doguin fut rencontré par un des jeunes hommes
qu'il avait battus le jour de devant dans le tripot et
revint au logis avec deux bons coups d'épée et force
coups de bâton; et, à cause qu'il était bien blessé, la
Rancune, après avoir soupé, alla coucher dans une
hôtellerie voisine, fort lassé d'avoir couru toute la ville,

accompagnant, avec son camarade Destin, le sieur de
la Rappinière qui voulait avoir raison de son valet
assassiné.

CHAPITRE VI

L'AVENTURE DU POT DE CHAMBRE. LA MAUVAISE NUIT
QUE LA RANCUNE DONNA A L'HÔTELLERIE. L'ARRIVÉE
D'UNE PARTIE DE LA TROUPE. MORT DE DOGUIN, ET
AUTRES CHOSES MÉMORABLES.

La Rancune entra dans l'hôtellerie, un peu plus que
demi-ivre. La servante de la Rappinière, qui le conduisait, dit à l'hôtesse qu'on lui dressât un lit. Voici le reste
de notre écu, dit l'hôtesse : si nous n'avions point d'autre
pratique que celle-là, notre louage serait mal payé. Taisez-
vous, sotte, dit son mari, M. de la Rappinière nous fait
trop d'honneur; que l'on dresse un lit à ce gentilhomme.
Voire qui en aurait, dit l'hôtesse; il ne m'en restait qu'un,
que je viens de donner à un marchand du bas Maine.
Le marchand entra là-dessus, et, ayant appris le sujet de
la contestation, offrit la moitié de son lit à la Rancune,
soit qu'il eût affaire à la Rappinière ou qu'il fût obligeant de son naturel. La Rancune l'en remercia autant
que sa sécheresse de civilité le put permettre. Le marchand soupa, l'hôte lui tint compagnie, et la Rancune
ne se fit pas prier deux fois pour faire le troisième et se
mettre à boire sur nouveaux frais. Ils parlèrent des
impôts, pestèrent contre les maltôtiers, réglèrent l'État
et se réglèrent si peu eux-mêmes, et l'hôte tout le premier qu'il tira sa bourse de sa pochette et demanda à
compter, ne se souvenant plus qu'il était chez lui. Sa
femme et sa servante l'entraînèrent par les épaules dans
sa chambre et le mirent sur un lit tout habillé. La Rancune dit au marchand qu'il était affligé d'une difficulté
d'urine et qu'il était bien fâché d'être contraint de l'in-

commoder; à quoi le marchand lui répondit qu'une nuit
était bientôt passée. Le lit n'avait point de ruelle et
joignait la muraille; la Rancune s'y jeta le premier, et
le marchand s'y étant mis après, en la bonne place, la
Rancune lui demanda le pot de chambre. Et qu'en voulez-vous faire? dit le marchand. Le mettre auprès de
moi de peur de vous incommoder, dit la Rancune. Le
marchand lui répondit qu'il lui donnerait quand il en
aurait affaire; et la Rancune n'y consentit qu'à peine,
lui protestant qu'il était au désespoir de l'incommoder.
Le marchand s'endormit sans lui répondre; et à peine
commença-t-il à dormir de toute sa force que le malicieux comédien, qui était homme à s'éborgner pour
faire perdre un œil à un autre, tira le pauvre marchand
par le bras en lui criant : Monsieur, oh ! monsieur ! Le
marchand tout endormi lui demanda en bâillant : Que
vous plaît-il ? Donnez-moi un peu le pot de chambre,
dit la Rancune. Le pauvre marchand se pencha hors du
lit, et prenant le pot de chambre le mit entre les mains
de la Rancune qui se mit en devoir de pisser; et après
avoir fait cent efforts, ou fait semblant de les faire,
juré cent fois entre ses dents et s'être bien plaint de son
mal, il rendit le pot de chambre au marchand sans avoir
pissé une seule goutte. Le marchand le remit à terre et
dit, ouvrant la bouche aussi grande qu'un four à force
de bâiller : Vraiment, monsieur, je vous plains bien, et
se rendormit tout aussitôt. La Rancune le laissa embar-
quer bien avant dans le sommeil; et, quand il le vit
ronfler comme s'il n'eût fait autre chose toute sa vie,
le perfide l'éveilla encore et lui demanda le pot de chambre
aussi méchamment que la première fois. Le marchand le
lui mit entre les mains aussi bonnement qu'il avait déjà
fait; et la Rancune le porta à l'endroit par où l'on pisse
avec aussi peu d'envie de pisser que de laisser dormir le
marchand. Il cria encore plus fort qu'il n'avait fait et
fut deux fois plus longtemps à ne point pisser, conjurant
le marchand de ne prendre plus la peine de lui donner
le pot de chambre et ajoutant que ce n'était pas la raison,

et qu'il le prendrait bien. Le pauvre marchand, qui eût
lors donné tout son bien pour dormir son soûl, lui répondit
toujours en bâillant qu'il en usât comme il lui plairait et
remit le pot de chambre en sa place. Ils se donnèrent le
bonsoir fort civilement et le pauvre marchand eût parié
tout son bien qu'il allait faire le plus beau somme qu'il
eût fait de sa vie. La Rancune, qui savait bien ce qui
en devait arriver, le laissa dormir de plus belle et, sans
faire conscience d'éveiller un homme qui dormait si bien,
il lui alla mettre le coude dans le creux de l'estomac,
l'accablant de tout son corps et avançant l'autre bras
hors du lit, comme on fait quand on veut amasser quelque
chose qui est à terre. Le malheureux marchand, se sentant
étouffer et écraser la poitrine, s'éveilla en sursaut, criant
horriblement : Eh! morbleu, monsieur, vous me tuez!
La Rancune, d'une voix aussi douce et posée que celle
du marchand avait été véhémente, lui répondit : Je vous
demande pardon, je voulais prendre le pot de chambre.
Ah! vertubleu! s'écria l'autre, j'aime bien mieux vous le
donner et ne dormir de toute la nuit; vous m'avez fait
un mal dont je me sentirai toute ma vie. La Rancune ne
lui répondit rien et se mit à pisser si largement et si
roide, que le bruit seul du pot de chambre eût pu réveiller
le marchand. Il emplit le pot de chambre, bénissant le
Seigneur avec une hypocrisie de scélérat. Le pauvre
marchand le félicitait, le mieux qu'il pouvait, de sa
copieuse éjaculation d'urine qui lui faisait espérer un
sommeil qui ne serait plus interrompu quand le maudit
la Rancune, faisant semblant de vouloir remettre le pot
de chambre à terre, lui laissa tomber, et le pot de chambre,
et tout ce qui était dedans, sur le visage, sur la barbe et
sur l'estomac en criant en hypocrite : Eh! monsieur,
je vous demande pardon! Le marchand ne répondit rien
à sa civilité; car aussitôt qu'il se sentit noyer de pissat,
il se leva, hurlant comme un homme furieux et demandant de la chandelle. La Rancune, avec une froideur
capable de faire renier un théatin, lui disait : Voilà un
grand malheur! Le marchand continua ses cris; l'hôte,

l'hôtesse, les servantes et les valets y vinrent. Le marchand leur dit qu'on l'avait fait coucher avec un diable et pria qu'on lui fît du feu autre part. On lui demanda ce qu'il avait; il ne répondit rien, tant il était en colère, prit ses habits et ses hardes, et s'alla sécher dans la cuisine où il passa le reste de la nuit sur un banc, le long du feu. L'hôte demanda à la Rancune ce qu'il lui avait fait. Il lui dit, feignant une grande ingénuité : Je ne sais de quoi il se peut plaindre; il s'est éveillé et m'a réveillé, criant au meurtre; il faut qu'il ait fait quelque mauvais songe ou qu'il soit fou; et de plus il a pissé au lit. L'hôtesse y porta la main, et dit qu'il était vrai que son matelas était tout percé et jura son grand Dieu qu'il le payerait. Ils donnèrent le bonsoir à la Rancune, qui dormit toute la nuit aussi paisiblement qu'aurait fait un homme de bien et se récompensa de celle qu'il avait mal passée chez la Rappinière. Il se leva pourtant plus matin qu'il ne pensait, parce que la servante de la Rappinière le vint quérir à la hâte pour venir voir Doguin qui se mourait et qui demandait à le voir devant que de mourir. Il y courut, bien en peine de savoir ce que lui voulait un homme qui se mourait et qui ne le connaissait que du jour précédent. Mais la servante s'était trompée : ayant ouï demander le comédien au pauvre moribond, elle avait pris la Rancune pour le Destin, qui venait d'entrer dans la chambre de Doguin quand la Rancune arriva, et qui s'y était enfermé, ayant appris, du prêtre qui l'avait confessé, que le blessé avait quelque chose à lui dire qu'il lui importait de savoir. Il n'y fut pas plus d'un demi-quart d'heure que la Rappinière revint de la ville, où il était allé dès la pointe du jour pour quelques affaires. Il apprit en arrivant que son valet se mourait, qu'on ne lui pouvait arrêter le sang parce qu'il avait un gros vaisseau coupé et qu'il avait demandé à voir le comédien Destin devant que de mourir. Et l'a-t-il vu ? demanda tout ému la Rappinière. On lui répondit qu'ils étaient enfermés ensemble. Il fut frappé de ces paroles comme d'un coup de massue et s'en courut, tout transporté,

frapper à la porte de la chambre où Doguin se mourait,
au même temps que Le Destin l'ouvrait pour avertir que
l'on vînt secourir le malade qui venait de tomber en
faiblesse. La Rappinière lui demanda tout troublé ce
que lui voulait son fou de valet. Je crois qu'il rêve,
répondit froidement Le Destin, car il m'a demandé cent
fois pardon et je ne pense pas qu'il m'ait jamais offensé;
mais qu'on prenne garde à lui, car il se meurt. On s'approcha du lit de Doguin sur le point qu'il rendait le
dernier soupir, dont la Rappinière parut plus gai que
triste. Ceux qui le connaissaient crurent que c'était à
cause qu'il devait les gages à son valet. Le seul Destin
savait bien ce qu'il en devait croire. Là-dessus deux
hommes entrèrent dans le logis, qui furent reconnus par
notre comédien pour être de ses camarades, desquels
nous parlerons plus amplement au suivant chapitre.

CHAPITRE VII

L'AVENTURE DES BRANCARDS

Le plus jeune des comédiens qui entrèrent chez la
Rappinière était valet de Destin. Il apprit de lui que le
reste de la troupe était arrivé, à la réserve de mademoiselle de l'Étoile [16], qui s'était démis un pied à trois lieues
du Mans. Qui vous a fait venir ici, et qui vous a dit que
nous y étions ? lui demanda Le Destin. La peste qui
était à Alençon nous a empêchés d'y aller, et nous a
arrêtés à Bonnestable [17], répondit l'autre comédien, qui
s'appelait l'Olive [18], et quelques habitants de cette ville
que nous avons trouvés nous ont dit que vous aviez
joué ici, que vous vous étiez battu et que vous aviez été
blessé : mademoiselle de l'Étoile en est fort en peine et
vous prie de lui envoyer un brancard. Le maître de
l'hôtellerie voisine, qui était venu là au bruit de la mort
de Doguin, dit qu'il y avait un brancard chez lui et.

pourvu qu'on le payât bien, qu'il serait en état de partir
sur le midi, porté par deux bons chevaux. Les comédiens
arrêtèrent le brancard à un écu et des chambres dans
l'hôtellerie pour la troupe comique. La Rappinière se
chargea d'obtenir du lieutenant général permission de
jouer; et, sur le midi, Le Destin et ses camarades prirent
le chemin de Bonnestable. Il faisait un grand chaud; la
Rancune dormait dans le brancard, l'Olive était monté
sur le cheval de derrière et un valet de l'hôte conduisait
celui de devant. Le Destin allait de son pied, un fusil sur
l'épaule, et son valet lui contait ce qui leur était arrivé
depuis le Château-du-Loir jusqu'à un village auprès de
Bonnestable, où mademoiselle de l'Étoile s'était démis
un pied en descendant de cheval, quand deux hommes
bien montés et qui se cachèrent le nez de leur manteau
en passant auprès de Destin, s'approchèrent du brancard, du côté qu'il était découvert; et, n'y trouvant
qu'un vieil homme qui dormait, le mieux monté de ces
deux inconnus dit à l'autre : Je crois que tous les diables
sont aujourd'hui déchaînés contre moi et se sont déguisés
en brancards pour me faire enrager. Cela dit, il poussa
son cheval à travers les champs, et son camarade le
suivit. L'Olive appela Le Destin, qui était un peu éloigné,
et lui conta l'aventure, en laquelle il ne put rien comprendre et dont il ne se mit pas beaucoup en peine.
A un quart de lieue de là, le conducteur du brancard,
que l'ardeur du soleil avait assoupi, alla planter le brancard dans un bourbier où la Rancune pensa se répandre;
les chevaux y brisèrent leurs harnais et il les en fallut
tirer par le cou et par la queue, après qu'on les eut
dételés. Ils ramassèrent les débris du naufrage et gagnè
rent le prochain village le mieux qu'ils purent. L'équipage du brancard avait grand besoin de réparation;
tandis qu'on y travailla, la Rancune, l'Olive et le valet
de Destin burent un coup à la porte d'une hôtellerie qui
se trouva dans le village. Là-dessus il arriva un autre
brancard conduit par deux hommes de pied, qui s'arrêta
aussi devant l'hôtellerie. A peine fut-il arrivé, qu'il en

parut un autre qui venait cent pas après du même côté.
Je crois que tous les brancards de la province se sont ici
donné rendez-vous pour une affaire d'importance ou
pour un chapitre général, dit la Rancune, et je suis d'avis
qu'ils commencent leur conférence, car il n'y a pas
d'apparence qu'il y en arrive davantage. En voici pourtant un qui n'en quittera pas sa part, dit l'hôtesse; et
en effet, ils en virent un quatrième qui venait du côté du
Mans. Cela les fit rire de bon courage, excepté la Rancune
qui ne riait jamais, comme je vous ai déjà dit. Le dernier brancard s'arrêta avec les autres. Jamais on ne vit
tant de brancards ensemble. Si les chercheurs de brancards que nous avons trouvés tantôt étaient ici, ils
auraient contentement, dit le conducteur du premier
venu. J'en ai trouvé aussi, dit le second. Celui des comédiens dit la même chose et le dernier venu ajouta qu'il
en avait pensé être battu. Et pourquoi ? lui demanda
Le Destin. A cause, lui répondit-il, qu'ils en voulaient à
une demoiselle qui s'était démis un pied et que nous
avons menée au Mans. Je n'ai jamais vu des gens si
colère; ils se prenaient à moi de ce qu'ils n'avaient pas
trouvé ce qu'ils cherchaient. Cela fit ouvrir les oreilles
aux comédiens et, en deux ou trois interrogations qu'ils
firent au brancardier, ils surent que la femme du seigneur
du village où mademoiselle de l'Étoile s'était blessée,
lui avait rendu visite et l'avait fait conduire au Mans
avec grand soin. La conversation dura encore quelque
temps entre les brancards et ils surent les uns des autres
qu'ils avaient été reconnus en chemin par les mêmes
hommes que les comédiens avaient vus. Le premier
brancard portait le curé de Domfront [19], qui venait des
eaux de Bellème[20] et passait au Mans pour faire faire une
consultation de médecins sur sa maladie. Le second
portait un gentilhomme blessé, qui revenait de l'armée.
Les brancards se séparèrent; celui des comédiens et celui
du curé de Domfront retournèrent au Mans de compagnie, et les autres où ils avaient à aller. Le curé malade
descendit en la même hôtellerie des comédiens, qui était

la sienne. Nous le laisserons reposer dans sa chambre, et
verrons dans le suivant chapitre ce qui se passait en celle
des comédiens.

CHAPITRE VIII

DANS LEQUEL ON VERRA PLUSIEURS CHOSES NÉCESSAIRES A SAVOIR POUR L'INTELLIGENCE DU PRÉSENT LIVRE

La troupe comique était composée de Destin, de l'Olive
et de la Rancune, qui avaient chacun un valet prétendant
à devenir un jour comédien en chef. Parmi ces valets, il
y en avait quelques-uns qui récitaient déjà sans rougir
et sans se défaire; celui de Destin entre autres faisait
assez bien, entendait assez ce qu'il disait, et avait de
l'esprit. Mademoiselle de l'Étoile et la fille de mademoiselle de la Caverne récitaient les premiers rôles. La
Caverne représentait les reines et les mères, et jouait à
la farce. Ils avaient de plus un poëte ou plutôt un auteur,
car toutes les boutiques d'épiciers du royaume étaient
pleines de ses œuvres tant en vers qu'en prose. Ce bel
esprit s'était donné à la troupe quasi malgré elle; et,
parce qu'il ne partageait point et mangeait quelque
argent avec les comédiens, on lui donnait les derniers
rôles dont il s'acquittait très mal. On voyait bien qu'il
était amoureux de l'une des deux comédiennes; mais il
était si discret, quoiqu'un peu fou, qu'on n'avait pu
découvrir encore laquelle des deux il devait suborner,
sous espérance de l'immortalité. Il menaçait les comédiens de quantité de pièces; mais il leur avait fait grâce
jusqu'à l'heure. On savait seulement par conjecture qu'il
en faisait une, intitulée *Martin Luther*, dont on avait
trouvé un cahier qu'il avait pourtant désavoué quoiqu'il
fût de son écriture [21]. Quand nos comédiens arrivèrent,
la chambre des comédiennes était déjà pleine des plus
échauffés godelureaux de la ville dont quelques-uns

étaient déjà refroidis du maigre accueil qu'on leur avait
fait. Ils parlaient tous ensemble de la comédie, des bons
vers, des auteurs et des romans. Jamais on n'ouït plus
de bruit en une chambre, à moins que de s'y quereller. Le
poëte, sur tous les autres, environné de deux ou trois qui
devaient être les beaux esprits de la ville, se tuait de leur
dire qu'il avait vu Corneille, qu'il avait fait la débauche
avec Saint-Amant [22] et Beys [23] et qu'il avait perdu un
bon ami en feu Rotrou [24]. Mademoiselle de la Caverne
et mademoiselle Angélique [25] sa fille arrangeaient leurs
hardes avec une aussi grande tranquillité que s'il n'y eût
eu personne dans la chambre. Les mains d'Angélique
étaient quelquefois serrées ou baisées, car les provinciaux
sont fort endémenés et patineurs [26]; mais un coup de
pied dans l'os des jambes, un soufflet ou un coup de dent,
selon qu'il était à propos, la délivraient bientôt de ces
galants à toute outrance. Ce n'est pas qu'elle fût déver-
gondée; mais son humeur enjouée et libre l'empêchait
d'observer beaucoup de cérémonies; d'ailleurs, elle avait
de l'esprit et était très honnête fille. Mademoiselle de
l'Étoile était d'une humeur toute contraire : il n'y avait
pas au monde de fille plus modeste et d'une humeur plus
douce, et elle fut lors si complaisante, qu'elle n'eut pas
la force de chasser tous ces grâcieuzeux [27] hors de sa
chambre, quoiqu'elle souffrît beaucoup au pied qu'elle
s'était démis et qu'elle eût grand besoin d'être en repos.
Elle était tout habillée sur un lit, environnée de quatre
ou cinq des plus doucereux, étourdie de quantité d'équivoques qu'on appelle pointes [28] dans les provinces, et
souriant bien souvent à des choses qui ne lui plaisaient
guère. Mais c'est une des grandes incommodités du
métier, laquelle, jointe à celle d'être obligé de pleurer et
de rire lorsqu'on a envie de faire tout autre chose, diminue
beaucoup le plaisir qu'ont les comédiens d'être quelquefois empereurs et impératrices, et être appelés beaux
comme le jour, quand il s'en faut plus de la moitié, et
jeune beauté, bien qu'ils aient vieilli sur le théâtre, et
que leurs cheveux et leurs dents fassent une partie de

leurs hardes. Il y a bien d'autres choses à dire sur ce
sujet; mais il faut les ménager, et les placer en divers
endroits de mon livre pour diversifier. Revenons à la
pauvre mademoiselle de l'Étoile, obsédée de provinciaux,
la plus incommode nation du monde, tous grands parleurs, quelques-uns très impertinents, et entre lesquels
il s'en trouvait de nouvellement sortis du collège. Il y
avait entre autres un petit homme veuf, avocat de profession, qui avait une petite charge dans une petite juridiction voisine. Depuis la mort de sa petite femme, il
avait menacé les femmes de la ville de se remarier et le
clergé de la province de se faire prêtre, et même de se
faire prélat à beaux sermons comptants. C'était le plus
grand petit fou qui ait couru les champs depuis Roland.
Il avait étudié toute sa vie; et, quoique l'étude aille à
la connaissance de la vérité, il était menteur comme un
valet, présomptueux et opiniâtre comme un pédant et
assez mauvais poëte pour être étouffé s'il y avait de la
police dans le royaume. Quand Le Destin et ses compagnons entrèrent dans la chambre, il s'offrit de leur lire,
sans leur donner le temps de se reconnaître, une pièce
de sa façon, intitulée *les Faits et Gestes de Charlemagne,
en vingt-quatre journées*. Cela fit dresser les cheveux en
la tête à tous les assistants; et Le Destin, qui conserva
un peu de jugement dans l'épouvante générale où la
proposition avait mis la compagnie, lui dit, en souriant,
qu'il n'y avait pas apparence de lui donner audience
devant le souper. Eh bien, ce dit-il, je m'en vais vous
conter une histoire tirée d'un livre espagnol qu'on m'a
envoyé de Paris, dont je veux faire une pièce dans les
règles. On changea de discours deux ou trois fois pour se
garantir d'une histoire que l'on croyait devoir être une
imitation de *Peau d'âne;* mais le petit homme ne se
rebuta point et, à force de recommencer son histoire
autant de fois que l'on l'interrompait, il se fit donner
audience, dont on ne se repentit point, parce que l'histoire se trouva assez bonne et démentit la mauvaise
opinion que l'on avait de tout ce qui venait de Ragotin [29];

c'était le nom du godenot. Vous allez voir cette histoire
dans le suivant chapitre, non telle que la conta Ragotin,
mais comme je la pourrai conter d'après un des auditeurs qui me l'a apprise. Ce n'est donc pas Ragotin qui
parle, c'est moi.

CHAPITRE IX

HISTOIRE DE L'AMANTE INVISIBLE [30]

Dom Carlos d'Aragon était un jeune gentilhomme de
la maison dont il portait le nom. Il fit des merveilles de
sa personne dans les spectacles publics que le vice-roi
de Naples donna au peuple, aux noces de Philippe second,
troisième ou quatrième, car je ne sais pas lequel. Le
lendemain d'une course de bague dont il avait emporté
l'honneur, le vice-roi permit aux dames d'aller par la
ville déguisées, et de porter des masques à la française
pour la commodité des étrangères que ces réjouissances
avaient attirées dans la ville. Ce jour-là dom Carlos s'habilla le mieux qu'il put et se trouva avec quantité d'autres
tyrans des cœurs dans l'église de la galanterie. On pro-
fane les églises en ce pays-là aussi bien qu'au nôtre, et
le temple de Dieu sert de rendez-vous aux godelureaux
et aux coquettes, à la honte de ceux qui ont la maudite
ambition d'achalander leurs églises et de s'ôter la pratique les uns aux autres; on y devrait donner ordre et
établir des chasse-godelureaux et des chasse-coquettes
dans les églises, comme des chasse-chiens et des chasse-
chiennes. On dira ici de quoi je me mêle; vraiment on
en verra bien d'autres. Sache le sot qui s'en scandalise
que tout homme est sot en ce bas monde, aussi bien que
menteur, les uns plus et les autres moins; et moi qui vous
parle, peut-être plus sot que les autres, quoique j'aie plus
de franchise à l'avouer, et que mon livre n'étant qu'un
ramas de sottises, j'espère que chaque sot y trouvera

un petit caractère de ce qu'il est, s'il n'est pas trop aveuglé de l'amour-propre. Dom Carlos donc, pour reprendre mon conte, était dans une église avec quantité d'autres gentilshommes italiens et espagnols, qui se miraient dans leurs belles plumes comme des paons, lorsque trois dames masquées l'accostèrent au milieu de tous ces Cupidons déchaînés, l'une desquelles lui dit ceci, ou quelque chose qui en approche : Seigneur dom Carlos, il y a une dame en cette ville à qui vous êtes bien obligé; dans tous les combats de barrière et toutes les courses de bague, elle vous a souhaité d'en emporter l'honneur, comme vous avez fait. Ce que je trouve de plus avantageux en ce que vous me dites, répondit dom Carlos, c'est que je l'apprends de vous qui paraissez une dame de mérite; et je vous avoue que, si j'eusse espéré que quelque dame se fût déclarée pour moi, j'aurais apporté plus de soin que je n'ai fait à mériter son approbation. La dame inconnue lui dit qu'il n'avait rien oublié de tout ce qui le pouvait faire paraître un des plus adroits hommes du monde, mais qu'il avait fait voir par ses livrées de noir et de blanc qu'il n'était point amoureux. Je n'ai jamais bien su ce que signifiaient les couleurs, répondit dom Carlos; mais je sais bien que c'est moins par insensibilité que je n'aime point que par la connaissance que j'ai que je ne mérite pas d'être aimé. Ils se dirent encore cent belles choses, que je ne vous dirai point, parce que je ne les sais pas et que je n'ai garde de vous en composer d'autres, de peur de faire tort à dom Carlos et à la dame inconnue, qui avaient bien plus d'esprit que je n'en ai, comme j'ai su depuis peu d'un honnête Napolitain qui les a connus l'un et l'autre. Tant y a que la dame masquée déclara à dom Carlos que c'était elle qui avait eu inclination pour lui. Il demanda à la voir; elle lui dit qu'il n'en était pas encore là, qu'elle en chercherait les occasions et que, pour lui témoigner qu'elle ne craignait point de se trouver avec lui seul à seul, elle lui donnait un gage. En disant cela, elle découvrit à l'Espagnol la plus belle main du monde et lui présenta une bague qu'il reçut, si surpris

de l'aventure, qu'il oublia quasi à lui faire la révérence
lorsqu'elle le quitta. Les autres gentilshommes, qui
s'étaient éloignés de lui par discrétion, s'en approchèrent.
Il leur conta ce qui lui était arrivé et leur montra la
bague, qui était d'un prix assez considérable. Chacun
dit là-dessus ce qu'il en croyait, et dom Carlos demeura
aussi piqué de la dame inconnue que s'il l'eût vue au
visage, tant l'esprit a de pouvoir sur ceux qui en ont.
Il fut bien huit jours sans avoir des nouvelles de la dame
et je n'ai jamais su s'il s'en inquiéta bien fort. Cependant
il allait tous les jours se divertir chez un capitaine d'in-
fanterie, où plusieurs hommes de condition s'assemblaient
souvent pour jouer. Un soir, qu'il n'avait point joué et
qu'il se retirait de meilleure heure qu'il n'avait accoutumé, il fut appelé par son nom d'une chambre basse
d'une grande maison. Il s'approcha de la fenêtre, qui
était grillée, et reconnut à la voix que c'était son amante
invisible qui lui dit d'abord : Approchez-vous, dom
Carlos, je vous attends ici pour vider le différend que
nous avons ensemble. Vous n'êtes qu'une fanfaronne, lui
dit dom Carlos; vous défiez avec insolence et vous vous
cachez huit jours pour ne paraître qu'à une fenêtre
grillée. Nous nous verrons de plus près quand il en sera
temps, lui dit-elle; ce n'est point faute de cœur que j'ai
différé de me trouver avec vous; j'ai voulu vous connaître
devant que de me laisser voir. Vous savez que dans les
combats assignés il se faut battre avec armes pareilles; si
votre cœur n'était pas aussi libre que le mien, vous vous
battriez avec avantage; et c'est pour cela que j'ai voulu
m'informer de vous. Et qu'avez-vous appris de moi ?
lui dit dom Carlos. Que nous sommes assez l'un pour
l'autre, répondit la dame invisible. Dom Carlos lui dit
que la chose n'était pas égale; car, ajouta-t-il, vous me
voyez et savez qui je suis et moi je ne vous vois point
et ne sais qui vous êtes. Quel jugement pensez-vous que
je puisse faire du soin que vous apportez à vous cacher ?
On ne se cache guère quand on n'a que de bons desseins
et on peut aisément tromper une personne qui ne se tient

pas sur ses gardes; mais on ne la trompe pas deux fois.
Si vous vous servez de moi pour donner de la jalousie à
un autre, je vous avertis que je n'y suis pas propre et
que vous ne devez pas vous servir de moi à autre chose
qu'à vous aimer. Avez-vous assez fait de jugements
téméraires ? lui dit l'invisible. Ils ne sont pas sans apparence, répondit dom Carlos. Sachez, lui dit-elle, que je
suis très véritable, que vous me reconnaîtrez telle dans
tous les procédés que nous aurons ensemble et que je
veux que vous le soyez aussi. Cela est juste, lui dit dom
Carlos, mais il est juste aussi que je vous voie et que je
sache qui vous êtes. Vous le saurez bientôt, lui dit l'invisible, et cependant espérez sans impatience; c'est par là
que vous pouvez mériter ce que vous prétendez de moi,
qui vous assure (afin que votre galanterie ne soit pas
sans fondement et sans espoir de récompense) que je
vous égale en condition, que j'ai assez de bien pour vous
faire vivre avec autant d'éclat que le plus grand prince
du royaume, que je suis jeune, que je suis plus belle que
laide; et, pour de l'esprit, vous en avez trop pour n'avoir
pas découvert si j'en ai ou non. Elle se retira en achevant
ces paroles, laissant dom Carlos la bouche ouverte et
prêt à répondre, si surpris de la brusque déclaration,
si amoureux d'une personne qu'il ne voyait point et si
embarrassé de ce procédé étrange et qui pouvait aller à
quelque tromperie que sans sortir d'une place il fut un
grand quart d'heure à faire divers jugements sur une
aventure si extraordinaire. Il savait bien qu'il y avait
plusieurs princesses et dames de condition dans Naples,
mais il savait bien aussi qu'il y avait force courtisanes
affamées, fort âpres après les étrangers, grandes friponnes
et d'autant plus dangereuses qu'elles étaient belles. Je
ne vous dirai point exactement s'il avait soupé, et s'il
se coucha sans manger, comme font quelques faiseurs
de romans qui règlent toutes les heures du jour de leurs
héros, les font lever de bon matin, conter leur histoire
jusqu'à l'heure du dîner, dîner fort légèrement et après
dîner reprendre leur histoire ou s'enfoncer dans un bois

pour y parler tout seul, si ce n'est quand ils ont quelque
chose à dire aux arbres et aux rochers; à l'heure du
souper, se trouver à point nommé dans le lieu où l'on
mange, où ils soupirent et rêvent au lieu de manger, et
puis s'en vont faire des châteaux en Espagne sur quelque
terrasse qui regarde la mer, tandis qu'un écuyer révèle
que son maître est un tel, fils d'un roi tel et qu'il n'y a
pas un meilleur prince au monde et qu'encore qu'il soit
pour lors le plus beau des mortels, qu'il était encore tout
autre chose devant que l'amour l'eût défiguré. Pour
revenir à mon histoire, dom Carlos se trouva le lendemain à son poste. L'invisible était déjà au sien. Elle lui
demanda s'il n'avait pas été bien embarrassé de la conversation passée, et s'il n'était pas vrai qu'il avait douté
de tout ce qu'elle avait dit. Dom Carlos, sans répondre
à sa demande, la pria de lui dire quel danger il y avait
pour elle à ne se montrer point, puisque les choses étaient
égales de part et d'autre et que leur galanterie ne se
proposait qu'une fin qui serait approuvée de tout le
monde. Le danger y est tout entier, comme vous saurez
avec le temps, lui dit l'invisible; contentez-vous, encore
un coup, que je suis véritable et que, dans la relation
que je vous ai faite de moi-même, j'ai été très modeste.
Dom Carlos ne la pressa pas davantage. Leur conversation dura encore quelque temps; ils s'entre-donnèrent
de l'amour encore plus qu'ils n'avaient fait et se séparèrent avec promesse de part et d'autre de se trouver
tous les jours à l'assignation. Le jour d'après il y eut un
grand bal chez le vice-roi. Dom Carlos espéra d'y reconnaître son invisible et tâcha cependant d'apprendre à
qui était la maison où l'on lui donnait de si favorables
audiences. Il apprit des voisins que la maison était à
une vieille dame fort retirée, veuve d'un capitaine
espagnol et qu'elle n'avait ni filles ni nièces. Il demanda
à la voir : elle lui fit dire que, depuis la mort de son mari,
elle ne voyait personne; ce qui l'embarrassa encore
davantage. Dom Carlos se trouva le soir chez le vice-roi,
où vous pouvez penser que l'assemblée fut fort belle.

Il observa exactement toutes les dames de l'assemblée
qui pouvaient être son inconnue. Il fit conversation avec
celles qu'il put joindre et n'y trouva pas ce qu'il cherchait. Enfin, il se tint à la fille d'un marquis de je ne sais
quel marquisat; car c'est la chose du monde dont je
voudrais le moins jurer, en un temps où tout le monde se
marquise de soi-même, je veux dire de son chef. Elle
était jeune et belle, et avait bien quelque chose du ton
de voix de celle qu'il cherchait; mais à la longue il trouva
si peu de rapport entre son esprit et celui de son invisible
qu'il se repentit d'avoir en si peu de temps assez avancé
ses affaires auprès de cette belle personne pour pouvoir
croire, sans se flatter, qu'il n'était pas mal avec elle.
Ils dansèrent souvent ensemble; et, le bal étant fini avec
peu de satisfaction de dom Carlos, il se sépara de sa
captive qu'il laissa toute glorieuse d'avoir occupé seule,
et en une si belle assemblée, un cavalier qui était envié
de tous les hommes et estimé de toutes les femmes. A la
sortie du bal il s'en alla à la hâte en son logis prendre
des armes, et de son logis à sa fatale grille, qui n'en était
pas beaucoup éloignée. Sa dame, qui y était déjà, lui
demanda des nouvelles du bal, encore qu'elle y eût été.
Il lui dit ingénument qu'il avait dansé plusieurs fois avec
une fort belle personne et qu'il l'avait entretenue tant
que le bal avait duré. Elle lui fit là-dessus plusieurs
questions qui découvrirent assez qu'elle était jalouse.
Dom Carlos, de son côté, lui fit connaître qu'il avait
quelque scrupule de ce qu'elle ne s'était point trouvée
au bal et que cela le faisait douter de sa condition. Elle
s'en aperçut; et, pour lui remettre l'esprit en repos,
jamais elle ne fut si charmante, et elle le favorisa autant
que l'on le peut en une conversation qui se fait au travers
d'une grille, jusqu'à lui promettre qu'elle lui serait
bientôt visible. Ils se séparèrent là-dessus, lui fort en
doute s'il la devait croire, et elle un peu jalouse de la
belle personne qu'il avait entretenue tant que le bal
avait duré. Le lendemain, dom Carlos, étant allé ouïr la
messe en je ne sais quelle église, présenta de l'eau bénite

à deux dames masquées qui en voulaient prendre en
même temps que lui. La mieux vêtue de ces deux dames
lui dit qu'elle ne recevait point de civilité d'une personne
à qui elle voulait faire un éclaircissement. Si vous n'êtes
point trop pressée, lui dit dom Carlos, vous pouvez vous
satisfaire tout à l'heure. Suivez-moi donc dans la prochaine chapelle, lui répondit la dame inconnue. Elle s'y
en alla la première, et dom Carlos la suivit, fort en doute
si c'était sa dame, quoiqu'il la vît de même taille, parce
qu'il trouvait quelque différence en leurs voix, celle-ci
parlant un peu gras. Voici ce qu'elle lui dit, après s'être
enfermée avec lui dans la chapelle : Toute la ville de
Naples, seigneur dom Carlos, est pleine de la haute réputation que vous y avez acquise depuis le peu de temps
que vous y êtes, et vous y passez pour un des plus honnêtes hommes du monde; on trouve seulement étrange
que vous ne vous soyez point aperçu qu'il y a en cette
ville des dames de condition et de mérite qui ont pour
vous une estime particulière. Elles vous l'ont témoignée
autant que la bienséance le peut permettre; et, bien
qu'elles souhaitent ardemment de vous le faire croire,
elles aiment pourtant mieux que vous ne l'ayez pas
reconnu par insensibilité que si vous le dissimuliez par
indifférence. Il y en a une entre autres de ma connaissance, qui vous estime assez pour vous avertir, au péril
de tout ce qu'on en pourra dire, que vos aventures de
nuit sont découvertes, que vous vous engagez imprudemment à aimer ce que vous ne connaissez point; et
puisque votre maîtresse se cache, qu'il faut qu'elle ait
honte de vous aimer, ou peur de n'être pas assez aimable.
Je ne doute point que votre amour de contemplation
n'ait pour objet une dame de grande qualité et de beaucoup d'esprit et qu'il ne se soit figuré une maîtresse tout
adorable; mais, seigneur dom Carlos, ne croyez pas
votre imagination aux dépens de votre jugement; défiez-
vous d'une personne qui se cache et ne vous engagez
pas plus avant dans ces conversations nocturnes. Mais
pourquoi me déguiser davantage ? C'est moi qui suis

jalouse de votre fantôme, qui trouve mauvais que vous
lui parliez; et, puisque je me suis déclarée, qui vais si
bien lui rompre tous ses desseins que j'emporterai sur
elle une victoire que j'ai droit de lui disputer, puisque
je ne lui suis point inférieure ni en beauté, ni en richesses,
ni en qualité, ni en tout ce qui rend une personne aimable;
profitez de l'avis si vous êtes sage. Elle s'en alla en disant
ces dernières paroles, sans donner le temps à dom Carlos
de lui répondre. Il la voulut suivre; mais il trouva à la
porte de l'église un homme de condition qui l'engagea
en une conversation qui dura assez longtemps et dont
il ne se put défendre. Il rêva le reste du jour à cette
aventure et soupçonna d'abord la demoiselle du bal
d'être la dernière dame masquée qui lui était apparue;
mais, songeant qu'elle lui avait fait voir beaucoup
d'esprit et se souvenant que l'autre n'en avait guère, il
ne sut plus ce qu'il en devait croire et souhaita quasi
de n'être point engagé avec son obscure maîtresse pour
se donner tout entier à celle qui venait de le quitter;
mais enfin, venant à considérer qu'elle ne lui était pas
plus connue que son invisible, de qui l'esprit l'avait
charmé dans les conversations qu'il avait eues avec elle,
il ne balança point dans le parti qu'il devait prendre et
ne se mit pas beaucoup en peine des menaces qu'on lui
avait faites, n'étant pas homme à être poussé par là.
Ce jour-là même il ne manqua pas de se trouver à sa
grille à l'heure accoutumée et il ne manqua pas aussi
au fort de la conversation qu'il eut avec son invisible,
d'être saisi par quatre hommes masqués, assez forts
pour le désarmer et le porter quasi à force de bras dans
un carrosse qui les attendait au bout de la rue. Je laisse
à juger au lecteur les injures qu'il leur dit et les reproches
qu'il leur fit de l'avoir pris à leur avantage. Il essaya
même de les gagner par promesses; mais, au lieu de les
persuader, il ne les obligea qu'à prendre un peu plus
garde à lui et à lui ôter tout à fait l'espérance de pouvoir
s'aider de son courage et de sa force. Cependant le carrosse allait toujours au grand trot de quatre chevaux;

il sortit de la ville et, au bout d'une heure, il entra dans une superbe maison, dont l'on tenait la porte ouverte pour le recevoir. Les quatre mascarades descendirent du carrosse avec dom Carlos, le tenant par-dessous les bras, comme un ambassadeur introduit à saluer le Grand Seigneur. On le monta jusqu'au premier étage avec la même cérémonie, et là deux demoiselles masquées le vinrent recevoir à la porte d'une grande salle, chacune un flambeau à la main. Les hommes masqués le laissèrent en liberté et se retirèrent après lui avoir fait une profonde révérence. Il y a apparence qu'ils ne lui laissèrent ni pistolet ni épée et qu'il ne les remercia pas de la peine qu'ils avaient prise à le bien garder. Ce n'est pas qu'il ne fût fort civil; mais on peut bien pardonner un manquement de civilité à un homme surpris. Je ne vous dirai point si les flambeaux que tenaient les demoiselles étaient d'argent; c'est pour le moins : ils étaient plutôt de vermeil doré ciselé, et la salle était la plus magnifique du monde, et, si vous voulez, aussi bien meublée que quelques appartements de nos romans, comme le vaisseau de Zelmandre dans le *Polexandre* [31], le palais d'Ibrahim dans l'*Illustre Bassa* [32], ou la chambre où le roi d'Assyrie reçut Mandane, dans le *Cyrus* [33], qui est sans doute, aussi bien que les autres que j'ai nommés, le livre du monde le mieux meublé. Représentez-vous donc si notre Espagnol ne fut pas bien étonné [de se voir] dans ce superbe appartement, avec deux demoiselles masquées qui ne parlaient point, et qui le conduisirent dans une chambre voisine, encore mieux meublée que la salle, où elles le laissèrent tout seul. S'il eût été de l'humeur de dom Quichotte, il eût trouvé là de quoi s'en donner jusqu'aux gardes et il se fût cru pour le moins Esplandian [34] ou Amadis [35]; mais notre Espagnol ne s'en émut non plus que s'il eût été en son hôtellerie ou auberge; il est vrai qu'il regretta beaucoup son invisible et que, songeant continuellement en elle, il trouva cette belle chambre plus triste qu'une prison, que l'on ne trouve jamais belle que par dehors. Il crut facilement qu'on ne

lui voulait point de mal où l'on l'avait si bien logé et ne
douta point que la dame qui lui avait parlé le jour d'auparavant dans l'église ne fût la magicienne de tous ces
enchantements. Il admira en lui-même l'humeur des
femmes et combien tôt elles exécutent leurs résolutions
et il se résolut aussi, de son côté, à attendre patiemment
la fin de l'aventure et de garder fidélité à sa maîtresse de
la grille, quelques promesses et quelques menaces qu'on
lui pût faire. A quelque temps de là, des officiers masqués
et fort bien vêtus vinrent mettre le couvert et l'on servit
ensuite le souper. Tout en fut magnifique; la musique et
les cassolettes n'y furent pas oubliées, et notre dom
Carlos, outre les sens de l'odorat et de l'ouïe, contenta
aussi celui du goût, plus que je n'aurais pensé en l'état
où il était, je veux dire qu'il soupa fort bien; mais que
ne peut un grand courage ? J'oubliais à vous dire que
je crois qu'il se lava la bouche, car j'ai su qu'il avait
grand soin de ses dents. La musique dura encore quelque
temps après le souper; et, tout le monde s'étant retiré,
dom Carlos se promena longtemps, rêvant à tous ces
enchantements ou à autre chose. Deux demoiselles masquées et un nain masqué, après avoir dressé une superbe
toilette, le vinrent déshabiller sans savoir de lui s'il avait
envie de se coucher. Il se soumit à tout ce que l'on voulut;
les demoiselles firent la couverture et se retirèrent; le
nain le déchaussa ou débotta et puis le déshabilla. Dom
Carlos se mit au lit, et tout cela sans que l'on proférât
la moindre parole de part et d'autre. Il dormit assez
bien pour un amoureux. Les oiseaux d'une volière le
réveillèrent au point du jour; le nain masqué se présenta
pour le servir et lui fit prendre le plus beau linge du
monde, le mieux blanchi et le plus parfumé. Ne disons
point, si vous voulez, ce qu'il fit jusqu'au dîner, qui valut
bien le souper, et allons jusqu'à la rupture du silence
que l'on avait gardé jusques à l'heure. Ce fut une demoiselle masquée qui le rompit, en lui demandant s'il aurait
agréable de voir la maîtresse du palais enchanté. Il dit
qu'elle serait la bienvenue. Elle entra bientôt après,

suivie de quatre demoiselles fort richement vêtues,

> *Telle n'est point la Cythérée,*
> *Quand, d'un nouveau feu s'allumant,*
> *Elle sort pompeuse et parée*
> *Pour la conquête d'un amant.*

Jamais notre Espagnol n'avait vu une personne de
meilleure mine que cette Urgande la déconnue [36]. Il en
fut si ravi et si étonné en même temps que toutes les
révérences et les pas qu'il fit en lui donnant la main
jusqu'à une chambre prochaine où elle le fit entrer
furent autant de bronchades [37]. Tout ce qu'il avait vu
de beau dans la salle et dans la chambre dont je vous
ai déjà parlé n'était rien à comparaison de ce qu'il
trouva en celle-ci, et tout cela recevait encore du lustre
de la dame masquée. Ils passèrent sur la plus riche estrade
que l'on ait jamais vue depuis qu'il y a des estrades au
monde. L'Espagnol y fut mis en un fauteuil, en dépit
qu'il en eût; et la dame s'étant assise sur je ne sais combien de riches carreaux vis-à-vis de lui, elle lui fit entendre
une voix aussi douce qu'un clavecin, en lui disant à peu
près ce que je vais vous dire : Je ne doute point, seigneur
dom Carlos, que vous ne soyez fort surpris de tout ce
qui vous est arrivé depuis hier en ma maison; et si cela
n'a pas fait grand effet sur vous, au moins aurez-vous vu
par là que je sais tenir ma parole et, par ce que j'ai déjà
fait, vous aurez pu juger de tout ce que je suis capable
de faire. Peut-être que ma rivale, par ses artifices et par
le bonheur de vous avoir attaqué la première, s'est déjà
rendue maîtresse absolue de la place que je lui dispute
en votre cœur, mais une femme ne se rebute pas du premier coup, et si ma fortune, qui n'est pas à mépriser,
et tout ce que l'on peut posséder avec moi, ne peuvent
vous persuader de m'aimer, j'aurai la satisfaction de ne
m'être point cachée par honte ou par finesse et d'avoir
mieux aimé me faire mépriser par mes défauts que me
faire aimer par mes artifices. En disant ces dernières
paroles, elle se démasqua et fit voir à dom Carlos les
cieux ouverts ou, si vous voulez, le ciel en petit, la plus

belle tête du monde, soutenue par un corps de la plus
riche taille qu'il eût jamais admirée; enfin, tout cela
joint ensemble, une personne toute divine. A la fraîcheur
de son visage on ne lui eût pas donné plus de seize ans;
mais à je ne sais quel air galant et majestueux tout
ensemble, que les jeunes personnes n'ont pas encore,
on connaissait qu'elle pouvait être en sa vingtième
année. Dom Carlos fut quelque temps sans lui répondre,
se fâchant quasi contre sa dame invisible, qui l'empêchait de se donner tout entier à la plus belle personne
qu'il eût jamais vue, et hésitant en ce qu'il devait dire
et en ce qu'il devait faire. Enfin, après un combat inté-
rieur, qui dura assez longtemps pour mettre en peine la
dame du palais enchanté, il prit une forte résolution de ne
lui point cacher ce qu'il avait dans l'âme; et ce fut sans
doute une des plus belles actions qu'il eût jamais faites.
Voici la réponse qu'il lui fit, que plusieurs personnes ont
trouvée bien crue : Je ne vous puis nier, madame, que
je ne fusse trop heureux de vous plaire, si je le pouvais
être assez pour vous pouvoir aimer. Je vois bien que je
quitte la plus belle personne du monde pour une autre
qui ne l'est peut-être que dans mon imagination. Mais,
madame, m'auriez-vous trouvé digne de votre affection
si vous m'aviez cru capable d'être infidèle ? Et pourrais-je
être fidèle si je vous pouvais aimer ? Plaignez-moi donc,
madame, sans me blâmer ou plutôt, plaignons-nous
ensemble, vous de ne pouvoir obtenir ce que vous désirez
et moi de ne voir point ce que j'aime. Il dit cela d'un air
si triste que la dame put aisément remarquer qu'il parlait
selon ses véritables sentiments. Elle n'oublia rien de ce
qui le pouvait persuader; il fut sourd à ses prières et ne
fut point touché de ses larmes. Elle revint à la charge
plusieurs fois : à bien attaqué, bien défendu. Enfin, elle
en vint aux injures et aux reproches et lui dit :

> *Tout ce que fait dire la rage*
> *Quand elle est maîtresse des sens,*

et le laissa là, non pas pour reverdir, mais pour maudire

cent fois son malheur, qui ne lui venait que de trop de
bonnes fortunes. Une demoiselle lui vint dire un peu
après qu'il avait la liberté de s'aller promener dans le
jardin. Il traversa tous ces beaux appartements sans
trouver personne jusqu'à l'escalier, au bas duquel il vit
dix hommes masqués qui gardaient la porte, armés de
pertuisanes et de carabines. Comme il traversait la cour
pour s'aller promener dans ce jardin, qui était aussi beau
que le reste de la maison, un de ces archers de la garde
passa à côté de lui sans le regarder et lui dit, comme ayant
peur d'être ouï, qu'un vieil gentilhomme l'avait chargé
d'une lettre pour lui et qu'il avait promis de la lui donner
en main propre, quoiqu'il y allât de la vie s'il était découvert; mais qu'un présent de vingt pistoles et la promesse
d'autant lui avaient fait tout hasarder. Dom Carlos lui
promit d'être secret et entra vitement dans le jardin
pour lire cette lettre.

« Depuis que je vous ai perdu, vous avez pu juger de
« la peine où je suis par celle où vous devez être si vous
« m'aimez autant que je vous aime. Enfin, je me trouve
« un peu consolée depuis que j'ai découvert le lieu où
« vous êtes. C'est la princesse Porcia qui vous a enlevé.
« Elle ne considère rien quand il va de se contenter et
« vous n'êtes pas le premier Renaud de cette dangereuse
« Armide [38]; mais je romprai tous ses enchantements
« et vous tirerai bientôt d'entre ses bras pour vous
« donner, entre les miens, ce que vous méritez si vous
« êtes aussi constant que je le souhaite.

« LA DAME INVISIBLE.

Dom Carlos fut si ravi d'apprendre des nouvelles de sa
dame, dont il était véritablement amoureux qu'il baisa
cent fois la lettre et revint trouver à la porte du jardin
celui qui la lui avait donnée pour le récompenser d'un
diamant qu'il avait au doigt. Il se promena encore quelque
temps dans le jardin, ne se pouvant assez étonner de
cette princesse Porcia, dont il avait souvent ouï parler
comme d'une jeune dame fort riche, et pour être de

l'une des meilleures maisons du royaume, et comme il
était fort vertueux, il conçut une telle aversion pour elle
qu'il résolut au péril de la vie de faire tout ce qu'il pourrait pour se tirer hors de sa prison. Au sortir du jardin,
il trouva une demoiselle démasquée (car on ne se masquait
plus dans le palais) qui lui venait demander s'il aurait
agréable que sa maîtresse mangeât ce jour-là avec lui.
Je vous laisse à penser s'il dit qu'elle serait la bienvenue. On servit quelque temps après pour souper ou
pour dîner, car je ne me souviens plus lequel ce doit être.
Porcia y parut plus belle, je vous ai tantôt dit, que la
Cythérée ; il n'y a point d'inconvénient de dire ici, pour
diversifier, plus belle que le jour ou que l'aurore. Elle fut
toute charmante tandis qu'ils furent à table et fit paraître tant d'esprit à l'Espagnol qu'il eut un secret déplaisir de voir, en une dame de si grande condition, tant
d'excellentes qualités si mal employées. Il se contraignit
le mieux qu'il put pour paraître de belle humeur, quoiqu'il songeât continuellement en son inconnue et qu'il
brûlât d'un violent désir de se revoir à sa grille. Aussitôt
que l'on eut desservi, on les laissa seuls ; et dom Carlos
ne parlant point, ou par respect, ou pour obliger la dame
de parler la première, elle rompit le silence en ces termes :
Je ne sais si je dois espérer quelque chose de la gaieté
que je pense avoir remarquée sur votre visage et si le
mien, que je vous ai fait voir, ne vous a point semblé
assez beau pour vous faire douter si celui que l'on vous
cache est plus capable de vous donner de l'amour. Je
n'ai point déguisé ce que je vous ai voulu donner, parce
que je n'ai point voulu que vous vous pussiez repentir
de l'avoir reçu ; et, quoiqu'une personne accoutumée à
recevoir des prières se puisse aisément offenser d'un
refus, je n'aurai aucun ressentiment de celui que j'ai déjà
reçu de vous, pourvu que vous le répariez en me donnant
ce que je crois mieux mériter que votre invisible. Faites-
moi donc savoir votre dernière résolution afin que, si
elle n'est pas à mon avantage, je cherche dans la mienne
des raisons assez fortes pour combattre celles que je

pense avoir eues de vous aimer. Dom Carlos attendit
quelque temps qu'elle reprît la parole ; et, voyant qu'elle
ne parlait plus et que, les yeux baissés contre terre, elle
attendait l'arrêt qu'il allait prononcer, il suivit la résolution qu'il avait déjà prise de lui parler franchement et
de lui ôter toute sorte d'espérance qu'il pût jamais être
à elle. Voici comme il s'y prit : Madame, devant que de
répondre à ce que vous voulez savoir de moi, il faut
qu'avec la même franchise que vous voulez que je parle,
vous me découvriez sincèrement vos sentiments sur ce
que je vais vous dire. Si vous aviez obligé une personne
à vous aimer, ajouta-t-il, et que, par toutes les faveurs
que peut accorder une dame sans faire tort à sa vertu,
vous l'eussiez obligée à vous jurer une fidélité inviolable,
ne le tiendriez-vous pas pour le plus lâche et le plus
traître de tous les hommes s'il manquait à ce qu'il vous
aurait promis ? Et ne serais-je pas ce lâche et ce traître
si je quittais pour vous une personne qui doit croire que
je l'aime ? Il allait mettre quantité de beaux arguments
en forme pour la convaincre, mais elle ne lui en donna pas
le temps ; elle se leva brusquement en lui disant qu'elle
voyait bien où il en voulait venir, qu'elle ne pouvait
s'empêcher d'admirer sa constance quoiqu'elle fût si
contraire à son repos ; qu'elle le remettait en liberté et
que, s'il la voulait obliger, il attendrait que la nuit fût
venue pour s'en retourner de la même façon qu'il était
venu. Elle tint son mouchoir devant ses yeux tandis
qu'elle parla, comme pour cacher ses larmes, et laissa
l'Espagnol un peu interdit et pourtant si ravi de joie de
se voir en liberté qu'il n'eût pu la cacher, quand même
il eût été le plus grand hypocrite du monde ; et je crois
que, si la dame y eût pris garde, elle n'eût pu s'empêcher
de le quereller. Je ne sais si la nuit fut longue à venir ;
car, comme je vous ai déjà dit, je ne prends plus la peine
de remarquer ni le temps ni les heures ; vous saurez seulement qu'elle vint et qu'il se mit en un carrosse fermé,
qui le laissa en son logis après un assez long chemin.
Comme il était le meilleur maître du monde, ses valets

pensèrent mourir de joie quand ils le virent et l'étouffer
à force de l'embrasser; mais ils n'en jouirent pas longtemps. Il prit des armes et, accompagné de deux des
siens qui n'étaient pas gens à se laisser battre, il alla
bien vite à sa grille et si vite que ceux qui l'accompagnaient eurent bien de la peine à le suivre. Il n'eut pas
plutôt fait le signal accoutumé que sa déité invisible se
communiqua à lui. Ils se dirent mille choses si tendres
que j'en ai les larmes aux yeux toutes les fois que j'y
pense. Enfin l'invisible lui dit qu'elle venait de recevoir
un déplaisir sensible dans la maison où elle était, qu'elle
avait envoyé quérir un carrosse pour en sortir et, parce
qu'il serait longtemps à venir et que le sien pourrait être
plus tôt prêt qu'elle le priait de l'envoyer querir pour la
mener en un lieu où elle ne lui cacherait plus son visage.
L'Espagnol ne se fit pas dire la chose deux fois; il courut
comme un fou à ses gens qu'il avait laissés au bout de
la rue et envoya querir son carrosse. Le carrosse venu,
l'invisible tint sa parole et se mit dedans avec lui. Elle
conduisit le carrosse elle-même, enseignant au cocher
le chemin qu'il devait prendre et le fit arrêter auprès
d'une grande maison dans laquelle il entra à la lueur de
plusieurs flambeaux qui furent allumés à leur arrivée.
Le cavalier monta avec la dame, par un grand escalier,
dans une salle haute où il ne fut pas sans inquiétude,
voyant qu'elle ne se démasquait point encore. Enfin,
plusieurs demoiselles richement parées les étant venues
recevoir, chacune un flambeau à la main, l'invisible ne
le fut plus, et, ôtant son masque, fit voir à dom Carlos
que la dame de la grille et la princesse Porcia n'étaient
qu'une même personne. Je ne vous représenterai point
l'agréable surprise de dom Carlos. La belle Napolitaine
lui dit qu'elle l'avait enlevé une seconde fois pour savoir
sa dernière résolution; que la dame de la grille lui avait
cédé les prétentions qu'elle avait sur lui, et ajouta ensuite
cent choses aussi galantes que spirituelles. Dom Carlos
se jeta à ses pieds, embrassa ses genoux, et lui pensa
manger les mains à force de les baiser, s'exemptant par

là de lui dire toutes les impertinences que l'on dit quand
on est trop aise. Après que ces premiers transports furent
passés, il se servit de tout son esprit et de toute sa cajolerie pour exagérer l'agréable caprice de sa maîtresse et
s'en acquitta en des façons de parler si avantageuses
pour elle, qu'elle en fut encore plus assurée de ne s'être
point trompée en son choix. Elle lui dit qu'elle ne s'était
pas voulu fier à une autre personne qu'à elle-même d'une
chose sans laquelle elle n'eût jamais pu l'aimer et qu'elle
ne se fût jamais donnée à un homme moins constant que
lui. Là-dessus les parents de la princesse Porcia, ayant
été avertis de son dessein, arrivèrent. Comme elle était
une des plus considérées personnes du royaume, et dom
Carlos homme de condition, on n'avait pas eu grand'-
peine à avoir dispense de l'archevêque pour leur mariage.
Ils furent mariés la même nuit par le curé de la paroisse,
qui était un bon prêtre et grand prédicateur; et, cela
étant, il ne faut pas demander s'il fit une belle exhor-
tation. On dit qu'ils se levèrent bien tard le lendemain;
ce que je n'ai pas grand'peine à croire. La nouvelle en
fut bientôt divulguée, dont le vice-roi, qui était proche
parent de dom Carlos, fut si aise que les réjouissances
publiques recommencèrent dans Naples où l'on parle
encore de dom Carlos d'Aragon et de son amante invisible.

CHAPITRE X

COMMENT RAGOTIN EUT UN COUP DE BUSC SUR LES DOIGTS

L'histoire de Ragotin fut suivie de l'applaudissement
de tout le monde; il en devint aussi fier que si elle eût
été de son invention; et cela, ajouté à son orgueil naturel, il commença à traiter les comédiens de haut en bas et,
s'approchant des comédiennes, leur prit les mains sans
leur consentement, voulut un peu patiner [39], galan-

terie provinciale qui tient plus du satyre que de l'honnête
homme. Mademoiselle de l'Étoile se contenta de retirer
ses mains blanches d'entre les siennes crasseuses et
velues, et sa compagne, mademoiselle Angélique, lui
déchargea un grand coup de busc sur les doigts. Il les
quitta sans rien dire, tout rouge de dépit et de honte et
rejoignit la compagnie, où chacun parlait de toute sa
force sans entendre ce que disaient les autres. Ragotin
en fit taire la plus grande partie, tant il haussa sa voix
pour leur demander ce qu'ils disaient de son histoire.
Un jeune homme, dont j'ai oublié le nom, lui répondit
qu'elle n'était pas à lui plutôt qu'à un autre puisqu'il
l'avait prise dans un livre; et, en disant cela, il en fit voir
un qui sortait à demi hors de la pochette de Ragotin et s'en
saisit brusquement. Ragotin lui égratigna toutes les
mains pour le ravoir; mais, malgré Ragotin, il le mit
entre les mains d'un autre que Ragotin saisit aussi
vainement que le premier. Le livre ayant déjà convolé
en troisième main, il passa de la même façon en cinq ou
six mains différentes, auxquelles Ragotin ne put atteindre
parce qu'il était le plus petit de la compagnie. Enfin,
s'étant allongé cinq ou six fois fort inutilement, ayant
déchiré autant de manchettes et égratigné autant de
mains, et le livre se promenant toujours dans la moyenne
région de la chambre, le pauvre Ragotin, qui vit que
tout le monde s'éclatait de rire à ses dépens, se jeta tout
furieux sur le premier auteur de sa confusion et lui donna
quelques coups de poing dans le ventre et dans les cuisses,
ne pouvant pas aller plus haut. Les mains de l'autre,
qui avaient l'avantage du lieu, tombèrent à plomb cinq
ou six fois sur le haut de sa tête et si pesamment qu'elle
entra dans son chapeau jusques au menton, dont le
pauvre petit homme eut le siège de la raison si ébranlé
qu'il ne savait plus où il en était. Pour dernier accablement, son adversaire, en le quittant, lui donna un coup
de pied, au haut de la tête, qui le fit aller choir sur le cul
au pied des comédiennes, après une rétrogradation fort
précipitée. Représentez-vous, je vous prie, quelle doit

être la fureur d'un petit homme plus glorieux lui seul
que tous les barbiers du royaume, en un temps où il se
faisait tout blanc de son épée, c'est-à-dire de son histoire,
et devant des comédiennes dont il voulait devenir amoureux ; car, comme vous verrez tantôt, il ignorait encore
laquelle lui touchait le plus au cœur. En vérité, son petit
corps tombé sur le cul, témoigna si bien la fureur de son
âme par les divers mouvements de ses bras et de ses
jambes qu'encore que l'on ne pût voir son visage, à
cause que sa tête était emboîtée dans son chapeau, tous
ceux de la compagnie jugèrent à propos de se joindre
ensemble et de faire comme une barrière entre Ragotin
et celui qui l'avait offensé, que l'on fît sauver, tandis que
les charitables comédiennes relevèrent le petit homme,
qui hurlait cependant comme un taureau dans son chapeau parce qu'il lui bouchait les yeux et la bouche et
lui empêchait la respiration. La difficulté fut de le lui
ôter. Il était en forme de pot de beurre et, l'entrée en
étant plus étroite que le ventre, Dieu sait si une tête,
qui y était entrée de force et dont le nez était très grand,
en pouvait sortir comme elle y était entrée. Ce malheur-
là fut cause d'un grand bien, car vraisemblablement il
était au plus haut point de sa colère, qui eût sans doute
produit un effet digne d'elle si son chapeau, qui le suffoquait, ne l'eût fait songer à sa conservation plutôt qu'à
la destruction d'un autre. Il ne pria point qu'on le secou-
rût, car il ne pouvait parler ; mais, quand on vit qu'il
portait vainement ses mains tremblantes à sa tête pour
se la mettre en liberté et qu'il frappait des pieds contre
le plancher, de rage qu'il avait de se rompre inutilement
les ongles, on ne songea plus qu'à le secourir. Les premiers
efforts que l'on fit pour le décoiffer furent si violents
qu'il crut qu'on lui voulait arracher la tête. Enfin, n'en
pouvant plus, il fit signe avec les doigts que l'on coupât
son habillement de tête avec des ciseaux. Mademoiselle
de la Caverne détacha ceux de sa ceinture ; et la Rancune,
qui fut l'opérateur de cette belle cure, après avoir fait
semblant de faire l'incision vis-à-vis du visage (ce qui

ne lui fit pas une petite peur), fendit le feutre par derrière
la tête depuis le bas jusqu'en haut. Aussitôt que l'on eut
donné l'air à son visage, toute la compagnie s'éclata de
rire de le voir aussi bouffi que s'il eût été prêt à crever
pour la quantité d'esprits qui lui étaient montés au
visage et, de plus, de ce qu'il avait le nez écorché. La
chose en fût pourtant demeurée là, si un méchant railleur
ne lui eût dit qu'il fallait faire rentraire [40] son chapeau.
Cet avis hors de saison ralluma si bien sa colère, qui
n'était pas tout à fait éteinte, qu'il saisit un des chenets
de la cheminée et, faisant semblant de le jeter au travers
de toute la troupe, causa une telle frayeur aux plus hardis
que chacun tâcha de gagner la porte pour éviter le coup
de chenet; tellement qu'ils se pressèrent si fort qu'il n'y
en eut qu'un qui put sortir, encore fut-ce en tombant,
ses jambes éperonnées s'étant embarrassées dans celles
des autres. Ragotin se mit à rire à son tour, ce qui rassura
tout le monde; on lui rendit son livre, et les comédiens
lui prêtèrent un vieil chapeau. Il s'emporta furieusement
contre celui qui l'avait si maltraité; mais, comme il était
plus vain que vindicatif, il dit aux comédiens, comme s'il
leur eût promis quelque chose de rare, qu'il voulait faire
une comédie de son histoire et que de la façon qu'il la
traiterait, il était assuré d'aller d'un seul saut où les
autres poëtes n'étaient parvenus que par degrés. Le
Destin lui dit que l'histoire qu'il avait contée était fort
agréable, mais qu'elle n'était pas bonne pour le théâtre.
Je crois que vous me l'apprendrez, dit Ragotin, ma mère
était filleule du poëte Garnier [41]; et moi, qui vous parle,
j'ai encore chez moi son écritoire. Le Destin lui dit que
le poëte Garnier lui-même n'en viendrait pas à son
honneur. Et qu'y trouvez-vous de si difficile ? lui demanda Ragotin. Que l'on n'en peut faire une comédie
dans les règles sans beaucoup de fautes contre la bienséance et contre le jugement, répondit Le Destin. Un
homme comme moi peut faire des règles quand il voudra,
dit Ragotin. Considérez, je vous prie, ajouta-t-il, si ce
ne serait pas une chose nouvelle et magnifique tout

ensemble, de voir un grand portail d'église au milieu d'un
théâtre, devant lequel une vingtaine de cavaliers, tant
plus que moins, avec autant de demoiselles, feraient
mille galanteries : cela ravirait tout le monde. Je suis de
votre avis, continua-t-il, qu'il ne faut rien faire contre
la bienséance ou les bonnes mœurs, et c'est pour cela
que je ne voudrais pas faire parler mes acteurs au dedans
de l'église. Le Destin l'interrompit pour lui demander
où il pourrait trouver tant de cavaliers et tant de dames.
Et comment fait-on dans les collèges où on donne des
batailles ? [42] dit Ragotin. J'ai joué à La Flèche la déroute
du Pont-de-Cé [43], ajouta-t-il; plus de cent soldats du
parti de la reine-mère parurent sur le théâtre, sans ceux
de l'armée du roi, qui étaient encore en plus grand
nombre; et il me souvient qu'à cause d'une grande pluie
qui troubla la fête, on disait que toutes les plumes de
la noblesse du pays, que l'on avait empruntées, n'en
relèveraient jamais. Destin, qui prenait plaisir à lui
faire dire des choses si judicieuses, lui repartit que les
collèges avaient assez d'écoliers pour cela, et pour eux
qu'ils n'étaient que sept ou huit, quand leur troupe était
bien forte. La Rancune qui ne valait rien, comme vous
savez, se mit du côté de Ragotin pour aider à le jouer
et dit à son camarade qu'il n'était pas de son avis, qu'il
était plus vieil comédien que lui, qu'un portail d'église
serait la plus belle décoration de théâtre que l'on eût
jamais vue et, pour la quantité nécessaire de cavaliers
et de dames, qu'on en louerait une partie et l'autre serait
faite de carton. Ce bel expédient de carton de la Rancune
fit rire toute la compagnie; Ragotin en rit aussi et jura
qu'il le savait bien, mais qu'il ne l'avait pas voulu dire.
Et le carrosse, ajouta-t-il, quelle nouveauté serait-ce
dans une comédie ? J'ai fait autrefois le chien de Tobie
et je le fis si bien que toute l'assistance en fut ravie; et
pour moi, continua-t-il, si l'on doit juger des choses par
l'effet qu'elles font dans l'esprit, toutes les fois que j'ai
vu jouer Pyrame et Thisbé [44], je n'ai pas été tant touché de
la mort de Pyrame qu'effrayé du lion. La Rancune appuya

les raisons de Ragotin par d'autres aussi ridicules et se
mit par là si bien en son esprit que Ragotin l'emmena
souper avec lui. Tous les autres importuns laissèrent
aussi les comédiens en liberté, qui avaient plus envie de
souper que d'entretenir les fainéants de la ville.

CHAPITRE XI

QUI CONTIENT CE QUE VOUS VERREZ, SI VOUS PRENEZ LA PEINE DE LE LIRE

Ragotin mena la Rancune dans un cabaret où il se
fit donner tout ce qu'il y avait de meilleur. On a cru qu'il
ne le mena pas chez lui, à cause que son ordinaire n'était
pas trop bon; mais je n'en dirai rien, de peur de faire des
jugements téméraires, et je n'ai point voulu approfondir
l'affaire parce qu'elle n'en vaut pas la peine et que j'ai
des choses à écrire qui sont bien d'une autre conséquence.
La Rancune, qui était homme de grand discernement
et qui connaissait d'abord son monde, ne vit pas plus tôt
servir deux perdrix et un chapon pour deux personnes,
qu'il se douta que Ragotin ne le traitait pas si bien pour
son seul mérite ou pour le payer de la complaisance qu'il
avait eue pour lui en soutenant que son histoire était un
beau sujet de théâtre, mais qu'il avait quelque autre
dessein. Il se prépara donc à ouïr quelque nouvelle
extravagance de Ragotin, qui ne découvrit pas d'abord
ce qu'il avait dans l'âme et continua à parler de son
histoire. Il récita force vers satiriques qu'il avait faits
contre la plupart de ses voisins, contre des cocus qu'il
ne nommait point, et contre des femmes. Il chanta des
chansons à boire et lui montra quantité d'anagrammes,
car d'ordinaire les rimailleurs, par de semblables productions de leur esprit mal fait, commencent à incommoder les honnêtes gens. La Rancune acheva de le gâter. Il
exagéra tout ce qu'il ouït en levant les yeux au ciel; il

jura, comme un homme qui perd, qu'il n'avait jamais
rien ouï de plus beau, et fit même semblant de s'en arracher les cheveux, tant il était transporté. Il lui disait de
temps en temps : Vous êtes bien malheureux et nous
aussi, que vous ne vous donnez tout entier au théâtre;
dans deux ans on ne parlerait non plus de Corneille que
l'on fait à cette heure de Hardy [45]. Je ne sais que c'est
que de flatter, ajouta-t-il; mais, pour vous donner courage, il faut que je vous avoue qu'en vous voyant j'ai
bien connu que vous étiez un grand poëte, et vous pouvez
savoir de mes camarades ce que je leur en ai dit. Je ne
m'y trompe guère, je sens un poëte de demi-lieue loin :
aussi d'abord que je vous ai vu, vous ai-je connu comme
si je vous avais nourri. Ragotin avalait cela doux comme
lait, conjointement avec plusieurs verres de vin qui l'eni-
vraient encore plus que les louanges de la Rancune qui,
de son côté, mangeait et buvait d'une grande force,
s'écriant de temps en temps : Au nom de Dieu, monsieur
Ragotin, faites profiter le talent, encore un coup vous
êtes un méchant homme de ne vous enrichir pas et nous
aussi. Je brouille un peu du papier aussi bien que les
autres; mais si je faisais des vers aussi bons la moitié
que ceux que vous me venez de lire, je ne serais pas
réduit à tirer le diable par la queue et je vivrais de mes
rentes aussi bien que Mondori. Travaillez donc, monsieur
Ragotin, travaillez; et si dès cet hiver nous ne jetons de
la poudre aux yeux de messieurs de l'hôtel de Bourgogne
et du Marais [46], je veux ne monter jamais sur le théâtre
que je ne me rompe un bras ou une jambe; après cela je
n'ai plus rien à dire, et buvons. Il tint sa parole et, ayant
donné double charge à un verre, il porta la santé de monsieur Ragotin à monsieur Ragotin même qui lui fit raison,
et renvia [47] de la santé des comédiennes qu'il but tête
nue et avec un si grand transport qu'en remettant son
verre sur la table il en rompit la patte sans s'en aviser,
tellement qu'il tâcha deux ou trois fois de le redresser,
pensant l'avoir mis lui-même sur le côté. Enfin il le jeta
par-dessus sa tête et tira la Rancune par le bras afin

qu'il y prît garde, pour ne perdre pas la réputation d'avoir
cassé un verre. Il fut un peu attristé de ce que la Rancune
n'en rit point; mais, comme je vous ai déjà dit, il était
plutôt animal envieux qu'animal risible. La Rancune
lui demanda ce qu'il disait de leurs comédiennes. Le
petit bonhomme rougit sans lui répondre, et, la Rancune lui demandant encore la même chose, enfin bégayant,
rougissant et s'exprimant très mal, il fit entendre à la
Rancune qu'une des comédiennes lui plaisait infiniment.
Et laquelle ? lui dit la Rancune. Le petit homme était
si troublé d'en avoir tant dit qu'il répondit : Je ne sais.
Ni moi aussi, dit la Rancune. Cela le troubla encore
davantage et lui fit ajouter tout interdit : C'est..... c'est.....
Il répéta quatre ou cinq fois le même mot dont le comédien, s'impatientant, lui dit : Vous avez raison; c'est
une fort belle fille. Cela acheva de le défaire. Il ne put
jamais dire celle à qui il en voulait, et peut-être qu'il
n'en savait rien encore et qu'il avait moins d'amour que
de vice. Enfin, la Rancune lui nommant mademoiselle
de l'Étoile, il dit que c'était elle dont il était amoureux;
et, pour moi, je crois que, s'il lui eût nommé Angélique
ou sa mère la Caverne, qu'il eût oublié le coup de busc
de l'une et l'âge de l'autre et se serait donné corps et
âme à celle que la Rancune lui aurait nommée, tant le
bouquin [48] avait la conscience troublée. Le comédien lui
fit boire un grand verre de vin qui lui fit passer une partie
de sa confusion et en but un autre de son côté, après
lequel il lui dit, parlant bas par mystère et regardant
par toute la chambre, quoiqu'il n'y eût personne : Vous
n'êtes pas blessé à mort et vous vous êtes adressé à un
homme qui vous peut guérir pourvu que vous le vouliez
croire et que vous soyez secret. Ce n'est pas que vous
n'entrepreniez une chose bien difficile : mademoiselle de
l'Étoile est une tigresse et son frère Destin un lion,
mais elle ne voit pas toujours des hommes qui vous
ressemblent et je sais bien ce que je sais faire; achevons
notre vin et demain il sera jour. Un verre de vin bu de
part et d'autre interrompit quelque temps la conversa-

tion. Ragotin reprit la parole le premier, conta toutes
ses perfections et ses richesses, dit à la Rancune qu'il
avait un neveu commis d'un financier; que ce neveu
avait fait grande amitié avec le partisan la Rallière [49],
durant le temps qu'il avait été au Mans pour établir une
maltôte et voulut faire espérer à la Rancune de lui
faire donner une pension pareille à celle des comédiens
du roi par le crédit de ce neveu. Il lui dit encore que,
s'il avait des parents qui eussent des enfants, il leur
ferait donner des bénéfices parce que sa nièce avait
épousé le frère d'une femme qui était entretenue du maître
d'hôtel d'un abbé de la province, qui avait de bons bénéfices à sa collation. Tandis que Ragotin contait ses
prouesses, la Rancune, qui s'était altéré à force de boire,
ne faisait autre chose qu'emplir les deux verres qui étaient
vidés en même temps, Ragotin n'osant rien refuser de
la main d'un homme qui lui devait faire tant de bien.
Enfin, à force d'avaler, ils s'emplirent. La Rancune n'en
fut que plus sérieux, selon sa coutume; et Ragotin en fut
si hébété et si pesant qu'il se pencha sur la table et s'y
endormit. La Rancune appela une servante pour se faire
dresser un lit parce qu'on était couché à son hôtellerie.
La servante lui dit qu'il n'y aurait point de danger d'en
dresser deux, et qu'en l'état où était M. Ragotin, il
n'avait pas besoin d'être veillé. Il ne veillait pas cependant et jamais on n'a mieux dormi ni ronflé. On mit des
draps à deux lits, de trois qui étaient dans la chambre,
sans qu'il s'éveillât. Il dit cent injures à la servante et
menaça de la battre quand elle l'avertit que son lit était
prêt. Enfin, la Rancune l'ayant tourné dans sa chaise
devers le feu que l'on avait allumé pour chauffer les draps,
il ouvrit les yeux et se laissa déshabiller sans rien dire.
On le monta sur son lit le mieux que l'on put et la Rancune se mit dans le sien après avoir fermé la porte. A
une heure de là, Ragotin se leva et sortit hors de son lit,
je n'ai pas bien su pourquoi; il s'égara si bien dans la
chambre qu'après en avoir renversé tous les meubles et
s'être renversé lui-même plusieurs fois sans pouvoir

trouver son lit, enfin il trouva celui de la Rancune et
l'éveilla en le découvrant. La Rancune lui demanda ce
qu'il cherchait. Je cherche mon lit, dit Ragotin. Il est à
la main gauche du mien, dit la Rancune. Le petit ivrogne
prit à la droite et s'alla fourrer entre la couverture et
la paillasse du troisième, qui n'avait ni matelas ni lit
de plume, où il acheva de dormir fort paisiblement. La
Rancune s'habilla devant que Ragotin fût éveillé. Il
demanda au petit ivrogne si c'était par mortification
qu'il avait quitté son lit pour dormir sur une paillasse.
Ragotin soutint qu'il ne s'était point levé et qu'assurément il revenait des esprits dans la chambre. Il eut
querelle avec le cabaretier, qui prit le parti de sa maison
et le menaça de le mettre en justice pour l'avoir décriée.
Mais il n'y a que trop longtemps que je vous ennuie de
la débauche de Ragotin; retournons à l'hôtellerie des
comédiens.

CHAPITRE XII

COMBAT DE NUIT

Je suis trop homme d'honneur pour n'avertir pas le
lecteur bénévole que, s'il est scandalisé de toutes les
badineries qu'il a vues jusques ici dans le présent livre, il
fera fort bien de n'en lire pas davantage; car en conscience
il n'y verra pas d'autre chose, quand le livre serait
aussi gros que *le Cyrus* [50]; et si, par ce qu'il a déjà vu,
il a de la peine à se douter de ce qu'il verra, peut-être
que j'en suis logé là aussi bien que lui, qu'un chapitre
attire l'autre et que je fais dans mon livre comme ceux
qui mettent la bride sur le col de leurs chevaux et les
laissent aller sur leur bonne foi. Peut-être aussi que j'ai
un dessein arrêté et que, sans emplir mon livre d'exemples
à imiter, par des peintures d'actions et de choses tantôt
ridicules, tantôt blâmables, j'instruirai en divertissant

de la même façon qu'un ivrogne donne de l'aversion pour
son vice et peut quelquefois donner du plaisir par les
impertinences que lui fait faire son ivrognerie. Finissons
la moralité et reprenons nos comédiens que nous avons
laissés dans l'hôtellerie. Aussitôt que leur chambre fut
débarrassée et que Ragotin eut emmené la Rancune, le
portier qu'ils avaient laissé à Tours entra dans l'hôtellerie, conduisant un cheval chargé de bagages. Il se mit
à table avec eux; et par sa relation, et par ce qu'ils
apprirent les uns des autres, on sut de quelle façon
l'intendant de la province ne leur avait pu faire de mal,
ayant lui-même bien eu de la peine à se retirer des mains
du peuple, lui et ses fusiliers. Le Destin conta à ses
camarades de quelle façon il s'était sauvé avec son habit
à la turque, dont il pensait représenter le Soliman de
Mairet [51]; et qu'ayant appris que la peste était à Alençon,
il était venu au Mans avec la Caverne et la Rancune, en
l'équipage que l'on a pu voir dans le commencement de
ces très véritables et très peu héroïques aventures. Mademoiselle de l'Étoile leur apprit aussi les assistances qu'elle
avait reçues d'une dame de Tours, dont le nom n'est pas
venu à ma connaissance; et comme par son moyen elle
avait été conduite jusqu'à un village proche de Bonnestable [52], où elle s'était démis un pied en tombant de
cheval. Elle ajouta qu'ayant appris que la troupe était
au Mans, elle s'y était fait porter dans la litière de la
dame du village qui la lui avait libéralement prêtée.
Après le souper, Le Destin seul demeura dans la chambre
des dames. La Caverne l'aimait comme son propre fils;
mademoiselle de l'Étoile ne lui était pas moins chère;
et Angélique, sa fille et son unique héritière, aimait Le
Destin et la l'Étoile comme son frère et sa sœur. Elle ne
savait pas encore au vrai ce qu'ils étaient et pourquoi ils
faisaient la comédie; mais elle avait bien reconnu, quoiqu'ils s'appelassent mon frère et ma sœur, qu'ils étaient
plus grands amis que proches parents; que Le Destin
vivait avec l'Étoile dans le plus grand respect du monde;
qu'elle était fort sage et que si Le Destin avait bien de

l'esprit et faisait voir qu'il avait été bien élevé, mademoiselle de l'Étoile paraissait plutôt fille de condition
qu'une comédienne de campagne. Si Le Destin et l'Étoile
étaient aimés de la Caverne et de sa fille, ils s'en rendaient
dignes par une amitié réciproque qu'ils avaient pour
elles ; et ils n'y avaient pas beaucoup de peine puisqu'elles
méritaient d'être aimées autant que comédiennes de
France, quoique par malheur plutôt que faute de mérite,
elles n'eussent jamais eu l'honneur de monter sur le
théâtre de l'hôtel de Bourgogne ou du Marais [53], qui sont
et l'un et l'autre le *non plus ultra* des comédiens. Ceux
qui n'entendront pas ces trois petits mots latins, (à qui je
n'ai pu refuser place ici tant ils se sont présentés à propos),
se les feront expliquer s'il leur plaît. Pour finir la digression, Le Destin et l'Étoile ne se cachèrent point des deux
comédiennes pour se caresser après une longue absence.
Ils s'exprimèrent le mieux qu'ils purent les inquiétudes
qu'ils avaient eues l'un pour l'autre. Le Destin apprit à
mademoiselle de l'Étoile qu'il croyait avoir vu, la dernière fois qu'ils avaient représenté à Tours, leur ancien
persécuteur ; qu'il l'avait discerné dans la foule de leurs
auditeurs, quoiqu'il se cachât le visage de son manteau ;
et que pour cette raison-là il s'était mis un emplâtre sur
le visage à la sortie de Tours pour se rendre méconnaissable à son ennemi, ne se trouvant pas alors en état de
s'en défendre s'il en était attaqué la force à la main. Il
lui apprit ensuite le grand nombre de brancards qu'ils
avaient trouvés en allant au-devant d'elle et qu'il se
trompait fort si leur même ennemi n'était un homme
inconnu qui avait exactement visité les brancards, comme
l'on a pu voir dans le septième chapitre. Tandis que
Le Destin parlait, la pauvre l'Étoile ne put s'empêcher
de répandre quelques larmes. Destin en fut extrêmement touché et, après l'avoir consolée le mieux qu'il
put, il ajouta que, si elle voulait lui permettre d'apporter
autant de soin à chercher leur ennemi commun qu'il en
avait eu jusques alors à l'éviter, elle se verrait bientôt
délivrée de ses persécutions ou qu'il y perdrait la vie.

Ces dernières paroles l'affligèrent encore davantage; Le Destin n'eut pas l'esprit assez fort pour ne s'affliger pas aussi; et la Caverne et sa fille, très pitoyables de leur naturel, s'affligèrent par complaisance ou par contagion et je crois même qu'elles en pleurèrent. Je ne sais si Le Destin pleura, mais je sais bien que les comédiennes et lui furent assez longtemps à ne se rien dire, et cependant pleura qui voulut. Enfin, la Caverne finit la pause que les larmes avaient fait faire et reprocha à Destin et à l'Étoile que, depuis le temps qu'ils étaient ensemble, ils avaient pu reconnaître jusqu'à quel point elle était de leurs amies; et toutefois qu'ils avaient eu si peu de confiance en elle et en sa fille qu'elles ignoraient encore leur véritable condition. Et elle ajouta qu'elle avait été assez persécutée en sa vie pour conseiller des malheureux tels qu'ils paraissaient être. A quoi Destin répondit que ce n'était point par défiance qu'ils ne s'étaient pas encore découverts à elle, mais qu'il avait cru que le récit de leurs malheurs ne pouvait être que fort ennuyeux. Il lui offrit après cela de l'en entretenir quand elle voudrait et quand elle aurait quelque temps à perdre. La Caverne ne différa pas davantage de satisfaire sa curiosité, et sa fille, qui souhaitait ardemment la même chose, s'étant assise auprès d'elle, sur le lit de l'Étoile, Le Destin allait commencer son histoire quand ils entendirent une grande rumeur dans la chambre voisine. Destin prêta l'oreille quelque temps, mais le bruit et la noise, au lieu de cesser, augmentèrent et même l'on cria : au meurtre! à l'aide! on m'assassine! Le Destin en trois sauts fut hors de la chambre, aux dépens de son pourpoint que lui déchirèrent la Caverne et sa fille en voulant le retenir. Il entra dans la chambre d'où venait la rumeur, où il ne vit goutte et où les coups de poing, les soufflets et plusieurs voix confuses d'hommes et de femmes qui s'entre-battaient, mêlées au bruit sourd de plusieurs pieds nus qui trépignaient dans la chambre, faisaient une rumeur épouvantable. Il s'alla mêler parmi les combattants imprudemment et reçut d'abord un

coup de poing d'un côté et un soufflet de l'autre. Cela
lui changea la bonne intention qu'il avait de séparer ces
lutins en un violent désir de se venger; il se mit à jouer
des mains et fit un moulinet de ses deux bras, qui mal-
traita plus d'une mâchoire, comme il parut depuis à
ses mains sanglantes. La mêlée dura encore assez longtemps pour lui faire recevoir une vingtaine de coups et
en donner deux fois autant. Au plus fort du combat, il
se sentit mordre au gras de la jambe; il y porta ses mains
et, rencontrant quelque chose de pelu, il crut être mordu
d'un chien; mais la Caverne et sa fille, qui parurent à
la porte de la chambre avec de la lumière, comme le
feu Saint-Elme après une tempête, virent Destin et lui
firent voir qu'il était au milieu de sept personnes en
chemise, qui se défaisaient l'une l'autre très cruellement
et qui se décramponnèrent d'elles-mêmes aussitôt que
la lumière parut. Le calme ne fut pas de longue durée.
L'hôte qui était un de ces sept pénitents blancs, se reprit
avec le poëte; l'Olive, qui en était aussi, fut attaqué par
le valet de l'hôte, autre pénitent. Le Destin les voulut
séparer, mais l'hôtesse, qui était la bête qui l'avait
mordu et qu'il avait prise pour un chien, à cause qu'elle
avait la tête nue et les cheveux courts, lui sauta aux
yeux, assistée de deux servantes aussi nues et aussi
décoiffées qu'elle. Les cris recommencèrent; les soufflets
et les coups de poing sonnèrent de plus belle et la mêlée
s'échauffa encore plus qu'elle n'avait fait. Enfin plusieurs
personnes, qui s'étaient éveillées à ce bruit, entrèrent
dans le champ de bataille, déprirent les combattants les
uns d'avec les autres, et furent cause de la seconde sus-
pension d'armes. Il fut question de savoir la cause de la
querelle et quel était le différend qui avait assemblé sept
personnes nues en une même chambre. L'Olive, qui
paraissait le moins ému, dit que le poëte était sorti de la
chambre, et qu'il l'avait vu revenir plus vite que le pas,
suivi de l'hôte qui le voulait battre; que la femme de
l'hôte avait suivi son mari et s'était jetée sur le poëte;
que, les ayant voulu séparer, un valet et deux servantes

s'étaient jetés sur lui et que la lumière, qui s'était éteinte
là-dessus, était cause que l'on s'était battu plus longtemps que l'on n'eût fait. Ce fut au poëte à plaider sa
cause; il dit qu'il avait fait les deux plus belles stances
que l'on eût jamais ouïes depuis que l'on en fait et que,
de peur de les perdre, il avait été demander de la chandelle
aux servantes de l'hôtellerie qui s'étaient moquées de
lui; que l'hôte l'avait appelé danseur de corde et que,
pour ne demeurer pas sans repartie, il l'avait appelé cocu.
Il n'eut pas plutôt lâché le mot que l'hôte, qui était en
mesure, lui appliqua un soufflet. On eût dit qu'ils s'étaient
concertés ensemble; car, tout aussitôt que le soufflet fut
donné, la femme de l'hôte, son valet et ses servantes se
jetèrent sur les comédiens qui les reçurent à beaux coups
de poing. Cette dernière rencontre fut plus rude et dura
plus longtemps que les autres. Le Destin, s'étant acharné
sur une grosse servante qu'il avait troussée, lui donna
plus de cent claques sur les fesses. L'Olive, qui vit que
cela faisait rire la compagnie, en fit autant à une autre.
L'hôte était occupé par le poëte; et l'hôtesse, qui était
la plus furieuse, avait été saisie par quelques-uns des
spectateurs, dont elle se mit en si grande colère qu'elle
cria aux voleurs. Ses cris éveillèrent la Rappinière, qui
logeait vis-à-vis de l'hôtellerie. Il en fit ouvrir les portes;
et ne croyant pas, selon le bruit qu'il avait entendu,
qu'il n'y eût pour le moins sept ou huit personnes sur
le carreau, il fit cesser les coups au nom du roi; et, ayant
appris la cause de tout le désordre, il exhorta le poëte
de ne faire plus de vers la nuit et pensa battre l'hôte et
l'hôtesse parce qu'ils chantèrent cent injures aux pauvres
comédiens, les appelant bateleurs et baladins et jurant
de les faire déloger le lendemain. Mais la Rappinière, à
qui l'hôte devait de l'argent, le menaça de le faire exécuter
et par cette menace lui ferma la bouche. La Rappinière
s'en retourna chez lui, les autres s'en retournèrent dans
leur chambre, et Destin dans celle des comédiennes,
où la Caverne le pria de ne différer pas davantage de
lui apprendre ses aventures et celles de sa sœur. Il leur

dit qu'il ne demandait pas mieux et commença son histoire de la façon que vous allez voir dans le suivant chapitre.

CHAPITRE XIII

PLUS LONG QUE LE PRÉCÉDENT. HISTOIRE DE DESTIN ET DE MADEMOISELLE DE L'ÉTOILE

Je suis né dans un village auprès de Paris. Je vous ferais bien croire, si je voulais, que je suis d'une maison très illustre, comme il est fort aisé à ceux que l'on ne connaît point; mais j'ai trop de sincérité pour nier la bassesse de ma naissance. Mon père était des premiers et des plus accommodés de son village. Je lui ai ouï dire qu'il était né pauvre gentilhomme et qu'il avait été à la guerre en sa jeunesse où, n'ayant gagné que des coups, il s'était fait écuyer ou meneur d'une dame de Paris assez riche; et qu'ayant amassé quelque chose avec elle, parce qu'il était aussi maître d'hôtel et faisait la dépense, c'est-à-dire ferrait peut-être la mule, il s'était marié avec une vieille demoiselle de la maison, qui était morte quelque temps après et l'avait fait son héritier. Il se lassa bientôt d'être veuf et, n'étant guère moins las de servir, il épousa en secondes noces une femme des champs, qui fournissait de pain la maison de sa maîtresse, et c'est de ce dernier mariage que je suis sorti. Mon père s'appelait Garigues; je n'ai jamais su de quel pays il était; et, pour le nom de ma mère, il ne fait rien à mon histoire. Il suffit qu'elle était plus avare que mon père, et mon père plus avare qu'elle, et l'une et l'autre de conscience assez large. Mon père a l'honneur d'avoir le premier retenu son haleine en se faisant prendre la mesure d'un habit, afin qu'il y entrât moins d'étoffe. Je vous pourrais bien apprendre cent autres traits de lésine qui lui ont acquis à bon titre la réputation d'être homme d'esprit

et d'invention; mais, de peur de vous ennuyer, je me
contenterai de vous en conter deux très difficiles à croire,
et néanmoins très véritables. Il avait ramassé quantité
de blé pour le vendre bien cher durant une année mauvaise. L'abondance ayant été universelle et le blé étant
amendé, il fut si possédé de désespoir et si abandonné
de Dieu qu'il se voulut pendre. Une de ses voisines, qui
se trouva dans la chambre quand il y entra pour ce noble
dessein, et qui s'était cachée de peur d'être vue, je ne
sais pas bien pourquoi, fut fort étonnée quand elle le
vit pendu à un chevron de sa chambre. Elle courut à lui,
criant au secours, coupa la corde et, à l'aide de ma mère
qui arriva là-dessus, la lui ôta du cou. Elles se repentirent
peut-être d'avoir fait une bonne action, car il les battit
l'une et l'autre comme plâtre et fit payer à cette pauvre
femme la corde qu'elle avait coupée en lui retenant
quelque argent qu'il lui devait. L'autre prouesse n'est
pas moins étrange. Cette même année que la cherté fut
si grande que les vieilles gens du village ne se souviennent
pas d'en avoir vu une plus grande, il avait regret à tout
ce qu'il mangeait; et, sa femme étant accouchée d'un
garçon, il se mit en la tête qu'elle avait assez de lait
pour nourrir son fils et pour le nourrir lui-même aussi,
et espéra que, tétant sa femme, il épargnerait du pain et
se nourrirait d'un aliment aisé à digérer. Ma mère avait
moins d'esprit que lui, et n'avait pas moins d'avarice,
tellement qu'elle n'inventait pas les choses comme mon
père; mais, les ayant une fois conçues, elle les exécutait
encore plus exactement que lui. Elle tâcha donc de nourrir
de son lait son fils et son mari en même temps et hasarda
aussi de s'en nourrir soi-même avec tant d'opiniâtreté
que le petit innocent mourut martyr de pure faim; et
mon père et ma mère furent si affaiblis et ensuite si
affamés qu'ils mangèrent trop et eurent chacun une
longue maladie. Ma mère devint grosse de moi quelque
temps après et, ayant accouché heureusement d'une très
malheureuse créature, mon père alla à Paris pour prier
sa maîtresse de tenir son fils avec un honnête ecclésias-

tique qui se tenait dans son village où il avait un bénéfice.
Comme il s'en retournait la nuit pour éviter la chaleur
du jour et qu'il passait par une grande rue du faubourg,
dont la plupart des maisons se bâtissaient encore, il
aperçut de loin, aux rayons de la lune, quelque chose
de brillant qui traversait la rue. Il ne se mit pas beaucoup en peine de ce que c'était; mais, ayant entendu
quelques gémissements comme d'une personne qui souffre,
au même lieu où ce qu'il avait vu de loin s'était dérobé à
sa vue, il entra hardiment dans un grand bâtiment qui
n'était pas encore achevé, où il trouva une femme assise
contre terre. Le lieu où elle était recevait assez de clarté
de la lune pour faire discerner à mon père qu'elle était
fort jeune et fort bien vêtue; et c'était ce qui avait brillé
de loin à ses yeux, son habit étant de toile d'argent. Vous
ne devez point douter que mon père, qui était assez hardi
de son naturel, ne fût moins surpris que cette jeune demoiselle; mais elle était en un état où il ne lui pouvait rien
arriver de pis que ce qu'elle avait. C'est ce qui la rendit
assez hardie pour parler la première et pour dire à mon
père que, s'il était chrétien, il eût pitié d'elle; qu'elle
était prête d'accoucher; que, se sentant pressée de son
mal et ne voyant point revenir une servante qui lui était
allé querir une sage-femme affidée, elle s'était sauvée
heureusement de sa maison sans avoir éveillé personne,
sa servante ayant laissé la porte ouverte pour pouvoir
rentrer sans faire de bruit. A peine achevait-elle sa courte
relation qu'elle accoucha heureusement d'un enfant que
mon père reçut dans son manteau. Il fit la sage-femme le
mieux qu'il put et cette jeune fille le conjura d'emporter
vitement la petite créature, d'en avoir soin, et de ne
manquer pas à deux jours de là d'aller voir un vieil homme
d'église qu'elle lui nomma, qui lui donnerait de l'argent
et tous les ordres nécessaires pour la nourriture de son
enfant. A ce mot d'argent, mon père, qui avait l'âme
avare, voulut déployer son éloquence d'écuyer; mais
elle ne lui en donna pas le temps. Elle lui mit entre les
mains une bague pour servir d'enseigne au prêtre qu'il

devait aller trouver de sa part, lui fit envelopper son
enfant dans son mouchoir de cou et le fit partir avec
grande précipitation, quelque résistance qu'il fit pour ne
l'abandonner pas dans l'état où elle était. Je veux croire
qu'elle eut bien de la peine à regagner son logis. Pour
mon père, il s'en retourna à son village, mit l'enfant entre
les mains de sa femme et ne manqua pas deux jours
après d'aller trouver le vieil prêtre et de lui montrer la
bague. Il apprit de lui que la mère de l'enfant était une
fille de fort bonne maison et fort riche; qu'elle l'avait eu
d'un seigneur écossais qui était allé en Irlande lever des
troupes pour le service du roi et que ce seigneur étranger
lui avait promis mariage. Ce prêtre lui dit de plus qu'à
cause de son accouchement précipité, elle s'était trouvée
malade jusqu'à faire douter de sa vie et qu'en cette
extrémité elle avait tout déclaré à son père et à sa mère,
qui l'avaient consolée au lieu de s'emporter contre elle,
parce qu'elle était leur fille unique; que la chose était
ignorée dans le logis; et ensuite il assura mon père que,
pourvu qu'il eût soin de l'enfant et qu'il fût secret, sa
fortune était faite. Là-dessus il lui donna cinquante écus
et un petit paquet de toutes les hardes nécessaires à un
enfant. Mon père s'en retourna en son village après avoir
bien dîné avec le prêtre. Je fus mis en nourrice et
l'étranger fut mis en la place du fils de la maison. A un
mois de là le seigneur écossais revint et, ayant trouvé sa
maîtresse en un si mauvais état qu'elle n'avait plus guère
à vivre, il l'épousa un jour devant qu'elle mourût et ainsi
fut aussitôt veuf que marié. Il vint deux ou trois jours
après en notre village, avec le père et la mère de sa
femme. Les pleurs recommencèrent et on pensa étouffer
l'enfant à force de le baiser. Mon père eut sujet de se
louer de la libéralité du seigneur écossais et les parents de
l'enfant ne l'oublièrent pas. Ils s'en retournèrent à Paris
fort satisfaits du soin que mon père et ma mère avaient
de leur fils, qu'ils ne voulurent point faire venir à Paris
encore parce que le mariage était tenu secret pour des
raisons que je n'ai pas sues. Aussitôt que je pus marcher,

mon père me retira en sa maison pour tenir compagnie
au petit comte des Glaris (c'est ainsi que l'on l'appela,
du nom de son père). L'antipathie que l'on dit avoir été
entre Jacob et Esaü dès le ventre de leur mère, ne peut
avoir été plus grande que celle qui se trouva entre le
jeune comte et moi. Mon père et ma mère l'aimaient tendrement et avaient de l'aversion pour moi, quoique je
donnasse autant d'espérance d'être un jour honnête
homme que Glaris en donnait peu. Il n'y avait rien que
de très commun en lui. Pour moi, je paraissais être ce
que je n'étais pas, et bien moins le fils de Garigues que
celui d'un comte. Et si je ne me trouve enfin qu'un malheureux comédien, c'est sans doute que la fortune s'est
voulu venger de la nature, qui avait voulu faire quelque
chose de moi sans son consentement, ou, si vous voulez,
que la nature prend quelquefois plaisir à favoriser ceux
que la fortune a pris en aversion. Je passerai toute l'en-
fance de deux petits paysans, car Glaris l'était d'inclination plus que moi, et aussi bien nos plus belles aventures ne furent que force coups de poing. En toutes les
querelles que nous avions ensemble, j'avais toujours de
l'avantage, si ce n'est lorsque mon père et ma mère se
mettaient de la partie; ce qu'ils faisaient si souvent et
avec tant de passion que mon parrain, qui s'appelait
M. de Saint-Sauveur, s'en scandalisa et me demanda à
mon père. Il lui fit un don de moi avec grand'joie et
ma mère eut encore moins de regret que lui à me perdre
de vue. Me voilà donc chez mon parrain, bien vêtu, bien
nourri, fort caressé et point battu. Il n'épargna rien à
me faire apprendre à lire et à écrire et, sitôt que je fus
assez avancé pour apprendre le latin, il obtint du seigneur
du village, qui était un fort honnête gentilhomme et
fort riche, que j'étudierais avec deux fils qu'il avait,
sous un homme savant qu'il avait fait venir de Paris et à
qui il donnait de bons gages. Ce gentilhomme, qui s'appelait le baron d'Arques, faisait élever ses enfants avec
grand soin. L'aîné avait nom Saint-Far, assez bien fait
de sa personne, mais brutal sans remède s'il y en eut

jamais au monde; et le cadet, en récompense, outre qu'il
était mieux fait que son frère, avait la vivacité de l'esprit
et la grandeur de l'âme égales à la beauté du corps. Enfin,
je ne crois pas que l'on puisse voir un garçon donner de
plus grandes espérances de devenir un fort honnête
homme qu'en donnait en ce temps-là ce jeune gentilhomme, qui s'appelait Verville. Il m'honora de son
amitié et moi je l'aimai comme un frère et le respectai
toujours comme un maître. Pour Saint-Far, il n'était
capable que des passions mauvaises et je ne puis mieux
vous exprimer les sentiments qu'il avait dans l'âme pour
son frère et pour moi qu'en vous disant qu'il n'aimait
pas son frère plus que moi qui lui était fort indifférent,
et qu'il ne me haïssait pas plus que son frère qu'il n'aimait guère. Ses divertissements étaient différents des
nôtres. Il n'aimait que la chasse et haïssait fort l'étude.
Verville n'allait que rarement à la chasse et prenait
grand plaisir à étudier, en quoi nous avions ensemble
une conformité merveilleuse aussi bien qu'en toute autre
chose. Et je puis dire que, pour m'accommoder à son
humeur, je n'avais pas besoin de beaucoup de complaisance et n'avais qu'à suivre mon inclination. Le baron
d'Arques avait une bibliothèque de romans fort ample.
Notre précepteur, qui n'en avait jamais lu dans le pays
latin, qui nous en avait d'abord défendu la lecture et qui
les avait cent fois blâmés devant le baron d'Arques,
pour les lui rendre aussi odieux qu'il les trouvait diver-
tissants, en devint lui-même si féru qu'après avoir dévoré
les vieux et les modernes, il avoua que la lecture des bons
romans instruisait en divertissant et qu'il ne les croyait
pas moins propres à donner de beaux sentiments aux
jeunes gens que la lecture de Plutarque. Il nous porta
donc à les lire autant qu'il nous en avait détournés et
nous proposa d'abord de lire les modernes; mais ils
n'étaient pas encore selon notre goût, et jusqu'à l'âge
de quinze ans, nous nous plaisions bien plus à lire les
Amadis de Gaule [54] que les *Astrées* [55] et les autres beaux
romans que l'on a faits depuis, par lesquels les Français

ont fait voir, aussi bien que par mille autres choses, que, s'ils n'inventent pas tant que les autres nations, ils perfectionnent davantage. Nous donnions donc à la lecture des romans la plus grande partie du temps que nous avions pour nous divertir. Pour Saint-Far, il nous appelait les liseurs, et s'en allait à la chasse ou battre des paysans, à quoi il réussissait admirablement bien. L'inclination que j'avais à bien faire m'acquit la bienveillance du baron d'Arques et il m'aima autant que si j'eusse été son proche parent. Il ne voulut point que je quittasse ses enfants quand il les envoya à l'académie [56] ; et ainsi j'y fus mis avec eux, plutôt comme un camarade que comme un valet. Nous y apprîmes nos exercices ; on nous en tira au bout de deux ans ; et, à la sortie de l'académie, un homme de condition, parent du baron d'Arques, faisant des troupes pour les Vénitiens, Saint-Far et Verville persuadèrent si bien leur père qu'il les laissa aller à Venise avec son parent. Le bon gentilhomme voulut que je les accompagnasse encore ; et monsieur de Saint-Sauveur, mon parrain, qui m'aimait extrêmement, me donna libéralement une lettre de change assez considérable pour m'en servir si j'en avais besoin et pour n'être pas à charge à ceux que j'avais l'honneur d'accompagner. Nous prîmes le plus long chemin pour voir Rome et les autres belles villes d'Italie, dans chacune desquelles nous fîmes quelque séjour, hormis dans celles dont les Espagnols sont les maîtres. Dans Rome je tombai malade et les deux frères poursuivirent leur voyage, celui qui les menait ne pouvant laisser échapper l'occasion des galères du pape, qui allaient joindre l'armée des Vénitiens au passage des Dardanelles où elle attendait celle des Turcs. Verville eut tous les regrets du monde de me quitter, et moi je pensai désespérer d'être séparé de lui en un temps où j'aurais pu, par mes services, me rendre digne de l'amitié qu'il me portait. Pour Saint-Far, je crois qu'il me quitta comme s'il ne m'eût jamais vu et je ne songeai en lui qu'à cause qu'il était frère de Verville, qui me laissa, en se séparant de moi, le plus d'argent

qu'il put; je ne sais pas si ce fut du consentement de
son frère. Me voilà donc malade dans Rome, sans autre
connaissance que celle de mon hôte, qui était un apothicaire flamand et de qui je reçus toutes les assistances
imaginables durant ma maladie. Il n'était pas ignorant
de la médecine; et, autant que je suis capable d'en juger,
je l'y trouvais plus entendu que le médecin italien qui
me venait voir. Enfin je guéris et repris assez de mes
forces pour visiter les lieux remarquables de Rome, où les
étrangers trouvent amplement de quoi satisfaire à leur
curiosité. Je me plaisais extrêmement à visiter les vignes
(c'est ainsi que l'on appelle plusieurs jardins plus beaux
que le Luxembourg ou les Tuileries; les cardinaux et
autres personnes de condition les font entretenir avec
grand soin, plutôt par vanité que par plaisir qu'ils y
prennent, n'y allant jamais, au moins fort rarement).
Un jour que je me promenais dans une des plus belles,
je vis au détour d'une allée deux femmes assez bien
vêtues, que deux jeunes Français avaient arrêtées et ne
voulaient pas laisser passer outre que la plus jeune ne
levât un voile qui lui couvrait le visage. Un de ces Français, qui paraissait être le maître de l'autre, fut même
assez insolent pour lui découvrir le visage par force,
cependant que celle qui n'était point voilée était retenue
par son valet. Je ne consultai point ce que j'avais à faire;
je dis d'abord à ces incivils que je ne souffrirais point la
violence qu'ils voulaient faire à ces femmes. Ils se trouvèrent assez étonnés et l'un et l'autre, me voyant parler
avec assez de résolution pour les embarrasser, quand
ils auraient eu leurs épées, comme j'avais la mienne. Les
deux femmes se rangèrent auprès de moi et ce jeune
Français, préférant le déplaisir d'un affront à celui de se
faire battre, me dit en se séparant : Monsieur le brave,
nous nous verrons autre part, où les épées ne seront pas
toutes d'un côté. Je lui répondis que je ne me cacherais
pas; son valet le suivit et je demeurai avec ces deux
femmes. Celle qui n'était point voilée paraissait avoir
quelque trente-cinq ans. Elle me remercia en français

qui ne tenait rien de l'italien, et me dit, entre autres
choses, que, si tous ceux de ma nation me ressemblaient,
les femmes italiennes ne feraient point de difficulté de
vivre à la française. Après cela, comme pour me récompenser du service que je lui avais rendu, elle ajouta
qu'ayant empêché que l'on ne vît sa fille malgré elle,
il était juste que je la visse de son bon gré. Levez donc
votre voile, Léonore, afin que monsieur sache que nous
ne sommes pas tout à fait indignes de l'honneur qu'il
nous a fait de nous protéger. Elle n'eut pas plus tôt
achevé de parler que sa fille leva son voile, ou plutôt
m'éblouit. Je n'ai jamais rien vu de plus beau. Elle leva
deux ou trois fois les yeux sur moi comme à la dérobée et,
rencontrant toujours les miens, il lui monta au visage
un rouge qui la fit plus belle qu'un ange. Je vis bien que
la mère l'aimait extrêmement, car elle me parut participer au plaisir que je prenais à regarder sa fille. Comme
je n'étais pas accoutumé à pareilles rencontres et que
les jeunes gens se défont aisément en compagnie, je ne
leur fis que de fort mauvais compliments quand elles
s'en allèrent et je leur donnai peut-être mauvaise opinion
de mon esprit. Je me voulus mal de ne leur avoir pas
demandé leur demeure et de ne m'être pas offert à les y
conduire; mais il n'y avait plus d'apparence de courir
après. Je voulus m'enquérir du concierge s'il les connaissait. Nous fûmes longtemps sans nous entendre
parce qu'il ne savait pas mieux le français que moi l'italien. Enfin, plutôt par signes qu'autrement, il me fit
savoir qu'elles lui étaient inconnues, ou bien il ne voulut
pas m'avouer qu'il les connaissait. Je m'en retournai
chez mon apothicaire flamand tout autre que je n'en
étais sorti, c'est-à-dire fort amoureux et fort en peine
de savoir si cette belle Léonore était courtisane ou honnête fille et si elle avait autant d'esprit que sa mère
m'avait témoigné d'en avoir. Je m'abandonnai à la rêverie
et me flattai de mille belles espérances qui me divertirent
un peu de temps et m'inquiétèrent beaucoup après que
j'en eus considéré l'impossibilité. Après avoir fait mille

desseins inutiles, je m'arrêtai à celui de les chercher exactement, ne pouvant m'imaginer qu'elles pussent être longtemps invisibles en une ville si peu peuplée que Rome et à un homme si amoureux que moi. Dès le jour même, je cherchai partout où je crus les pouvoir trouver et m'en revins au logis plus las et plus chagrin que je n'en étais parti. Le lendemain, je cherchai encore avec plus de soin et je ne fis que me lasser et m'inquiéter davantage. De la façon que j'observais les jalousies et les fenêtres et de l'impétuosité avec laquelle je courais après toutes les femmes qui avaient quelque rapport avec ma Léonore, on me prit cent fois, dans les rues et dans les églises, pour le plus fou de tous les Français qui ont le plus contribué dans Rome à décréditer leur nation. Je ne sais comment je pus reprendre mes forces en un temps où j'étais une vraie âme damnée. Je me guéris pourtant le corps parfaitement, tandis que mon esprit demeura malade et si partagé entre l'honneur qui m'appelait en Candie et l'amour qui me retenait à Rome que je doutai quelquefois si j'obéirais aux lettres que je recevais souvent de Verville, qui me conjurait par notre amitié de l'aller trouver sans se servir du droit qu'il avait de me commander. Enfin, ne pouvant avoir nouvelles de mes inconnues, quelque diligence que j'y apportasse, je payai mon hôte et préparai mon petit équipage pour partir. La veille de mon départ, le seigneur Stéphano Vanbergue (c'est ainsi que s'appelait mon hôte) me dit qu'il me voulait donner à dîner chez une de ses amies et me faire avouer qu'il ne l'avait pas mal choisie pour un Flamand, ajoutant qu'il ne m'y avait voulu mener qu'à la veille de mon départ parce qu'il en était un peu jaloux. Je lui promis d'y aller par complaisance plutôt qu'autrement et nous y allâmes à l'heure de dîner. Le logis où nous entrâmes n'avait ni la mine ni les meubles de celui de la maîtresse d'un apothicaire. Nous traversâmes une salle bien meublée, au sortir de laquelle j'entrai le premier dans une chambre fort magnifique où je fus reçu par Léonore et par sa mère. Vous pouvez vous imaginer

combien cette surprise me fut agréable. La mère de cette
belle fille se présenta à moi pour être saluée à la française et je vous avoue qu'elle me baisa plutôt que je ne
la baisai. J'étais si interdit que je ne voyais goutte et
que je n'entendis rien du compliment qu'elle me fit.
Enfin, l'esprit et la vue me revinrent et je vis Léonore
plus belle et plus charmante que je ne l'avais encore vue,
mais je n'eus pas l'assurance de la saluer. Je reconnus
ma faute aussitôt que je l'eus faite et, sans songer à la
réparer, la honte fit monter autant de rouge à mon visage
que la pudeur avait fait monter d'incarnat en celui de
Léonore. Sa mère me dit que, devant que je partisse,
elle avait voulu me remercier du soin que j'avais eu de
chercher sa demeure et ce qu'elle me dit augmenta encore
davantage ma confusion. Elle me traîna dans une ruelle
parée à la française, où sa fille ne nous accompagna
point, me trouvant sans doute trop sot pour en valoir la
peine. Elle demeura avec le seigneur Stéphano, tandis
que je faisais auprès de sa mère mon vrai personnage,
c'est-à-dire le paysan. Elle eut la bonté de fournir à la
conversation toute seule et s'en acquitta avec beaucoup
d'esprit, quoiqu'il n'y ait rien de si difficile que d'en
faire paraître avec une personne qui n'en a point. Pour
moi, je n'en eus jamais moins qu'en cette rencontre et,
si elle ne s'ennuya pas alors, elle ne s'est jamais ennuyée
avec personne. Elle me dit après plusieurs choses auxquelles à peine répondis-je oui et non, qu'elle était Française de naissance, et que je saurais du seigneur Stéphano
les raisons qui la retenaient dans Rome. Il fallut aller
dîner et me traîner encore dans la salle comme on avait
fait dans la ruelle, car j'étais si troublé que je ne savais
pas marcher. Je fus toujours le même stupide devant
et après le dîner, durant lequel je ne fis rien avec assurance que regarder incessamment Léonore. Je crois
qu'elle en fut importunée et que, pour me punir, elle eut
toujours les yeux baissés. Si la mère n'eût toujours parlé,
le dîner se fût passé à la chartreuse[57]; mais elle discourut
avec le seigneur Stéphano des affaires de Rome, au moins

je me l'imagine, car je ne donnai pas assez d'attention à
ce qu'elle dit pour en pouvoir parler avec certitude. Enfin,
on sortit de table pour le soulagement de tout le monde,
excepté de moi, qui empirais à vue d'œil. Quand il fallut
s'en aller, elles me dirent cent choses obligeantes, à quoi
je ne répondis que ce que l'on met à la fin des lettres.
Ce que je fis en sortant de plus que je n'avais fait en
arrivant, c'est que je baisai Léonore et que je m'achevai
de perdre. Stéphano n'eut pas le crédit de tirer une parole
de moi en tout le temps que nous mîmes à retourner
en son logis. Je m'enfermai dans ma chambre où je me
jetai sur mon lit sans quitter mon manteau ni mon épée.
Là, je fis réflexion sur tout ce qui m'était arrivé. Léonore
se présenta à mon imagination plus belle qu'elle n'avais
fait à ma vue. Je me ressouvins du peu d'esprit que j'avait
témoigné devant la mère et la fille et, toutes les fois que
cela me venait dans l'esprit, la honte me mettait le visage
tout en feu. Je souhaitai d'être riche; je m'affligeai de
ma basse naissance; je me forgeai cent belles aventures
avantageuses à ma fortune et à mon amour. Enfin, ne
songeant plus qu'à chercher un honnête prétexte de ne
m'en aller pas, et n'en trouvant aucun qui me contentât,
je fus assez désespéré pour souhaiter de retomber malade,
à quoi je n'étais déjà que trop disposé. Je lui voulus
écrire, mais tout ce que j'écrivis ne me satisfit point et
je remis dans mes poches le commencement d'une lettre
que je n'aurais peut-être osé envoyer quand je l'aurais
achevée. Après m'être bien tourmenté, ne pouvant plus
rien faire que songer à Léonore, je voulus revoir le jardin
où elle m'apparut la première fois pour m'abandonner
tout entier à ma passion, et je fis aussi dessein de repasser encore devant son logis. Ce jardin était en un lieu
des plus écartés de la ville, au milieu de plusieurs vieux
bâtiments inhabitables. Comme je passais en rêvant sous
les ruines d'un portique, j'entendis marcher derrière moi
et en même temps je me sentis donner un coup d'épée
au-dessous des reins. Je me tournai brusquement, mettant l'épée à la main, et, me trouvant en tête le valet

du jeune Français dont je vous ai tantôt parlé, je pensais
bien lui rendre pour le moins le coup qu'il m'avait donné
en trahison; mais, comme je le poussai assez loin sans
le pouvoir joindre, parce qu'il lâchait le pied en parant,
son maître sortit d'entre les ruines du portique et, m'at-
taquant par derrière, me donna un grand coup sur la
tête et un autre dans la cuisse qui me fit tomber. Il n'y
avait pas apparence que j'échappasse de leurs mains,
ayant été surpris de la sorte; mais comme, en une mauvaise action, on ne conserve pas toujours beaucoup de
jugement, le valet blessa le maître à la main droite et,
en même temps, deux pères minimes de la Trinité du
Mont [58], qui passaient auprès de là, et qui virent de loin
qu'on m'assassinait, étant accourus à mon secours, mes
assassins se sauvèrent et me laissèrent blessé de trois
coups d'épée. Ces bons religieux étaient Français, pour
mon grand bonheur; car, en un lieu si écarté, un Italien
qui m'aurait vu en si mauvais état, se serait éloigné de
moi plutôt que de me secourir, de peur qu'étant trouvé
en me rendant ce bon office, on ne le soupçonnât d'être
lui-même mon assassin. Tandis que l'un de ces deux
charitables religieux me confessa, l'autre courut en mon
logis avertir mon hôte de ma disgrâce. Il vint aussitôt à
moi et me fit porter demi-mort dans mon lit. Avec tant
de blessures et tant d'amour, je ne fus pas longtemps sans
avoir une fièvre très violente. On désespéra de ma vie
et je n'en espérai pas mieux que les autres. Cependant,
l'amour de Léonore ne me quittait point; au contraire,
il augmentait toujours à mesure que mes forces dimi-
nuèrent. Ne pouvant donc plus supporter un fardeau si
pesant sans m'en décharger, ni me résoudre à mourir
sans faire savoir à Léonore que je n'aurais voulu vivre
que pour elle, je demandai une plume et de l'encre. On
crut que je rêvais; mais je le fis avec une si grande ins-
tance, et je protestai si bien que l'on me mettrait au
désespoir si l'on me refusait ce que je demandais que le
seigneur Stéphano, qui avait bien reconnu ma passion
et qui était assez clairvoyant pour se douter à peu près

de mon dessein, me fît donner tout ce qu'il fallait pour
écrire; et, comme s'il eût su mon intention, il demeura
seul dans ma chambre. Je relus les papiers que j'avais
écrits un peu auparavant pour me servir des pensées
que j'avais déjà eues sur le même sujet. Enfin, voici ce
que j'écrivis à Léonore :

« Aussitôt que je vous vis, je ne pus m'empêcher de
« vous aimer. Ma raison ne s'y opposa point; elle me dit,
« aussi bien que mes yeux, que vous étiez la plus aimable
« personne du monde, au lieu de me représenter que je
« n'étais pas digne de vous aimer. Mais elle n'eût fait
« qu'irriter mon mal par des remèdes inutiles et, après
« m'avoir fait faire quelque résistance, il aurait toujours
« fallu céder à la nécessité de vous aimer que vous imposez
« à tous ceux qui vous voient. Je vous ai donc aimée,
« belle Léonore, et d'un amour si respectueux que vous
« ne m'en devez pas haïr, bien que j'aie la hardiesse de
« vous le découvrir. Mais le moyen de mourir pour vous
« et de ne s'en glorifier pas! et quelle peine pouvez-vous
« avoir à me pardonner un crime que vous aurez si peu
« de temps à me reprocher ? Il est vrai que vous avoir
« pour la cause de sa mort est une récompense qui ne
« se peut mériter que par un grand nombre de services
« et vous avez peut-être regret de m'avoir fait ce bien-là
« sans y penser. Ne me le plaignez point, aimable Léo-
« nore, puisque vous ne me le pouvez plus faire perdre
« et que c'est la seule faveur que j'aie jamais reçue de la
« fortune, laquelle ne pourra jamais s'acquitter de ce
« qu'elle doit à votre mérite qu'en vous donnant des
« adorateurs autant au-dessus de moi que toutes les
« beautés du monde sont au-dessous de la vôtre. Je ne
« suis donc pas assez vain pour espérer que le moindre
« sentiment de pitié... »

Je ne pus achever ma lettre; tout d'un coup les forces
me manquèrent et la plume me tomba de la main, mon
corps ne pouvant suivre mon esprit qui allait si vite.
Sans cela ce long commencement de lettre que je viens
de vous réciter n'aurait été que la moindre partie de la

mienne, tant la fièvre et l'amour m'avaient échauffé
l'imagination. Je demeurai longtemps évanoui sans
donner aucun signe de vie. Le seigneur Stéphano, qui
s'en aperçut, ouvrit la porte de la chambre pour envoyer
quérir un prêtre. Au même temps Léonore et sa mère
me vinrent voir. Elles avaient appris que j'avais été
assassiné; et, parce qu'elles crurent que cela ne m'était
arrivé que pour les avoir voulu servir, et ainsi qu'elles
étaient la cause innocente de ma mort, elles n'avaient
point fait difficulté de me venir voir en l'état où j'étais.
Mon évanouissement dura si longtemps qu'elles s'en
allèrent devant que je fusse revenu à moi, fort affligées,
à ce que l'on put juger, et dans la croyance que je n'en
reviendrais pas. Elles lurent ce que j'avais écrit et la
mère, plus curieuse que la fille, lut aussi les papiers que
j'avais laissés sur mon lit, entre lesquels il y avait une
lettre de mon père Garigues. Je fus longtemps entre la
mort et la vie, mais enfin la jeunesse fut la plus forte.
En quinze jours, je fus hors de danger et au bout de cinq
ou six semaines je commençai à marcher par la chambre.
Mon hôte me disait souvent des nouvelles de Léonore;
il m'apprit la charitable visite que sa mère et elle m'avaient
rendue, dont j'eus une extrême joie et, si je fus un peu
en peine de ce qu'on avait lu la lettre de mon père, je fus
d'ailleurs fort satisfait de ce que la mienne avait été lue
aussi. Je ne pouvais parler d'autre chose que de Léonore,
toutes les fois que je me trouvais seul avec Stéphano.
Un jour, me souvenant que la mère de Léonore m'avait
dit qu'il me pourrait apprendre qui elle était et ce qui
la retenait dans Rome, je le priai de me faire part de ce
qu'il en savait. Il me dit qu'elle s'appelait mademoiselle
de la Boissière; qu'elle était venue à Rome avec la femme
de l'ambassadeur de France; qu'un homme de condition,
proche parent de l'ambassadeur, était devenu amoureux
d'elle; qu'elle ne l'avait pas haï et que d'un mariage clan-
destin il en avait eu cette belle Léonore. Il m'apprit, de
plus, que ce seigneur en avait été brouillé avec toute la
maison de l'ambassadeur; que cela l'avait obligé de

quitter Rome et d'aller demeurer quelque temps à
Venise, avec cette mademoiselle de la Boissière, pour
laisser passer le temps de l'ambassade ; que, l'ayant
ramenée dans Rome, il lui avait meublé une maison et
donné tous les ordres nécessaires pour la faire vivre en
personne de condition, tandis qu'il serait en France, où
son père le faisait revenir et où il n'avait osé mener sa
maîtresse ou, si vous voulez, sa femme, sachant bien
que son mariage ne serait approuvé de personne. Je
vous avoue que je ne pus m'empêcher de souhaiter quelquefois que ma Léonore ne fût pas fille légitime d'un
homme de condition, afin que le défaut de sa naissance
eût plus de rapport avec la bassesse de la mienne. Mais
je me repentais bientôt d'une pensée si criminelle et lui
souhaitais une fortune aussi avantageuse qu'elle la méritait, quoique cette dernière pensée me causât un désespoir
étrange ; car, l'aimant plus que ma vie, je prévoyais bien
que je ne pourrais jamais être heureux sans la posséder,
ni la posséder sans la rendre malheureuse. Lorsque j'achevais de me guérir et que, d'un si grand mal, il ne me restait que beaucoup de pâleur sur le visage, causée par la
grande quantité de sang que j'avais perdu, mes jeunes
maîtres revinrent de l'armée des Vénitiens, la peste qui
infectait tout le Levant ne leur ayant pas permis d'y
exercer plus longtemps leur courage. Verville m'aimait
encore comme il m'a toujours aimé et Saint-Far ne me
témoignait point encore qu'il me haït, comme il a fait
depuis. Je leur fis le récit de tout ce qui m'était arrivé,
à la réserve de l'amour que j'avais pour Léonore. Ils
témoignèrent une extrême envie de la connaître et je
la leur augmentai en leur exagérant le mérite de la mère
et de la fille. Il ne faut jamais louer la personne que l'on
aime devant ceux qui peuvent l'aimer aussi, puisque
l'amour entre dans l'âme aussi bien par les oreilles que
par les yeux. C'est un emportement qui a souvent bien
fait du mal à ceux qui s'y sont laissés aller et vous allez
voir si j'en puis parler par expérience. Saint-Far me
demandait tous les jours quand je le mènerais chez

mademoiselle de la Boissière. Un jour qu'il me pressait plus qu'il n'avait jamais fait, je lui dis que je ne savais pas si elle l'aurait agréable, parce qu'elle vivait fort retirée. Je vois bien que vous êtes amoureux de sa fille, me repartit-il; et, ajoutant qu'il irait bien la voir sans moi, il me rompit si rudement en visière, et je parus si étonné qu'il ne douta plus de ce que peut-être il ne soupçonnait pas encore. Il me fit ensuite cent mauvaises railleries et me mit en un tel désordre que Verville en eut pitié. Il me tira d'auprès de ce brutal et me mena au cours, où je fus extrêmement triste, quelque peine que prit Verville à me divertir par une bonté extraordinaire à une personne de son âge et d'une condition si éloignée à la mienne. Cependant son brutal de frère travaillait à sa satisfaction ou plutôt à ma ruine. Il s'en alla chez mademoiselle de la Boissière, où l'on le prit d'abord pour moi, parce qu'il avait avec lui le valet de mon hôte qui m'y avait accompagné plusieurs fois; et je crois que sans cela on ne l'y aurait pas reçu. Mademoiselle de la Boissière fut fort surprise de voir un homme inconnu. Elle dit à Saint-Far que, ne le connaissant point, elle ne savait à quoi attribuer l'honneur qu'il lui faisait de la visiter. Saint-Far lui dit sans marchander qu'il était le maître d'un jeune garçon qui avait été assez heureux pour avoir été blessé en lui rendant un petit service. Ayant débuté par une nouvelle qui ne plut ni à la mère ni à la fille, comme j'ai su depuis, et ces deux spirituelles personnes ne se souciant pas beaucoup de hasarder la réputation de leur esprit avec un homme qui leur avait d'abord fait voir qu'il n'en avait guère, le brutal se divertit fort peu avec elles et elles s'ennuyèrent beaucoup avec lui. Ce qui le pensa faire enrager, c'est qu'il n'eut pas seulement la satisfaction de voir Léonore au visage, quelque instante prière qu'il lui fit de lever le voile qu'elle portait d'ordinaire, comme font à Rome les filles de condition qui ne sont pas encore mariées. Enfin ce galant homme s'ennuya de les ennuyer; il les délivra de sa fâcheuse visite et s'en retourna chez le seigneur

Stéphano, remportant fort peu d'avantage du mauvais office qu'il m'avait rendu. Depuis ce temps-là, comme les brutaux sont fort portés à vouloir du mal à ceux à qui ils en ont fait, il eut pour moi des mépris si insupportables et me désobligea si souvent que j'eusse cent fois perdu le respect que je devais à sa condition, si Verville, par des bontés continuelles, ne m'eût aidé à souffrir les brutalités de son frère. Je ne savais point encore le mal qu'il m'avait fait, quoique j'en ressentisse souvent les effets. Je trouvais bien mademoiselle de la Boissière plus froide qu'elle n'était au commencement de notre connaissance; mais étant également civile, je ne remarquai point que je lui fusse à charge. Pour Léonore, elle me paraissait fort rêveuse devant sa mère et, quand elle n'en était pas observée, il me semblait qu'elle en avait le visage moins triste et que j'en recevais des regards plus favorables. Le Destin contait ainsi son histoire et les comédiennes l'écoutaient attentivement sans témoigner qu'elles eussent envie de dormir lorsque deux heures après minuit sonnèrent. Mademoiselle de la Caverne fit souvenir Le Destin qu'il devait le lendemain tenir compagnie à la Rappinière jusqu'à une maison qu'il avait à deux ou trois lieues de la ville, où il avait promis de leur donner le plaisir de la chasse. Le Destin prit donc congé des comédiennes et se retira dans sa chambre où il y a apparence qu'il se coucha. Les comédiennes firent la même chose; et ce qui restait de la nuit se passa fort paisiblement dans l'hôtellerie, le poëte par bonheur n'ayant point enfanté de nouvelles stances.

CHAPITRE XIV

ENLÈVEMENT DU CURÉ DE DOMFRONT

Ceux qui auront eu assez de temps à perdre pour l'avoir employé à lire les chapitres précédents doivent savoir,

s'ils ne l'ont oublié, que le curé de Domfront [59] était dans
l'un des brancards qui se trouvèrent quatre de compagnie dans un petit village, par une rencontre qui ne
s'était peut-être jamais faite; mais, comme tout le
monde sait, quatre brancards se peuvent plutôt rencontrer ensemble que quatre montagnes. Ce curé donc, qui
s'était logé dans la même hôtellerie que nos comédiens,
fit consulter sa gravelle par les médecins du Mans qui
lui dirent, en latin fort élégant, qu'il avait la gravelle (ce
que le pauvre homme ne savait que trop), et ayant aussi
achevé d'autres affaires [qui] ne sont pas venues à ma
connaissance, il partit de l'hôtellerie sur les neuf heures
du matin pour retourner à la conduite de ses ouailles.
Une jeune nièce qu'il avait, habillée en demoiselle, soit
qu'elle le fût ou non, se mit, au devant du brancard, aux
pieds du bonhomme qui était gros et court. Un paysan,
nommé Guillaume, conduisait par la bride le cheval de
devant par l'ordre exprès du curé, de peur que ce cheval
ne mît le pied en faute; et le valet du curé, nommé Julian,
avait soin de faire aller le cheval de derrière, qui était si
rétif que Julian était souvent contraint de le pousser
par le cul. Le pot de chambre du curé, qui était de cuivre
jaune reluisant comme de l'or, parce qu'il avait été
écuré dans l'hôtellerie, était attaché au côté droit du
brancard, ce qui le rendait bien plus recommandable
que le gauche, qui n'était paré que d'un chapeau dans
un étui de carte [60], que le curé avait retiré du messager
de Paris pour un gentilhomme de ses amis, qui avait sa
maison auprès de Domfront. A une lieue et demie de la
ville, comme le brancard allait son petit train dans un
chemin creux, revêtu de haies plus fortes que des murailles, trois cavaliers, soutenus de deux fantassins, arrêtèrent le vénérable brancard. L'un d'eux, qui paraissait
être le chef de ces coureurs de grand chemin, dit d'une
voix effroyable : Par la mort! le premier qui soufflera,
je le tue, et présenta la bouche de son pistolet à deux
doigts près des yeux du paysan Guillaume qui conduisait
le brancard. Un autre en fit autant à Julian, et un des

hommes de pied coucha en joue la nièce du curé, qui
cependant dormait dans son brancard fort paisiblement
et ainsi fut exempté de l'effroyable peur qui saisit son
petit train pacifique. Ces vilains hommes firent marcher
le brancard plus vite que les méchants chevaux qui le
portaient n'en avaient envie. Jamais le silence n'a été
mieux observé dans une action si violente. La nièce du
curé était plus morte que vive; Guillaume et Julian pleu-
raient sans oser ouvrir la bouche, à cause de l'effroyable
vision des armes à feu; et le curé dormait toujours, comme
je vous ai déjà dit. Un des cavaliers se détacha du
gros au galop et prit le devant. Cependant le brancard
gagna un bois, à l'entrée duquel le cheval de devant, qui
mourait peut-être de peur aussi bien que celui qui le
menait, ou par belle malice, ou parce que l'on le faisait
aller plus vite qu'il ne lui était permis par sa nature
pesante et endormie, ce pauvre cheval donc mit le pied
dans une ornière et broncha si rudement que monsieur
le curé s'en éveilla et sa nièce tomba du brancard sur
la maigre croupe de la haridelle. Le bonhomme appela
Julian, qui n'osa lui répondre; il appela sa nièce, qui
n'avait garde d'ouvrir la bouche; le paysan eut le cœur
aussi dur que les autres et le curé se mit en colère tout
de bon. On a voulu dire qu'il jura Dieu, mais je ne puis
croire cela d'un curé du bas Maine. La nièce du curé
s'était relevée de dessus la croupe du cheval et avait
repris sa place sans oser regarder son oncle, et le cheval,
s'étant relevé vigoureusement, marchait plus fort qu'il
n'avait jamais fait, nonobstant le bruit du curé qui
criait de sa voix de lutrin : Arrête! arrête! Ses cris redou-
blés excitaient le cheval et le faisaient aller encore plus
vite, et cela faisait crier le curé encore plus fort. Il appelait tantôt Julian, tantôt Guillaume et, plus souvent
que les autres, sa nièce, au nom de laquelle il joignait
souvent l'épithète de double carogne. Elle eût pourtant
bien parlé, si elle eût voulu, car celui qui lui faisait garder
le silence si exactement était allé joindre les gens de
cheval qui avaient pris le devant et qui étaient éloignés

du brancard de quarante ou cinquante pas; mais la peur
de la carabine la rendait insensible aux injures de son
oncle qui se mit enfin à hurler et à crier à l'aide et au
meurtre, voyant qu'on lui désobéissait si opiniâtrement.
Là-dessus, les deux cavaliers qui avaient pris le devant
et que le fantassin avait fait revenir sur leurs pas, rejoi-
gnirent le brancard et le firent arrêter. L'un d'eux dit
effroyablement à Guillaume : Qui est le fou qui crie là-
dedans ? Hélas ! monsieur, vous le savez mieux que moi,
répondit le pauvre Guillaume. Le cavalier lui donna du
bout de son pistolet dans les dents et, le présentant à
la nièce, lui commanda de se démasquer et de lui dire
qui elle était. Le curé, qui voyait de son brancard tout
ce qui se passait et qui avait un procès avec un gentilhomme de ses voisins, nommé de Laune, crut que c'était
lui qui voulait l'assassiner. Il se mit donc à crier : Monsieur de Laune, si vous me tuez, je vous cite devant Dieu;
je suis sacré prêtre indigne et vous serez excommunié
comme un loup-garou. Cependant sa pauvre nièce se
démasquait et faisait voir au cavalier un visage effrayé
qui lui était inconnu. Cela fit un effet à quoi l'on ne s'attendait point. Cet homme colère lâcha son pistolet dans
le ventre du cheval qui portait le devant du brancard et,
d'un autre pistolet qu'il avait à l'arçon de sa selle, donna
droit dans la tête d'un de ses hommes de pied, en disant :
Voilà comme il faut traiter ceux qui donnent de faux avis.
Ce fut alors que la frayeur redoubla au curé et à son train.
Il demanda confession; Julian et Guillaume se mirent
à genoux et la nièce du curé se rangea auprès de son
oncle. Mais ceux qui leur faisaient tant de peur les avaient
déjà quittés et s'étaient éloignés d'eux autant que leurs
chevaux avaient pu courir, leur laissant en dépôt celui
qui avait été tué d'un coup de pistolet. Julian et Guillaume se levèrent en tremblant et dirent au curé et à sa
nièce que les gendarmes s'en étaient allés. Il fallut dételer
le cheval de derrière afin que le brancard ne penchât
pas tant sur le devant et Guillaume fut envoyé en un
bourg prochain pour trouver un autre cheval. Le curé

ne savait que penser de ce qui lui était arrivé; il ne pouvait deviner pourquoi on l'avait enlevé, pourquoi on
l'avait quitté sans le voler et pourquoi ce cavalier avait
tué un des siens même, dont le curé n'était pas si scandalisé que de son pauvre cheval tué, qui vraisemblablement n'avait jamais rien eu à démêler avec cet étrange
homme. Il concluait toujours que c'était de Laune qui
l'avait voulu assassiner et qu'il en aurait la raison. Sa
nièce lui soutenait que ce n'était point de Laune, qu'elle
connaissait bien, mais le curé voulait que ce fût lui pour
lui faire un bon grand procès criminel, se fiant peut-être
aux témoins à gages qu'il espérait de trouver à Gorron [61],
où il avait des parents. Comme ils contestaient là-dessus,
Julian, qui vit paraître de loin quelque cavalerie, s'enfuit
tant qu'il put. La nièce du curé, qui vit fuir Julian, crut
qu'il en avait du sujet et s'enfuit aussi; ce qui fit perdre au
curé la tramontane, ne sachant plus ce qu'il devait penser
de tant d'événements extraordinaires. Enfin il vit aussi
la cavalerie que Julian avait vue, et, qui pis est, il vit
qu'elle venait droit à lui. Cette troupe était composée de
neuf ou dix chevaux, au milieu de laquelle il y avait un
homme lié et garrotté sur un méchant cheval et défait
comme ceux qu'on mène pendre. Le curé se mit à prier
Dieu et se recommanda de bon cœur à sa toute bonté,
sans oublier le cheval qui lui restait, mais il fut bien
étonné et rassuré tout ensemble quand il reconnut la
Rappinière et quelques-uns de ses archers. La Rappinière lui demanda ce qu'il faisait là et si c'était lui qui
avait tué l'homme qu'il voyait roide mort auprès du
corps d'un cheval. Le curé lui conta ce qui lui était
arrivé, et conclut encore que c'était de Laune qui l'avait
voulu assassiner; de quoi la Rappinière verbalisa amplement. Un des archers courut au prochain village
pour faire enlever le corps mort et revint avec la nièce
du curé et Julian, qui s'étaient rassurés et qui avaient
rencontré Guillaume ramenant un cheval pour le brancard. Le curé s'en retourna à Domfront sans aucune
mauvaise rencontre où, tant qu'il vivra, il contera son

enlèvement. Le cheval mort fut mangé des loups ou des
mâtins; le corps de celui qui avait été tué fut enterré
je ne sais où; et la Rappinière, Le Destin, la Rancune et
l'Olive, les archers et le prisonnier, s'en retournèrent
au Mans. Et voilà le succès de la chasse de la Rappinière
et des comédiens qui prirent un homme au lieu de prendre
un lièvre.

CHAPITRE XV

ARRIVÉE D'UN OPÉRATEUR DANS L'HOTELLERIE. SUITE
DE L'HISTOIRE DE DESTIN ET DE L'ÉTOILE.
Sérénade

Il vous souviendra, s'il vous plaît, que dans le précédent chapitre, l'un de ceux qui avaient enlevé le curé de
Domfront avait quitté ses compagnons et s'en était allé
au galop je ne sais où. Comme il pressait extrêmement
son cheval dans un chemin fort creux et fort étroit, il
vit de loin quelques gens de cheval qui venaient à lui;
il voulut retourner sur ses pas pour les éviter et tourna
son cheval si court et avec tant de précipitation qu'il
se cabra et se renversa sur son maître. La Rappinière et
sa troupe (car c'étaient ceux qu'il avait vus) trouvèrent
fort étrange qu'un homme, qui venait à eux si vite, eût
voulu s'en retourner de la même façon. Cela donna
quelque soupçon à la Rappinière qui, de son naturel,
en était fort susceptible, outre que sa charge l'obligeait
à croire plutôt le mal que le bien. Son soupçon s'augmenta beaucoup quand, étant auprès de cet homme qui
avait une jambe sous son cheval, il vit qu'il ne paraissait
pas tant effrayé de sa chute que de ce qu'il en avait des
témoins. Comme il ne hasardait rien en augmentant sa
peur et qu'il savait faire sa charge mieux que prévôt
du royaume, il lui dit en l'approchant : Vous voilà donc
pris, homme de bien ? Ah! je vous mettrai en lieu d'où
vous ne tomberez pas si lourdement. Ces paroles étour-

dirent le malheureux bien plus que n'avait fait sa chute;
et la Rappinière et les siens remarquèrent sur son visage
de si grandes marques d'une conscience bourrelée que
tout autre, moins entreprenant que lui, n'eût point
balancé à l'arrêter. Il commanda donc à ses archers de
lui aider à se relever et le fit lier et garrotter sur son
cheval. La rencontre qu'il fit un peu après du curé de
Domfront, dans le désordre que vous avez vu, auprès
d'un homme mort et d'un cheval tué d'un coup de
pistolet, lui [assura] [62] qu'il ne s'était pas mépris : à
quoi contribua beaucoup la frayeur du prisonnier, qui
augmenta visiblement à son arrivée. Le Destin le regardait plus attentivement que les autres, pensant le reconnaître et ne pouvant se remettre en mémoire où il l'avait
vu. Il travailla en vain sa réminiscence durant le chemin;
il ne put y trouver ce qu'il cherchait. Enfin ils arrivèrent
au Mans où la Rappinière fit emprisonner le prétendu
criminel, et les comédiens, qui devaient commencer le
lendemain à représenter, se retirèrent en leur hôtellerie
pour donner ordre à leurs affaires. Ils se réconcilièrent
avec l'hôte; et le poëte, qui était libéral comme un poëte,
voulut payer le souper. Ragotin, qui se trouva dans
l'hôtellerie et qui ne s'en pouvait éloigner depuis qu'il
était amoureux de l'Étoile, en fut convié par le poëte,
qui fut assez fou pour y convier aussi tous ceux qui
avaient été spectateurs de la bataille qui s'était donnée,
la nuit précédente, en chemise entre les comédiens et la
famille de l'hôte. Un peu devant le souper, la bonne
compagnie qui était déjà dans l'hôtellerie, augmenta
d'un opérateur et de son train, qui était composé de sa
femme, d'une vieille servante maure, d'un singe et de
deux valets. La Rancune le connaissait il y avait longtemps; ils se firent force caresses; et le poëte, qui faisait
aisément connaissance, ne quitta point l'opérateur et
sa femme qu'à force de compliments pompeux, et qui
ne disaient pourtant pas grand'chose, il ne leur eût fait
promettre qu'ils lui feraient l'honneur de souper avec lui.
On soupa; il ne s'y passa rien de remarquable; on y but

beaucoup, et on n'y mangea pas moins. Ragotin y reput
ses yeux du visage de l'Étoile, ce qui l'enivra autant que
le vin qu'il avala; et il parla fort peu durant le souper,
quoique le poëte lui donnât une belle matière à contester,
blâmant tout net les vers de Théophile [63], dont Ragotin
était grand admirateur. Les comédiennes firent quelque
temps conversation avec la femme de l'opérateur, qui
était Espagnole et n'était pas désagréable. Elles se retirèrent ensuite dans leur chambre, où Le Destin les conduisit pour achever son histoire, que la Caverne et sa
fille mouraient d'impatience d'entendre. L'Étoile cependant se mit à étudier son rôle; et Le Destin ayant pris
une chaise auprès d'un lit où la Caverne et sa fille s'assirent, reprit son histoire en cette sorte :

Vous m'avez vu jusques ici fort amoureux et bien en
peine de l'effet que ma lettre aurait fait dans l'esprit de
Léonore et de sa mère; vous m'allez voir encore plus
amoureux et le plus désespéré de tous les hommes. J'allais voir tous les jours mademoiselle de la Boissière et sa
fille, si aveuglé de ma passion que je ne remarquais point
la froideur que l'on avait pour moi et considérais encore
moins que mes trop fréquentes visites pouvaient leur
être à la fin incommodes. Mademoiselle de la Boissière
s'en trouvait fort importunée depuis que Saint-Far lui
avait appris qui j'étais, mais elle ne pouvait civilement
me défendre sa maison après ce qui m'était arrivé pour
elle. Pour sa fille, à ce que je puis juger par ce qu'elle
a fait depuis, je lui faisais pitié et elle ne suivait pas en
cela les sentiments de sa mère qui ne la perdait jamais
de vue afin que je ne pusse me trouver en particulier
avec elle. Mais pour vous dire le vrai, quand cette belle
fille eût voulu me traiter moins froidement que sa mère,
elle n'eût osé l'entreprendre devant elle. Ainsi je souffrais
comme une âme damnée et mes fréquentes visites ne me
servaient qu'à me rendre plus odieux à ceux à qui je
voulais plaire. Un jour que mademoiselle de la Boissière
reçut des lettres de France, qui l'obligeaient à sortir,
aussitôt qu'elle les eut lues elle envoya louer un carrosse

et chercher le seigneur Stéphano pour s'en faire accompagner, n'osant pas aller seule depuis la fâcheuse rencontre où je l'avais servie. J'étais plus prêt et plus propre à lui servir d'écuyer que celui qu'elle envoyait chercher, mais elle ne voulait pas recevoir le moindre service d'une personne dont elle se voulait défaire. Par bonheur Stéphano ne se trouva point et elle fut contrainte de témoigner devant moi la peine où elle était de n'avoir personne pour la mener, afin que je m'y offrisse : ce que je fis avec autant de joie qu'elle avait de dépit d'être réduite à me mener avec elle. Je la menai chez un cardinal, qui était lors protecteur de France et qui lui donna heureusement audience aussitôt qu'elle la lui eut fait demander. Il fallait que son affaire fût d'importance et qu'elle ne fût pas sans difficulté, car elle fut longtemps à lui parler en particulier dans une espèce de grotte ou plutôt une fontaine couverte qui était au milieu d'un fort beau jardin. Cependant tous ceux qui avaient suivi ce cardinal, se promenaient dans les endroits du jardin qui leur plaisaient le plus. Me voilà donc dans une grande allée d'orangers seul avec la belle Léonore, comme je l'avais tant souhaité de fois, et pourtant encore moins hardi que je n'avais jamais été. Je ne sais si elle s'en aperçut et si ce fut par bonté qu'elle parla la première. Ma mère, me dit-elle, aura bien du sujet de quereller le seigneur Stéphano de nous avoir aujourd'hui manqué et d'être cause que nous vous donnons tant de peine. Et moi je lui serai bien obligé, lui répondis-je, de m'avoir procuré, sans y penser, la plus grande félicité dont je jouirai jamais. Je vous ai assez d'obligations, repartit-elle, pour prendre part à tout ce qui vous est avantageux ; dites-moi donc, je vous prie, la félicité qu'il vous a procurée, si c'est une chose qu'une fille puisse savoir, afin que je m'en réjouisse. J'aurais peur, lui dis-je, que vous ne la fissiez cesser. Moi ! reprit-elle, je ne fus jamais envieuse et quand je le serais pour tout autre, je ne le serais jamais pour une personne qui a mis sa vie en hasard pour moi. Vous ne le feriez pas par envie, lui répondis-je.

Et par quel autre motif m'opposerai-je à votre félicité ?
reprit-elle. Par mépris, lui dis-je. Vous me mettez bien
en peine, ajouta-t-elle, si vous ne m'apprenez ce que je
mépriserais et de quelle façon le mépris que je ferais de
quelque chose vous la rendrait moins agréable. Il m'est
bien aisé de m'expliquer, lui répondis-je, mais je ne sais
si vous voudriez bien m'entendre. Ne me le dites donc
point, me dit-elle, car, quand on doute si on voudra
bien entendre une chose, c'est signe qu'elle n'est point
intelligible ou qu'elle peut déplaire. Je vous avoue que
je me suis étonné cent fois comment je lui pouvais
répondre, songeant bien moins à ce qu'elle me disait,
qu'à sa mère qui pouvait revenir et me faire perdre
l'occasion de lui parler de mon amour. Enfin, je m'en-
hardis et, sans employer plus de temps en une conversation qui ne me conduisait pas assez vite où je voulais
aller, je lui dis, sans répondre à ses dernières paroles,
qu'il y avait longtemps que je cherchais l'occasion de
lui parler pour lui confirmer ce que j'avais pris la hardiesse de lui écrire et que je ne me serais jamais hasardé
à cela si je n'avais su qu'elle avait lu ma lettre. Je lui
redis ensuite une grande partie de ce que je lui avais
écrit et ajoutai qu'étant près de partir pour la guerre
que le pape faisait à quelques princes d'Italie et étant
résolu d'y mourir, puisque je n'étais pas digne de vivre
pour elle, je la priais de m'apprendre les sentiments
qu'elle aurait eus pour moi si ma fortune eût eu plus de
rapport avec la hardiesse que j'avais eue de l'aimer. Elle
m'avoua, en rougissant, que ma mort ne lui serait pas
indifférente. Et si vous êtes homme à faire quelque chose
pour vos amis, ajouta-t-elle, conservez-nous-en un qui
nous a été si utile; ou, du moins, si vous êtes si pressé
de mourir, par une raison plus forte que celle que vous
me venez de dire, différez votre mort jusques à temps
que nous nous soyons revus en France où je dois bientôt
retourner avec ma mère. Je la pressai de me dire plus
clairement les sentiments qu'elle avait pour moi, mais
sa mère se trouva lors si près de nous qu'elle n'eût pu

me répondre quand elle l'eût voulu. Mademoiselle de
la Boissière me fit une mine assez froide, à cause peut-
être que j'avais eu le temps d'entretenir Léonore en
particulier et cette belle fille même me parut en être un
peu en peine. Cela fut cause que je n'osai être que fort
peu de temps chez elles. Je les quittai le plus content du
monde et tirant des conséquences fort avantageuses à
mon amour de la réponse de Léonore. Le lendemain je
ne manquai pas de les aller voir, suivant ma coutume;
on me dit qu'elles étaient sorties et on me dit la même
chose trois jours de suite que j'y retournai sans me
rebuter. Enfin le seigneur Stéphano me conseilla de n'y
aller plus, parce que mademoiselle de la Boissière ne
permettrait pas que je visse sa fille, ajoutant qu'il me
croyait trop raisonnable pour m'aller faire donner un refus.
Il m'apprit la cause de ma disgrâce. La mère de Léonore
l'avait trouvée qui m'écrivait une lettre et, après l'avoir
fort maltraitée, elle avait donné ordre à ses gens de me
dire qu'elles n'y étaient pas toutes les fois que je les vien-
drais voir. Ce fut alors que j'appris le mauvais office que
m'avait rendu Saint-Far et que, depuis ce temps-là,
mes visites avaient fort importuné la mère. Pour la
fille, Stéphano m'assura de sa part que mon mérite lui
eût fait oublier ma fortune si sa mère eût été aussi peu
intéressée qu'elle. Je ne vous dirai point le désespoir où
me mirent ces fâcheuses nouvelles; je m'affligeai autant
que si on m'eût refusé Léonore injustement, quoique je
n'eusse jamais espéré de la posséder; je m'emportai
contre Saint-Far, et je songeai même à me battre contre
lui, mais enfin, me remettant devant les yeux ce que je
devais à son père et à son frère, je n'eus recours qu'à mes
larmes. Je pleurai comme un enfant, et je m'ennuyai
partout où je ne fus pas seul. Il fallut partir sans voir
Léonore. Nous fîmes une campagne dans l'armée du
pape où je fis tout ce que je pus pour me faire tuer. La
fortune me fut contraire en cela, comme elle l'avait
toujours été en autres choses. Je ne pus trouver la mort
que je cherchais et j'acquis quelque réputation que je

ne cherchais point et qui m'aurait satisfait en un autre
temps, mais pour lors rien ne me pouvait satisfaire que
le souvenir de Léonore. Verville et Saint-Far furent
obligés de retourner en France où le baron d'Arques les
reçut en père idolâtre de ses enfants. Ma mère me reçut
fort froidement. Pour mon père, il se tenait à Paris chez
le comte de Glaris, qui l'avait choisi pour être le gouverneur de son fils. Le baron d'Arques, qui avait su ce que
j'avais fait dans la guerre d'Italie, où même j'avais sauvé
la vie à Verville, voulut que je fusse à lui en qualité de
gentilhomme. Il me permit d'aller voir mon père à Paris,
qui me reçut encore plus mal que n'avait fait sa femme.
Un autre homme de sa condition, qui eût eu un fils aussi
bien fait que moi, l'eût présenté au comte écossais, mais
mon père me tira hors de son logis avec empressement,
comme s'il eût eu peur que je l'eusse déshonoré. Il me
reprocha cent fois, durant le chemin que nous fîmes
ensemble, que j'étais trop brave; que j'avais la mine
d'être glorieux et que j'aurais mieux fait d'apprendre
un métier que d'être un traîneur d'épée. Vous pouvez
penser que ces discours-là n'étaient guère agréables à
un jeune homme qui avait été bien élevé, qui s'était mis
en quelque réputation à la guerre et enfin qui avait osé
aimer une fort belle fille, et même lui découvrir sa passion. Je vous avoue que les sentiments de respect et
d'amitié que l'on doit avoir pour un père n'empêchèrent
point que je ne le regardasse comme un très fâcheux
vieillard. Il me promena dans deux ou trois rues, me
caressant de la sorte que je vous viens de dire, et puis
me quitta tout d'un coup, me défendant expressément
de le revenir voir. Je n'eus pas grand'peine à me résoudre
de lui obéir. Je le quittai et m'en allai voir monsieur de
Saint-Sauveur, qui me reçut en père. Il fut fort indigné
de la brutalité du mien, et me promit de ne me point
abandonner. Le baron d'Arques eut des affaires qui
l'obligèrent d'aller demeurer à Paris. Il se logea à l'extrémité du faubourg Saint-Germain, en une fort belle maison
que l'on avait bâtie depuis peu, avec beaucoup d'autres

qui ont rendu ce faubourg-là aussi beau que la ville. Saint-Far et Verville faisaient leur cour, allaient au Cours [64] ou en visite, et faisaient tout ce que font les jeunes gens de leur condition en cette grande ville, qui fait passer pour campagnards les habitants des autres villes du royaume. Pour moi, quand je ne les accompagnais point, je m'allais exercer dans toutes les salles des tireurs d'armes, ou bien j'allais à la comédie : ce qui est cause peut-être de ce que je suis passable comédien.

Un jour Verville me tira en particulier et me découvrit qu'il était devenu fort amoureux d'une demoiselle qui demeurait dans la même rue. Il m'apprit qu'elle avait un frère nommé Saldagne, qui était aussi jaloux d'elle et d'une autre sœur qu'elle avait que s'il eût été leur mari et il me dit de plus qu'il avait fait assez de progrès auprès d'elle pour l'avoir persuadée de lui donner, la nuit suivante, entrée dans son jardin qui répondait par une porte de derrière à la campagne, comme celui du baron d'Arques. Après m'avoir fait cette confidence, il me pria de l'y accompagner et de faire tout ce que je pourrais pour me mettre aux bonnes grâces de la fille qu'elle devait avoir avec elle. Je ne pouvais refuser à l'amitié que m'avait toujours témoignée Verville de faire tout ce qu'il voulait. Nous sortîmes par la porte de derrière de notre jardin, sur les dix heures du soir, et fûmes reçus, dans celui où on nous attendait, par la maîtresse et la suivante. La pauvre mademoiselle de Saldagne tremblait comme la feuille et n'osait parler; Verville n'était guère plus assuré; la suivante ne disait mot et moi, qui n'étais là que pour accompagner Verville, je ne parlais point et n'en avais pas envie. Enfin Verville s'évertua et mena sa maîtresse dans une allée couverte, après avoir bien recommandé à la suivante et à moi de faire bon guet : ce que nous fîmes avec tant d'attention que nous nous promenâmes assez longtemps sans nous dire la moindre parole l'un à l'autre. Au bout d'une allée, nous nous rencontrâmes avec les jeunes amants. Verville me demanda assez haut si j'avais bien entretenu madame

Madelon. Je lui répondis que je ne croyais pas qu'elle eût sujet de s'en plaindre. Non assurément, dit aussitôt la soubrette, car il ne m'a encore rien dit. Verville s'en mit à rire et assura cette Madelon que je valais bien la peine que l'on fît conversation avec moi, quoique je fusse fort mélancolique. Mademoiselle de Saldagne prit la parole et dit que sa femme de chambre n'était pas aussi une fille à mépriser; et là-dessus ces amants bien-heureux nous quittèrent, nous recommandant de bien prendre garde que l'on ne les surprît point. Je me préparai alors à m'ennuyer beaucoup avec une servante qui m'al-lait demander sans doute combien je gagnais de gages, quelles servantes je connaissais dans le quartier, si je savais des chansons nouvelles et si j'avais bien des profits avec mon maître. Je m'attendais après cela d'apprendre tous les secrets de la maison de Saldagne et tous les défauts, tant de lui que de ses sœurs, car peu de suivants se ren-contrent ensemble sans se dire tout ce qu'ils savent de leur maître et sans trouver à redire au peu de soin qu'ils ont de faire leur fortune et celle de leurs gens; mais je fus bien étonné de me voir en conversation avec une servante qui me dit d'abord : Je te conjure, esprit muet, de me confesser si tu es valet et, si tu es valet, par quelle vertu admirable tu t'es empêché jusqu'à cette heure de me dire du mal de ton maître. Ces paroles, si extraordinaires en la bouche d'une femme de chambre, me surprirent. Je lui demandai de quelle autorité elle se mêlait de m'exorciser. Je vois bien, me dit-elle, que tu es un esprit opiniâtre et qu'il faut que je redouble mes conjurations. Dis-moi donc, esprit rebelle, par la puissance que Dieu m'a donnée sur les valets suffisants et glorieux, dis-moi qui tu es. Je suis un pauvre garçon, lui répondis-je, qui voudrais bien être endormi dans mon lit. Je vois bien, repartit-elle, que j'aurai bien de la peine à te connaître; au moins ai-je déjà découvert que tu n'es guère galant, car, ajouta-t-elle, ne me devais-tu pas parler le premier, me dire cent douceurs, me vou-loir prendre la main, te faire donner deux ou trois souf-

flets, autant de coups de pied, te faire bien égratigner,
enfin t'en retourner chez toi comme un homme à bonne
fortune ? Il y a des filles dans Paris, interrompis-je, dont
je serais ravi de porter les marques; mais il y en a aussi
que je ne voudrais pas seulement envisager, de peur
d'avoir de mauvais songes. Tu veux dire, reprit-elle,
que je suis peut-être laide. Hé, monsieur le difficile, ne
sais-tu pas bien que la nuit tous les chats sont gris ? Je
ne veux rien faire la nuit, lui répliquai-je, dont je puisse me
repentir le jour. Et si je suis belle ? me dit-elle. Je ne vous
aurais pas porté assez de respect, lui dis-je, outre qu'avec
l'esprit que vous me faites paraître, vous mériteriez d'être
servie et galantisée par les formes. Et servirais-tu bien
une fille de mérite par les formes ? me demanda-t-elle.
Mieux qu'homme au monde, lui dis-je, pourvu que je
l'aimasse. Que t'importe, ajouta-t-elle, pourvu que tu
en fusses aimé ? Il faut que l'un et l'autre se rencontrent
dans une galanterie où je m'embarquerais, lui repartis-je.
Vraiment, dit-elle, si je dois juger du maître par le valet,
ma maîtresse a bien choisi en M. de Verville et la servante, pour qui tu te radoucirais, aurait grand sujet de
faire l'importante. Ce n'est pas assez de m'ouïr parler,
lui dis-je, il faut aussi me voir. Je crois, repartit-elle,
qu'il ne faut ni l'un ni l'autre. Notre conversation ne
put durer davantage, car M. de Saldagne heurtait à
grands coups à la porte de la rue, que l'on ne se hâtait
point d'ouvrir par l'ordre de sa sœur, qui voulait avoir
le temps de gagner sa chambre. La demoiselle et la femme
de chambre se retirèrent si troublées et avec tant de
précipitation qu'elles ne nous dirent pas adieu en nous
mettant hors du jardin. Verville voulut que je l'accompagnasse en sa chambre aussitôt que nous fûmes arrivés
au logis. Jamais je ne vis un homme plus amoureux et
plus satisfait. Il m'exagéra l'esprit de sa maîtresse et
me dit qu'il n'aurait point l'esprit content que je ne l'eusse
vue. Enfin il me tint toute la nuit à me redire cent fois
les mêmes choses et je ne pus m'aller coucher qu'alors
que le point du jour commença de paraître. Pour moi,

j'étais fort étonné d'avoir trouvé une servante de si
bonne conversation et je vous avoue que j'eus quelque
envie de savoir si elle était belle, quoique le souvenir de
ma Léonore me donnât une extrême indifférence pour
toutes les belles filles que je voyais tous les jours dans
Paris. Nous dormîmes, Verville et moi, jusqu'à midi. Il
écrivit, aussitôt qu'il fut éveillé, à mademoiselle de
Saldagne et envoya sa lettre par son valet, qui en avait
déjà porté d'autres et qui avait correspondance avec
sa femme de chambre. Ce valet était Bas-Breton d'une
figure fort désagréable et d'un esprit qui l'était encore
plus. Il me vint en l'esprit, quand je le vis partir, que
si la fille que j'avais entretenue le voyait vilain comme il
était, et parlait un moment à lui, qu'assurément elle ne
le soupçonnerait point d'être celui qui avait accompagné
Verville. Ce gros sot s'acquitta assez bien de sa commission pour un sot; il trouva mademoiselle de Saldagne
avec sa sœur aînée, qui s'appelait mademoiselle de Léri, à
qui elle avait fait confidence de l'amour que Verville avait
pour elle. Comme il attendait sa réponse, M. de Saldagne fut ouï chanter sur le degré. Il venait à la chambre
de ses sœurs, qui cachèrent à la hâte notre Breton dans
une garde-robe. Le frère ne fut pas longtemps avec ses
sœurs et le Breton fut tiré de sa cachette. Mademoiselle
de Saldagne s'enferma dans un petit cabinet pour faire
réponse à Verville et mademoiselle de Léri fit conversation avec le Breton, qui sans doute ne la divertit
guère. Sa sœur, qui avait achevé sa lettre, la délivra de
notre lourdaud, le renvoyant à son maître avec un billet
par lequel elle lui promettait de l'attendre à la même
heure dans le même jardin.

Aussitôt que la nuit fut venue, vous pouvez penser
que Verville se tint prêt pour aller à l'assignation qu'on
lui avait donnée. Nous fûmes introduits dans le jardin
et je me vis en tête la même personne que j'avais entretenue et que j'avais trouvée si spirituelle. Elle me le
parut encore plus qu'elle n'avait fait, et je vous avoue
que le son de sa voix et la façon dont elle disait les choses

me firent souhaiter qu'elle fût belle. Cependant elle ne
pouvait croire que je fusse le Bas-Breton qu'elle avait vu,
ni comprendre pourquoi j'avais plus d'esprit la nuit que
le jour, car le Breton nous ayant conté que l'arrivée de
Saldagne dans la chambre de ses sœurs lui avait fait
grand'peur, je m'en fis honneur devant cette spirituelle
servante en lui protestant que je n'avais pas tant eu de
peur pour moi que pour mademoiselle de Saldagne. Cela
lui ôta tout le doute qu'elle pouvait avoir que je ne fusse
pas le valet de Verville et je remarquai que, depuis cela,
elle commença à me tenir de vrais discours de servante.
Elle m'apprit que ce monsieur de Saldagne était un terrible homme et que, s'étant trouvé fort jeune sans père
ni mère avec beaucoup de bien et peu de parents, il
exerçait une grande tyrannie sur ses sœurs pour les
obliger à se faire religieuses, les traitant non pas seulement en père injuste, mais en mari jaloux et insupportable. Je lui allais parler à mon tour du baron d'Arques
et de ses enfants, quand la porte du jardin, que nous
n'avions point fermée, s'ouvrit; et nous vîmes entrer
M. de Saldagne, suivi de deux laquais, dont l'un lui portait un flambeau. Il revenait d'un logis qui était au bout
de la rue, dans la même ligne du sien et du nôtre, où
l'on jouait tous les jours et où Saint-Far allait souvent
se divertir. Ils y avaient joué ce jour-là l'un et l'autre;
et Saldagne ayant perdu son argent de bonne heure,
était rentré dans son logis par la porte de derrière, contre
sa coutume; et, l'ayant trouvée ouverte, nous avait
surpris comme je vous viens de dire. Nous étions alors
tous quatre dans une allée couverte, ce qui nous donna
moyen de nous dérober à la vue de Saldagne et de ses
gens. La demoiselle demeura dans le jardin sous prétexte
de prendre le frais; et, pour rendre la chose plus vraisemblable, elle se mit à chanter sans en avoir grande envie,
comme vous pouvez penser. Cependant Verville, ayant
escaladé la muraille par une treille, s'était jeté de l'autre
côté; mais un troisième laquais de Saldagne, qui n'était
pas encore entré, le vit sauter et ne manqua pas de venir

dire à son maître qu'il venait de voir sauter un homme
de la muraille du jardin dans la rue. En même temps on
m'ouït tomber dans le jardin fort rudement, la même
treille par laquelle s'était sauvé Verville s'étant malheureusement rompue sous moi. Le bruit de ma chute, joint
au rapport du laquais, émut tous ceux qui étaient dans
le jardin. Saldagne courut au bruit qu'il avait entendu,
suivi de ses trois laquais ; et, voyant un homme l'épée à
la main (car aussitôt que je fus relevé, je m'étais mis en
état de me défendre), il m'attaqua à la tête des siens. Je
lui fis bientôt voir que je n'étais pas aisé à battre. Le
laquais qui portait le flambeau s'avança plus que les
autres ; cela me donna moyen de voir Saldagne au visage,
que je reconnus pour le même Français qui m'avait autrefois voulu assassiner dans Rome pour l'avoir empêché
de faire une violence à Léonore, comme je vous ai
tantôt dit. Il me reconnut aussi, et, ne doutant point
que je ne fusse venu là pour lui rendre la pareille, il me
cria que je ne lui échapperais pas cette fois-là. Il redoubla
ses efforts, et alors je me trouvai fort pressé, outre que
je m'étais quasi rompu une jambe en tombant. Je gagnai,
en lâchant le pied, un cabinet dans lequel j'avais vu
entrer la maîtresse de Verville fort éplorée. Elle ne sortit
point de ce cabinet quoique je m'y retirasse, soit qu'elle
n'en eût pas le temps, ou que la peur la rendît immobile.
Pour moi, je me sentis augmenter le courage quand je
vis que je ne pouvais être attaqué que par la porte du
cabinet, qui était assez étroite. Je blessai Saldagne en
une main et le plus opiniâtre de ses laquais en un bras ;
ce qui me fit donner un peu de relâche. Je n'espérais pas
pourtant en échapper, m'attendant qu'à la fin on me
tuerait à coups de pistolet quand je leur aurais bien
donné de la peine à coups d'épée ; mais Verville vint à mon
secours. Il ne s'était point voulu retirer dans son logis
sans moi ; et, ayant ouï la rumeur et le bruit des épées,
il était venu me tirer du péril où il m'avait mis ou le
partager avec moi. Saldagne, avec qui il avait déjà fait
connaissance, crut qu'il le venait secourir, comme son

ami et son voisin. Il s'en tint fort obligé et lui dit en
l'abordant : Vous voyez, monsieur, comme je suis assassiné dans mon logis. Verville, qui connut sa pensée, lui
répondit sans hésiter, qu'il était son serviteur contre
tout autre, mais qu'il n'était là qu'en l'intention de
me servir contre qui que ce fut. Saldagne, enragé de
s'être trompé, lui dit en jurant, qu'il viendrait bien à
bout lui seul de deux traîtres, et en même temps chargea
Verville de furie, qui le reçut vigoureusement. Je sortis
de mon cabinet pour aller joindre mon ami; et, surprenant le laquais qui portait le flambeau, je ne le voulus
pas tuer; je me contentai de lui donner un estramaçon
sur la tête, qui l'effraya si fort qu'il s'enfuit hors du
jardin bien avant dans la campagne, criant aux voleurs.
Les autres laquais s'enfuirent aussi. Pour ce qui est de
Saldagne, au même temps que la lumière du flambeau
nous manqua, je le vis tomber dans une palissade, soit
que Verville l'eût blessé ou par un autre accident. Nous
ne jugeâmes pas à propos de le relever, mais bien de
nous retirer bien vite. La sœur de Saldagne, que j'avais
vue dans le cabinet, et qui savait bien que son frère était
homme à lui faire de grandes violences, en sortit alors
et vint nous prier, parlant bas et fondant toute en larmes,
de l'emmener avec nous. Verville fut ravi d'avoir sa
maîtresse en sa puissance. Nous trouvâmes la porte de
notre jardin entr'ouverte, comme nous l'avions laissée,
et nous ne la fermâmes point pour n'avoir pas la peine
de l'ouvrir si nous étions obligés de sortir. Il y avait dans
notre jardin une salle basse, peinte et fort enjolivée, où
l'on mangeait en été et qui était détachée du reste de la
maison. Mes jeunes maîtres et moi y faisions quelquefois
des armes; et, comme c'était le lieu le plus agréable de
la maison, le baron d'Arques, ses enfants et moi, en
avions chacun une clef, afin que les valets n'y entrassent
point et que les livres et les meubles qui y étaient fussent
en sûreté. Ce fut là où nous mîmes notre demoiselle qui
ne pouvait se consoler. Je lui dis que nous allions songer
à sa sûreté et à la nôtre et que nous reviendrions à elle

dans un moment. Verville fut un gros quart d'heure à
réveiller son valet breton qui avait fait la débauche.
Aussitôt qu'il nous eut allumé de la chandelle, nous
songeâmes quelque temps à ce que nous ferions de la
sœur de Saldagne; enfin nous résolûmes de la mettre
dans ma chambre, qui était au haut du logis et qui n'était
fréquentée que de mon valet et de moi. Nous retournâmes à la salle du jardin avec de la lumière. Verville
fit un grand cri en y entrant, ce qui me surprit fort. Je
n'eus pas le temps de lui demander ce qu'il avait, car
j'ouïs parler à la porte de la salle, que quelqu'un ouvrit
à l'instant que j'éteignais ma chandelle. Verville demanda :
Qui va là ? Son frère Saint-Far nous répondit : C'est moi.
Que diable faites-vous ici sans chandelle à l'heure qu'il
est ? Je m'entretenais avec Garigues parce que je ne
puis dormir, lui répondit Verville. Et moi, dit Saint-Far,
je ne puis dormir aussi et viens occuper la salle à mon
tour; je vous prie de m'y laisser tout seul. Nous ne nous
fîmes pas prier deux fois. Je fis sortir notre demoiselle
le plus adroitement que je pus, m'étant mis entre elle
et Saint-Far qui entrait en même temps. Je la menai
dans ma chambre sans qu'elle cessât de se désespérer
et revins trouver Verville dans la sienne où son valet
ralluma de la chandelle. Verville me dit avec un visage
affligé, qu'il fallait nécessairement qu'il retournât chez
Saldagne. Et qu'en voulez-vous faire ? lui dis-je, l'achever ? Ha ! mon pauvre Garigues, s'écria-t-il, je suis le
plus malheureux homme du monde si je ne tire mademoiselle de Saldagne d'entre les mains de son frère ! Et
y est-elle encore puisqu'elle est dans ma chambre ? lui
répondis-je. Plût à Dieu que cela fût ! me dit-il en soupirant. Je crois que vous rêvez, lui repartis-je. Je ne rêve
point, reprit-il; nous avons pris la sœur aînée de mademoiselle Saldagne pour elle. Quoi ! lui dis-je aussitôt,
n'étiez-vous pas ensemble dans le jardin ? Il n'y a rien
de plus assuré, me dit-il. Pourquoi voulez-vous donc vous
aller faire assommer chez son frère, lui répondis-je,
puisque la sœur que vous demandez est dans ma chambre?

Ha! Garigues, s'écria-t-il encore, je sais bien ce que j'ai
vu. Et moi aussi, lui dis-je; et, pour vous montrer que
je ne me trompe point, venez voir mademoiselle de Saldagne. Il me dit que j'étais fou et me suivit le plus
affligé homme du monde. Mais mon étonnement ne fut pas
moindre que son affliction quand je vis dans ma chambre
une demoiselle que je n'avais jamais vue et qui n'était
point celle que j'avais amenée. Verville en fut aussi
étonné que moi, mais en récompense le plus satisfait
homme du monde, car il se trouvait avec mademoiselle
de Saldagne. Il m'avoua que c'était lui qui s'était trompé,
mais je ne pouvais lui répondre, ne pouvant comprendre
par quel enchantement une demoiselle que j'avais toujours accompagnée s'était transformée en une autre à
venir de la salle du jardin à ma chambre. Je regardais
attentivement la maîtresse de Verville, qui n'était point
assurément celle que nous avions tirée de chez Saldagne
et qui même ne lui ressemblait pas. Verville me voyant
si éperdu : Qu'as-tu donc ? me dit-il, je te confesse encore
une fois que je me suis trompé. Je le suis plus que vous
si mademoiselle de Saldagne est entrée céans avec nous,
lui répondis-je. Et avec qui donc ? reprit-il. Je ne sais,
lui dis-je, ni qui le peut savoir que mademoiselle même.
Je ne sais pas aussi avec qui je suis venue, si ce n'est
avec monsieur, nous dit alors mademoiselle de Saldagne,
parlant de moi; car, continua-t-elle, ce n'est pas monsieur
de Verville qui m'a tirée de chez mon frère, c'est un
homme qui est entré chez nous un moment après que
vous en êtes sorti. Je ne sais pas si les plaintes de mon
frère en furent cause ou si nos laquais, qui entrèrent en
même temps que lui, l'avaient averti de ce qui s'était
passé. Il fit porter mon frère dans sa chambre et ma
femme de chambre, m'étant venue apprendre ce que je
vous viens de dire et qu'elle avait remarqué que cet
homme était de la connaissance de mon frère et de nos
voisins, je l'allai attendre dans le jardin où je le conjurai
de me mener chez lui jusqu'au lendemain que je me ferais
mener chez une dame de mes amies pour laisser passer

la furie de mon frère, que je lui avouai avoir tous les
sujets du monde de redouter. Cet homme m'offrit assez
civilement de me conduire partout où je voudrais et me
promit de me protéger contre mon frère, même au péril
de sa vie. C'est sous sa conduite que je suis venue en
ce logis où Verville, que j'ai bien reconnu à la voix, a
parlé à ce même homme; ensuite de quoi on m'a mise
dans la chambre où vous me voyez.

Ce que nous dit mademoiselle de Saldagne ne m'éclair-
cit pas entièrement, mais au moins aida-t-elle beaucoup
à me faire deviner à peu près de quelle façon la chose
était arrivée. Pour Verville, il avait été si attentif à
considérer sa maîtresse qu'il ne l'avait été que fort peu
à tout ce qu'elle nous dit; il se mit à lui dire cent douceurs sans se mettre beaucoup en peine de savoir par
quelle voie elle était venue dans ma chambre. Je pris
de la lumière, et, les laissant ensemble, je retournai dans
la salle du jardin pour parler à Saint-Far, quand bien il
me devrait dire quelque chose de désobligeant, selon sa
coutume. Mais je fus bien étonné de trouver au lieu de
lui la même demoiselle que je savais très certainement
avoir amenée de chez Saldagne. Ce qui augmenta mon
étonnement, ce fut de la voir toute en désordre comme
une personne à qui on a fait une violence; sa coiffure
était toute défaite et le mouchoir qui lui couvrait la
gorge était sanglant en quelques endroits aussi bien que
son visage. Verville, me dit-elle aussitôt qu'elle me vit
paraître, ne m'approche point si ce n'est pour me tuer. Tu
feras bien mieux que d'entreprendre une seconde violence.
Si j'ai eu assez de force pour me défendre de la première,
Dieu m'en donnera encore assez pour t'arracher les yeux
si je ne puis t'ôter la vie. C'est donc là, ajouta-t-elle en
pleurant, cet amour violent que tu disais avoir pour ma
sœur ? Oh ! que la complaisance que j'ai eue pour ses
folies me coûte bon ! et quand on ne fait pas ce qu'on
doit, qu'il est bien juste de souffrir les maux que l'on
craint le plus ! Mais que délibères-tu ? me dit-elle encore,
me voyant tout étonné; as-tu quelques remords de ta

mauvaise action? Si cela est, je l'oublierai de bon cœur;
tu es jeune, et j'ai été trop imprudente de me fier en la
discrétion d'un homme de ton âge. Remets-moi donc
chez mon frère, je t'en conjure; tout violent qu'il est, je
le crains moins que toi, qui n'es qu'un brutal ou plutôt
un ennemi mortel de notre maison, qui n'as pu être
satisfait d'une fille séduite et d'un gentilhomme assassiné,
si tu n'y ajoutais un plus grand crime. En achevant ces
paroles, qu'elle prononça avec beaucoup de véhémence,
elle se mit à pleurer avec tant de violence que je n'ai
jamais vu une affliction pareille. Je vous avoue que ce
fut là où j'achevai de perdre le peu d'esprit que [j'avais]
conservé en une si grande confusion; et si elle n'eût
cessé de parler d'elle-même, je n'eusse jamais osé l'interrompre de la façon que j'étais étonné et de l'autorité
avec laquelle elle m'avait fait tous ces reproches. Mademoiselle, lui répondis-je, non seulement je ne suis point
Verville, mais aussi j'ose vous assurer qu'il n'est point
capable d'une mauvaise action, comme celle dont vous
vous plaignez. Quoi! reprit-elle, tu n'es point Verville?
je ne t'ai point vu aux mains avec mon frère? un gentilhomme n'est point venu à ton secours? et tu ne m'as
pas conduite céans à ma prière où tu m'as voulu faire
une violence indigne de toi et de moi? Elle ne put me rien
dire davantage, tant la douleur la suffoquait. Pour moi,
je ne fus jamais en plus grand'peine, ne pouvant comprendre comme elle connaissait Verville et ne le connaissait point. Je lui dis que la violence qu'on lui avait
faite m'était inconnue, et puisqu'elle était sœur de monsieur de Saldagne, que je la mènerais, si elle voulait, où
était sa sœur. Comme j'achevais de parler, je vis entrer
dans la salle Verville et mademoiselle de Saldagne qui
voulait absolument qu'on la ramenât chez son frère; je
ne sais pas d'où lui était venue une si dangereuse fantaisie.
Les deux sœurs s'embrassèrent aussitôt qu'elles se virent
et se remirent à pleurer à l'envi l'une de l'autre. Verville
les pria instamment de retourner dans ma chambre, leur
représentant la difficulté qu'il y aurait de faire ouvrir

chez monsieur de Saldagne, la maison étant alarmée
comme elle était, outre le péril qu'il y avait pour elles
entre les mains d'un brutal; que dans son logis elles ne
pouvaient être découvertes; que le jour allait bientôt
paraître et que, selon les nouvelles que l'on aurait de
Saldagne, on aviserait à ce que l'on aurait à faire. Verville
n'eut pas grand'peine à les faire condescendre à ce qu'il
voulut, ces deux pauvres demoiselles se trouvant toutes
rassurées de se voir ensemble. Nous montâmes en ma
chambre où, après avoir bien examiné les étranges succès
qui nous mettaient en peine, nous crûmes avec autant
de certitude que si nous l'eussions vu que la violence que
l'on avait faite à mademoiselle de Léri venait infaillible-
ment de Saint-Far, ne sachant que trop, Verville et moi,
qu'il était encore capable de quelque chose de pire. Nous
ne nous trompions point en nos conjectures; Saint-Far
avait joué dans la même maison où Saldagne avait perdu
son argent et, passant devant son jardin un moment
après le désordre que nous y avions fait, il s'était rencontré avec les laquais de Saldagne, qui luí avaient fait
le récit de ce qui était arrivé à leur maître, qu'ils assu-
raient avoir été assassiné par sept ou huit voleurs pour
excuser la lâcheté qu'ils avaient faite en l'abandonnant.
Saint-Far se crut obligé de lui aller offrir son service
comme à son voisin et ne le quitta point qu'il ne l'eût
fait porter dans sa chambre, au sortir de laquelle mademoiselle de Saldagne l'avait prié de la mettre à couvert
des violences de son frère et était venue avec lui, comme
avait fait sa sœur avec nous. Il avait donc voulu la mettre
dans la salle du jardin où nous étions, comme je vous ai
dit; et, parce qu'il n'avait pas moins de peur que nous
vissions sa demoiselle que nous en avions qu'il ne vît la
nôtre, et que par hasard les deux sœurs se trouvèrent
l'une auprès de l'autre, quand il entra et quand nous
sortîmes, je trouvai sous ma main la sienne au même
temps qu'il se trompa de la même façon avec la nôtre,
et ainsi les demoiselles furent troquées. Ce qui fut d'autant plus faisable que j'avais éteint la lumière et qu'elles

étaient vêtues l'une comme l'autre, et si éperdues aussi
bien que nous qu'elles ne savaient ce qu'elles faisaient.
Aussitôt que nous l'eûmes laissé dans la salle, se voyant
seul avec une fort belle fille, et ayant bien plus d'instinct que de raison, ou, pour parler de lui comme il
mérite, étant la brutalité même, il avait voulu profiter
de l'occasion, sans considérer ce qui en pourrait arriver
et qu'il faisait un outrage irréparable à une fille de condition, qui s'était mise entre ses bras comme dans un
asile. Sa brutalité fut punie comme elle méritait. Mademoiselle de Léri se défendit en lionne, le mordit, l'égratigna et le mit tout en sang. A tout cela il ne fit autre
chose que s'aller coucher et s'endormit aussi tranquille-
ment que s'il n'eût pas fait l'action du monde la plus
déraisonnable. Vous êtes peut-être en peine de savoir
comment mademoiselle de Léri se trouvait dans le
jardin quand son frère nous y surprit, elle qui n'y était
point venue comme avait fait sa sœur. C'est ce qui
m'embarrassait aussi bien que vous, mais j'appris de
l'une et de l'autre que mademoiselle de Léri avait accompagné sa sœur dans le jardin pour ne se fier pas à la discrétion d'une servante; et c'était elle que j'avais entretenue sous le nom de Madelon. Je ne m'étonnai donc
plus si j'avais trouvé tant d'esprit en une femme de
chambre; et mademoiselle de Léri m'avoua qu'après
avoir fait conversation avec moi dans le jardin et m'avoir
trouvé plus spirituel que ne l'est d'ordinaire un valet,
celui de Verville qui lui avait fait voir qu'il n'avait guère
d'esprit et qu'elle prenait encore le lendemain pour moi,
l'avait extrêmement étonnée. Depuis ce temps-là nous
eûmes l'un pour l'autre quelque chose de plus que de
l'estime, et j'ose dire qu'elle était pour le moins aussi
aise que moi de ce que nous nous pouvions aimer avec
plus d'égalité et de proportion que si l'un de nous deux
eût été valet ou servante. Le jour parut que nous étions
encore ensemble. Nous laissâmes nos demoiselles dans
ma chambre où elles s'endormirent si elles voulurent et
nous allâmes songer, Verville et moi, à ce que nous

avions à faire. Pour moi, qui n'étais pas amoureux comme Verville, je mourais d'envie de dormir, mais il n'y avait pas apparence d'abandonner mon ami dans un si grand accablement d'affaires. J'avais un laquais aussi avisé que le valet de chambre de Verville était maladroit. Je l'instruisis autant que je pus et l'envoyai découvrir ce qui se passait chez Saldagne. Il s'acquitta de sa commission avec esprit et nous rapporta que les gens de Saldagne disaient que des voleurs l'avaient fort blessé et que l'on ne parlait non plus de ses sœurs que si jamais il n'en eût eu, soit qu'il ne se souciât point d'elles ou qu'il eût défendu à ses gens d'en parler pour étouffer le bruit d'une chose qui lui était si désavantageuse. Je vois bien qu'il y aura ici du duel, me dit alors Verville. Et peut-être de l'assassinat, lui répondis-je. Et là-dessus je lui appris que Saldagne était le même qui m'avait voulu assassiner dans Rome, que nous nous étions reconnus l'un l'autre; et j'ajoutai que, s'il croyait que ce fût moi qui eût attenté sur sa vie, comme il y avait grande apparence, qu'assurément il ne soupçonnait rien encore de l'intelligence que ses sœurs avaient avec nous. J'allai rendre compte à ces pauvres filles de ce que nous avions appris; et cependant Verville alla trouver Saint-Far pour découvrir ses sentiments et si nous avions bien deviné. Il trouva qu'il avait le visage fort égratigné, mais, quelque question que Verville lui put faire, il n'en put tirer autre chose, sinon que, revenant de jouer, il avait trouvé la porte du jardin de Saldagne ouverte, sa maison en rumeur, et lui fort blessé entre les bras de ses gens qui le portaient dans sa chambre. Voilà un grand accident, lui dit Verville, et ses sœurs en seront bien affligées : ce sont de fort belles filles, je veux leur aller rendre visite. Que m'importe ? lui répondit ce brutal, qui se mit ensuite à siffler sans plus rien répondre à son frère, pour tout ce qu'il lui put dire. Verville le quitta et revint dans ma chambre, où j'employais toute mon éloquence pour consoler nos belles affligées. Elles se désespéraient et n'attendaient que des violences extrêmes de l'étrange

humeur de leur frère, qui était sans doute l'homme du
monde le plus esclave de ses passions. Mon laquais leur alla
querir à manger dans le prochain cabaret, ce qu'il continua
de faire quinze jours durant que nous les tînmes cachées
dans ma chambre où, par bonheur, elles ne furent point
découvertes parce qu'elle était au haut du logis et éloignée des autres. Elles n'eussent point eu de répugnance
à se mettre dans quelque maison religieuse, mais, à cause
de l'aventure fâcheuse qui leur était arrivée, elles avaient
grand sujet de craindre de ne sortir pas d'un couvent
quand elles voudraient après s'y être renfermées d'elles-
mêmes. Cependant les blessures de Saldagne se guéris-
saient et Saint-Far, que nous observions, l'allait visiter
tous les jours. Verville ne bougeait de ma chambre; à
quoi on ne prenait pas garde dans le logis, ayant accoutumé d'y passer souvent les jours entiers à lire ou à
s'entretenir avec moi. Son amour augmentait tous les
jours pour mademoiselle de Saldagne et elle l'aimait
autant qu'elle en était aimée. Je ne déplaisais pas à
sa sœur aînée et elle ne m'était pas indifférente. Ce n'est
pas que la passion que j'avais pour Léonore fût diminuée,
mais je n'espérais plus rien de ce côté-là. Et quand je
l'aurais pu posséder, j'aurais fait conscience de la rendre
malheureuse.

Un jour Verville reçut un billet de Saldagne qui le
voulait voir l'épée à la main et qui l'attendait avec un de
ses amis dans la plaine de Grenelle. Par le même billet,
Verville était prié de ne se servir point d'un autre que
de moi, ce qui me donna quelque soupçon que peut-être
il nous voulait prendre tous deux d'un coup de filet.
Ce soupçon était assez bien fondé, ayant déjà expérimenté ce qu'il savait faire, mais Verville ne s'y voulut
pas arrêter, ayant résolu de lui donner toutes sortes de
satisfactions et d'offrir même d'épouser sa sœur. Il
envoya querir un carrosse de louage, quoiqu'il y en eût
trois dans le logis. Nous allâmes où Saldagne nous attendait et où Verville fut bien étonné de trouver son frère
qui servait son ennemi. Nous n'oubliâmes ni soumissions,

ni prières pour faire passer les choses par accommodement.
Il fallut absolument se battre avec les deux moins raisonnables hommes du monde. Je voulus protester à
Saint-Far que j'étais au désespoir de tirer l'épée contre
lui et je ne répondis qu'avec des soumissions et des paroles
respectueuses à toutes les choses outrageantes dont il
exerça ma patience. Enfin il me dit brutalement que je
lui avais toujours déplu et que, pour regagner ses bonnes
grâces, il fallait que je reçusse de lui deux ou trois coups
d'épée. En disant cela, il vint à moi de furie. Je ne fis
que parer quelque temps, résolu d'essayer d'en venir
aux prises, au péril de quelques blessures. Dieu favorisa
ma bonne intention, il tomba à mes pieds. Je le laissai
relever et cela l'anima encore davantage contre moi.
Enfin, m'ayant blessé légèrement à une épaule, il me
cria, comme aurait fait un laquais, que j'en tenais, avec
un emportement si insolent que ma patience se lassa.
Je le pressai et, l'ayant mis en désordre, je passai si
heureusement sur lui que je pus lui saisir la garde de son
épée. Cet homme que vous haïssez tant, lui dis-je alors,
vous donnera néanmoins la vie. Il fit cent efforts hors de
saison sans jamais vouloir parler, comme un brutal qu'il
était, quoique je lui représentasse que nous devions aller
séparer son frère et Saldagne qui se roulaient l'un sur
l'autre; mais je vis bien qu'il fallait agir autrement avec
lui. Je ne l'épargnai plus et je pensai lui rompre la main
d'un grand effort que je fis en lui arrachant son épée que
je jetai assez loin de lui. Je courus aussitôt au secours de
Verville qui était aux prises avec son homme. En les
approchant, je vis de loin des gens de cheval qui venaient
à nous. Saldagne fut désarmé et, en même temps, je me
sentis donner un coup d'épée par derrière. C'était le
généreux Saint-Far qui se servait si lâchement de l'épée
que je lui avais laissée. Je ne fus plus maître de mon
ressentiment; je lui en portai un qui lui fit une grande
blessure. Le baron d'Arques, qui survint à l'heure même
et qui vit que je blessais son fils, m'en voulut d'autant
plus de mal qu'il m'avait toujours voulu beaucoup de

bien. Il poussa son cheval sur moi et me donna un coup
d'épée sur la tête. Ceux qui étaient venus avec lui fon-
dirent sur moi à son exemple. Je me démêlai assez heureusement de tant d'ennemis, mais il eût fallu céder au
nombre si Verville, le plus généreux ami du monde, ne
se fût mis entre eux et moi, au péril de sa vie. Il donna
un grand estramaçon sur les oreilles de son valet qui me
pressait plus que les autres pour se faire de fête. Je présentai mon épée par la garde au baron d'Arques : cela
ne le fléchit point. Il m'appela coquin, ingrat, et me dit
toutes les injures qui lui vinrent à la bouche, jusqu'à me
menacer de me faire pendre. Je répondis avec beaucoup
de fierté, que tout coquin et tout ingrat que j'étais,
j'avais donné la vie à son fils et que je ne l'avais blessé
qu'après en avoir été frappé en trahison. Verville soutint
à son père que je n'avais pas tort, mais il dit toujours
qu'il ne me voulait jamais voir. Saldagne monta avec le
baron d'Arques dans le carrosse où l'on avait mis Saint-
Far; et Verville, qui ne me voulut point quitter, me
reçut dans l'autre auprès de lui. Il me fit descendre dans
l'hôtel d'un de nos princes, où il avait des amis, et se
retira chez son père. Monsieur de Saint-Sauveur m'envoya la nuit même un carrosse et me reçut en son logis
secrètement, où il eut soin de moi comme si j'eusse été
son fils. Verville me vint voir le lendemain et me conta
que son père avait été averti de notre combat par les
sœurs de Saldagne qu'il avait trouvées dans ma chambre.
Il me dit ensuite, avec grande joie, que l'affaire s'accom-
moderait par un double mariage aussitôt que son frère
serait guéri, qui n'était pas blessé en lieu dangereux;
qu'il ne tiendrait qu'à moi que je ne fusse bien avec
Saldagne; et pour son père, qu'il n'était plus en colère
et était bien fâché de m'avoir maltraité. Il souhaita
ensuite que je fusse bientôt guéri pour avoir part à tant
de réjouissances. Mais je lui répondis que je ne pouvais
plus demeurer dans un pays où l'on pouvait me reprocher ma basse naissance, comme avait fait son père, et
que je quitterais bientôt le royaume pour me faire tuer

à la guerre ou pour m'élever à une fortune proportionnée aux sentiments d'honneur que son exemple m'avait donnés. Je veux croire que ma résolution l'affligea, mais un homme amoureux n'est pas longtemps occupé par une autre passion que l'amour.

Le Destin continuait ainsi son histoire, quand on ouït tirer dans la rue un coup d'arquebuse et tout aussitôt jouer des orgues. Cet instrument, qui peut-être n'avait point encore été ouï à la porte d'une hôtellerie, fit courir aux fenêtres tous ceux que le coup d'arquebuse avait éveillés. On continuait toujours de jouer des orgues et ceux qui s'y connaissaient remarquèrent même que l'organiste jouait un chant d'église. Personne ne pouvait rien comprendre en cette dévote sérénade, qui pourtant n'était pas encore bien reconnue pour telle. Mais on n'en douta plus quand on ouït deux méchantes voix, dont l'une chantait le dessus et l'autre râlait une basse. Ces deux voix de lutrin se joignirent aux orgues et firent un concert à faire hurler tous les chiens du pays. Ils chantèrent : *Allons, de nos voix et de nos luths d'ivoire, ravir les esprits*, et le reste de la chanson. Après que cet air suranné fut mal chanté, on ouït la voix de quelqu'un qui parlait bas, le plus haut qu'il pouvait, en reprochant aux chantres qu'ils chantaient toujours une même chose. Les pauvres gens répondirent qu'ils ne savaient pas ce qu'on voulait qu'ils chantassent. Chantez ce que vous voudrez, répondit à demi haut la même personne ; il faut chanter puisqu'on vous paye bien. Après cet arrêt définitif, les orgues changèrent de ton, et on ouït un bel *Exaudiat* qui fut chanté fort dévotement. Personne des auditeurs n'avait encore osé parler de peur d'interrompre la musique, quand la Rancune, qui ne se fût pas tu en une pareille occasion pour tous les biens du monde, cria tout haut : On fait donc ici le service divin dans les rues ? Quelqu'un des écoutants prit la parole et dit que l'on pouvait proprement appeler cela *chanter ténèbres*. Un autre ajouta que c'était une procession de nuit ; enfin tous les facétieux de l'hôtellerie se réjouirent sur la musique sans

que pas un d'eux pût deviner celui qui la donnait et
encore moins à qui ni pourquoi. Cependant l'*Exaudiat*
avançait toujours chemin, lorsque dix ou douze chiens,
qui suivaient une chienne de mauvaise vie, vinrent à la
suite de leur maîtresse se mêler parmi les jambes des
musiciens ; et, comme plusieurs rivaux ensemble ne sont
pas longtemps d'accord, après avoir grondé et juré
quelque temps les uns contre les autres, enfin tout d'un
coup ils se pillèrent avec tant d'animosité et de furie que
les musiciens craignirent pour leurs jambes et gagnèrent
au pied, laissant leurs orgues à la discrétion des chiens.
Ces amants immodérés n'en usèrent pas bien ; ils ren-
versèrent une table à tréteaux qui soutenait la machine
harmonieuse et je ne voudrais pas jurer que quelques-
uns de ces maudits chiens ne levassent la jambe et ne
pissassent contre les orgues renversées, ces animaux
étant fort diurétiques de leur nature, principalement
quand quelque chienne de leur connaissance a envie de
procéder à la multiplication de son espèce. Le concert
étant ainsi déconcerté, l'hôte fit ouvrir la porte de l'hôtellerie et voulut mettre à couvert le buffet d'orgues, la
table et les tréteaux. Comme ses valets et lui s'occupaient
à cette œuvre charitable, l'organiste revint à ses orgues,
accompagné de trois personnes, entre lesquelles il y avait
une femme et un homme qui se cachait le nez de son
manteau. Cet homme était le véritable Ragotin, qui
avait voulu donner une sérénade à mademoiselle de
l'Étoile et s'était adressé pour cela à un petit châtré,
organiste d'une église. Ce fut ce monstre, ni homme ni
femme, qui chanta le dessus, et qui joua des orgues que
sa servante avait apportées ; un enfant de chœur qui
avait déjà mué chanta la basse, et tout cela pour le
prix et somme de deux testons, tant il faisait déjà cher
vivre dans ce bon pays du Maine. Aussitôt que l'hôte
eut reconnu les auteurs de la sérénade, il dit assez haut
pour être entendu de tous ceux qui étaient aux fenêtres
de l'hôtellerie : C'est donc vous, monsieur Ragotin, qui
venez chanter vêpres à ma porte ? Vous feriez bien

mieux de dormir et de laisser dormir mes hôtes. Ragotin
lui répondit qu'il le prenait pour un autre, mais ce fut
d'une façon à faire croire encore davantage ce qu'il
feignait de vouloir nier. Cependant l'organiste, qui trouva
ses orgues rompues et qui était fort colère, comme sont
tous les animaux imberbes, dit à Ragotin, en jurant,
qu'il les lui fallait payer. Ragotin lui répondit qu'il se
moquait de cela. Ce n'est pourtant pas moquerie, repartit
le châtré; je veux être payé. L'hôte et ses valets donnèrent
leur voix pour lui, mais Ragotin leur apprit, comme à
des ignorants, que cela ne se pratiquait point en sérénade; et cela dit, s'en alla tout fier de sa galanterie. La
musique chargea les orgues sur le dos de la servante du
châtré, qui se retira en son logis de fort mauvaise humeur,
la table sur l'épaule et suivi de l'enfant de chœur qui
portait les deux tréteaux. L'hôtellerie fut refermée. Le
Destin donna le bonsoir aux comédiennes et remit la fin
de son histoire à la première occasion.

CHAPITRE XVI

L'OUVERTURE DU THÉATRE, ET AUTRES CHOSES QUI NE SONT PAS DE MOINDRE CONSÉQUENCE

Le lendemain, les comédiens s'assemblèrent dès le
matin en une des chambres qu'ils occupaient dans l'hôtellerie, pour répéter la comédie qui se devait représenter
après dîner. La Rancune, à qui Ragotin avait déjà fait
confidence de la sérénade et qui avait fait semblant
d'avoir de la peine à le croire, avertit ses compagnons que
le petit homme ne manquerait pas de venir bientôt
recueillir les louanges de sa galanterie raffinée, et ajouta
que, toutes les fois qu'il en voudrait parler, il fallait en
détourner le discours malicieusement. Ragotin entra
dans la chambre en même temps; et, après avoir salué

les comédiens en général, il voulut parler de sa sérénade
à mademoiselle de l'Étoile, qui fut alors pour lui une
étoile errante, car elle changea de place sans lui répondre
autant de fois qu'il lui demanda à quelle heure elle s'était
couchée et comment elle avait passé la nuit. Il la quitta
pour mademoiselle Angélique qui, au lieu de lui parler,
ne fit qu'étudier son rôle. Il s'adressa à la Caverne qui
ne le regarda seulement pas. Tous les comédiens, l'un
après l'autre, suivirent exactement l'ordre qu'avait donné
la Rancune et ne répondirent point à ce que leur dit
Ragotin ou changèrent de discours autant de fois qu'il
voulut parler de la nuit précédente. Enfin, pressé de sa
vanité et ne pouvant laisser languir sa réputation davantage, il dit tout haut, parlant à tout le monde : Voulez-
vous que je vous avoue une vérité ? Vous en userez
comme il vous plaira, répondit quelqu'un. C'est moi,
ajouta-t-il, qui vous ai donné cette nuit une sérénade.
On les donne donc en ce pays avec des orgues ? lui dit
Le Destin; et à qui la donniez-vous ? N'est-ce point,
continua-t-il, à la belle dame qui fit battre tant d'honnêtes chiens ensemble ? Il n'en faut pas douter, dit
l'Olive, car ces animaux de nature mordante n'eussent
pas troublé une musique si harmonieuse à moins que
d'être rivaux et même jaloux de M. Ragotin. Un autre
de la compagnie prit la parole et dit qu'il ne doutait point
qu'il ne fût bien avec sa maîtresse et qu'il ne l'aimât à
bonne intention puisqu'il y allait si ouvertement. Enfin,
tous ceux qui étaient dans la chambre poussèrent à
bout Ragotin sur la sérénade, à la réserve de la Rancune
qui lui fit grâce, ayant été honoré de l'honneur de sa
confidence; et il y a apparence que cette belle raillerie de
chien eût épuisé tous ceux qui étaient dans la chambre
si le poëte qui, en son espèce, était aussi sot et aussi vain
que Ragotin et qui de toutes les choses tirait matière
de contenter sa vanité, n'eût rompu les chiens, en disant,
du ton d'un homme de condition, ou plutôt qui le fait à
fausses enseignes : A propos de sérénade, il me souvient
qu'à mes noces on m'en donna une quinze jours de suite

qui était composée de plus de cent sortes d'instruments.
Elle courut par tout le Marais [65]; les plus galantes dames
de la place Royale [66] l'adoptèrent; plusieurs galants s'en
firent honneur, et elle donna même de la jalousie à un
homme de condition, qui fit charger par ses gens ceux
qui me la donnaient, mais ils n'y trouvèrent pas leur
compte; car ils étaient tous de mon pays, braves gens
s'il en est au monde et dont la plus grande partie avaient
été officiers dans un régiment que je mis sur pied quand
les communes de nos quartiers se soulevèrent. La Rancune, qui avait contraint son naturel moqueur en faveur
de Ragotin, n'eut pas la même bonté pour le poëte qu'il
persécutait continuellement. Il prit donc la parole, et
dit au nourrisson des Muses : Votre sérénade, de la façon
que vous nous la représentez, était plutôt un charivari
dont un homme de condition fut importuné et envoya
la canaille de sa maison pour le faire taire ou pour le
chasser plus loin. Ce qui me le fait croire encore davantage, c'est que votre femme est morte de vieillesse et
six mois après votre hyménée pour vous parler en vos
termes. Elle mourut pourtant du mal de mère, dit le
poëte. Dites plutôt de grand'mère, d'aïeule ou de bisaïeule,
répondit la Rancune. Dès le règne d'Henri quatrième,
la mère [67] ne lui faisait plus de mal, ajouta-t-il; et pour
vous montrer que j'en sais plus de nouvelles que vous-
même, quoique vous nous la prôniez si souvent, je vous
veux apprendre une chose d'elle qui n'est jamais venue à
votre connaissance. Dans la cour de la reine Marguerite [68]... Ce beau commencement d'histoire attira auprès
de la Rancune tous ceux qui étaient dans la chambre,
qui savaient bien qu'il avait des mémoires contre tout le
genre humain. Le poëte, qui le redoutait extrêmement,
l'interrompit en lui disant : Je gage cent pistoles que
non. Ce défi de gager, fait si à propos, fit rire toute la
compagnie et le fit sortir hors de la chambre. C'était
toujours ainsi par des gageures de sommes considérables
que le pauvre homme défendait ses hyperboles quoti-
diennes qui pouvaient bien monter chaque semaine à la

somme de mille ou douze cents impertinences sans y
comprendre les menteries. La Rancune était le contrôleur
général, tant de ses actions que de ses paroles; et l'ascen-
dant qu'il avait sur lui était si grand que je l'ose comparer à celui du génie d'Auguste sur celui d'Antoine :
cela s'entend prix pour prix et sans faire comparaison de
deux comédiens de campagne à deux Romains de ce
calibre-là. La Rancune ayant donc commencé son conte,
et en ayant été interrompu par le poëte, comme je vous
ai dit, chacun le pria instamment de l'achever, mais il
s'en excusa, promettant de leur conter une autre fois la
vie du poëte tout entière et que celle de sa femme y
serait comprise. Il fut question de répéter la comédie
qu'on devait jouer le jour même dans un tripot voisin.
Il n'arriva rien de remarquable pendant la répétition.
On joua après dîner et on joua fort bien. Mademoiselle
de l'Étoile y ravit tout le monde par sa beauté; Angélique eut des partisans pour elle et l'une et l'autre s'ac-
quitt[èrent] de [leur] personnage à la satisfaction de
tout le monde.

Le Destin et ses camarades firent aussi des merveilles,
et ceux de l'assistance qui avaient souvent ouï la comédie
dans Paris, avouèrent que les comédiens du roi n'eussent
pas mieux représenté. Ragotin ratifia en sa tête la dona-
tion qu'il avait faite de son corps et se son âme à mademoiselle de l'Étoile, passée par-devant la Rancune, qui
lui promettait tous les jours de la faire accepter à la
comédienne. Sans cette promesse, le désespoir eût bientôt
fait un beau grand sujet d'histoire tragique d'un méchant
petit avocat. Je ne dirai point si les comédiens plurent
autant aux dames du Mans que les comédiennes avaient
fait aux hommes; quand j'en saurais quelque chose, je
n'en dirais rien; mais, parce que l'homme le plus sage
n'est pas quelquefois maître de sa langue, je finirai le
présent chapitre, pour m'ôter tout sujet de tentation.

CHAPITRE XVII

LE MAUVAIS SUCCÈS QU'EUT LA CIVILITÉ DE RAGOTIN

Aussitôt que Destin eut quitté sa vieille broderie et
repris son habit de tous les jours, la Rappinière le mena
aux prisons de la ville à cause que l'homme qu'ils avaient
pris le jour que le curé de Domfront fut enlevé, demandait
à lui parler. Cependant les comédiennes s'en retournèrent
en leur hôtellerie, avec un grand cortège de Manceaux.
Ragotin s'étant trouvé auprès de mademoiselle de la
Caverne, dans le temps qu'elle sortait du jeu de paume
où l'on avait joué, lui présenta la main pour la remener,
quoiqu'il eût mieux aimé rendre ce service-là à sa chère
l'Étoile. Il en fit autant à mademoiselle Angélique, tellement qu'il se trouva écuyer à droite et à gauche. Cette
double civilité fut cause d'une incommodité triple; car
la Caverne, qui avait le haut de la rue, comme de raison,
était pressée par Ragotin, afin qu'Angélique ne marchât
point dans le ruisseau. De plus, le petit homme, qui ne
leur venait qu'à la ceinture, tirait si fort leurs mains en
bas qu'elles avaient bien de la peine à s'empêcher de
tomber sur lui. Ce qui les incommodait encore davantage,
c'est qu'il se retournait à tout moment pour regarder
mademoiselle de l'Étoile, qu'il entendait parler derrière
lui à deux godelureaux qui la remenaient malgré elle.
Les pauvres comédiennes essayèrent souvent de se dé-
prendre les mains; mais il tint toujours si ferme qu'elles
eussent autant aimé avoir les osselets. Elles le prièrent
cent fois de ne prendre pas tant de peine. Il leur répondait seulement : Serviteur! Serviteur! (c'était son compliment ordinaire), et leur serra les mains encore plus
fort. Il fallut donc prendre patience jusqu'à l'escalier de
leur chambre où elles espérèrent d'être remises en liberté,
mais Ragotin n'était pas homme à cela. En disant toujours serviteur, serviteur à tout ce qu'elles lui purent

dire, il essaya premièrement de monter de front avec
les deux comédiennes; ce qui s'étant trouvé impossible
parce que l'escalier était trop étroit, la Caverne se mit
le dos contre la muraille et monta la première, tirant
après soi Ragotin, qui tirait après soi Angélique, qui ne
tirait rien et qui riait comme une folle. Pour nouvelle
incommodité, à quatre ou cinq degrés de leur chambre,
ils trouvèrent un valet de l'hôte, chargé d'un sac d'avoine
d'une pesanteur excessive, qui leur dit à grand'peine,
tant il était accablé de son fardeau, qu'ils eussent à descendre parce qu'il ne pouvait remonter chargé comme il
était. Ragotin voulut répliquer; le valet jura tout net
qu'il laisserait tomber son sac sur eux. Ils défirent donc
avec précipitation ce qu'ils avaient fait fort posément
sans que Ragotin voulût encore quitter les mains des
comédiennes. Le valet, chargé d'avoine, les pressait
étrangement; ce qui fut cause que Ragotin fit un faux
pas qui ne l'eût pas pourtant fait tomber, se tenant
comme il faisait, aux mains des comédiennes; mais il
s'attira sur le corps la Caverne, laquelle le soutenait
davantage que sa fille, à cause de l'avantage du lieu.
Elle tomba donc sur lui et lui marcha sur l'estomac et
sur le ventre, se donnant de la tête contre celle de sa
fille si rudement qu'elles en tombèrent et l'une et l'autre.
Le valet, qui crut que tant de monde ne se relèverait
pas sitôt et qui ne pouvait plus supporter la pesanteur
de son sac d'avoine, le déchargea enfin sur les degrés,
jurant comme un valet d'hôtellerie. Le sac se délia ou
se rompit par malheur. L'hôte y arriva, qui pensa enrager
contre son valet, le valet enrageait contre les comédiennes, les comédiennes enrageaient contre Ragotin
qui enrageait plus que pas un de ceux qui enragèrent,
parce que mademoiselle de l'Étoile, qui arriva en même
temps, fut encore témoin de cette disgrâce, presque aussi
fâcheuse que celle du chapeau que l'on lui avait coupé
avec des ciseaux quelques jours auparavant. La Caverne
jura son grand serment que Ragotin ne la mènerait
jamais et montra à mademoiselle de l'Étoile ses mains

qui étaient toutes meurtries. L'Étoile lui dit que Dieu l'avait punie de lui avoir ravi monsieur Ragotin, qui l'avait retenue devant la comédie pour la remener, et ajouta qu'elle était bien aise de ce qui était arrivé au petit homme, puisqu'il lui avait manqué de parole. Il n'entendit rien de tout cela; car l'hôte parlait de lui faire payer le déchet de son avoine, ayant déjà, pour le même sujet, voulu battre son valet qui appela Ragotin avocat de causes perdues. Angélique lui fit la guerre à son tour et lui reprocha qu'elle avait été son pis-aller. Enfin la fortune fit bien voir jusque-là qu'elle ne prenait encore nulle part dans les promesses, que la Rancune avait faites à Ragotin, de le rendre le plus heureux amant de tout le pays du Maine, à y comprendre même le Perche et Laval. L'avoine fut ramassée et les comédiennes montèrent dans leur chambre l'une après l'autre sans qu'il leur arrivât aucun malheur. Ragotin ne les y suivit point et je n'ai pas bien su où il alla. L'heure du souper vint; on soupa dans l'hôtellerie. Chacun prit parti après le souper et Le Destin s'enferma avec les comédiennes pour continuer son histoire.

CHAPITRE XVIII

SUITE DE L'HISTOIRE DE DESTIN ET DE L'ÉTOILE

J'ai fait le précédent chapitre un peu court, peut-être que celui-ci sera plus long; je n'en suis pourtant pas bien assuré, nous allons voir. Le Destin se mit à sa place accoutumée et reprit son histoire en cette sorte : Je m'en vais vous achever le plus succinctement que je pourrai une vie qui ne vous a déjà ennuyés que trop longtemps. Verville m'étant venu voir, comme je vous ai dit, et n'ayant pu me persuader de retourner chez son père, il me quitta fort affligé de ma résolution, à ce qu'il me parut, et s'en retourna chez lui où, quelque temps après, il se maria avec mademoiselle de Saldagne, et Saint-Far en fit autant avec mademoiselle de Léri. Elle était aussi spirituelle que Saint-Far l'était peu et j'ai bien de la peine à m'imaginer comment deux esprits si disproportionnés se seront accordés ensemble. Cependant je me guéris entièrement et le généreux M. de Saint-Sauveur, ayant approuvé la résolution que j'avais prise de m'en aller hors du royaume, me donna de l'argent pour mon voyage, et Verville, qui ne m'oublia point pour s'être marié, me fit présent d'un bon cheval et de cent pistoles. Je pris le chemin de Lyon pour retourner en Italie à dessein de repasser par Rome; et, après y avoir vu ma Léonore pour la dernière fois, de m'aller faire tuer en Candie pour n'être pas longtemps malheureux. A Nevers, je logeai dans une hôtellerie qui était proche de la rivière. Étant arrivé de bonne heure et ne sachant à quoi me divertir en attendant le souper, j'allai me promener sur un grand pont de pierre qui traverse la rivière de Loire. Deux femmes s'y promenaient aussi, dont l'une, qui paraissait être malade, s'appuyait sur l'autre ayant bien de la peine à marcher. Je les saluai sans les regarder en passant auprès d'elles et me promenai quelque temps sur le pont, songeant à ma malheureuse fortune et plus souvent à mon amour. J'étais assez bien vêtu, comme il est nécessaire de l'être à ceux de qui la condition ne peut faire excuser un méchant habit. Quand je repassai auprès de ces femmes, j'entendis dire à demi-haut : Pour moi, je croirais que ce fût lui s'il n'était point mort. Je ne sais pourquoi je tournai la tête, n'ayant pas sujet de prendre ces paroles-là pour moi. On ne les avait pourtant pas dites pour un autre. Je vis mademoiselle de la Boissière, le visage fort pâle et défait, qui s'appuyait sur sa fille Léonore. J'allai droit à elles avec plus d'assurance que je n'eusse fait dans Rome, m'étant beaucoup formé le corps et l'esprit durant le temps que j'avais demeuré à Paris. Je les trouvai si surprises et si effrayées que je crois qu'elles se fussent mises en fuite si made-

moiselle de la Boissière eût pu courir. Cela me surprit
aussi. Je leur demandai par quelle heureuse rencontre
je me trouvais avec les personnes du monde qui m'étaient
les plus chères. Elles se rassurèrent à mes paroles. Mademoiselle de la Boissière me dit que je ne devais point
trouver étrange si elles me regardaient avec quelque
sorte d'étonnement; que le seigneur Stéphano leur avait
fait voir des lettres de l'un des gentilshommes que j'accompagnais dans Rome, par lesquelles on lui mandait
que j'avais été tué durant la guerre de Parme, et ajouta
qu'elle était ravie de ce qu'une nouvelle qui l'avait si
fort affligée ne se trouvait pas véritable. Je lui répondis
que la mort n'était pas le plus grand malheur qui me
pouvait arriver et que je m'en allais à Venise faire courir
le même bruit avec plus de vérité. Elles s'attristèrent de
ma résolution et la mère me fit alors des caresses extraordinaires dont je ne pouvais deviner la cause. Enfin,
j'appris d'elle-même ce qui la rendait si civile. Je pouvais
encore lui rendre service et l'état où elle se trouvait ne
lui permettait pas de me mépriser et de me faire mauvais
visage, comme elle avait fait dans Rome. Il leur était
arrivé un malheur assez grand pour les mettre en peine.
Ayant fait argent de tous leurs meubles, qui étaient fort
beaux et en quantité, elles étaient parties de Rome avec
une servante française qui les servait il y avait longtemps,
et le seigneur Stéphano leur avait donné son valet, qui
était Flamand comme lui, et qui voulait retourner en
son pays. Ce valet et cette servante s'aimaient à dessein
de se marier ensemble et leur amour n'était connu de
personne. Mademoiselle de la Boissière, étant arrivée à
Roanne, se mit sur la rivière. A Nevers, elle se trouva si
mal qu'elle ne put passer outre. Durant sa maladie, elle
fut assez difficile à servir et sa servante s'en acquitta
fort mal, contre sa coutume. Un matin, le valet et la
servante ne se trouvèrent plus; et, ce qui fut de plus
fâcheux, l'argent de la pauvre demoiselle disparut aussi.
Le déplaisir qu'elle en eut augmenta sa maladie et elle
fut contrainte de s'arrêter à Nevers pour attendre des

nouvelles de Paris d'où elle espérait recevoir de quoi
continuer son voyage. Mademoiselle de la Boissière m'apprit en peu de mots cette fâcheuse aventure. Je les
remenai en leur hôtellerie, qui était aussi la mienne et,
après avoir été quelque temps avec elles, je me retirai
en ma chambre pour les laisser souper. Pour moi, je ne
mangeai point et je crus avoir été à table cinq ou six
heures pour le moins. Je les allai voir aussitôt qu'elles
m'eurent fait dire que j'y serais le bienvenu. Je trouvai
la mère dans son lit et la fille me parut avec un visage
aussi triste que je l'avais trouvée gaie un moment auparavant. Sa mère était encore plus triste qu'elle, et je le
devins aussi. Nous fûmes quelque temps à nous regarder
sans rien dire. Enfin, mademoiselle de la Boissière me
montra des lettres qu'elle avait reçues de Paris, qui
[les] [69] rendaient, sa fille et elle, les personnes les plus
affligées du monde. Elle m'apprit le sujet de son affliction
avec une si grande effusion de larmes, et sa fille, que je
vis pleurer aussi fort que sa mère, me toucha tellement
que je ne crus pas leur témoigner assez bien mon ressentiment, quoique je leur offrisse tout ce qui dépendait de
moi d'une façon à ne les point faire douter de ma franchise. Je ne sais pas encore ce qui vous afflige si fort,
leur dis-je, mais, s'il ne faut que ma vie pour diminuer
la peine où je vous vois, vous pouvez vous mettre l'esprit
en repos. Dites-moi donc, madame, ce qu'il faut que je
fasse; j'ai de l'argent si vous en manquez; j'ai du courage
si vous avez des ennemis, et je ne prétends, de tous les
services que je vous offre, que la satisfaction de vous
avoir servie. Mon visage et mes paroles leur firent si
bien voir ce que j'avais dans l'âme que leur grande
affliction se modéra un peu. Mademoiselle de la Boissière
me lut une lettre par laquelle une femme de ses amies
lui mandait qu'une personne qu'elle ne nommait point,
et que je m'aperçus bien être le père de Léonore, avait
eu commandement de se retirer de la cour et qu'il s'en
était allé en Hollande. Ainsi la pauvre demoiselle se
trouvait dans un pays inconnu, sans argent et sans

espérance d'en avoir. Je lui offris de nouveau ce que
j'en avais, qui pouvait monter à cinq cents écus, et lui
dis que je la conduirais en Hollande et au bout du monde
si elle y voulait aller. Enfin, je l'assurai qu'elle avait
retrouvé en moi une personne qui la servirait comme un
valet et de qui elle serait aimée et respectée comme d'un
fils. Je rougis extrêmement en prononçant le mot de fils,
mais je n'étais plus cet homme odieux à qui l'on avait
refusé la porte dans Rome et pour qui Léonore n'était
pas visible, et mademoiselle de la Boissière n'était plus
pour moi une mère sévère. A toutes les offres que je lui
fis, elle me répondit toujours que Léonore me serait fort
obligée. Tout se passait au nom de Léonore et vous eussiez
dit que sa mère n'était plus qu'une suivante qui parlait
pour sa maîtresse : tant il est vrai que la plupart du
monde ne considère les personnes que selon qu'elles leur
sont utiles. Je les laissai fort consolées et me retirai en
ma chambre le plus satisfait homme du monde.

Je passai la nuit fort agréablement, quoiqu'en veillant,
ce qui me retint au lit assez tard, n'ayant commencé à
dormir qu'à la pointe du jour. Léonore me parut ce jour-là
habillée avec plus de soin qu'elle n'était le jour de devant,
et elle put bien remarquer que je ne m'étais pas négligé.
Je la menai à la messe sans sa mère qui était encore trop
faible. Nous dînâmes ensemble et depuis ce temps-là
nous ne fûmes plus qu'une même famille. Mademoiselle
de la Boissière me témoignait beaucoup de reconnaissance
des services que je lui rendais et me protestait souvent
qu'elle n'en mourrait pas ingrate. Je vendis mon cheval
et aussitôt que la malade fut assez forte, nous prîmes
une cabane [70], et baissâmes jusqu'à Orléans. Durant le
temps que nous fûmes sur l'eau, je jouis de la conversation de Léonore sans qu'une si grande félicité fût
troublée par sa mère. Je trouvai des lumières, dans l'esprit de cette belle fille, aussi brillantes que celles de ses
yeux; et le mien, dont peut-être elle avait pu douter à
Rome, ne lui déplut pas alors. Que vous dirais-je davantage ? Elle vint à m'aimer autant que je l'aimais; et

vous avez bien pu reconnaître, depuis le temps que vous nous voyez l'un et l'autre, que cet amour réciproque n'est point encore diminué. Quoi! interrompit Angélique, mademoiselle de l'Étoile est donc Léonore ? Et qui donc ? lui répondit Le Destin. Mademoiselle de l'Étoile prit la parole et dit que sa compagne avait raison de douter qu'elle fût cette Léonore dont Le Destin avait fait une beauté de roman. Ce n'est point par cette raison-là, repartit Angélique, mais c'est à cause que l'on a toujours de la peine à croire une chose que l'on a beaucoup désirée. Mademoiselle de la Caverne dit qu'elle n'en avait point douté et ne voulut pas que ce discours allât plus avant, afin que le Destin poursuivît son histoire qu'il reprit de cette sorte : Nous arrivâmes à Orléans, où notre entrée fut si plaisante que je vous en veux apprendre les particularités. Un tas de faquins, qui attendent sur le port ceux qui viennent par eau pour porter leurs hardes, se jetèrent à la foule dans notre cabane. Ils se présentèrent plus de trente à se charger de deux ou trois petits paquets que le moins fort d'entre eux eût pu porter sous ses bras. Si j'eusse été seul, je n'eusse pas peut-être été assez sage pour ne m'emporter point contre ces insolents. Huit d'entre eux saisirent une petite cassette qui ne pesait pas vingt livres et, ayant fait semblant d'avoir bien de la peine à la lever de terre, enfin ils la haussèrent au milieu d'eux par-dessus leurs têtes, chacun ne la soutenant que du bout du doigt. Toute la canaille qui était sur le port se mit à rire et nous fûmes contraints d'en faire autant. J'étais pourtant tout rouge de honte d'avoir à traverser toute une ville avec tant d'appareil, car le reste de nos hardes, qu'un seul homme pouvait porter, en occupa une vingtaine et mes seuls pistolets furent portés par quatre hommes. Nous entrâmes dans la ville dans l'ordre que je vais vous dire. Huit grands pendards ivres, ou qui le devaient être, portaient au milieu d'eux une petite cassette, comme je vous ai déjà dit. Mes pistolets suivaient l'un après l'autre, chacun porté par deux hommes. Mademoiselle de la Boissière, qui enrageait aussi

bien que moi, allait immédiatement après : elle était
assise dans une grande chaise de paille soutenue sur deux
grands bâtons de batelier et portée par quatre hommes
qui se relayaient les uns les autres et qui lui disaient cent
sottises en la portant. Le reste de nos hardes suivait,
qui était composé d'une petite valise et d'un paquet couvert de toile, que sept ou huit de ces coquins se jetaient
l'un à l'autre durant le chemin, comme quand on joue
au pot cassé. Je conduisais la queue du triomphe, tenant
Léonore par la main, qui riait si fort qu'il fallait malgré
moi que je prisse plaisir à cette friponnerie. Durant notre
marche, les passants s'arrêtaient dans les rues pour nous
considérer et le bruit que l'on y faisait à cause de nous
attirait tout le monde aux fenêtres. Enfin nous arrivâmes
au faubourg qui est du côté de Paris, suivis de force
canaille et nous logeâmes à l'enseigne des Empereurs.
Je fis entrer mes dames dans une salle basse et menaçai
ensuite ces coquins si sérieusement qu'ils furent trop aises
de recevoir fort peu de chose que je leur donnai, l'hôte
et l'hôtesse les ayant querellés. Mademoiselle de la Boissière, que la joie de n'être plus sans argent avait guérie
plutôt qu'autre chose, se trouva assez forte pour aller
en carrosse. Nous arrêtâmes trois places dans celui qui
partait le lendemain et en deux jours nous arrivâmes heureusement à Paris. En descendant à la maison des coches,
je fis connaissance avec la Rancune, qui était venu d'Orléans aussi bien que nous, dans un coche qui accompagna
notre carrosse. Il ouït que je demandais où était l'hôtellerie des coches de Calais; il me dit qu'il y allait à
l'heure même et que, si nous n'avions point de logis arrêté,
qu'il nous mènerait loger, si nous voulions, chez une femme
de sa connaissance, qui logeait en chambre garnie où nous
serions fort commodément. Nous le crûmes et nous nous
en trouvâmes fort bien. Cette femme était veuve d'un
homme qui avait été toute sa vie tantôt portier et tantôt
décorateur d'une troupe de comédiens et même avait
tâché autrefois de réciter et n'y avait pas réussi. Ayant
amassé quelque chose en servant les comédiens, il s'était

mêlé de loger en chambre garnie et de prendre des pen-
sionnaires, et par là s'était mis à son aise. Nous louâmes
deux chambres assez commodes. Mademoiselle de la
Boissière fut confirmée dans les mauvaises nouvelles
qu'elle avait eues du père de Léonore et en apprit d'autres
qu'elle nous cacha, qui l'affligèrent assez pour la faire
retomber malade. Cela nous fit différer quelque temps
notre voyage de Hollande où elle avait résolu que je la
conduirais; et la Rancune, qui allait y joindre une troupe
de comédiens, voulut bien nous attendre après que je
lui eus promis de le défrayer. Mademoiselle de la Boissière
était souvent visitée par une de ses amies, qui avait
servi en même temps qu'elle la femme de l'ambassadeur
de Rome en qualité de femme de chambre et qui avait
même été sa confidente pendant le temps qu'elle fut
aimée du père de Léonore. C'était d'elle qu'elle avait
appris l'éloignement de son prétendu mari et nous en
reçûmes plusieurs bons offices pendant le temps que nous
fûmes à Paris. Je ne sortais que le moins souvent que je
pouvais de peur d'être vu de quelqu'un de ma connaissance; et je n'avais pas grand'peine à garder le logis,
puisque j'étais avec Léonore et que, par les soins que je
rendais à sa mère, je me mettais toujours de mieux en
mieux en son esprit. A la persuasion de cette femme
dont je vous viens de parler, nous allâmes un jour nous
promener à Saint-Cloud pour faire prendre l'air à notre
malade. Notre hôtesse fut de la partie et la Rancune
aussi. Nous prîmes un bateau, nous nous promenâmes
dans les plus beaux jardins [71]; et après avoir fait collation,
la Rancune conduisit notre petite troupe vers notre
bateau, tandis que je demeurai à compter dans un cabaret avec une hôtesse fort déraisonnable qui me retint
plus longtemps que je ne pensais. Je sortis d'entre ses
mains au meilleur marché que je pus et m'en retournai
rejoindre ma compagnie. Mais je fus bien étonné de voir
notre bateau fort avant dans la rivière, qui remenait
mes gens à Paris sans moi et sans me laisser même un
petit laquais qui portait mon épée et mon manteau.

Comme j'étais sur le bord de l'eau, bien en peine de
savoir pourquoi on ne m'avait pas attendu, j'ouïs une
grande rumeur dans une cabane et, m'en étant approché,
je vis deux ou trois gentilshommes, ou qui avaient la
mine de l'être, qui voulaient battre un batelier parce qu'il
refusait d'aller après notre bateau. J'entrai à tout hasard
dans cette cabane dans le temps qu'elle quittait le bord,
le batelier ayant eu peur d'être battu. Mais, si j'avais
été en peine de ce que ma compagnie m'avait laissé à
Saint-Cloud, je ne fus pas moins embarrassé de voir
que celui qui faisait cette violence était le même Saldagne
à qui j'avais tant de sujet de vouloir du mal. Dans le
moment que je le reconnus, il passa du bout du bateau
où il était à celui où j'étais. Fort empêché de ma contenance, je lui cachai mon visage le mieux que je pus,
mais, me trouvant si près de lui qu'il était impossible
qu'il ne me reconnût et me trouvant sans épée, je pris
la résolution la plus désespérée du monde, dont la haine
seule ne m'eût pas rendu capable si la jalousie ne s'y
fût mêlée. Je le saisis au corps dans l'instant qu'il me
reconnaissait et me jetai dans la rivière avec lui. Il ne
put se prendre à moi, soit que ses gants l'en empêchassent
ou parce qu'il fut surpris. Jamais homme ne fut plus
près de se noyer que lui. La plupart des bateaux allèrent
à son secours, chacun croyant que nous étions tombés
dans l'eau par quelque accident; et Saldagne seul sachant
de quelle façon la chose était arrivée, et n'étant pas en
état de s'en plaindre sitôt ou de faire courir après moi.
Je regagnai donc le bord sans beaucoup de peine, n'ayant
qu'un petit habit qui ne m'empêcha point de nager et,
l'affaire valant bien la peine d'aller vite, je fus fort éloigné de Saint-Cloud devant que Saldagne fût pêché. Si
on eut bien de la peine à le sauver, je pense qu'on n'en
eut pas moins à le croire lorsqu'il déclara de quelle façon
je m'étais hasardé pour le perdre, car je ne vois pas
pourquoi il en aurait fait un secret. Je fis un grand tour
pour regagner Paris où je n'entrai que de nuit, sans
avoir eu besoin de me faire sécher, le soleil et l'exercice

violent que j'avais fait en courant n'ayant laissé que
fort peu d'humidité dans mes habits. Enfin je me revis
avec ma chère Léonore que je trouvai véritablement
affligée. La Rancune et notre hôtesse eurent une extrême
joie de me voir, aussi bien que mademoiselle de la Boissière qui, pour mieux faire croire que j'étais son fils à
la Rancune et à notre hôtesse, avait bien fait de la mère
affligée. Elle me fit des excuses en particulier de ce que
l'on ne m'avait pas attendu et m'avoua que la peur qu'elle
avait eue de Saldagne l'avait empêchée de songer en
moi, outre qu'à la réserve de la Rancune, le reste de
notre troupe n'eût fait que m'embarrasser si j'eusse eu
prise avec Saldagne. J'appris alors qu'au sortir de l'hôtellerie ou du cabaret où nous avions mangé, ce galant
homme les avait suivis jusqu'au bateau; qu'il avait prié
fort incivilement Léonore de se démasquer et que sa
mère l'ayant reconnu pour le même homme qui avait
attenté la même chose dans Rome, elle avait regagné
son bateau fort effrayée et l'avait fait avancer dans la
rivière sans m'attendre. Saldagne cependant avait été
joint par deux hommes de même trempe; et, après avoir
quelque temps tenu conseil sur le bord de l'eau, il était
entré avec eux dans le bateau où je le trouvai menaçant
le batelier pour le faire aller après Léonore. Cette aventure fut cause que je sortis encore moins que je n'avais
fait. Mademoiselle de la Boissière devint malade quelque
temps après, la mélancolie y contribuant beaucoup;
et cela fut cause que nous passâmes à Paris une partie
de l'hiver. Nous fûmes avertis qu'un prélat italien, qui
revenait d'Espagne, passait en Flandres par Péronne.
La Rancune eut assez de crédit pour nous faire comprendre, dans son passe-port, en qualité de comédiens.
Un jour que nous allâmes chez ce prélat italien, qui était
logé dans la rue de Seine, nous soupâmes par complaisance dans le faubourg Saint-Germain avec des comédiens
de la connaissance de la Rancune. Comme nous passions,
lui et moi, sur le Pont-Neuf, bien avant dans la nuit,
nous fûmes attaqués par cinq ou six tire-laine [72]. Je me

défendis le mieux que je pus et, pour la Rancune, je vous
avoue qu'il fit tout ce qu'un homme de cœur pouvait
faire et me sauva même la vie. Cela n'empêcha pas que
je ne fusse saisi par ces voleurs, mon épée m'étant malheureusement tombée. La Rancune, qui se démêla vaillamment d'entre eux, en fut quitte pour un méchant
manteau. Pour moi, j'y perdis tout, à la réserve de mon
habit; et, ce qui me pensa désespérer, ils me prirent une
boîte de portrait dans laquelle celui du père de Léonore
était en émail et dont mademoiselle de la Boissière
m'avait prié de vendre les diamants. Je retrouvai la
Rancune chez un chirurgien au bout du Pont-Neuf. Il
était blessé au bras et au visage et moi je l'étais fort
légèrement à la tête. Mademoiselle de la Boissière s'affligea fort de la perte de son portrait; mais l'espérance
d'en revoir bientôt l'original la consola. Enfin nous
partîmes de Paris pour Péronne; de Péronne nous allâmes
à Bruxelles et de Bruxelles à la Haye. Le père de Léonore
en était parti quinze jours auparavant pour aller en
Angleterre où il était allé servir le roi contre les parlementaires. La mère de Léonore en fut si affligée qu'elle
en tomba malade et en mourut. Elle me vit en mourant
aussi affligé que si j'eusse été son fils. Elle me recommanda
sa fille et me fit promettre que je ne l'abandonnerais
point et que je ferais ce que je pourrais pour trouver son
père et la lui remettre entre les mains. A quelque temps
de là je fus volé par un Français de tout ce qui me restait
d'argent; et la nécessité où je me trouvai avec Léonore
fut telle que nous prîmes parti dans votre troupe qui
nous reçut par l'entremise de la Rancune. Vous savez
le reste de mes aventures. Elles ont été depuis ce temps-là
communes avec les vôtres jusques à Tours où je pense
avoir vu encore le diable de Saldagne; et, si je ne me
trompe, je ne serai pas longtemps en ce pays sans le
trouver, ce que je crains moins pour moi que pour Léonore
qui serait abandonnée d'un serviteur fidèle si elle me
perdait ou si quelque malheur me séparait d'avec elle.
Le Destin finit ainsi son histoire; et, après avoir consolé

quelque temps mademoiselle de l'Étoile que le souvenir
de ses malheurs faisait alors autant pleurer que si elle
n'eût fait que commencer d'être malheureuse, il prit
congé des comédiennes et s'alla coucher.

CHAPITRE XIX

QUELQUES RÉFLEXIONS QUI NE SONT PAS HORS DE PROPOS.
NOUVELLE DISGRÂCE DE RAGOTIN ET AUTRES CHOSES
QUE VOUS LIREZ, S'IL VOUS PLAÎT.

L'amour, qui fait tout entreprendre aux jeunes et tout
oublier aux vieux, qui a été cause de la guerre de Troie
et de tant d'autres dont je ne veux pas prendre la peine
de me ressouvenir, voulut alors faire voir dans la ville
du Mans qu'il n'est pas moins redoutable dans une
méchante hôtellerie qu'en quelque autre lieu que ce
soit. Il ne se contenta donc pas de Ragotin amoureux
à perdre l'appétit; il inspira cent mille désirs déréglés
à la Rappinière, qui en était fort susceptible, et rendit
Roquebrune amoureux de la femme de l'opérateur,
ajoutant à sa vanité, bravoure et poésie, une quatrième
folie, ou plutôt lui faisant faire une double infidélité;
car il avait parlé d'amour longtemps auparavant à
l'Étoile et à Angélique qui lui avaient conseillé l'une
et l'autre de ne prendre pas la peine de les aimer. Mais
tout cela n'est rien auprès de ce que je vais vous dire. Il
triompha aussi de l'insensibilité et de la misanthropie
de la Rancune, qui devint amoureux de l'opératrice ;
et ainsi le poëte Roquebrune, pour ses péchés et pour
l'expiation des livres réprouvés qu'il avait mis en lumière,
eut pour rival le plus méchant homme du monde. Cette
opératrice avait nom dona Inézilla del Prado, native de
Malaga, et son mari, ou soi-disant tel, le seigneur Ferdinando Ferdinandi [73], gentilhomme vénitien, natif de

Caen en Normandie. Il y eut encore dans la même hôtellerie d'autres personnes atteintes du même mal, aussi
dangereusement pour le moins que ceux dont je viens de
vous révéler le secret; mais nous vous les ferons connaître
en temps et lieu. La Rappinière était devenu amoureux
de mademoiselle de l'Étoile, en lui voyant représenter
Chimène [74] et avait fait dessein en même temps de
découvrir son mal à la Rancune qu'il jugeait capable de
tout faire pour de l'argent. Le divin Roquebrune [75]
s'était imaginé la conquête d'une Espagnole digne de
son courage. Pour la Rancune, je ne sais pas bien par
quels charmes cette étrangère put rendre capable d'aimer un homme qui haïssait tout le monde. Ce vieil
comédien, devenu âme damnée devant le temps, je veux
dire amoureux devant sa mort, était encore au lit quand
Ragotin, pressé de son amour comme d'un mal de ventre,
le vint trouver pour le prier de songer à son affaire et
d'avoir pitié de lui. La Rancune lui promit que le jour
ne se passerait pas qu'il ne lui eût rendu un service signalé
auprès de sa maîtresse. La Rappinière entra en même
temps dans la chambre de la Rancune qui achevait de
s'habiller et, l'ayant tiré à part, lui avoua son infirmité
et lui dit que, s'il le pouvait mettre aux bonnes grâces
de mademoiselle de l'Étoile, il n'y avait rien en sa
puissance qu'il ne pût espérer de lui, jusqu'à une
charge d'archer et une sienne nièce en mariage, qui serait
son héritière parce qu'il n'avait point d'enfants. Le
fourbe la Rancune lui promit encore plus qu'il n'avait
fait à Ragotin, dont cet avant-coureur du bourreau ne
conçut pas de petites espérances. Roquebrune vint aussi
consulter l'oracle. Il était le plus incorrigible présomptueux qui soit jamais venu des bords de la Garonne et
il s'était imaginé que l'on croyait tout ce qu'il disait de
sa bonne maison, richesse, poésie et valeur, si bien qu'il
ne s'offensait point des persécutions et des rompements de
visière que lui faisait continuellement la Rancune. Il
croyait que ce qu'il en faisait n'était que pour allonger
la conversation, outre qu'il entendait la raillerie mieux

qu'homme au monde et la souffrait en philosophe chrétien, quand même elle allait au solide. Il se croyait donc
admiré de tous les comédiens, voire de la Rancune qui
avait assez d'expérience pour n'admirer guère de choses
et qui, bien loin d'avoir bonne opinion de ce mâche-
laurier, s'était instruit amplement de ce qu'il était pour
savoir si les évêques et grands seigneurs de son pays,
qu'il alléguait à tous moments comme ses parents,
étaient véritablement des branches d'un arbre généalogique que ce fou d'alliances et d'armoiries, aussi bien
que de beaucoup d'autres choses, avait fait faire en vieil
parchemin. Il fut bien fâché de trouver la Rancune en
compagnie, quoique cela le dût embarrasser moins qu'un
autre, ayant la mauvaise coutume de parler toujours
aux oreilles des personnes et de faire secret de tout et
fort souvent de rien. Il tira donc la Rancune en particulier et n'en fit point à deux fois pour lui dire qu'il était
bien en peine de savoir si la femme de l'opérateur avait
beaucoup de l'esprit, parce qu'il avait aimé des femmes
de toutes les nations, excepté des Espagnoles, et si elle
valait la peine qu'il s'y amusât; qu'il ne serait pas plus
pauvre quand il lui aurait fait un présent des cent pistoles
qu'il offrait de gager à toutes rencontres, ce qui lui
arrivait aussi souvent que de parler de sa bonne maison.
La Rancune lui dit qu'il ne connaissait pas assez la dona
Inézilla pour lui répondre de son esprit; qu'il s'était
trouvé souvent avec son mari dans les meilleures villes
du royaume où il vendait le mithridate [76]; et que, pour
s'informer de ce qu'il désirait savoir, il n'y avait qu'à
faire conversation avec elle puisqu'elle parlait français
passablement. Roquebrune lui voulut confier sa généa-
logie en parchemin, pour faire valoir à l'Espagnole la
splendeur de sa race. Mais la Rancune lui dit que cela
était meilleur à faire un chevalier de Malte qu'à se faire
aimer. Roquebrune là-dessus fit l'action d'un homme qui
compte de l'argent en sa main et dit à la Rancune : Vous
savez bien quel homme je suis. Oui, oui, lui répondit la
Rancune, je sais bien quel homme vous êtes et quel

homme vous serez toute votre vie. Le poëte s'en retourna
comme il était venu et la Rancune, son rival et son
confident tout ensemble, se rapprocha de la Rappinière
et de Ragotin, qui étaient rivaux aussi sans le savoir.
Pour le vieil la Rancune, outre que l'on hait facilement
ceux qui ont prétention sur ce que l'on destine pour soi
et que naturellement il haïssait tout le monde, il avait
de plus toujours eu grande aversion pour le poëte qui,
sans doute, ne la fit point cesser par cette confidence.
La Rancune fit donc dessein, à l'heure même, de lui faire
tous les plus méchants tours qu'il pourrait, à quoi son
esprit de singe était fort propre. Pour ne perdre point
de temps, il commença, dès le jour même, par une insigne
méchanceté, à lui emprunter de l'argent dont il se fit
habiller depuis les pieds jusqu'à la tête et se donna du
linge. Il avait été malpropre toute sa vie, mais l'amour,
qui fait de plus grands miracles, le rendit soigneux de
sa personne sur la fin de ses jours. Il prit du linge blanc
plus souvent qu'il n'appartenait à un vieil comédien de
campagne et commença de se teindre et raser le poil si
souvent et avec tant de soin que ses camarades s'en
aperçurent. Ce jour-là les comédiens avaient été retenus
pour représenter une comédie chez un des plus riches
bourgeois de la ville, qui faisait un grand festin et donnait le bal aux noces d'une demoiselle de ses parentes
dont il était tuteur. L'assemblée se faisait dans une
maison des plus belles du pays, qu'il avait quelque part
à une lieue de la ville, je n'ai pas bien su de quel côté.
Le décorateur des comédiens et un menuisier y étaient
allés dès le matin pour dresser un théâtre. Toute la
troupe s'y en alla en deux carrosses et partit du Mans
sur les [dix] heures du matin pour arriver à l'heure du
dîner où ils devaient jouer la comédie. L'Espagnole
dona Inézilla fut de la partie, aux prières des comédiennes
et de la Rancune. Ragotin, qui en fut averti, alla attendre
le carrosse en une hôtellerie qui était au bout du faubourg et attacha un beau cheval, qu'il avait emprunté,
aux grilles d'une salle basse qui répondait sur la rue. A

peine se mettait-il à table pour dîner qu'on l'avertit que les carrosses approchaient. Il vola à son cheval sur les ailes de son amour, une grande épée à son côté et une carabine en bandoulière. Il n'a jamais voulu déclarer pourquoi il allait à une noce avec une si grande munition d'armes offensives, et la Rancune même, son cher confident, ne l'a pu savoir. Quand il eut détaché la bride de son cheval, les carrosses se trouvèrent si près de lui qu'il n'eut pas le temps de chercher de l'avantage pour s'ériger en petit Saint-George. Comme il n'était pas fort bon écuyer et qu'il ne s'était pas préparé à montrer sa disposition devant tant de monde, il s'en acquitta de fort mauvaise grâce, le cheval étant aussi haut de jambes qu'il en était court. Il se guinda pourtant vaillamment sur l'étrier et porta la jambe droite de l'autre côté de la selle, mais les sangles, qui étaient un peu lâches, nuisirent beaucoup au petit homme, car la selle tourna sur le cheval quand il pensa monter dessus. Tout allait pourtant assez bien jusque-là, mais la maudite carabine, qu'il portait en bandoulière et qui lui pendait au col comme un collier, s'était mise malheureusement entre ses jambes sans qu'il s'en aperçût, tellement qu'il s'en fallait beaucoup que son cul ne touchât au siège de la selle, qui n'était pas fort rase, et que la carabine traversait depuis le pommeau jusqu'à la croupière. Ainsi il ne se trouva pas à son aise et ne put pas seulement toucher les étriers du bout des pieds. Là-dessus les éperons qui armaient ses jambes courtes se firent sentir au cheval en un endroit où jamais éperon n'avait touché. Cela le fit partir plus gaiement qu'il n'était nécessaire à un petit homme qui ne posait que sur une carabine. Il serra les jambes, le cheval leva le derrière et Ragotin, suivant la pente naturelle des corps pesants, se trouva sur le col du cheval et s'y froissa le nez, le cheval ayant levé la tête pour une furieuse saccade que l'imprudent lui donna, mais, pensant réparer sa faute, il lui rendit la bride. Le cheval en sauta, ce qui fit franchir au cul du patient toute l'étendue de la selle et le mit sur la croupe,

toujours la carabine entre les jambes. Le cheval, qui
n'était pas accoutumé d'y porter quelque chose, fit une
croupade [77] qui remit Ragotin en selle. Le méchant écuyer
resserra les jambes et le cheval releva le cul encore plus
fort, et alors le malheureux se trouva le pommeau entre
les fesses, où nous le laisserons comme sur un pivot pour
nous reposer un peu; car, sur mon honneur, cette des-
cription m'a plus coûté que tout le reste du livre et
encore n'en suis-je pas trop bien satisfait.

CHAPITRE XX

LE PLUS COURT DU PRÉSENT LIVRE. SUITE DU TRÉBU-CHEMENT DE RAGOTIN ET QUELQUE CHOSE DE SEMBLABLE QUI ARRIVA A ROQUEBRUNE.

Nous avons laissé Ragotin assis sur le pommeau d'une
selle, fort empêché de sa contenance et fort en peine de
ce qui arriverait de lui. Je ne crois pas que défunt Phaé-
ton, de malheureuse mémoire, ait été plus empêché après
les quatre chevaux fougueux de son père que le fut alors
notre petit avocat sur un cheval doux comme un âne;
et, s'il ne lui en coûta pas la vie comme à ce fameux
téméraire, il s'en faut prendre à la fortune sur les caprices
de laquelle j'aurais un beau champ pour m'étendre si
je n'étais obligé en conscience de le tirer vitement du
péril où il se trouve; car nous en aurons beaucoup à
faire tandis que notre troupe comique sera dans la ville
du Mans. Aussitôt que l'infortuné Ragotin ne se sentit
qu'un pommeau de selle entre les deux parties de son
corps qui étaient les plus charnues et sur lesquelles il
avait accoutumé de s'asseoir, comme font tous les autres
animaux raisonnables; je veux dire qu'aussitôt qu'il se
sentit n'être assis que sur fort peu de chose, il quitta la
bride en homme de jugement et se prit aux crins du

cheval qui se mit aussitôt à courre. Là-dessus la carabine
tira. Ragotin crut en avoir au travers du corps; son
cheval crut la même chose et broncha si rudement que
Ragotin en perdit le pommeau qui lui servait de siège,
tellement qu'il pendit quelque temps aux crins du cheval,
un pied accroché par son éperon à la selle et l'autre pied
et le reste du corps attendant le décrochement de ce
pied accroché pour donner en terre, de compagnie avec
la carabine, l'épée, et le baudrier, et la bandoulière. Enfin
le pied se décrocha, ses mains lâchèrent le crin et il fallut
tomber; ce qu'il fit bien plus adroitement qu'il n'avait
monté. Tout cela se passa à la vue des carrosses qui
s'étaient arrêtés pour le secourir ou plutôt pour en avoir
le plaisir. Il pesta contre le cheval, qui ne branla pas
depuis sa chute et, pour le consoler, on le reçut dans l'un
des carrosses en la place du poëte, qui fut bien aise d'être
à cheval pour galantiser à la portière où était Inézilla.
Ragotin lui résigna l'épée et l'arme à feu qu'il se mit sur
le corps d'une façon toute martiale. Il allongea les étriers,
ajusta la bride et se prit sans doute mieux que Ragotin
à monter sur sa bête. Mais il y avait quelque sort jeté
sur ce malencontreux animal : la selle mal sanglée tourna
comme à Ragotin et ce qui attachait ses chausses s'étant
rompu, le cheval l'emporta quelque temps un pied dans
l'étrier, l'autre servant de cinquième jambe au cheval, et
les parties de derrière du citoyen de Parnasse fort expo-
sées aux yeux des assistants, ses chausses lui étant tom-
bées sur les jarrets. L'accident de Ragotin n'avait fait
rire personne, à cause de la peur qu'on avait eue qu'il ne
se blessât; mais celui de Roquebrune fut accompagné
de grands éclats de risée que l'on fit dans les carrosses.
Les cochers en arrêtèrent leurs chevaux pour rire leur
soûl et tous les spectateurs firent une grande huée après
Roquebrune, au bruit de laquelle il se sauva dans une
maison, laissant le cheval sur sa bonne foi, mais il en
usa mal, car il s'en retourna vers la ville. Ragotin, qui
eut peur d'avoir à le payer, se fit descendre de carrosse
et alla après; et le poëte, qui avait recouvert ses posté-

rieures, rentra dans un des carrosses, fort embarrassé
et embarrassant les autres de l'équipage de guerre de
Ragotin qui eut encore cette troisième disgrâce, devant
sa maîtresse, par où nous finirons le vingtième chapitre.

CHAPITRE XXI

QUI PEUT-ÊTRE NE SERA PAS TROUVÉ FORT DIVERTISSANT

Les comédiens furent fort bien reçus du maître de la
maison qui était honnête homme et des plus considérés
du pays. On leur donna deux chambres pour mettre leurs
hardes et pour se préparer en liberté à la comédie, qui
fut remise à la nuit. On les fit aussi dîner en particulier
et, après dîner, ceux qui voulurent se promener eurent
à choisir d'un grand bois et d'un beau jardin. Un jeune
conseiller du parlement de Rennes [78], proche parent du
maître de la maison, accosta nos comédiens et s'arrêta
à faire conversation avec eux, ayant reconnu que Le
Destin avait de l'esprit et que les comédiennes, outre
qu'elles étaient fort belles, étaient capables de dire autre
chose que des vers appris par cœur. On parla des choses
dont l'on parle d'ordinaire avec des comédiens, de pièces
de théâtre et de ceux qui les font. Ce jeune conseiller
dit entre autres choses que les sujets connus, dont on
pouvait faire des pièces régulières, avaient tous été mis
en œuvre; que l'histoire était épuisée et que l'on serait
réduit à la fin à se dispenser de la règle des vingt-quatre
heures; que le peuple et la plus grande partie du monde
ne savaient point à quoi étaient bonnes les règles sévères
du théâtre; que l'on prenait plus de plaisir à voir représenter les choses qu'à ouïr des récits; et cela étant, que
l'on pourrait faire des pièces qui seraient fort bien reçues
sans tomber dans les extravagances des Espagnols et
sans se géhenner par la rigueur des règles d'Aristote.

De la comédie on vint à parler des romans. Le conseiller
dit qu'il n'y avait rien de plus divertissant que quelques
romans modernes; que les Français seuls en savaient
faire de bons, et que les Espagnols avaient le secret de
faire de petites histoires, qu'ils appellent Nouvelles, qui
sont bien plus à notre usage et plus selon la portée de
l'humanité que ces héros imaginaires de l'antiquité qui
sont quelquefois incommodes à force d'être trop honnêtes
gens. Enfin, que les exemples imitables étaient pour
le moins d'aussi grande utilité que ceux que l'on avait
presque peine à concevoir. Et il conclut que, si l'on faisait
des nouvelles en français, aussi bien faites que quelques-
unes de celles de Michel de Cervantes, elles auraient cours
autant que les romans héroïques, Roquebrune ne fut
pas de cet avis. Il dit fort absolument qu'il n'y avait
point de plaisir à lire des romans s'ils n'étaient com-
posés d'aventures de princes, et encore de grands princes, et que par cette raison-là l'*Astrée* ne lui avait plu
qu'en quelques endroits. Et dans quelles histoires trou-
verait-on assez de rois et d'empereurs pour vous faire
des romans nouveaux ? lui repartit le conseiller. Il en
faudrait faire, dit Roquebrune, comme dans les romans
tout à fait fabuleux et qui n'ont aucun fondement dans
l'histoire. Je vois bien, repartit le conseiller, que le
livre de don Quichotte n'est pas trop bien avec vous.
C'est le plus sot livre que j'aie jamais vu, reprit Roquebrune, quoiqu'il plaise à quantité de gens d'esprit.
Prenez garde, dit Le Destin, qu'il ne vous déplaise par
votre faute plutôt que par la sienne. Roquebrune n'eût
pas manqué de repartie s'il eût ouï ce qu'avait dit
Le Destin; mais il était occupé à conter ses prouesses
à quelques dames qui s'étaient approchées des comédiennes, auxquelles il ne promettait pas moins que de
faire un roman en cinq parties, chacune de dix volumes,
qui effacerait les *Cassandre*, *Cléopâtre*, *Polexandre* et
Cyrus [79], quoique ce dernier ait le surnom de *grand*,
aussi bien que le fils de Pépin. Cependant le conseiller
disait à Destin et aux comédiennes, qu'il avait essayé

de faire des nouvelles à l'imitation des Espagnols, et qu'il leur en voulait communiquer quelques-unes. Inézilla prit la parole et dit en français, qui tenait plus du gascon que de l'espagnol, que son premier mari avait eu la réputation de bien écrire dans la cour d'Espagne; qu'il avait composé quantité de nouvelles qui y avaient été bien reçues et qu'elle en avait encore d'écrites à la main qui réussiraient en français si elles étaient bien traduites. Le conseiller était fort curieux de cette sorte de livre. Il témoigna à l'Espagnole qu'elle lui ferait un extrême plaisir de lui en donner la lecture, ce qu'elle lui accorda fort civilement. Et même, ajouta-t-elle : Je pense en savoir autant que personne du monde et, comme quelques femmes de notre nation se mêlent d'en faire et des vers aussi, j'ai voulu l'essayer comme les autres et je vous en puis montrer quelques-unes de ma façon. Roquebrune s'offrit témérairement, selon sa coutume, à les mettre en français. Inézilla, qui était peut-être la plus déliée Espagnole qui ait jamais passé les Pyrénées pour venir en France, lui répondit que ce n'était pas assez de bien savoir le français, qu'il fallait savoir également l'espagnol et qu'elle ne ferait point difficulté de lui donner ses nouvelles à traduire quand elle saurait assez de français pour juger s'il en était capable. La Rancune, qui n'avait point encore parlé, dit qu'il n'en fallait point douter puisqu'il avait été correcteur d'imprimerie. Il n'eut pas plutôt lâché la parole qu'il se ressouvint que Roquebrune lui avait prêté de l'argent. Il ne le poussa donc point selon sa coutume, le voyant déjà tout défait de ce qu'il avait dit et avouant avec grande confusion qu'il avait véritablement corrigé quelque temps chez les imprimeurs, mais que ce n'avait été que ses propres ouvrages. Mademoiselle de l'Étoile dit alors à la dona Inézilla que, puisqu'elle savait tant d'historiettes, qu'elle l'importunerait souvent de lui en conter. L'Espagnole s'y offrit à l'heure même. On la prit au mot; tous ceux de la compagnie se mirent alentour d'elle; et alors elle commença une histoire, non pas du tout dans les termes que vous l'allez lire dans le suivant chapitre, mais pourtant assez intelligiblement pour faire voir qu'elle avait bien de l'esprit en espagnol puisqu'elle en faisait beaucoup paraître en une langue dont elle ne savait pas les beautés.

CHAPITRE XXII

A TROMPEUR, TROMPEUR ET DEMI [80]

Une jeune dame de Tolède, nommée Victoria, de l'ancienne maison de Portocarrero, s'était retirée en une maison qu'elle avait sur les bords du Tage, à demi-lieue de Tolède, en l'absence de son frère, qui était capitaine de cavalerie dans les Pays-Bas. Elle était demeurée veuve à l'âge de dix-sept ans, d'un vieil gentilhomme qui s'était enrichi aux Indes et qui, s'étant perdu en mer six mois après son mariage, avait laissé beaucoup de biens à sa femme. Cette belle veuve, depuis la mort de son mari, s'était retirée auprès de son frère, et y avait vécu d'une façon si approuvée de tout le monde qu'à l'âge de vingt ans les mères la proposaient à leurs filles comme un exemple, les maris à leurs femmes et les galants à leurs désirs, comme une conquête digne de leur mérite; mais si sa vie retirée avait refroidi l'amour de plusieurs, elle avait d'un autre côté augmenté l'estime que tout le monde avait pour elle. Elle goûtait en liberté les plaisirs de la campagne dans cette maison des champs, quand un matin ses bergers lui amenèrent deux hommes qu'ils avaient trouvés dépouillés de tous leurs habits et attachés à des arbres où ils avaient passé la nuit. On leur avait donné à chacun une méchante cape de berger pour se couvrir et ce fut dans ce bel équipage-là qu'ils parurent devant la belle Victoria. La pauvreté de leur habit ne lui cacha point la riche mine du plus jeune, qui lui fit un compliment en honnête homme et lui dit qu'il était

un gentilhomme de Cordoue appelé dom Lopès de
Gongora; qu'il venait de Séville et qu'allant à Madrid
pour des affaires d'importance et s'étant amusé à jouer
à une demi-journée de Tolède, où il avait dîné le jour
auparavant, que la nuit l'avait surpris; qu'il s'était
endormi et son valet aussi en attendant un muletier qui
était demeuré derrière; et que des voleurs, l'ayant trouvé
comme il dormait, l'avaient lié à un arbre, et son valet
aussi, après les avoir dépouillés jusqu'à la chemise.
Victoria ne douta point de la vérité de ses paroles; sa
bonne mine parlait en sa faveur, et il y avait toujours
de la générosité à secourir un étranger réduit à une si
fâcheuse nécessité. Il se rencontra heureusement que,
parmi les hardes que son frère lui avait laissées en garde,
il y avait quelques habits; car les Espagnols ne quittent
point leurs vieux habits pour jamais quand ils en prennent
de neufs. On choisit le plus beau et le mieux fait à la
taille du maître; et le valet fut aussi revêtu de ce que
l'on put trouver sur-le-champ de plus propre pour lui.
L'heure du dîner étant venue, cet étranger, que Victoria
fit manger à sa table, parut à ses yeux si bien fait et
l'entretint avec tant d'esprit qu'elle crut que l'assistance
qu'elle lui rendait ne pouvait jamais être mieux employée.
Ils furent ensemble le reste du jour et se plurent tellement
l'un à l'autre que la nuit même ils en dormirent moins
qu'ils n'avaient accoutumé. L'étranger voulut envoyer
son valet à Madrid querir de l'argent, et faire faire des
habits, ou, du moins, il en fit semblant. La belle veuve
ne le voulut pas permettre et lui en promit pour achever
son voyage. Il lui parla d'amour dès le jour même et
elle l'écouta favorablement. Enfin, en quinze jours, la
commodité du lieu, le mérite égal en ces deux jeunes
personnes, quantité de serments d'un côté, trop de franchise et de crédulité de l'autre, une promesse de mariage
offerte et la foi réciproquement donnée en présence d'un
vieil écuyer et d'une suivante de Victoria, lui firent faire
une faute dont jamais on ne l'eût crue capable et mirent
ce bienheureux étranger en possession de la plus belle

dame de Tolède. Huit jours durant ce ne fut que feu et
flammes entre les jeunes amants. Il fallut se séparer; ce
ne furent que larmes. Victoria eût eu droit de le retenir;
mais l'étranger lui ayant fait valoir qu'il laissait perdre
une affaire de grande importance pour l'amour d'elle,
lui protestant que le gain qu'il avait fait de son cœur
lui faisait négliger celui d'un procès qu'il avait à Madrid
et même ses prétentions de la cour, elle fut la première
à hâter son départ, ne l'aimant pas assez aveuglément
pour préférer le plaisir d'être avec lui à son avancement.
Elle fit faire des habits à Tolède pour lui et pour son
valet et lui donna de l'argent autant qu'il en voulut. Il
partit pour Madrid, monté sur une bonne mule et son
valet sur une autre, la pauvre dame véritablement
accablée de douleur quand il partit et lui, s'il ne fut pas
beaucoup affligé, le contrefaisant avec la plus grande
hypocrisie du monde. Le jour même qu'il partit, une
servante, faisant la chambre où il avait couché, trouva
une boîte de portrait enveloppée dans une lettre. Elle
porta le tout à sa maîtresse, qui vit dans la boîte un
visage parfaitement beau et fort jeune et lut dans la
lettre ces paroles, ou d'autres qui voulaient dire la même
chose :

« Monsieur mon cousin,

« Je vous envoie le portrait de la belle Elvire de Silva.
« Quand vous la verrez, vous la trouverez encore plus
« belle que le peintre ne l'a su faire. Dom Pédro de Silva,
« son père, vous attend avec impatience. Les articles de
« votre mariage sont tels que vous les avez souhaités
« et ils vous sont fort avantageux, à ce qu'il me semble.
« Tout cela vaut bien la peine que vous hâtiez votre
« voyage.

« Dom Antoine de Ribéra.

« De Madrid, ce, etc... »

La lettre s'adressait à Fernand de Ribéra, à Séville.
Représentez-vous, je vous prie, l'étonnement de Victoria

à la lecture d'une telle lettre qui, selon toutes les apparences du monde, ne pouvait être écrite à un autre qu'à
son Lopès de Gongora. Elle voyait, mais trop tard, que
cet étranger qu'elle avait si fort obligé, et si vite, lui avait
déguisé son nom et, par ce déguisement-là, elle devait
être tout assurée de son infidélité. La beauté de la dame
du portrait ne la devait pas moins mettre en peine, et
ce mariage, dont les articles étaient déjà passés, achevait
de la désespérer. Jamais personne ne s'affligea tant; ses
soupirs la pensèrent suffoquer et elle pleura jusqu'à s'en
faire mal à la tête. Misérable que je suis! disait-elle quelquefois en elle-même et quelquefois aussi devant son
vieil écuyer et sa suivante qui avaient été témoins de
son mariage, ai-je été si longtemps sage pour faire une
faute irréparable et devais-je refuser tant de personnes
de condition de ma connaissance, qui se fussent estimées
heureuses de me posséder, pour me donner à un inconnu
qui se moque peut-être de moi après m'avoir rendue
malheureuse pour toute ma vie ? Que dira-t-on dans
Tolède et que dira-t-on dans toute l'Espagne ? Un jeune
homme lâche et trompeur sera-t-il discret ? Devais-je
lui témoigner que je l'aimais devant que de savoir si j'en
étais aimée ? M'aurait-il caché son nom s'il avait été
sincère et dois-je espérer, après cela, qu'il cache les
avantages qu'il a sur moi ? Que ne fera point mon frère
contre moi, après ce que j'ai fait moi-même, et de quoi
lui sert l'honneur qu'il acquiert en Flandre tandis que
je le déshonore en Espagne ? Non, non, Victoria, il faut
tout entreprendre puisque nous avons tout oublié; mais,
devant que d'en venir à la vengeance et aux derniers
remèdes, il faut essayer de gagner par adresse ce que nous
avons mal conservé par imprudence. Il sera toujours
assez à temps de se perdre quand il n'y aura plus rien à
espérer. Victoria avait l'esprit bien fort, d'être capable
de prendre sitôt une bonne résolution dans une si mauvaise affaire. Son vieil écuyer et sa suivante la voulurent
conseiller; elle leur dit qu'elle savait bien tout ce qu'on
lui pouvait dire, mais qu'il n'était plus question que

d'agir. Dès le jour même un chariot et une charrette
furent chargés de meubles et de tapisseries, et Victoria,
faisant courir le bruit parmi ses domestiques qu'il fallait
qu'elle allât à la cour pour les affaires pressantes de son
frère, elle monta en carrosse avec son écuyer et sa suivante, prit le chemin de Madrid et se fît suivre par son
bagage. Aussitôt qu'elle y fut arrivée, elle s'informa du
logis de dom Pédro de Silva; et, l'ayant appris, elle en
loua un dans le même quartier. Son vieil écuyer avait
nom Rodrigue Santillane; il avait été nourri jeune par
le père de Victoria et il aimait sa maîtresse comme si elle
eût été sa fille. Ayant forces habitudes dans Madrid,
où il avait passé sa jeunesse, il sut en peu de temps que
la fille de dom Pédro de Silva se mariait à un gentilhomme
de Séville qu'on appelait Fernand de Ribéra; qu'un de
ses cousins de même nom que lui avait fait ce mariage
et que dom Pédro songeait déjà aux personnes qu'il
mettrait auprès de sa fille. Dès le lendemain, Rodrigue
Santillane, honnêtement vêtu, Victoria, habillée en veuve
de médiocre condition, et Béatrix, sa suivante, faisant
le personnage de sa belle-mère, femme de Rodrigue,
allèrent chez dom Pédro et demandèrent à lui parler.
Dom Pédro les reçut fort civilement et Rodrigue lui dit,
avec beaucoup d'assurance, qu'il était un pauvre gentilhomme des montagnes de Tolède; qu'il avait eu une
fille unique de sa première femme, qui était Victoria,
dont le mari était mort depuis peu à Séville où il demeurait; et que, voyant sa fille veuve avec peu de bien, il
l'avait amenée à la cour pour lui chercher condition;
qu'ayant ouï parler de lui et de sa fille qu'il était près de
marier, il avait cru lui faire plaisir en lui venant offrir une
jeune veuve très propre à servir de duègna à la nouvelle
mariée et ajouta que le mérite de sa fille le rendait hardi
à la lui offrir et qu'il en serait pour le moins aussi satisfait qu'il l'avait pu être de sa bonne mine. Devant que
d'aller plus avant, il faut que j'apprenne, à ceux qui ne
le savent pas, que les dames en Espagne ont des duègnes
auprès d'elles; et ces duègnas sont à peu près la même

chose que les gouvernantes ou dames d'honneur que
nous voyons auprès des femmes de grande condition.
Il faut que je dise encore que ces duègnas ou duègnes sont
animaux rigides et fâcheux, aussi redoutés pour le moins
que des belles-mères. Rodrigue joua si bien son personnage et Victoria, belle comme elle était, parut, en son
habit simple, si agréable et de si bon augure aux yeux
de dom Pédro de Silva qu'il la retint à l'heure même pour
sa fille. Il offrit même à Rodrigue et à sa femme place
dans sa maison. Rodrigue s'en excusa et lui dit qu'il avait
quelques raisons pour ne recevoir pas l'honneur qu'il
lui voulait faire, mais que, logeant dans le même quartier,
il serait prêt à lui rendre service toutes les fois qu'il le
voudrait employer. Voilà donc Victoria dans la maison
de dom Pédro, fort aimée de lui et de sa fille Elvire, et
fort enviée de tous les valets. Dom Antoine de Ribéra,
qui avait fait le mariage de son infidèle cousin avec la
fille de dom Pédro de Silva, lui venait souvent dire que
son cousin était en chemin et qu'il lui avait écrit en partant de Séville et cependant ce cousin ne venait point;
cela le mettait bien en peine. Dom Pédro et sa fille ne
savaient qu'en penser et Victoria y prenait encore plus
de part. Dom Fernand n'avait garde de venir si vite.
Le jour même qu'il partit de chez Victoria, Dieu le punit
de sa perfidie. En arrivant à Illescas, un chien, qui sortit
d'une maison à l'improviste, fit peur à son mulet, qui lui
froissa une jambe contre une muraille et le jeta par
terre. Dom Fernand se démit une cuisse et se trouva si
mal de sa chute qu'il ne put passer outre. Il fut sept ou
huit jours entre les mains des médecins et chirurgiens
du pays, qui n'étaient pas des meilleurs; et son mal deve-
nant tous les jours plus dangereux, il fit savoir à son
cousin son infortune et le pria de lui envoyer un brancard. A cette nouvelle on s'affligea de sa chute et on se
réjouit de ce que l'on savait enfin ce qu'il était devenu.
Victoria, qui l'aimait encore, en fut fort inquiétée. Dom
Antoine envoya querir dom Fernand; il fut amené à
Madrid où, tandis que l'on fit des habits pour lui et pour

son train, qui fut fort magnifique (car il était aimé de
sa maison et fort riche), les chirurgiens de Madrid, plus
habiles que ceux d'Illescas, le guérirent parfaitement.
Dom Pédro de Silva et sa fille Elvire furent avertis du
jour que dom Antoine de Ribéra leur devait amener son
cousin dom Fernand. Il y a apparence que la jeune Elvire
ne se négligea pas et que Victoria ne fut pas sans émotion.
Elle vit entrer son infidèle, paré comme un nouveau
marié et, s'il lui avait plu mal vêtu et mal en ordre, elle
le trouva l'homme du monde de la meilleure mine en
ses habits de noces. Dom Pédro n'en fut pas moins satisfait et sa fille eût été bien difficile si elle y eût trouvé
quelque chose à redire. Tous les domestiques regardèrent
le serviteur de leur jeune maîtresse de toute la grandeur
de leurs yeux et tout le monde de la maison en eut le
cœur épanoui, à la réserve de Victoria qui sans doute
l'eût bien serré. Dom Fernand fut charmé de la beauté
d'Elvire et avoua à son cousin qu'elle était encore plus
belle que son portrait. Il lui fit ses premiers compliments
en homme d'esprit et, parlant à elle et à son père, s'abs-
tint le plus qu'il put de toutes les sottises que dit ordinairement, à un beau-père et à une maîtresse, un homme
qui demande à se marier. Dom Pédro de Silva s'enferma
dans un cabinet avec les deux cousins et avec un homme
d'affaires pour ajouter quelque chose qui manquait aux
articles. Cependant Elvire demeura dans la chambre,
environnée de toutes ses femmes qui se réjouissaient
devant elle de la bonne mine de son serviteur. La seule
Victoria demeura froide et sérieuse dans les emportements des autres. Elvire le remarqua et la tira à part
pour lui dire qu'elle s'étonnait de ce qu'elle ne lui disait
rien de l'heureux choix que son père avait fait d'un
gendre qui paraissait avoir tant de mérite et ajouta qu'au
moins, par flatterie ou par civilité, elle lui en devait dire
quelque chose. Madame, lui dit Victoria, ce qui paraît
de votre serviteur est si fort à son avantage qu'il n'est
point nécessaire de vous le louer. Ma froideur que vous
avez remarquée ne vient point d'indifférence et je serais

indigne des bontés que vous avez pour moi si je ne prenais part en tout ce qui vous touche. Je me serais donc réjouie de votre mariage aussi bien que les autres si je connaissais moins celui qui doit être votre mari. Le mien était de Séville et sa maison n'était pas éloignée de celle du père de votre serviteur. Il est de bonne maison, il est riche, il est bien fait et je veux croire qu'il a de l'esprit; enfin il est digne de vous, mais vous méritez l'affection tout entière d'un homme et il ne vous peut donner ce qu'il n'a pas. Je m'empêcherais bien de vous dire des choses qui peuvent vous déplaire, mais je ne m'acquitterais pas de tout ce que je vous dois si je ne vous découvrais tout ce que je sais de dom Fernand, en une affaire d'où dépend le bonheur ou le malheur de votre vie. Elvire fut fort étonnée de ce que lui dit sa gouvernante; elle la pria de ne différer pas davantage à lui éclaircir les doutes qu'elle lui avait mis dans l'esprit. Victoria lui dit que cela ne se pouvait dire devant ses servantes, ni en peu de paroles. Elvire feignit d'avoir affaire en sa chambre où Victoria lui dit, aussitôt qu'elle se vit seule avec elle, que Fernand de Ribéra était amoureux, à Séville, d'une Lucrèce de Monsalve, demoiselle fort aimable quoique fort pauvre; qu'il en avait trois enfants sous promesse de mariage; que, du vivant du père de Ribéra, la chose avait été tenue secrète et qu'après sa mort, Lucrèce lui ayant demandé l'accomplissement de sa promesse, il s'était extrêmement refroidi; qu'elle avait remis cette affaire entre les mains de deux gentilshommes de ses parents; que cela avait fait grand éclat dans Séville et que dom Fernand s'en était absenté quelque temps, par le conseil de ses amis, pour éviter les parents de cette Lucrèce qui le cherchaient partout pour le tuer. Elle ajouta que l'affaire était en cet état-là quand elle quitta Séville, il y avait un mois, et que le bruit courait en même temps que dom Fernand allait se marier à Madrid. Elvire ne put s'empêcher de lui demander si cette Lucrèce était fort belle. Victoria lui dit qu'il ne lui manquait que du bien, et la laissa fort rêveuse et

faisant dessein d'informer promptement son père de ce
qu'elle venait d'apprendre. On la vint appeler en même
temps pour revenir trouver son serviteur, qui avait
achevé avec son père ce qui les avait fait retirer en particulier. Elvire s'y en alla; et, cependant, Victoria demeura
dans l'antichambre où elle vit entrer ce même valet qui
accompagnait son infidèle quand elle le reçut si généreusement en sa maison auprès de Tolède. Ce valet apportait
à son maître un paquet de lettres qu'on lui avait donné
à la poste de Séville. Il ne put reconnaître Victoria que
la coiffure de veuve avait fort déguisée. Il la pria de le
faire parler à son maître pour lui donner ses lettres. Elle
lui dit qu'il ne lui pourrait parler de longtemps, mais
que, s'il lui voulait confier son paquet, elle irait le lui
porter quand on pourrait parler à lui. Le valet n'en fit
point de difficulté et, lui ayant mis son paquet entre les
mains, s'en retourna où il avait affaire. Victoria, qui
n'avait rien à négliger, monta dans sa chambre, ouvrit
le paquet et en un moins de rien le referma, y ajoutant
une lettre qu'elle écrivit à la hâte. Cependant les deux
cousins achevèrent leur visite. Elvire vit le paquet de
dom Fernand entre les mains de sa gouvernante et lui
demanda ce que c'était. Victoria lui dit indifféremment
que le valet de dom Fernand le lui avait donné pour le
rendre à son maître et qu'elle allait envoyer après parce
qu'elle ne s'était point trouvée quand il était sorti. Elvire
lui dit qu'il n'y avait point de danger de l'ouvrir et que
l'on y trouverait peut-être quelque chose de l'affaire qu'elle
lui avait apprise. Victoria, qui ne demandait pas autre
chose, l'ouvrit encore une fois. Elvire en regarda toutes
les lettres et ne manqua pas de s'arrêter sur celle qu'elle
vit écrite en lettres de femme, qui s'adressait à Fernand
de Ribéra, à Madrid. Voici ce qu'elle y lut :

« Votre absence et la nouvelle que j'ai apprise que l'on
« vous mariait à la cour vous feront bientôt perdre une
« personne qui vous aime plus que sa vie si vous ne venez
« bientôt la désabuser et accomplir ce que vous ne pouvez
« différer ou lui refuser sans une froideur ou une trahison

« manifeste. Si ce que l'on dit de vous est véritable et
« si vous ne songez plus que vous ne faites en moi et en
« nos enfants, au moins devriez-vous songer à votre vie
« que mes cousins sauront bien vous faire perdre quand
« vous me réduirez à les en prier, puisqu'ils ne vous la
« laissent qu'à ma prière.

« Lucrèce de Monsalve.

« De Séville, etc. »

Elvire ne douta plus de tout ce que lui avait dit sa
gouvernante après la lecture de cette lettre. Elle la fit
voir à son père, qui ne put assez s'étonner qu'un gentilhomme de condition fût assez lâche pour manquer de
fidélité à une demoiselle qui le valait bien et de qui il
avait eu des enfants. A l'heure même, il alla s'en informer
plus amplement d'un gentilhomme de Séville de ses
grands amis, par lequel il avait déjà été instruit du bien
et des affaires de dom Fernand. A peine fut-il sorti que
dom Fernand vint demander ses lettres, suivi de son valet,
qui lui avait dit que la gouvernante de sa maîtresse s'était
chargée de les lui rendre. Il trouva Elvire dans la salle et
lui dit qu'encore que deux visites lui fussent pardonnables
dans les termes il où était avec elle, qu'il ne venait pas
tant pour la voir que pour demander ses lettres que son
valet avait laissées à sa gouvernante. Elvire lui répondit
qu'elle les lui avait prises; qu'elle avait eu la curiosité
d'ouvrir le paquet, ne doutant point qu'un homme de
son âge n'eût quelque attachement de galanterie dans
une grande ville comme Séville; et que, si sa curiosité ne
l'avait pas beaucoup satisfaite, qu'elle lui avait appris en
récompense que ceux qui se mariaient ensemble devant
que de se connaître hasardaient beaucoup. Elle ajouta
ensuite qu'elle ne voulait pas lui retarder davantage le
plaisir de lire ses lettres, les lui remit entre les mains et,
lui faisant la révérence, le quitta sans attendre réponse.
Dom Fernand demeura fort étonné de ce qu'il entendit
dire à sa maîtresse. Il lut la lettre supposée et vit
bien que l'on voulait troubler son mariage par une

fourbe. Il s'adressa à Victoria, qui était demeurée dans
la salle, et lui dit, sans s'arrêter beaucoup à son visage,
que quelque rival ou quelque personne malicieuse avait
supposé la lettre qu'il venait de lire. Moi, une femme dans
Séville! s'écriait-il tout étonné; moi, des enfants! Ha!
si ce n'est la plus impudente imposture du monde, je
veux qu'on me coupe la tête! Victoria lui dit qu'il pouvait bien être innocent, mais que sa maîtresse ne pouvait
moins faire que de s'en éclaircir et que très assurément
le mariage ne passerait pas outre, que dom Pedro ne fût
assuré par un gentilhomme de Séville de ses amis, qu'il
était allé chercher exprès, que ce[tte] prétendu[e] intrigue
fût supposé[e] [81]. C'est ce que je souhaite, lui répondit
dom Fernand, et s'il y a seulement en Séville une dame
qui ait le nom de Lucrèce de Monsalve, je veux ne passer
jamais pour un homme d'honneur ; et je vous prie, continua-t-il, si vous êtes bien dans l'esprit d'Elvire, comme
je n'en doute pas, de me l'avouer afin que je vous conjure
de me rendre de bons offices auprès d'elle. Je crois, sans
vanité, lui répondit Victoria, qu'elle ne fera pas pour un
autre ce qu'elle m'aura refusé, mais je connais aussi son
humeur; on ne l'apaise pas aisément quand elle se croit
désobligée. Et comme toute l'espérance de ma fortune
n'est fondée que sur la bonne volonté qu'elle a pour moi,
je n'irai pas lui manquer de complaisance pour en avoir
trop pour vous et hasarder de me mettre mal auprès
d'elle en tâchant de lui ôter la mauvaise opinion qu'elle
a de votre sincérité. Je suis pauvre, ajouta-t-elle, et c'est
à moi beaucoup perdre que de ne gagner pas. Si ce qu'elle
m'a promis pour me remarier m'allait manquer, je serais
veuve toute ma vie, quoique, jeune comme je suis, je
puisse encore plaire à quelque honnête homme; mais on
dit bien vrai que sans argent... Elle allait enfiler un long
prône de gouvernante, car, pour la bien contrefaire, il
fallait parler beaucoup, mais dom Fernand lui dit en
l'interrompant : Rendez-moi le service que je vous
demande et je vous mettrai en état de vous pouvoir
passer des récompenses de votre maîtresse; et pour vous

montrer, ajouta-t-il, que je vous veux donner autre
chose que des paroles, donnez-moi du papier et de l'encre
et je vous ferai une promesse de ce que vous voudrez.
Jésus! Monsieur, lui dit la fausse gouvernante, la parole
d'un honnête homme suffit, mais, pour vous plaire, je
m'en vais querir ce que vous demandez. Elle revint avec
ce qu'il fallait pour faire une promesse de plus de cent
millions d'or et dom Fernand fut si galant homme, ou
plutôt il avait la possession d'Elvire tellement à cœur
qu'il lui écrivit son nom en blanc dans une feuille de
papier pour l'obliger par cette confiance à le servir de
bonne façon. Voilà Victoria sur les nues; elle promit des
merveilles à dom Fernand et lui dit qu'elle voulait être
la plus malheureuse du monde si elle n'allait travailler
en cette affaire comme pour elle-même; et elle ne men-
tait pas. Dom Fernand la quitta, rempli d'espérance;
et Rodrigue Santillane, son écuyer, qui passait pour son
père, l'étant venu voir pour apprendre ce qu'elle avait
avancé pour son dessein, elle lui en rendit compte et lui
montra le blanc signé dont il loua Dieu avec elle, et lui
fît remarquer que tout semblait contribuer à sa satisfaction. Pour ne point perdre de temps, il s'en retourna
en son logis, que Victoria avait loué auprès de celui de
dom Pédro, comme je vous ai déjà dit, et là il écrivit,
au-dessus du seing de dom Fernand, une promesse de
mariage, attestée de témoins et datée du temps que
Victoria reçut cet infidèle dans sa maison des champs.
Il écrivait aussi bien qu'homme qui fût en Espagne et
avait si bien étudié la lettre de dom Fernand sur des
vers qu'il avait écrits de sa main et qu'il avait laissés à
Victoria que dom Fernand même s'y fût trompé. Dom
Pédro de Silva ne trouva point le gentilhomme qu'il était
allé chercher pour s'informer du mariage de dom Fernand; il lui laissa un billet en son logis et revint au sien,
où le soir même Elvire ouvrit son cœur à sa gouvernante,
et lui assura qu'elle désobéirait plutôt à son père que
d'épouser jamais dom Fernand, lui avouant de plus
qu'elle était engagée d'affection avec un Diégo de Maradas,

il y avait longtemps; qu'elle avait assez déféré à son père
en forçant son inclination pour lui plaire; et, puisque
Dieu avait permis que la mauvaise foi de dom Fernand
fût découverte, qu'elle croyait en le refusant obéir à la
volonté divine qui semblait lui destiner un autre époux.
Vous devez croire que Victoria fortifia Elvire dans ses
bonnes résolutions et ne lui parla pas alors selon l'intention de dom Fernand. Dom Diegue de Maradas, lui dit
alors Elvire, est mal satisfait de moi à cause que je l'ai
quitté pour obéir à mon père, mais aussitôt que je le
favoriserai seulement d'un regard, je suis assurée de le
faire revenir, quand il serait aussi éloigné de moi que
dom Fernand l'est présentement de sa Lucrèce. Écrivez-
lui, mademoiselle, lui dit Victoria et je m'offre à lui
porter votre lettre. Elvire fut ravie de voir sa gouvernante si favorable à ses desseins. Elle fit mettre les chevaux au carrosse pour Victoria qui monta dedans avec
un beau poulet pour dom Diégo; et, s'étant fait descendre chez son père Santillane, renvoya le carrosse de
sa maîtresse, disant au cocher qu'elle irait bien à pied
où elle voulait aller. Le bon Santillane lui fit voir la promesse de mariage qu'il avait faite; et elle écrivit aussitôt
deux billets, l'un à Diégo de Maradas et l'autre à Pédro
de Silva, père de sa maîtresse. Par ces billets, signés
Victoria Portocarrero, elle leur enseignait son logis et les
priait de la venir trouver pour une affaire qui leur était
de grande importance. Tandis que l'on porta ces billets à
ceux à qui ils étaient adressés, Victoria quitta son habit
simple de veuve, s'habilla richement, fit paraître ses
cheveux, que l'on m'a assuré avoir été des plus beaux et
se coiffa en dame fort galante. Dom Diégo de Maradas
la vint trouver un moment après pour savoir ce que lui
voulait une dame dont il n'avait jamais ouï parler. Elle
le reçut fort civilement; et à peine avait-il pris un siège
auprès d'elle qu'on lui vint dire que Pédro de Silva
demandait à la voir. Elle pria dom Diégo de se cacher
dans son alcôve en l'assurant qu'il lui importait extrêmement d'entendre la conversation qu'elle allait avoir

avec dom Pédro. Il fit sans résistance ce que voulut une
dame si belle et de si bonne mine; et dom Pédro fut
introduit dans la chambre de Victoria qu'il ne put
reconnaître tant sa coiffure, différente de celle qu'elle
portait chez lui, et la richesse de ses habits avaient
augmenté sa bonne mine et changé l'air de son visage.
Elle fit asseoir dom Pédro en un lieu d'où dom Diégo
pouvait entendre tout ce qu'elle lui disait et lui parla
en ces termes : Je crois, monsieur, que je dois vous
apprendre d'abord qui je suis, pour ne vous laisser pas
plus longtemps dans l'impatience où vous devez être de
le savoir. Je suis de Tolède, de la maison de Portocarrero;
j'ai été mariée à seize ans et me suis trouvée veuve six
mois après mon mariage. Mon père portait la croix de
Saint-Jacques et mon frère est de l'ordre de Calatrava.
Dom Pédro l'interrompit pour lui dire que son père
avait été de ses intimes amis. Ce que vous m'apprenez là
me réjouit extrêmement, lui répondit Victoria, car j'aurai
besoin de beaucoup d'amis dans l'affaire dont j'ai à vous
parler. Elle apprit ensuite à dom Pédro ce qui lui était
arrivé avec dom Fernand et lui mit entre les mains la
promesse qu'avait contrefaite Santillane. Aussitôt qu'il
l'eut lue, elle reprit la parole et lui dit : Vous savez,
monsieur, à quoi l'honneur oblige une personne de ma
condition. Quand la justice ne serait pas de mon côté,
mes parents et mes amis ont beaucoup de crédit et sont
assez intéressés dans mon affaire pour la porter au plus
loin qu'elle puisse aller. J'ai cru, monsieur, que je devais
vous avertir de mes prétentions afin que vous ne passiez
pas outre dans le mariage de mademoiselle votre fille.
Elle mérite mieux qu'un homme infidèle et je vous crois
trop sage pour vous opiniâtrer à lui donner un mari qu'on
lui pourrait disputer. Quand il serait un grand d'Espagne,
répondit dom Pédro, je n'en voudrais point s'il était
injuste; non seulement il n'épousera point ma fille, mais
encore je lui défendrai ma maison; et pour vous, madame,
je vous offre ce que j'ai de crédit et d'amis. J'avais déjà
été averti qu'il était homme à prendre son plaisir partout

où il le trouve et même de le chercher aux dépens de sa
réputation. Étant de cette humeur-là, quand bien il ne
serait pas à vous, il ne serait jamais à ma fille, laquelle,
s'il plaît à Dieu, ne manquera point de mari dans la
cour d'Espagne. Dom Pédro ne demeura pas davantage
avec Victoria, voyant qu'elle n'avait rien davantage à
lui dire; et Victoria fit sortir dom Dieguo de derrière son
alcôve, d'où il avait ouï toute la conversation qu'elle
avait eue avec le père de sa maîtresse. Elle ne fit donc
point une seconde relation de son histoire; elle lui donna
la lettre d'Elvire qui le ravit d'aise et, parce qu'il eût
pu être en peine de savoir par quelle voie elle était venue
entre ses mains, elle lui fit confidence de sa métamorphose en duègne, sachant bien qu'il avait autant d'intérêt
qu'elle à tenir la chose secrète. Dom Diégo, devant que
de quitter Victoria, écrivit à sa maîtresse une lettre où
la joie de voir ses espérances ressuscitées, faisait bien
juger du déplaisir qu'il avait eu quand il les avait cru
perdues. Il se sépara de la belle veuve, qui prit aussitôt
son habit de gouvernante et s'en retourna chez dom
Pédro. Cependant dom Fernand de Ribéra était allé
chez sa maîtresse et y avait mené son cousin dom Antoine
pour tâcher de raccommoder ce qu'avait gâté la lettre
contrefaite par Victoria. Dom Pédro les trouva, avec sa
fille qui était bien empêchée à leur répondre quand,
pour la justification de dom Fernand, ils ne demandaient
pas mieux que l'on s'informât dans Séville même s'il y
avait jamais eu une Lucrèce de Monsalve. Ils redirent
devant dom Pédro tout ce qui pouvait servir à la décharge
de dom Fernand. A quoi il répondit que, si l'attachement
avec la dame de Séville était une fourbe, il était aisé de
la détruire, mais qu'il venait de voir une dame de Tolède,
nommée Victoria Portocarréro, à qui dom Fernand avait
promis mariage et à qui il devait encore davantage pour
en avoir été généreusement assisté sans en être connu;
qu'il ne le pouvait nier puisqu'il lui avait donné une
promesse écrite de sa main; et ajouta qu'un gentilhomme
d'honneur ne devait point songer à se marier à Madrid,

l'étant déjà dans Tolède. En achevant ces paroles, il fit
voir aux deux cousins la promesse de mariage en bonne
forme. Dom Antoine reconnut l'écriture de son cousin
et dom Fernand, qui s'y trompait lui-même, quoiqu'il
sût bien qu'il ne l'avait jamais écrite, devint l'homme du
monde le plus confus. Le père et la [fille] se retirèrent,
après les avoir salués assez froidement. Dom Antoine
querella son cousin de l'avoir employé dans une affaire
tandis qu'il songeait à une autre. Ils remontèrent dans
leur carrosse où dom Antoine, ayant fait avouer à dom
Fernand son mauvais procédé avec Victoria, lui reprocha
cent fois la noirceur de son action et lui représenta les
fâcheuses suites qu'elle pouvait avoir. Il lui dit qu'il ne
fallait plus songer à se marier, non seulement dans Madrid,
mais dans toute l'Espagne et qu'il serait bien heureux
d'en être quitte pour épouser Victoria, sans qu'il lui en
coutât du sang ou peut-être la vie, le frère de Victoria
n'étant pas un homme à se contenter d'une simple satisfaction dans une affaire d'honneur. Ce fut à dom Fernand
à se taire tandis que son cousin lui fit tant de reproches.
Sa conscience le convainquait suffisamment d'avoir
trompé et trahi une personne qui l'avait obligé et cette
promesse le faisait devenir fou, ne pouvant comprendre
par quel enchantement on la lui avait fait écrire. Victoria,
étant revenue chez dom Pédro en son habit de veuve,
donna la lettre de dom Diégo à Elvire, laquelle lui conta
que les deux cousins étaient venus pour se justifier, mais
qu'il y avait bien autre chose à reprocher à dom Fernand
que ses amours avec la dame de Séville. Elle lui apprit
ensuite ce qu'elle savait mieux qu'elle, dont elle fit bien
l'étonnée, détestant cent fois la méchante action de dom
Fernand. Ce jour-là même Elvire fut priée d'aller voir
représenter une comédie chez une de ses parentes. Victoria, qui ne songeait qu'à son affaire, espéra que si Elvire
la voulait croire, cette comédie ne serait pas inutile à
ses desseins. Elle dit à sa jeune maîtresse que si elle se
voulait voir dom Diégo, il n'y avait rien de si aisé; que
la maison de son père Santillane était le lieu le plus

commode du monde pour cette entrevue et que, la
comédie ne commençant qu'à minuit, elle pouvait partir
de bonne heure et avoir vu dom Diégo sans arriver trop
tard chez sa parente. Elvire, qui aimait véritablement
dom Diégo et qui ne s'était laissée aller à épouser dom
Fernand que par la déférence qu'elle avait aux volontés
de son père n'eut point de répugnance à ce que lui proposa
Victoria. Elles montèrent en carrosse aussitôt que dom
Pédro fut couché et allèrent descendre au logis que
Victoria avait loué. Santillane, comme maître de la
maison, en fit les honneurs, secondé de Béatrix qui jouait
le personnage de sa femme, belle-mère de Victoria. Elvire
écrivit un billet à dom Diégo qui lui fut porté à l'heure
même; et Victoria en particulier en fit un à dom Fernand,
au nom d'Elvire, par lequel elle lui mandait qu'il ne
tiendrait qu'à lui que leur mariage ne s'achevât; qu'elle
y était engagée par son mérite et qu'elle ne voulait point
se rendre malheureuse pour être trop complaisante à
la mauvaise humeur de son père. Par le même billet elle
lui donnait des enseignes si remarquables pour trouver
sa maison qu'il était impossible de la manquer. Ce second
billet partit quelque temps après celui qu'Elvire avait
écrit à dom Diégo. Victoria en fit un troisième, que Santillane porta lui-même à Pédro de Silva, par lequel elle
lui donnait avis, en gouvernante de bien et d'honneur,
que sa fille, au lieu d'aller à la comédie, s'était absolument fait mener à la maison où logeait son père; qu'elle
avait envoyé querir dom Fernand pour l'épouser et que,
sachant bien qu'il n'y consentirait jamais, elle avait cru
l'en devoir avertir pour lui témoigner qu'il ne s'était
point trompé dans la bonne opinion qu'il avait eue d'elle
en la choisissant pour gouvernante d'Elvire. Santillane,
de plus, avertit dom Pédro de ne venir point sans un
alguazil, que nous appelons à Paris un commissaire.
Dom Pédro, qui était déjà couché, se fit habiller à la
hâte, l'homme du monde le plus en colère. Cependant
qu'il s'habillera et qu'il enverra querir un commissaire,
retournons voir ce qui se passe chez Victoria. Par une

heureuse rencontre, les billets furent reçus par les deux
amoureux. Dom Diegue, qui avait reçu le sien le premier,
arriva aussi le premier à l'assignation. Victoria le reçut
et le mit dans une chambre avec Elvire. Je ne m'amuserai
point à vous dire les caresses que ces jeunes amants se
firent ; dom Fernand qui frappe à la porte ne m'en donne
pas le temps. Victoria lui alla ouvrir elle-même, après
lui avoir bien fait valoir le service qu'elle lui rendait
dont l'amoureux gentilhomme lui fit cent remercîments,
lui promettant encore davantage qu'il ne lui avait donné.
Elle le mena dans une chambre où elle le pria d'attendre
Elvire qui allait arriver, et l'enferma sans lui laisser de
la lumière, lui disant que sa maîtresse le voulait ainsi et
qu'ils n'auraient pas été un moment ensemble qu'elle
ne se rendît visible, mais qu'il fallait donner cela à la
pudeur d'une jeune fille de condition, laquelle, dans une
action si hardie, aurait peine à s'accoutumer d'abord à
la vue de celui même pour l'amour de qui elle la faisait.
Cela fait, Victoria, le plus diligemment qu'il lui fut possible, se fit extrêmement leste et s'ajusta autant que le
peu de temps qu'elle avait le put permettre. Elle entra
dans la chambre où était dom Fernand, qui n'eut pas
la moindre défiance qu'elle ne fût Elvire, n'étant pas
moins jeune qu'elle et ayant sur elle des habits et des
parfums à la mode d'Espagne qui eussent fait passer la
moindre servante pour une personne de condition.
Là-dessus dom Pédro, le commissaire et Santillane
arrivent. Ils entrent dans la chambre où était Elvire avec
son serviteur. Les jeunes amants furent extrêmement
surpris. Dom Pédro, dans les premiers mouvements de
sa colère, en fut si aveuglé qu'il pensa donner de son
épée à celui qu'il croyait être dom Fernand. Le commissaire, qui avait reconnu dom Diegue, lui cria, en lui arrêtant le bras, qu'il prît garde à ce qu'il faisait et que ce
n'était pas Fernand de Ribera qui était avec sa fille,
mais dom Diegue de Maradas, homme d'aussi grande
condition et aussi riche que lui. Dom Pedro en usa en
homme sage et releva lui-même sa fille qui s'était jetée

à genoux devant lui. Il considéra que, s'il lui donnait de
la peine en s'opposant à son mariage, il s'en donnerait
aussi et qu'il ne lui aurait pas trouvé un meilleur parti,
quand il l'aurait choisi lui-même. Santillane pria dom
Pédro, le commissaire et tous ceux qui étaient dans la
chambre de le suivre et les mena dans celle où dom Fernand était enfermé avec Victoria. On la fit ouvrir au
nom du roi. Dom Fernand l'ayant ouverte et voyant
dom Pédro accompagné d'un commissaire, il leur dit,
avec beaucoup d'assurance, qu'il était avec sa femme
Elvire de Silva. Dom Pédro lui répondit qu'il se trompait,
que sa fille était mariée à un autre; et pour vous, ajouta-
t-il, vous ne pouvez plus désavouer que Victoria Portocarrero ne soit votre femme. Victoria se fit alors connaître
à son infidèle qui se trouva le plus confus homme du
monde. Elle lui reprocha son ingratitude, à quoi il n'eut
rien à répondre, et encore moins au commissaire, qui lui
dit qu'il ne pouvait pas faire autrement que de le mener en
prison. Enfin le remords de sa conscience, la peur d'aller
en prison, les exhortations de dom Pédro, qui lui parla
en homme d'honneur, les larmes de Victoria, sa beauté
qui n'était pas moindre que celle d'Elvire, et plus que
toute autre chose, un reste de générosité qui s'était conservé dans l'âme de dom Fernand, malgré toutes les
débauches et les emportements de sa jeunesse, le for-
cèrent de se rendre à la raison et au mérite de Victoria.
Il l'embrassa avec tendresse; elle pensa s'évanouir entre
ses bras et il y a apparence que les baisers de dom Fernand ne servirent pas peu à l'en empêcher. Dom Pédro,
dom Diégo et Elvire prirent part au bonheur de Victoria
et Santillane et Béatrix en pensèrent mourir de joie.
Dom Pédro donna force louanges à dom Fernand d'avoir
si bien réparé sa faute. Les deux jeunes dames s'embrassèrent avec autant de témoignage d'amitié que si elles
eussent baisé leurs amants. Dom Diegue de Maradas fit
cent protestations d'obéissance à son beau-père, ou du
moins qui le devait bientôt être. Dom Pedro, devant que
de s'en retourner chez lui avec sa fille, prit parole des

uns et des autres que le lendemain ils viendraient tous
dîner chez lui, où quinze jours durant il voulait que la
réjouissance fît oublier les inquiétudes que l'on avait
souffertes. Le commissaire en fut instamment prié; il
promit de s'y trouver. Dom Pédro le remena chez lui
et dom Fernand demeura avec Victoria qui eut alors
autant de sujet de se réjouir qu'elle en avait eu de s'affliger.

CHAPITRE XXIII

MALHEUR IMPRÉVU QUI FUT CAUSE QU'ON NE JOUA POINT LA COMÉDIE

Inezilla conta son histoire avec une grâce merveilleuse.
Roquebrune en fut si satisfait qu'il lui prit la main et la
lui baisa par force. Elle lui dit en espagnol que l'on souffrait tout des grands seigneurs et des fous, de quoi la
Rancune lui sut fort bon gré en son âme. Le visage de
cette Espagnole commençait à se passer, mais on y voyait
encore de beaux restes et, quand elle eût été moins belle,
son esprit l'eût rendue préférable à une plus jeune.
Tous ceux qui avaient ouï son histoire demeurèrent
d'accord qu'elle l'avait rendue agréable en une langue
qu'elle ne savait pas encore et dans laquelle elle était
contrainte de mêler quelquefois de l'italien et de l'espagnol pour se bien faire entendre. L'Étoile lui dit qu'au
lieu de lui faire des excuses de l'avoir tant fait parler,
elle attendait des remerciements d'elle pour lui avoir
donné moyen de faire voir qu'elle avait beaucoup d'esprit. Le reste de l'après-dîner se passa en conversation;
le jardin fut plein de dames et des plus honnêtes gens
de la ville jusqu'à l'heure du souper. On soupa à la mode
du Mans, c'est-à-dire que l'on fit fort bonne chère, et tout
le monde prit place pour entendre la comédie. Mais
mademoiselle de la Caverne et sa fille ne s'y trouvèrent

point; on les envoya chercher; on fut une demi-heure
sans en avoir de nouvelles. Enfin, on ouït une grande
rumeur hors de la salle, et presque en même temps on
y vit entrer la pauvre La Caverne échevelée, le visage
meurtri et sanglant, et criant comme une femme furieuse
que l'on avait enlevé sa fille. A cause des sanglots qui la
suffoquaient, elle avait tant de peine à parler qu'on en
eut beaucoup à apprendre d'elle que des hommes qu'elle
ne connaissait point étaient entrés dans le jardin par
une porte de derrière, comme elle répétait son rôle avec
sa fille; que l'un d'eux l'avait saisie, auquel elle avait
pensé arracher les yeux, voyant que deux autres emmenaient sa fille; que cet homme l'avait mise en l'état où
l'on la voyait et s'était remis à cheval et ses compagnons
aussi, dont l'un tenait sa fille devant lui. Elle dit encore
qu'elle les avait suivis longtemps criant : Aux voleurs !
mais que n'étant ouïe de personne, elle était revenue
demander du secours. En achevant de parler, elle se
mit si fort à pleurer qu'elle fit pitié à tout le monde. Toute
l'assemblée s'en émut. Le Destin monta sur un cheval,
sur lequel Ragotin venait d'arriver du Mans (je ne sais
pas au vrai si c'était le même qui l'avait déjà jeté par
terre). Plusieurs jeunes hommes de la compagnie montèrent sur les premiers chevaux qu'ils trouvèrent et coururent après Le Destin qui était déjà bien loin. La Rancune et L'Olive allèrent à pied, après ceux qui allaient
à cheval. Roquebrune demeura avec l'Étoile et Inezilla
qui consolaient La Caverne le mieux qu'elles pouvaient.
On a trouvé à redire de ce qu'il ne suivit pas ses compagnons. Quelques-uns ont cru que c'était par poltronnerie
et d'autres, plus indulgents, ont trouvé qu'il n'avait pas
mal fait de demeurer auprès des dames. Cependant on
fut réduit dans la compagnie à danser aux chansons, le
maître de la maison n'ayant point fait venir de violons
à cause de la comédie. La pauvre Caverne se trouva si
mal qu'elle se coucha dans un des lits de la chambre où
étaient leurs hardes. L'Étoile en eut soin comme si elle
eût été sa mère et Inézilla se montra fort officieuse.

La malade pria qu'on la laissât seule et Roquebrune mena les deux dames dans la salle où était la compagnie. A peine y avaient-elles pris place qu'une des servantes de la maison vint dire à l'Étoile que la Caverne la demandait. Elle dit au poëte et à l'Espagnole qu'elle allait revenir et alla trouver sa compagne. Il y a apparence que si Roquebrune fut habile homme, il profita de l'occasion et représenta ses nécessités à l'agréable Inezilla. Cependant, aussitôt que La Caverne vit l'Étoile, elle la pria de fermer la porte de la chambre et de s'approcher de son lit. Aussitôt qu'elle la vit auprès d'elle, la première chose qu'elle fit, ce fut de pleurer comme si elle n'eût fait que commencer et de lui prendre les mains, qu'elle lui mouilla de ses larmes, pleurant et sanglotant de la plus pitoyable façon du monde. L'Étoile la voulut consoler en lui faisant espérer que sa fille serait bientôt trouvée puisque tant de gens étaient allés après les ravisseurs. Je voudrais qu'elle n'en revînt jamais, lui répondit La Caverne, en pleurant encore plus fort; je voudrais qu'elle n'en revînt jamais, répéta-t-elle, et que je n'eusse qu'à la regretter, mais il faut que je la blâme, il faut que je la haïsse et que je me repente de l'avoir mise au monde. Tenez, dit-elle, donnant un papier à l'Étoile, voyez l'honnête compagne que vous aviez et lisez dans cette lettre l'arrêt de ma mort et l'infamie de ma fille. La Caverne se remit à pleurer et l'Étoile lut ce que vous allez lire, si vous en voulez prendre la peine.

« Vous ne devez point douter de tout ce que je vous ai dit de ma bonne maison et de mon bien puisqu'il n'y a « pas apparence que je trompe par une imposture une « personne à qui je ne puis me rendre recommandable « que par ma sincérité. C'est par là, belle Angélique, que « je vous puis mériter. Ne différez donc point de me « promettre ce que je vous demande puisque vous n'aurez « à me le donner qu'alors que vous ne pourrez plus « douter de ce que je suis. »

Aussitôt qu'elle eut achevé de lire cette lettre, la Caverne lui demanda si elle en connaissait l'écriture.

Comme la mienne propre, lui dit l'Étoile, c'est de Léandre [82], le valet de mon frère, qui écrit tous nos rôles. C'est le traître qui me fera mourir, lui répondit la pauvre comédienne. Voyez s'il ne s'y prend pas bien, ajouta-t-elle encore, en mettant une autre lettre du même Léandre entre les mains de l'Étoile. La voici mot pour mot :

« Il ne tiendra qu'à vous de me rendre heureux si vous « êtes encore dans la résolution où vous étiez il y a deux « jours. Ce fermier de mon père, qui me prête de l'ar- « gent, m'a envoyé cent pistoles et deux bons chevaux ; « c'est plus qu'il ne nous faut pour passer en Angleterre « d'où je me trompe fort si un père, qui aime son fils « unique plus que sa vie, ne condescend à tout ce qu'il « voudra pour le faire bientôt revenir. »

Eh bien, que dites-vous de votre compagne et de votre valet, de cette fille que j'avais si bien élevée et de ce jeune homme dont nous admirions tous l'esprit et la sagesse ? Ce qui m'étonne le plus, c'est qu'on ne les a jamais vu parler ensemble et que l'humeur enjouée de ma fille ne l'eût jamais fait soupçonner de pouvoir devenir amoureuse ; et cependant elle l'est, ma chère l'Étoile, et si éperdument qu'il y a plutôt de la furie que de l'amour. Je l'ai tantôt surprise qui écrivait à son Léandre en des façons de parler si passionnées que je ne pourrais le croire si je ne l'avais vu. Vous ne l'avez jamais ouïe parler sérieusement. Ah ! vraiment, elle parle bien un autre langage dans ses lettres ; et, si je n'avais déchiré celle que je lui ai prise, vous m'avoueriez qu'à l'âge de seize ans elle en sait autant que celles qui ont vieilli dans la coquetterie. Je l'avais menée dans ce petit bois où elle a été enlevée pour lui reprocher sans témoins qu'elle me récompensait mal de toutes les peines que j'ai souffertes pour elle. Je vous les apprendrai, ajouta-t-elle, et vous verrez si jamais fille a été plus obligée à aimer sa mère. L'Étoile ne savait que répondre à de si justes plaintes ; et puis il était bon de laisser un peu prendre cours à une si grande affliction. Mais, reprit la Caverne, s'il aimait tant ma fille, pourquoi assassiner sa mère ? Car celui de ses compagnons qui m'a saisie m'a cruellement battue et s'est même acharné sur moi longtemps après que je ne lui faisais plus de résistance. Et si ce malheureux garçon est si riche, pourquoi enlève-t-il ma fille comme un voleur ? La Caverne fut encore longtemps à se plaindre, l'Étoile la consolant le mieux qu'elle pouvait. Le maître de la maison vint voir comme elle se portait et pour lui dire qu'il y avait un carrosse prêt, si elle voulait retourner au Mans. La Caverne le pria de trouver bon qu'elle passât la nuit en sa maison, ce qu'il lui accorda de bon cœur. L'Étoile demeura pour lui tenir compagnie et quelques dames du Mans reçurent dans leur carrosse Inézilla, qui ne voulut pas être si longtemps éloignée de son mari. Roquebrune, qui n'osa honnêtement quitter les comédiennes, en fut bien fâché, mais on n'a pas en ce monde tout ce qu'on désire.

FIN DE LA PREMIÈRE PARTIE

A MADAME

LA SURINTENDANTE [83]

MADAME,

Si vous êtes de l'humeur de M. le surintendant, qui
ne prend pas plaisir à être loué, je vous fais mal ma
cour en vous dédiant un livre. On n'en dédie point sans
louer; et, sans même vous dédier de livre, on ne peut
parler de vous qu'on ne vous loue. Les personnes qui,
comme vous, servent d'exemple au public, doivent souffrir les louanges de tout le monde, parce qu'on les leur
doit. Il leur est même permis de se louer, parce qu'elles
ne font rien que de louable; qu'elles doivent être aussi
équitables pour elles-mêmes que pour les autres, et
qu'on pardonnerait plutôt de n'être pas quelquefois modeste que de n'être pas toujours véritable. De mon
naturel, sans avoir bien examiné si je suis juge compétent
de la réputation d'autrui, bonne ou mauvaise, j'exerce
de tout temps une justice bien sévère sur tout ce qui
mérite de l'estime ou du blâme. Je punis une sottise bien
avérée, c'est-à-dire je la taille en pièces d'une rude
manière, mais aussi je récompense magnifiquement le
mérite où je le trouve; je ne me lasse point d'en parler
avec beaucoup de chaleur et je me crois par là aussi
bon ami, quoique inutile, que grand ennemi, quoique peu

à craindre. C'est donc tout ce que vous pourriez faire, avec tout le pouvoir que vous avez sur moi, que de m'empêcher de vous donner des louanges autant que je le puis, si ce n'est autant que vous en méritez. Vous êtes belle sans être coquette; vous êtes jeune sans être imprudente et vous avez beaucoup d'esprit sans ambition de le faire paraître. Vous êtes vertueuse sans rudesse, pieuse sans ostentation, riche sans orgueil et de bonne maison sans mauvaise gloire. Vous avez pour mari un des plus illustres hommes du siècle, dont les honneurs et les emplois ne récompensent pas encore assez la vertu; qui est estimé de tout le monde et n'est haï de personne et qui, de tout temps, a eu l'âme si grande qu'il ne s'est servi de son bien qu'à en faire, comme s'il ne s'était réservé que l'espérance. Enfin, MADAME, vous êtes parfaitement heureuse, et ce n'est pas la moindre de toutes les louanges qu'on vous peut donner, puisque le bonheur est un bien que le ciel ne donne pas toujours à ceux à qui, comme à vous, il a donné tous les autres.

Après vous avoir dit à vous-même ce que tout le monde en dit, il faut que je m'acquitte d'une obligation particulière que je vous ai et que je vous remercie de l'honneur que vous m'avez fait de me venir voir. Je vous proteste, MADAME, que je ne l'oublierai jamais et, quoique je reçoive souvent de pareilles faveurs de plusieurs personnes de condition de l'un et de l'autre sexe, que je n'ai jamais reçu de visite qui m'ait été si agréable que la vôtre. Aussi, suis-je plus que personne du monde,

MADAME,

Votre très humble et très obéissant
serviteur,

SCARRON.

SECONDE PARTIE [84]

CHAPITRE PREMIER

LE soleil donnait à plomb sur nos antipodes et ne
prêtait à sa sœur qu'autant de lumière qu'il
lui en fallait pour se conduire dans une nuit
fort obscure. Le silence régnait sur toute la terre,
si ce n'était dans les lieux où se rencontraient des
grillons, des hiboux et des donneurs de sérénades.
Enfin, tout dormait dans la nature, ou, du moins,
tout devait dormir, à la réserve de quelques poëtes
qui avaient dans la tête des vers difficiles à tourner,
de quelques malheureux amants, de ceux qu'on appelle
âmes damnées, et de tous les animaux, tant raisonnables
que brutes qui, cette nuit-là, avaient quelque chose à
faire. Il n'est pas nécessaire de vous dire que Le Destin
était de ceux qui ne dormaient pas, non plus que les
ravisseurs de mademoiselle Angélique, qu'il poursuivait
autant que pouvait galoper un cheval à qui les nuages
dérobaient souvent la faible clarté de la lune. Il aimait
tendrement mademoiselle de la Caverne parce qu'elle
était fort aimable et qu'il était assuré d'en être aimé et
sa fille ne lui était pas moins chère; outre que sa mademoiselle de l'Étoile, ayant de nécessité à faire la comédie,
n'eût pu trouver en toutes les caravanes des comédiens
de campagne deux comédiennes qui eussent plus de vertu

que ces deux-là. Ce n'est pas à dire qu'il n'y en ait de la
profession qui n'en manquent point, mais dans l'opinion
du monde, qui se trompe peut-être, elles en sont moins
chargées que de vieille broderie et de fard. Notre
généreux comédien courait donc après ces ravisseurs
plus fort et avec plus d'animosité que les Lapithes ne
coururent après les Centaures. Il suivit d'abord une
longue allée, sur laquelle répondait la porte du jardin
par où Angélique avait été enlevée, et, après avoir galopé
quelque temps, il enfila au hasard un chemin creux,
comme le sont la plupart de ceux du Maine. Ce chemin
était plein d'ornières et de pierres; et, bien qu'il fît clair
de lune, l'obscurité y était si grande que Le Destin ne
pouvait faire aller son cheval plus vite que le pas. Il
maudissait intérieurement un si méchant chemin quand
il se sentit sauter en croupe quelque homme ou quelque
diable qui lui passa les bras alentour du col. Le Destin
eut grand'peur et son cheval en fut si fort effrayé qu'il
l'eût jeté par terre si le fantôme qui l'avait investi et
qui le tenait embrassé, ne l'eût affermi dans la selle. Son
cheval s'emporta comme un cheval qui avait peur et Le
Destin le hâta à coups d'éperons, sans savoir ce qu'il
faisait, fort mal satisfait de sentir deux bras nus à l'entour
de son col et contre sa joue un visage froid qui soufflait
à reprises à la cadence du galop du cheval. La carrière
fut longue parce que ce chemin n'était pas court. Enfin,
à l'entrée d'une lande, le cheval modéra sa course impétueuse, et Le Destin sa peur, car on s'accoutume à la
longue aux maux les plus insupportables. La lune luisait
alors assez pour lui faire voir qu'il avait un grand homme
nu en croupe et un vilain visage auprès du sien. Il ne
lui demanda point qui il était, je ne sais si ce fut par
discrétion. Il fit toujours continuer le galop à son cheval,
qui était fort essoufflé et, lorsqu'il l'espérait le moins,
le chevaucheur croupier se laissa tomber à terre et se
mit à rire. Le Destin repoussa son cheval de plus belle
et, regardant derrière lui, il vit son fantôme qui courait
à toutes jambes vers le lieu d'où il était venu. Il a avoué

depuis que l'on ne peut avoir plus de peur qu'il en eut. A cent pas de là, il trouva un grand chemin qui le conduisit dans un hameau dont il trouva tous les chiens éveillés, ce qui lui fit croire que ceux qu'il suivait pouvaient y avoir passé. Pour s'en éclaircir, il fit ce qu'il put pour éveiller les habitants endormis de trois ou quatre maisons qui étaient sur le chemin. Il n'en put avoir audience et fut querellé de leurs chiens. Enfin, ayant ouï crier des enfants dans la dernière maison qu'il trouva, il en fit ouvrir la porte à force de menaces, et apprit d'une femme en chemise, qui ne lui parla qu'en tremblant, que les gendarmes avaient passé par leur village il n'y avait pas longtemps et qu'ils emmenaient avec eux une femme qui pleurait bien fort et qu'ils avaient bien de la peine à faire taire. Il conta à la même femme la rencontre qu'il avait faite de l'homme nu et elle lui apprit que c'était un paysan de leur village qui était devenu fou et qui courait les champs. Ce que cette femme lui dit de ces gens de cheval qui avaient passé par son hameau lui donna courage de passer outre et lui fit hâter le train de sa bête. Je ne vous dirai point combien de fois elle broncha et eut peur de son ombre; il suffit que vous sachiez qu'il s'égara dans un bois et que, tantôt ne voyant goutte et tantôt étant éclairé de la lune, il trouva le jour auprès d'une métairie où il jugea à propos de faire repaître son cheval et où nous le laisserons.

CHAPITRE II

DES BOTTES

Cependant que Le Destin courait à tâtons après ceux qui avaient enlevé Angélique, la Rancune et l'Olive, qui n'avaient pas si à cœur que lui cet enlèvement, ne cou-

rurent pas si vite que lui après les ravisseurs, outre qu'ils
étaient à pied. Ils n'allèrent donc pas loin et ayant trouvé
dans le prochain bourg une hôtellerie qui n'était pas
encore fermée, ils y demandèrent à coucher. On les mit
dans une chambre où était déjà couché un hôte, noble
ou roturier, qui y avait soupé et qui, ayant à faire diligence pour des affaires qui ne sont pas venues à ma connaissance, faisait état de partir à la pointe du jour.
L'arrivée des comédiens ne servit pas au dessein qu'il
avait d'être à cheval de bonne heure, car il en fut éveillé
et peut-être en pesta-t-il en son âme, mais la présence
de deux hommes d'assez bonne mine fut, possible, cause
qu'il n'en témoigna rien. La Rancune, qui était d'une
accostante manière, lui fit d'abord des excuses de ce
qu'ils troublaient son repos et lui demanda ensuite d'où
il venait. Il lui dit qu'il venait d'Anjou, et qu'il s'en
allait en Normandie pour une affaire pressée. La Rancune, en se déshabillant, et pendant qu'on chauffait des
draps, continuait ses questions ; mais comme elles n'étaient
utiles ni à l'un ni à l'autre et que le pauvre homme qu'on
avait éveillé n'y trouvait pas son compte, il le pria de
le laisser dormir. La Rancune lui en fit des excuses fort
cordiales et, en même temps, l'amour-propre lui faisant
oublier celui du prochain, il fit dessein de s'approprier
une paire de bottes neuves qu'un garçon de l'hôtellerie
venait de rapporter dans la chambre après les avoir
nettoyées. L'Olive, qui n'avait alors autre envie que
de bien dormir, se jeta dans le lit et la Rancune demeura
auprès du feu, non tant pour voir la fin du fagot qu'on
avait allumé que pour contenter sa noble ambition
d'avoir une paire de bottes neuves aux dépens d'autrui.
Quand il crut l'homme qu'il allait voler bien et dûment
endormi, il prit ses bottes qui étaient au pied de son lit
et, les ayant chaussées à cru, sans oublier de s'attacher
les éperons, s'alla mettre, ainsi botté et éperonné qu'il
était, auprès de l'Olive. Il faut croire qu'il se tint sur le
bord du lit de peur que ses jambes armées ne touchassent
aux jambes nues de son camarade qui ne se fût pas tu

d'une si nouvelle façon de se mettre entre deux draps
et ainsi aurait pu faire avorter son entreprise. Le reste
de la nuit se passa assez paisiblement. La Rancune dormit
ou en fit le semblant. Les coqs chantèrent; le jour vint
et l'homme qui couchait dans la chambre de nos comédiens se fit allumer du feu et s'habilla. Il fut question de
se botter; une servante lui présenta les vieilles bottes
de la Rancune qu'il rebuta rudement; on lui soutint
qu'elles étaient à lui; il se mit en colère et fit une rumeur
diabolique. L'hôte monta dans la chambre et lui jura
foi de maître cabaretier qu'il n'y avait point d'autres
bottes que les siennes, non seulement dans la maison,
mais aussi dans le village, le curé même n'allant jamais
à cheval. Là-dessus, il lui voulut parler des bonnes
qualités de son curé et lui conter de quelle façon il avait
eu sa cure et depuis quand il la possédait. Le babil de
l'hôte acheva de lui faire perdre patience. La Rancune
et l'Olive, qui s'étaient éveillés au bruit, prirent connaissance de l'affaire et la Rancune exagéra l'énormité du
cas et dit à l'hôte que cela était bien vilain. Je me soucie
d'une paire de bottes neuves comme d'une savate, disait
le pauvre débotté à la Rancune, mais il y va d'une affaire
de grande importance pour un homme de condition à
qui j'aimerais moins avoir manqué qu'à mon propre
père; et, si je trouvais les plus méchantes bottes du monde
à vendre, j'en donnerais plus qu'on ne m'en demande-
rait. La Rancune, qui s'était mis le corps hors du lit,
haussait les épaules de temps en temps et ne lui répondait rien, se repaissant les yeux de l'hôte et de la servante
qui cherchaient inutilement les bottes et du malheureux
qui les avait perdues, qui cependant maudissait sa vie
et méditait peut-être quelque chose de funeste quand la
Rancune, par une générosité sans exemple et qui ne lui
était pas ordinaire, dit tout haut, en s'enfonçant dans
son lit comme un homme qui meurt d'envie de dormir :
Morbleu! monsieur, ne faites plus tant de bruit pour
vos bottes et prenez les miennes, mais à condition que
vous nous laisserez dormir, comme vous voulûtes hier

que j'en fisse autant. Le malheureux, qui ne l'était plus
puisqu'il retrouvait des bottes, eut peine à croire ce qu'il
entendait; il fit un grand galimatias de mauvais remercîments d'un ton de voix si passionné que la Rancune
eut peur qu'à la fin il ne le vînt embrasser dans son lit.
Il s'écria donc en colère et jurant doctement : Eh, morbleu! monsieur, que vous êtes fâcheux, et quand vous
perdez vos bottes, et quand vous remerciez ceux qui
vous en donnent! Au nom de Dieu, prenez les miennes,
encore un coup et je ne vous demande autre chose sinon
que vous nous laissiez dormir, ou bien rendez-moi mes
bottes et faites tant de bruit que vous voudrez. Il ouvrait
la bouche pour répliquer, quand la Rancune s'écria :
Ah! mon Dieu! que je dorme ou que mes bottes me de-
meurent! Le maître du logis, à qui une façon de parler
si absolue avait donné beaucoup de respect pour la
Rancune, poussa hors de la chambre son hôte qui n'en
eût pas demeuré là, tant il avait de ressentiment d'une
paire de bottes si généreusement donnée. Il fallut pourtant sortir de la chambre et s'aller botter dans la cuisine
et lors la Rancune se laissa aller au sommeil plus tran-
quillement qu'il n'avait fait la nuit, sa faculté de dormir
n'étant plus combattue du désir de voler des bottes et
de la crainte d'être pris sur le fait. Pour l'Olive, qui avait
mieux employé la nuit que lui, il se leva de grand matin
et, s'étant fait tirer du vin, s'amusa à boire, n'ayant
rien de meilleur à faire. La Rancune dormit jusqu'à
onze heures. Comme il s'habillait, Ragotin entra dans la
chambre. Il avait, le matin, visité les comédiennes et,
mademoiselle de l'Étoile lui ayant reproché qu'elle ne
le croyait guère de ses amis puisqu'il n'était pas de ceux
qui couraient après sa compagne, il lui promit de ne
retourner point dans le Mans qu'il n'en eût appris des
nouvelles, mais n'ayant pu trouver de cheval ni à louer,
ni à emprunter, il n'eût pu tenir sa promesse si son
meunier ne lui eût prêté un mulet sur lequel il monta
sans bottes et arriva, comme je vous viens de dire,
dans le bourg où avaient couché les deux comédiens.

La Rancune avait l'esprit fort présent; il ne vit pas
plutôt Ragotin en souliers qu'il crut que le hasard lui
fournissait un beau moyen de cacher son larcin dont il
n'était pas peu en peine. Il lui dit donc d'abord qu'il le
priait de lui prêter ses souliers et de vouloir prendre
ses bottes qui le blessaient à un pied à cause qu'elles
étaient neuves. Ragotin prit le parti avec grand'joie;
car, en chevauchant son mulet, un ardillon qui avait
percé son bas lui avait fait regretter de n'être pas botté.
Il fut question de dîner; Ragotin paya pour les comédiens et pour son mulet. Depuis son trébuchement,
quand la carabine tira entre ses jambes, il fit serment de
ne monter jamais sur animal chevauchable sans prendre
toutes ses sûretés. Il prit donc avantage pour monter
sur sa bête, mais, avec toute sa précaution, il eut bien
de la peine à se placer dans le bât du mulet. Son esprit
vif ne lui permettait pas d'être judicieux et il avait
inconsidérément relevé les bottes de la Rancune qui
lui venaient jusqu'à la ceinture et lui empêchaient de
plier son petit jarret qui n'était pas le plus vigoureux de
la province. Enfin donc, Ragotin sur son mulet et les
comédiens à pied, suivirent le premier chemin qu'ils
trouvèrent et, chemin faisant, Ragotin découvrit aux
comédiens le dessein qu'il avait de faire la comédie avec
eux, leur protestant qu'encore qu'il fût assuré d'être
bientôt le meilleur comédien de France, il ne prétendait
tirer aucun profit de son métier, qu'il voulait faire
seulement par curiosité et pour faire voir qu'il était né
à tout ce qu'il voulait entreprendre. La Rancune et
l'Olive le fortifièrent dans sa noble envie et, à force de
le louer et de lui donner courage, le mirent en si belle
humeur qu'il se prit à réciter de dessus son mulet des
vers de *Pyrame et Thisbé*, du poëte Théophile [85]. Quelques
paysans qui accompagnaient une charrette chargée et
qui faisaient le même chemin, crurent qu'il prêchait la
parole de Dieu, le voyant déclamer comme un forcené.
Tandis qu'il récita, ils eurent toujours la tête nue et le
respectèrent comme un prédicateur de grands chemins.

CHAPITRE III

L'HISTOIRE DE LA CAVERNE

Les deux comédiennes, que nous avons laissées dans la maison où Angélique avait été enlevée, n'avaient pas dormi davantage que Le Destin. Mademoiselle de l'Étoile s'était mise dans le même lit que la Caverne, pour ne la laisser pas seule avec son désespoir et pour tâcher de lui persuader de ne s'affliger pas tant qu'elle faisait. Enfin, jugeant qu'une affliction si juste ne manquait pas de raisons pour se défendre, elle ne la combattit plus avec les siennes; mais, pour faire diversion, elle se mit à se plaindre de sa mauvaise fortune aussi fort que sa compagne faisait de la sienne; et ainsi l'engagea adroitement à lui conter ses aventures d'autant plus aisément que la Caverne ne pouvait souffrir alors que quelqu'un se dît plus malheureux qu'elle. Elle s'essuya donc les larmes qui lui mouillaient le visage en grande abondance et, soupirant une bonne fois pour n'avoir pas sitôt à y retourner, elle commença ainsi son histoire : Je suis née comédienne, fille d'un comédien, à qui je n'ai jamais ouï dire qu'il eût des parents d'autre profession que de la sienne. Ma mère était fille d'un marchand de Marseille, qui la donna à mon père en mariage pour le récompenser d'avoir exposé sa vie pour sauver la sienne qu'avait attaquée à son avantage un officier des galères aussi amoureux de ma mère qu'il en était haï. Ce fut une bonne fortune pour mon père, car on lui donna, sans qu'il la demandât, une femme jeune, belle et plus riche qu'un comédien de campagne ne la pouvait espérer. Son beau-père fit ce qu'il put pour lui faire quitter sa profession, lui proposant et plus d'honneur, et plus de profit dans celle de marchand; mais ma mère, qui était charmée de la comédie, empêcha mon père de la quitter. Il n'avait point de répugnance à suivre l'avis que lui donnait le père de sa femme, sachant mieux qu'elle que la vie comique n'est pas si heureuse qu'elle le paraît. Mon père sortit de Marseille un peu après ses noces, emmena ma mère faire sa première campagne, qui en avait plus grande impatience que lui, et en fit en peu de temps une excellente comédienne. Elle fut grosse dès la première année de son mariage et accoucha de moi derrière le théâtre. J'eus un frère un an après, que j'aimais beaucoup et qui m'aimait aussi. Notre troupe était composée de notre famille et de trois comédiens, dont l'un était marié avec une comédienne qui jouait les seconds rôles. Nous passions un jour de fête par un bourg de Périgord, et ma mère, l'autre comédienne et moi, étions sur la charrette qui portait notre bagage et nos hommes nous escortaient à pied quand notre petite caravane fut attaquée par sept ou huit vilains hommes si ivres qu'ayant fait dessein de tirer en l'air un coup d'arquebuse pour nous faire peur, j'en fus toute couverte de dragées [86] et ma mère en fut blessée au bras. Ils saisirent mon père et deux de ses camarades devant qu'ils se pussent mettre en défense et les battirent cruellement. Mon frère et le plus jeune de nos comédiens s'enfuirent et, depuis ce temps-là, je n'ai pas ouï parler de mon frère. Les habitants du bourg se joignirent à ceux qui nous faisaient une si grande violence et firent retourner notre charrette sur ses pas. Ils marchaient fièrement et à la hâte, comme des gens qui ont fait un grand butin et le veulent mettre en sûreté et ils faisaient un bruit à ne s'entendre pas les uns les autres. Après une heure de chemin, ils nous firent entrer dans un château où, aussitôt que nous fûmes entrés, nous ouïmes plusieurs personnes crier avec grande joie que les Bohémiens étaient pris. Nous reconnûmes par là qu'on nous prenait pour ce que nous n'étions pas et cela nous donna quelque consolation. La jument qui traînait notre charrette tomba morte de lassitude, ayant été trop pressée et trop battue. La comédienne à qui elle était, et qui la louait à la troupe en fit des cris aussi pitoyables que si elle eût vu mourir son mari; ma mère

en même temps s'évanouit de la douleur qu'elle sentait
en son bras, et les cris que je fis pour elle furent encore
plus grands que ceux que la comédienne avait faits
pour sa jument. Le bruit que nous faisions et que faisaient les brutaux et les ivrognes qui nous avaient amenés
fit sortir d'une salle basse le seigneur du château, suivi
de quatre ou cinq casaques ou manteaux rouges de fort
mauvaise mine. Il demanda d'abord où étaient les
voleurs de Bohémiens et nous fit grand'peur; mais, ne
voyant entre nous que des personnes blondes, il demanda
à mon père qui il était et n'eut pas plutôt appris que
nous étions de malheureux comédiens qu'avec une impétuosité qui nous surprit, et jurant de la plus furieuse façon
que j'aie jamais ouï jurer, il chargea à grands coups
d'épée ceux qui nous avaient pris, qui disparurent en
un moment, les uns blessés, les autres fort effrayés.
Il fit délier mon père et ses compagnons, commanda
qu'on menât les femmes dans une chambre et qu'on mît
nos hardes en lieu sûr. Des servantes se présentèrent
pour nous servir et dressèrent un lit à ma mère, qui se
trouvait fort mal de la blessure de son bras. Un homme,
qui avait la mine d'un maître d'hôtel, nous vint faire des
excuses de la part de son maître de ce qui s'était passé.
Il nous dit que les coquins qui s'étaient si malheureusement mépris [en] avaient été chassés, la plupart battus
ou estropiés; que l'on allait envoyer querir un chirurgien
dans le prochain bourg pour panser le bras de ma mère,
et nous demanda instamment si l'on ne nous avait rien
pris, nous conseillant de faire visiter nos hardes pour
savoir s'il y manquait quelque chose. A l'heure du souper
on nous apporta à manger dans notre chambre. Le chirurgien qu'on avait envoyé chercher arriva; ma mère fut
pansée et se coucha avec une violente fièvre. Le jour
suivant, le seigneur du château fit venir devant lui les
comédiens. Il s'informa de la santé de ma mère et dit
qu'il ne voulait pas la laisser sortir de chez lui qu'elle
ne fût guérie. Il eut la bonté de faire chercher dans les
lieux d'alentour mon frère et le jeune comédien qui

s'étaient sauvés; ils ne se trouvèrent point et cela augmenta la fièvre de ma mère. On fit venir d'une petite
ville prochaine un médecin et un chirurgien plus expé-
rimentés que celui qui l'avait pansée la première fois;
et enfin les bons traitements qu'on nous fit nous firent
bientôt oublier la violence qu'on nous avait faite. Ce
gentilhomme, chez qui nous étions, était fort riche, plus
craint qu'aimé dans tout le pays, violent dans toutes ses
actions comme un gouverneur de place frontière et qui
avait la réputation d'être vaillant autant qu'on le pouvait être. Il s'appelait le baron de Sigognac; au temps où
nous sommes il serait pour le moins un marquis et, en
ce temps-là, il était un vrai tyran de Périgord. Une
compagnie de Bohémiens, qui avaient logé sur ses terres,
avaient volé les chevaux d'un haras qu'il avait à une
lieue de son château et ses gens qu'il avait envoyés après
s'étaient mépris à nos dépens, comme je vous ai déjà
dit. Ma mère se guérit parfaitement; et mon père et ses
camarades, pour se montrer reconnaissants, autant que
de pauvres comédiens le pouvaient faire, du bon traitement qu'on leur avait fait, offrirent de jouer la comédie
dans le château tant que le baron de Sigognac l'aurait
agréable. Un grand page, âgé pour le moins de vingt-
quatre ans et qui devait être sans doute le doyen des
pages du royaume, et une manière de gentilhomme
suivant, apprirent les rôles de mon frère et du comédien
qui s'était enfui avec lui. Le bruit se répandit dans le
pays qu'une troupe de comédiens devait représenter
une comédie chez le baron de Sigognac. Force noblesse
périgourdine y fut conviée; et lorsque le page sut son
rôle, qui lui fut si difficile à apprendre qu'on fut contraint
d'en couper et de le réduire à deux vers, nous représentâmes *Roger et Bradamante*, du poëte Garnier [87]. L'assemblée était fort belle, la salle bien éclairée, le théâtre
fort commode et la décoration accommodée au sujet.
Nous nous efforçâmes tous de bien faire et nous y réus-
sîmes. Ma mère parut belle comme un ange, armée en
amazone et, sortant d'une maladie qui l'avait un peu

la salle était éclairée. Quelque grand sujet que j'aie
d'être fort triste, je ne puis songer à ce jour-là que je ne
rie de la plaisante façon dont le grand page s'acquitta
de son rôle. Il ne faut pas que ma mauvaise humeur vous
cache une chose si plaisante; peut-être que vous ne la
trouverez pas telle, mais je vous assure qu'elle fit
bien rire toute la compagnie et que j'en ai bien ri depuis,
soit qu'il y eût véritablement de quoi en rire ou que je
sois de ceux qui rient de peu de chose. Il jouait le page
du vieil duc Aymond et n'avait que deux vers à réciter
en toute la pièce; c'est alors que ce vieillard s'emporte
terriblement contre sa fille Bradamante de ce qu'elle
ne veut point épouser le fils de l'empereur, étant amoureuse de Roger. Le page dit à son maître :

> *Monsieur, rentrons dedans ; je crains que vous tombiez,*
> *Vous n'êtes pas trop bien assuré sur vos pieds.*

Ce grand sot de page, encore que son rôle fût aisé à
retenir, ne laissa pas de le corrompre et dit de fort mauvaise grâce et tremblant comme un criminel :

> *Monsieur, rentrons dedans ; je crains que vous tombiez ;*
> *Vous n'êtes pas trop bien assuré sur vos jambes.*

Cette mauvaise rime surprit tout le monde. Le comédien
qui faisait le personnage d'Aymond s'en éclata de rire
et ne put plus représenter un vieillard en colère. Toute
l'assistance n'en rit pas moins et pour moi, qui avais la
tête passée dans l'ouverture de la tapisserie pour voir
le monde et pour me faire voir, je pensai me laisser choir
à force de rire. Le maître de la maison, qui était de ces
mélancoliques qui ne rient que rarement et ne rient pas
pour peu de chose, trouva tant de quoi rire dans le
défaut de mémoire de son page et dans sa mauvaise
manière de réciter des vers qu'il pensa crever à force de
se contraindre à garder un peu de gravité; mais enfin
il fallut rire aussi fort que les autres, et ses gens nous
avouèrent qu'ils ne lui en avaient jamais vu tant faire;

et, comme il s'était acquis une grande autorité dans le
pays, il n'y eut personne de la compagnie qui ne rît
autant ou plus que lui, ou par complaisance ou de bon
courage. J'ai grand'peur, ajouta alors la Caverne, d'avoir
fait ici comme ceux qui disent : Je m'en vais vous faire
un conte qui vous fera mourir de rire et qui ne tiennent
pas leur parole, car j'avoue que je vous ai fait trop de
fête de celui de mon page. Non, lui répondit l'Étoile,
je l'ai trouvé tel que vous me l'aviez fait espérer. Il est
bien vrai que la chose peut avoir paru plus plaisante à
ceux qui la virent qu'elle ne le sera à ceux à qui on en
fera le récit, la mauvaise action du page servant beaucoup à la rendre telle, outre que le temps, le lieu et la
pente naturelle que nous avons à nous laisser aller au
rire des autres peuvent lui avoir donné des avantages
qu'elle n'a pu avoir depuis. La Caverne ne fit pas davantage d'excuses pour son conte et, reprenant son histoire
où elle l'avait laissée : Après, continua-t-elle, que les
acteurs et les auditeurs eurent ri de toutes les forces de
leur faculté risible, le baron de Sigognac voulut que son
page reparût sur le théâtre pour y réparer sa faute ou
plutôt pour faire rire encore la compagnie; mais le page,
le plus grand brutal que j'aie jamais vu, n'en voulut
rien faire, quelque commandement que lui fît un des
plus rudes maîtres du monde. Il prit la chose comme il
était capable de la prendre, c'est-à-dire fort mal; et son
déplaisir, qui ne devait être que très léger, s'il eût été
raisonnable, nous causa depuis le plus grand malheur
qui nous pouvait arriver. Notre comédie eut l'applaudissement de toute l'assemblée. La farce divertit encore
plus que la comédie, comme il arrive d'ordinaire partout
ailleurs hors de Paris. Le baron de Sigognac et les autres
gentilshommes ses voisins y prirent tant de plaisir
qu'ils eurent envie de nous voir jouer encore. Chaque
gentilhomme se cotisa pour les comédiens, selon qu'il
eut l'âme libérale; le baron se cotisa le premier pour
montrer l'exemple aux autres et la comédie fut annoncée
pour la première fête. Nous jouâmes un mois durant

devant cette noblesse périgourdine, régalés à l'envi des
hommes et des femmes, et même la troupe en profita
de quelques habits demi-usés. Le baron nous faisait
manger à sa table, ses gens nous servaient avec empressement et nous disaient souvent qu'ils nous étaient obligés
de la bonne humeur de leur maître, qu'ils trouvaient
tout changé depuis que la comédie l'avait humanisé.
Le page seul nous regardait comme ceux qui l'avaient
perdu d'honneur et le vers qu'il avait corrompu, et que
tout le monde de la maison, jusqu'au moindre marmiton,
lui récitait à toute heure, lui était, toutes les fois qu'il en
était persécuté, un cruel coup de poignard dont enfin il
résolut de se venger sur quelqu'un de notre troupe. Un
jour que le baron de Sigognac avait fait une assemblée
de ses voisins et de ses paysans pour délivrer ses bois
d'une grande quantité de loups qui s'y étaient adonnés
et dont le pays était fort incommodé, mon père et ses
camarades y portèrent chacun une arquebuse, comme
firent aussi tous les domestiques du baron. Le méchant
page en fut aussi et, croyant avoir trouvé l'occasion qu'il
cherchait d'exécuter le mauvais dessein qu'il avait contre
nous, il ne vit pas plutôt mon père et ses camarades
séparés des autres, qui rechargeaient leurs arquebuses
et s'entre-fournissaient l'un à l'autre de la poudre et du
plomb, qu'il leur tira la sienne de derrière un arbre et
perça mon malheureux père de deux balles. Ses compagnons, bien empêchés à le soutenir, ne songèrent point
d'abord à courir après cet assassin qui s'enfuit et, depuis,
quitta le pays. A deux jours de là mon père mourut de
sa blessure. Ma mère en pensa mourir de déplaisir, en
retomba malade et j'en fus affligée autant qu'une fille
de mon âge le pouvait être. La maladie de ma mère
tirant en longueur, les comédiens et la comédienne de
notre troupe prirent congé du baron de Sigognac et
allèrent quelque part ailleurs chercher à se remettre
dans une autre troupe. Ma mère fut malade plus de deux
mois et enfin elle se guérit, après avoir reçu du baron
de Sigognac des marques de générosité et de bonté, qui

ne s'accordaient pas avec la réputation qu'il avait dans
le pays d'être le plus grand tyran qui se soit jamais fait
craindre dans un pays où la plupart des gentilshommes
se mêlent de l'être. Ses valets, qui l'avaient toujours vu
sans humanité et sans civilité, étaient étonnés de le voir
vivre avec nous de la manière la plus obligeante du
monde. On eût pu croire qu'il était amoureux de ma
mère; mais il ne parlait presque point à elle et n'entrait
jamais dans notre chambre où il nous faisait servir à
manger depuis la mort de mon père. Il est bien vrai qu'il
envoyait souvent savoir de ses nouvelles. On ne laissa
pas d'en médire dans le pays, ce que nous sûmes depuis.
Mais ma mère, ne pouvant demeurer plus longtemps
avec bienséance dans le château d'un homme de cette
condition-là, avait déjà songé à en sortir et avait fait
dessein de se retirer à Marseille chez son père. Elle le
fit donc savoir au baron de Sigognac, le remercia de tous
les bienfaits que nous en avions reçus et le pria d'ajouter
à toutes les obligations qu'elle lui avait déjà celle de lui
faire avoir des montures pour elle et pour moi jusqu'à
je ne sais quelle ville, et une charrette pour porter notre
petit bagage qu'elle voulait tâcher de vendre au premier
marchand qu'elle trouverait, si peu qu'on lui en voulût
donner. Le baron parut fort surpris du dessein de ma
mère et elle ne fut pas peu surprise de n'avoir pu tirer
de lui ni un consentement, ni un refus. Le jour d'après,
le curé d'une des paroisses dont il était seigneur nous
vint voir dans notre chambre. Il était accompagné de
sa nièce, une bonne et agréable fille avec qui j'avais fait
grande connaissance. Nous laissâmes son oncle et ma
mère ensemble et allâmes nous promener dans le jardin
du château. Le curé fut longtemps en conversation avec
ma mère et ne la quitta qu'à l'heure du souper. Je la
trouvai fort rêveuse; je lui demandai deux ou trois fois
ce qu'elle avait sans qu'elle me répondît; je la vis pleurer
et je me mis à pleurer aussi. Enfin, après m'avoir fait
fermer la porte de la chambre, elle me dit, pleurant
encore plus fort qu'elle n'avait fait, que ce curé lui avait

appris que le baron de Sigognac était éperdument amoureux d'elle et lui avait de plus assuré qu'il l'estimait si
fort, qu'il n'avait jamais osé lui dire ou lui faire dire
qu'il l'aimât qu'en même temps il ne lui offrît de l'épouser. En achevant de parler, ses soupirs et ses sanglots
la pensèrent suffoquer. Je lui demandai encore une fois
ce qu'elle avait. Quoi! ma fille, me dit-elle, ne vous
ai-je pas assez dit pour vous faire voir que je suis la
plus malheureuse personne du monde ? Je lui dis que
ce n'était pas un si grand malheur à une comédienne que
de devenir femme de condition. Ah! pauvre petite, me
dit-elle, que tu parles bien comme une jeune fille sans
expérience! S'il trompe ce bon curé pour me tromper,
ajouta-t-elle, s'il n'a pas dessein de m'épouser, comme il
me le veut faire accroire, quelles violences ne dois-je pas
craindre d'un homme tout à fait esclave de ses passions ?
et s'il veut véritablement m'épouser et que j'y consente,
quelle misère dans le monde approchera de la mienne
quand sa fantaisie sera passée ? et combien pourra-t-il
me haïr s'il se repent un jour de m'avoir aimée ? Non,
non, ma fille, la bonne fortune ne me vient pas chercher
comme tu penses; mais un effroyable malheur, après
m'avoir ôté un mari qui m'aimait et que j'aimais, m'en
veut donner un par force qui, peut-être, me haïra et
m'obligera à le haïr. Son affliction, que je trouvais sans
raison, augmenta si fort sa violence qu'elle pensa étouffer
pendant que je lui aidai à se déshabiller. Je la consolais
du mieux que je pouvais et je me servais contre son déplaisir de toutes les raisons dont une fille de mon âge était
capable, n'oubliant pas à lui dire que la manière obligeante et respectueuse dont le moins caressant de tous
les hommes avait toujours vécu avec nous me semblait
de bon présage et surtout le peu de hardiesse qu'il avait
eue à déclarer sa passion à une femme d'une profession
qui n'inspire pas toujours le respect. Ma mère me laissa
dire tout ce que je voulus, se mit au lit fort affligée et
s'y affligea toute la nuit au lieu de dormir. Je voulus
résister au sommeil; mais il fallut se rendre et je dormis au-

tant qu'elle dormit peu. Elle se leva de bonne heure et
quand je m'éveillai, je la trouvai habillée et assez tranquille. J'étais bien en peine de savoir quelle résolution elle
avait prise, car pour vous dire la vérité, je flattais mon
imagination de la future grandeur où j'espérais de voir
arriver ma mère si le baron de Sigognac parlait selon ses
véritables sentiments et si ma mère pouvait réduire les
siens à lui accorder ce qu'il voulait obtenir d'elle. La
pensée d'ouïr appeler ma mère madame la baronne
occupait agréablement mon esprit et l'ambition s'em-
parait peu à peu de ma jeune tête.

La Caverne contait ainsi son histoire et l'Étoile l'écou-
tait attentivement, quand elles ouïrent marcher dans
leur chambre, ce qui leur sembla d'autant plus étrange
qu'elles se souvenaient fort bien d'avoir fermé leur porte
au verrou. Cependant elles entendaient toujours marcher;
elles demandèrent qui était là. On ne leur répandit rien;
et un moment après la Caverne vit au pied du lit, qui
n'était point fermé, la figure d'une personne qu'elle
ouït soupirer et qui, s'appuyant sur le pied du lit, lui
pressa les pieds. Elle se leva à demi pour voir de plus
près ce qui commençait à lui faire peur et, résolue à lui
parler, elle avança la tête dans la chambre et elle ne vit
plus rien. La moindre compagnie donne quelquefois de
l'assurance, mais quelquefois aussi la peur ne diminue pas
pour être partagée. La Caverne s'effraya de n'avoir rien
vu et l'Étoile s'effraya de ce que la Caverne s'effrayait.
Elles s'enfoncèrent dans leur lit, se couvrirent la tête de
leur couverture et se serrèrent l'une contre l'autre, ayant
grand'peur et ne s'osant presque parler. Enfin la Caverne
dit à l'Étoile que sa pauvre fille était morte et que c'était
son âme qui était venue soupirer auprès d'elle. L'Étoile
allait peut-être lui répondre quand [elles] entendirent
encore marcher dans la chambre. L'Étoile s'enfonça
encore plus avant dans le lit qu'elle n'avait fait et la
Caverne, devenue plus hardie par la pensée qu'elle avait
que c'était l'âme de sa fille, se leva encore sur le lit
comme elle avait fait et, voyant encore paraître la même

figure qui soupirait encore et s'appuyait sur ses pieds, elle avança la main et en toucha une fort velue qui lui fit faire un cri effroyable et la fit tomber sur le lit à la renverse. Dans le même temps, elles ouïrent aboyer dans leur chambre, comme quand un chien a peur la nuit de ce qu'il rencontre. La Caverne fut encore assez hardie pour regarder ce que c'était et alors elle vit un grand lévrier qui aboyait contre elle. Elle le menaça d'une voix forte et il s'enfuit en aboyant vers un coin de la chambre où il disparut. La courageuse comédienne sortit hors du lit et, à la clarté de la lune qui perçait les fenêtres, elle découvrit au coin de la chambre, où le fantôme lévrier avait disparu, une petite porte d'un petit escalier dérobé. Il lui fut aisé de juger que c'était un lévrier de la maison qui était entré par là dans leur chambre. Il avait eu envie de se coucher sur leur lit et, ne l'osant faire sans le consentement de ceux qui y étaient couchés, avait soupiré en chien et s'était appuyé des jambes de devant sur le lit qui était haut sur les siennes, comme sont tous les lits à l'antique, et s'était caché dessous quand la Caverne avança la tête dans la chambre la première fois. Elle n'ôta pas d'abord à l'Étoile la croyance qu'elle avait que c'était un esprit et fut longtemps à lui faire comprendre que c'était un lévrier. Tout affligée qu'elle était, elle railla sa compagne de sa poltronnerie et remit la fin de son histoire à quelque autre temps que le sommeil ne leur serait pas si nécessaire qu'il le leur était alors. La pointe du jour commençait à paraître; elles s'endormirent et se levèrent sur les dix heures, qu'on les vint avertir que le carrosse qui les devait mener au Mans était prêt de partir quand elles voudraient.

CHAPITRE IV

LE DESTIN TROUVE LÉANDRE

Le Destin cependant allait de village en village, s'informant de ce qu'il cherchait et n'en apprenant aucune nouvelle. Il battit un grand pays, et ne s'arrêta point que sur les deux ou trois heures que sa faim et la lassitude de son cheval le firent retourner dans un gros bourg qu'il venait de quitter. Il y trouva une assez bonne hôtellerie, parce qu'elle était sur le grand chemin, et n'oublia pas de s'informer si on n'avait point ouï parler d'une troupe de gens de cheval qui enlevaient une femme. Il y a un gentilhomme là-haut qui vous en peut dire des nouvelles, dit le chirurgien du village qui se trouva là. Je crois, ajouta-t-il, qu'il a eu quelque démêlé avec eux et en a été maltraité. Je lui viens appliquer un cataplasme anodin et résolutif sur une tumeur livide qu'il a sur les vertèbres du col et je lui ai pansé une grande plaie qu'on lui a faite à l'occiput. Je l'ai voulu saigner, parce qu'il a le corps tout couvert de contusions, mais il n'a pas voulu; il en a pourtant bien besoin. Il faut qu'il ait fait quelque lourde chute et qu'il ait été excédé de coups. Ce chirurgien de village prenait tant de plaisir à débiter les termes de son art qu'encore que Le Destin l'eût quitté et qu'il ne fût écouté de personne, il continua longtemps le discours qu'il avait commencé jusqu'à tant que l'on le vînt querir pour saigner une femme qui se mourait d'une apoplexie. Cependant Le Destin montait dans la chambre de celui dont le chirurgien lui avait parlé. Il y trouva un jeune homme bien vêtu, qui avait la tête bandée et qui s'était couché sur un lit pour reposer. Le Destin lui voulut faire des excuses de ce qu'il était entré dans sa chambre devant que d'avoir su s'il l'aurait agréable, mais il fut bien surpris quand, aux premières paroles de son compliment, l'autre se leva de

son lit, et le vint embrasser, se faisant connaître à lui
pour son valet Léandre qui l'avait quitté depuis quatre
ou cinq jours sans prendre congé de lui et que la Caverne
croyait être le ravisseur de sa fille. Le Destin ne savait
de quelle façon il lui devait parler, le voyant bien vêtu
et de fort bonne mine. Pendant qu'il le considéra, Léandre
eut le temps de se rassurer, car il avait paru d'abord
fort interdit. J'ai beaucoup de confusion, dit-il au Destin,
de n'avoir pas eu pour vous toute la sincérité que je
devais avoir, vous estimant comme je fais; mais vous
excuserez un jeune homme sans expérience qui, devant
que de vous bien connaître, vous croyait fait comme le
sont d'ordinaire ceux de votre profession et qui n'osait
pas vous confier un secret d'où dépend tout le bonheur
de sa vie. Le Destin lui dit qu'il ne pouvait savoir que
de lui-même en quoi il lui avait manqué de sincérité.
J'ai bien d'autres choses à vous apprendre si peut-être
vous ne les savez déjà, lui répondit Léandre; mais auparavant il faut que je sache ce qui vous amène ici. Le Destin
lui conta de quelle façon Angélique avait été enlevée.
Il lui dit qu'il courait après ses ravisseurs, et qu'il avait
appris en entrant dans l'hôtellerie qu'il les avait trouvés
et lui en pourrait apprendre des nouvelles. Il est vrai que
je les ai trouvés, lui répondit Léandre en soupirant, et que
j'ai fait contre eux ce qu'un homme seul pouvait faire
contre plusieurs; mais mon épée s'étant rompue dans le
corps du premier que j'ai blessé, je n'ai pu rien faire pour
le service de mademoiselle Angélique, ni mourir en la
servant, comme j'étais résolu à l'un ou à l'autre événement. Ils m'ont mis en l'état où vous me voyez. J'ai été
étourdi du coup d'estramaçon que j'ai reçu sur la tête.
Ils m'ont cru mort et ont passé outre à grand'hâte. Voilà
tout ce que je sais de mademoiselle Angélique. J'attends
ici un valet qui vous en apprendra davantage. Il les a
suivis de loin après m'avoir aidé à reprendre mon cheval
qu'ils m'ont peut-être laissé à cause qu'il ne valait pas
grand'chose. Le Destin lui demanda pourquoi il l'avait
quitté sans l'en avertir, d'où il venait et qui il était, ne

doutant plus qu'il ne lui eût caché son nom et sa condition. Léandre lui avoua qu'il en était quelque chose, et
s'étant recouché, à cause que les coups qu'il avait reçus
lui faisaient beaucoup de douleur, Le Destin s'assit sur
le pied du lit et Léandre lui dit ce que vous allez lire dans
le suivant chapitre.

CHAPITRE V

HISTOIRE DE LÉANDRE

Je suis un gentilhomme d'une maison assez connue
dans la province. J'espère un jour d'avoir pour le moins
douze mille livres de rentes pourvu que mon père meure;
car encore qu'il y ait quatre-vingts ans qu'il fait enrager
tous ceux qui dépendent de lui ou qui ont affaire à lui,
il se porte si bien qu'il y a plus à craindre pour moi qu'il
ne meure jamais qu'à espérer que je lui succède un jour
en trois fort belles terres qui sont tout son bien. Il me
veut faire conseiller au parlement de Bretagne contre
mon inclination et c'est pour cela qu'il m'a fait étudier
de bonne heure. J'étais écolier à la Flèche quand votre
troupe y vint représenter. Je vis mademoiselle Angélique
et j'en devins tellement amoureux que je ne pus plus
faire autre chose que de l'aimer. Je fis bien davantage,
j'eus l'assurance de lui dire que je l'aimais; elle ne s'en
offensa point. Je lui écrivis; elle reçut ma lettre et ne
m'en fit pas plus mauvais visage. Depuis ce temps-là
une maladie, qui fit garder la chambre à mademoiselle
de la Caverne pendant que vous fûtes à la Flèche, facilita
beaucoup les conversations que sa fille et moi eûmes
ensemble. Elle les aurait sans doute empêchées, trop
sévère comme elle est pour être d'une profession qui
semble dispenser du scrupule et de la sévérité ceux qui
la suivent. Depuis que je devins amoureux de sa fille.

je n'allai plus au collège et ne manquai pas un jour d'aller
à la comédie. Les pères Jésuites me voulurent remettre
dans mon devoir; mais je ne voulus plus obéir à de si
malplaisants maîtres après avoir choisi la plus charmante
maîtresse du monde. Votre valet fut tué à la porte de la
comédie par des écoliers bretons, qui firent cette année-là
beaucoup de désordre dans la Flèche parce qu'ils y étaient
en grand nombre et que le vin y fut à bon marché. Cela
fut cause en partie que vous quittâtes la Flèche pour
aller à Angers. Je ne dis point adieu à mademoiselle
Angélique, sa mère ne la perdant point de vue. Tout ce
que je pus faire, ce fut de paraître devant elle en la
voyant partir le désespoir peint sur le visage et les yeux
mouillés de larmes. Un regard triste qu'elle me jeta me
pensa faire mourir. Je m'enfermai dans ma chambre;
je pleurai le reste du jour et toute la nuit; et, dès le matin,
changeant mon habit en celui de mon valet, qui était de
ma taille, je le laissai à la Flèche pour vendre mon équipage d'écolier et lui laissai une lettre pour un fermier de
mon père qui me donne de l'argent quand je lui en
demande, avec ordre de me venir trouver à Angers. J'en
pris le chemin après vous et vous attrapai à Duretail [88],
où plusieurs personnes de condition qui y couraient le
cerf vous arrêtèrent sept ou huit jours. Je vous offris
mon service et vous me prîtes pour votre valet, soit que
vous fussiez incommodé de n'en avoir point, ou que ma
mine et mon visage, qui peut-être ne vous déplurent pas,
vous obligeassent à me prendre. Mes cheveux, que j'avais
fait couper fort courts, me rendirent méconnaissable à
ceux qui m'avaient vu souvent auprès de mademoiselle
Angélique, outre que le méchant habit de mon valet,
que j'avais pris pour me déguiser, me rendait bien différent de ce que je paraissais avec le mien, qui était plus
beau que ne l'est d'ordinaire celui d'un écolier. Je fus
d'abord reconnu de mademoiselle Angélique, qui m'avoua
depuis qu'elle n'avait point douté que la passion que
j'avais pour elle ne fût très violente puisque je quittais
tout pour la suivre. Elle fut assez généreuse pour m'en

vouloir dissuader et pour me faire trouver ma raison
qu'elle voyait bien que j'avais perdue. Elle me fit longtemps éprouver des rigueurs qui eussent refroidi un
moins amoureux que moi. Mais enfin, à force de l'aimer,
je l'engageai à m'aimer autant que je l'aimais. Comme
vous avez l'âme d'une personne de condition qui l'aurait
fort belle, vous reconnûtes bientôt que je n'avais pas
celle d'un valet. Je gagnai vos bonnes grâces; je me mis
bien dans l'esprit de tous les messieurs de votre troupe
et même je ne fus pas haï de la Rancune, qui passe parmi
vous pour n'aimer personne et pour haïr tout le monde. Je
ne perdrai point le temps à vous redire tout ce que deux
jeunes personnes qui s'entr'aiment se sont pu dire toutes
les fois qu'elles se sont trouvées ensemble : vous le savez
assez par vous-même. Je vous dirai seulement que mademoiselle de la Caverne, se doutant de notre intelligence,
ou plutôt n'en doutant plus, défendit à sa fille de me
parler; que sa fille ne lui obéit pas et que, l'ayant surprise qui m'écrivait, elle la traita si cruellement, et en
public et en particulier, que je n'eus pas depuis grand'-
peine à la faire résoudre de se faire enlever. Je ne crains
point de vous l'avouer, vous connaissant généreux autant
qu'on le peut être, et amoureux pour le moins autant
que moi. Le Destin rougit à ces dernières paroles de
Léandre, qui continua son discours et dit au Destin
qu'il n'avait quitté la compagnie que pour s'aller mettre
en état d'exécuter son dessein; qu'un fermier de son
père lui avait promis de lui donner de l'argent et qu'il
espérait encore d'en recevoir à Saint-Malo du fils d'un
marchand, de qui l'amitié lui était assurée et qui était
depuis peu maître de son bien par la mort de ses parents.
Il ajouta que, par le moyen de son ami, il espérait de
passer facilement en Angleterre, et là de faire sa paix
avec son père sans exposer à sa colère mademoiselle
Angélique, contre laquelle vraisemblablement, aussi bien
que contre sa mère, il aurait exercé toutes sortes d'actes
d'hostilité avec tout l'avantage qu'un homme riche et
de condition peut avoir sur deux pauvres comédiennes.

Le Destin fit avouer à Léandre qu'à cause de sa jeunesse et de sa condition, son père n'aurait pas manqué d'accuser de rapt mademoiselle de la Caverne. Il ne tâcha point de lui faire oublier son amour, sachant bien que les personnes qui aiment ne sont pas capables de croire d'autres conseils que ceux de leur passion et sont plus à plaindre qu'à blâmer; mais il désapprouva fort le dessein qu'il avait eu de se sauver en Angleterre et lui représenta ce qu'on pourrait s'imaginer de deux jeunes personnes ensemble qui seraient dans un pays étranger; les fatigues et les hasards d'un voyage par mer; la difficulté de recouvrer de l'argent s'il leur arrivait d'en manquer et enfin les entreprises que feraient faire sur eux, et la beauté de mademoiselle Angélique, et la jeunesse de l'un et de l'autre. Léandre ne défendit point une mauvaise cause; il demanda encore une fois pardon au Destin de s'être si longtemps caché de lui et Le Destin lui promit qu'il se servirait de tout le pouvoir qu'il croyait avoir sur l'esprit de mademoiselle de la Caverne pour la lui rendre favorable. Il lui dit encore que, s'il était tout à fait résolu à n'avoir jamais d'autre femme que mademoiselle Angélique, il ne devait point quitter la troupe. Il lui représenta que cependant son père pouvait mourir ou sa passion se ralentir ou peut-être se passer. Léandre s'écria là-dessus que cela n'arriverait jamais. Eh bien donc, dit Le Destin, de peur que cela n'arrive à votre maîtresse, ne la perdez point de vue. Faites la comédie avec nous; vous n'êtes pas seul qui la ferez et qui pourriez faire quelque chose de meilleur. Écrivez à votre père; faites-lui croire que vous êtes à la guerre et tâchez d'en tirer de l'argent. Cependant je vivrai avec vous comme avec un frère et tâcherai par là de vous faire oublier les mauvais traitements que vous pouvez avoir reçus de moi tandis que je n'ai pas connu ce que vous valiez. Léandre se fût jeté à ses pieds si la douleur que les coups qu'il avait reçus lui faisait sentir par tout son corps lui eût permis de le faire. Il le remercia au moins en des termes si obligeants et lui fit des protestations d'amitié si tendres

qu'il en fut aimé dès ce temps-là autant qu'un honnête
homme le peut être d'un autre. Ils parlèrent ensuite de
chercher mademoiselle Angélique; mais une grande
rumeur qu'ils entendirent interrompit leur conversation et fit descendre Le Destin dans la cuisine de l'hôtellerie, où se passait ce que vous allez voir dans le suivant
chapitre.

CHAPITRE VI

COMBAT A COUPS DE POING. MORT DE L'HÔTE, ET AUTRES CHOSES MÉMORABLES

　　Deux hommes, l'un vêtu de noir comme un magister
de village et l'autre de gris, qui avait bien la mine d'un
sergent, se tenaient aux cheveux et à la barbe et s'entre-
donnaient de temps en temps des coups de poing d'une
très cruelle manière. L'un et l'autre étaient ce que leurs
habits et leurs mines voulaient qu'ils fussent. Le vêtu
de noir, magister du village, était frère du curé et le vêtu
de gris, sergent du même village, était frère de l'hôte.
Cet hôte était alors dans une chambre à côté de la cuisine,
prêt à rendre l'âme d'une fièvre chaude qui lui avait si
fort troublé l'esprit qu'il s'était cassé la tête contre une
muraille; et sa blessure, jointe à sa fièvre, l'avait mis si
bas, qu'alors que sa frénésie le quitta, il se vit contraint
de quitter la vie qu'il regrettait peut-être moins que son
argent mal acquis. Il avait porté les armes longtemps et
était enfin revenu dans son village, chargé d'ans et de si
peu de probité qu'on pouvait dire qu'il en avait encore
moins que d'argent, quoiqu'il fût extrêmement pauvre.
Mais comme les femmes se prennent souvent par où elles
devraient moins se laisser prendre, ses cheveux de drille,
plus longs que ceux des autres paysans du village, ses
serments à la soldate, une plume hérissée qu'il mettait
les fêtes quand il ne pleuvait point et une épée rouillée

qui lui battait de vieilles bottes encore qu'il n'eût point
de cheval, tout cela donna dans la vue d'une vieille
veuve qui tenait hôtellerie. Elle avait été recherchée par
les plus riches fermiers du pays, non tant pour sa beauté
que pour le bien qu'elle avait amassé avec son défunt
mari à vendre bien cher et à faire mauvaise mesure de
vin et d'avoine. Elle avait constamment résisté à tous
ses prétendants, mais enfin un vieil soldat avait triomphé
d'une vieille hôtesse. Le visage de cette nymphe taver-
nière était le plus petit et son ventre était le plus grand
du Maine, quoique cette province abonde en personnes
ventrues. Je laisse aux naturalistes le soin d'en chercher
la raison aussi bien que de la graisse des chapons du pays.
Pour revenir à cette grosse petite femme, qu'il me semble
que je vois toutes les fois que j'y songe, elle se maria
avec son soldat sans en parler à ses parents; et après
avoir achevé de vieillir avec lui et bien souffert aussi,
elle eut le plaisir de le voir mourir la tête cassée; ce
qu'elle attribuait à un juste jugement de Dieu, parce
qu'il avait souvent joué à casser la sienne. Quand Le
Destin entra dans la cuisine de l'hôtellerie, cette hôtesse
et sa servante aidaient au vieil curé du bourg à séparer
les combattants qui s'étaient cramponnés comme deux
vaisseaux; mais les menaces du Destin et l'autorité avec
laquelle il parla achevèrent ce que les exhortations du
bon pasteur n'avaient pu faire, et les deux mortels
ennemis se séparèrent, crachant la moitié de leurs dents
sanglantes, saignant du nez et le menton et la tête pelés.
Le curé était honnête homme et savait bien son monde.
Il remercia Le Destin fort civilement; et Le Destin, pour
lui faire plaisir, fit embrasser en bonne amitié ceux qui
un moment auparavant ne s'embrassaient que pour
s'étrangler. Pendant l'accommodement l'hôte acheva son
obscure destinée sans en avertir ses amis, tellement qu'on
trouva qu'il n'y avait plus qu'à l'ensevelir quand on
entra dans sa chambre après que la paix fut conclue.
Le curé fit des prières sur le mort, et les fit bonnes, car
il les fit courtes. Son vicaire le vint relayer et cependant

la veuve s'avisa de hurler et le fit avec beaucoup d'ostentation et de vanité. Le frère du mort fit semblant d'être
triste ou le fut véritablement et les valets et servantes
s'en acquittèrent presque aussi bien que lui. Le curé
suivit Le Destin dans sa chambre, lui faisant des offres
de service; il en fit autant à Léandre et ils le retinrent
à manger avec eux. Le Destin, qui n'avait pas mangé
de tout le jour et avait fait beaucoup d'exercice, mangea
très avidement. Léandre se reput d'amoureuses pensées
plus que de viandes et le curé parla plus qu'il ne mangea.
Il leur fit cent contes plaisants de l'avarice du défunt et
leur apprit les plaisants différends que cette passion
dominante lui avait fait avoir, tant avec sa femme
qu'avec ses voisins. Il leur fit le récit entre autres d'un
voyage qu'il avait fait à Laval avec sa femme, au retour
duquel le cheval qui les portait tous deux s'étant déferré
de deux pieds, et qui pis est, les fers s'étant perdus, il
laissa sa femme tenant son cheval par la bride au pied
d'un arbre et retourna jusqu'à Laval, cherchant exactement ses fers partout où il crut avoir passé; mais il
perdit sa peine, tandis que sa femme pensa perdre
patience à l'attendre, car il était retourné sur ses pas
de deux grandes lieues et elle commençait d'en être en
peine quand elle le vit revenir les pieds nus, tenant ses
bottes et ses chausses dans ses mains. Elle s'étonna
fort de cette nouveauté, mais elle n'osa lui en demander
la raison, tant, à force d'obéir à la guerre, il s'était rendu
capable de bien commander dans sa maison. Elle n'osa
pas même repartir quand il la fit déchausser aussi, ni
lui en demander le sujet. Elle se douta seulement que
ce pouvait être par dévotion. Il fit prendre à sa femme
son cheval par la bride, marchant derrière pour le hâter;
et ainsi l'homme et la femme sans chaussure et le cheval
déferré de deux pieds, après avoir bien souffert, gagnèrent
la maison bien avant dans la nuit, les uns et les autres
fort las, et l'hôte et l'hôtesse ayant les pieds si écorchés
qu'ils furent près de quinze jours sans pouvoir presque
marcher. Jamais il ne se sut si bon gré de quelque autre

chose qu'il eût faite et, quand il y songeait, il disait en
riant à sa femme que s'ils ne se fussent déchaussés en
revenant de Laval, ils en eussent eu pour deux paires
de souliers, outre deux fers d'un cheval. Le Destin et
Léandre ne s'émurent pas beaucoup du conte que le
curé leur donnait pour bon, soit qu'ils ne le trouvassent
pas si plaisant qu'il leur avait dit, ou qu'ils ne fussent
pas alors en humeur de rire. Le curé, qui était grand
parleur, n'en voulut pas demeurer là et, s'adressant au
Destin, lui dit que ce qu'il venait d'entendre ne valait pas
ce qu'il avait encore à lui dire de la belle manière dont
le défunt s'était préparé à la mort. Il y a quatre ou cinq
jours, ajouta-t-il, qu'il sait bien qu'il n'en peut échapper.
Il ne s'est jamais plus tourmenté de son ménage. Il a eu
regret à tous les œufs frais qu'il a mangés pendant sa
maladie. Il a voulu savoir à quoi monterait son enterre-
ment et même l'a voulu marchander avec moi le jour
que je l'ai confessé. Enfin, pour achever comme il avait
commencé, deux heures devant que de mourir, il ordonna
devant moi à sa femme de l'ensevelir dans un certain
vieil drap de sa connaissance qui avait plus de cent
trous. Sa femme lui représenta qu'il y serait fort mal
enseveli; il s'opiniâtra à n'en vouloir point d'autre. Sa
femme ne pouvait y consentir et, parce qu'elle le voyait
en état de ne la pouvoir battre, elle soutint son opinion
plus vigoureusement qu'elle n'avait jamais fait avec lui,
sans pourtant sortir du respect qu'une honnête femme
doit à un mari, fâcheux ou non. Elle lui demanda enfin
comment il pourrait paraître dans la vallée de Josaphat,
un méchant drap tout troué sur les épaules, et en quel
équipage il pensait ressusciter. Le malade s'en mit en
colère et, jurant comme il avait accoutumé en sa santé :
Eh! morbleu, vilaine! s'écria-t-il, je ne veux point
ressusciter. J'eus autant de peine à m'empêcher de rire
qu'à lui faire comprendre qu'il avait offensé Dieu, se
mettant en colère, et plus encore par ce qu'il avait dit
à sa femme, qui était en quelque façon une impiété. Il
en fit un acte de contrition tel quel, et encore lui fallut-il

donner parole qu'il ne serait point enseveli dans un autre
drap que celui qu'il avait choisi. Mon frère, qui s'était
éclaté de rire quand il avait renoncé si hautement et si
clairement à sa résurrection, ne pouvait s'empêcher d'en
rire encore toutes les fois qu'il y songeait. Le frère du
défunt s'en était formalisé; et, de paroles en paroles,
mon frère et lui, tous deux aussi brutaux l'un que l'autre,
s'étaient entre-harpés après s'être donné mille coups
de poing, et se battraient peut-être encore si on ne les
avait séparés. Le curé acheva ainsi sa relation, adressant
sa parole au Destin, parce que Léandre ne lui donnait
pas grande attention. Il prit congé des comédiens après
leur avoir encore offert son service; et Le Destin tâcha
de consoler l'affligé Léandre, lui donnant les meilleures
espérances dont il se put aviser. Tout brisé qu'était le
pauvre garçon, il regardait de temps en temps par la
fenêtre pour voir si son valet ne venait point, comme
s'il en eût dû venir plus tôt. Mais, quand on attend
quelqu'un avec impatience, les plus sages sont assez
sots pour regarder souvent du côté qu'il doit venir, et
je finirai par là mon sixième chapitre.

CHAPITRE VII

TERREUR PANIQUE DE RAGOTIN, SUIVIE DE DISGRÂCES.
AVENTURE DU CORPS MORT. ORAGE DE COUPS DE
POING ET AUTRES ACCIDENTS SURPRENANTS, DIGNES
D'AVOIR PLACE EN CETTE VÉRITABLE HISTOIRE.

Léandre regardait donc par la fenêtre de sa chambre,
du côté qu'il attendait son valet, quand, tournant la
tête de l'autre côté, il vit arriver le petit Ragotin, botté
jusqu'à la ceinture, monté sur un petit mulet et ayant
à ses étriers, comme deux estafiers, la Rancune d'un
côté et l'Olive de l'autre. Ils avaient appris de village

en village des nouvelles du Destin et, à force de l'avoir
suivi, l'avaient enfin trouvé. Le Destin descendit en
bas au-devant d'eux et les fit monter dans la chambre.
Ils ne reconnurent point d'abord le jeune Léandre, qui
avait changé de mine aussi bien que d'habit. Afin qu'on
ne le connût pas pour ce qu'il était, Le Destin lui commanda d'aller faire apprêter le souper avec la même
autorité dont il avait accoutumé de lui parler; et les comédiens, qui le reconnurent par là, ne lui eurent pas plutôt
dit qu'il était bien brave que Le Destin répondit pour
lui et leur dit qu'un oncle riche qu'il avait au bas Maine
l'avait équipé de pied en cap, comme ils le voyaient, et
même lui avait donné de l'argent pour l'obliger à quitter
la comédie, ce qu'il n'avait pas voulu faire, et ainsi
l'avait laissé sans lui dire adieu. Le Destin et les autres
s'entre-demandèrent des nouvelles de leur quête et ne
s'en dirent point. Ragotin assura Le Destin qu'il avait
laissé les comédiennes en bonne santé, quoique fort
affligées de l'enlèvement de mademoiselle Angélique. La
nuit vint, on soupa et les nouveaux venus burent autant
que les autres burent peu. Ragotin se mit en bonne
humeur, défia tout le monde à boire, comme un fanfaron
de taverne qu'il était, fit le plaisant et chanta des chansons en dépit de tout le monde; mais, n'étant pas secondé
et le beau-frère de l'hôtesse ayant représenté à la compagnie que ce n'était pas bien fait de faire la débauche
auprès d'un mort, Ragotin en fit moins de bruit et en
but plus de vin. On se coucha. Le Destin et Léandre
dans la chambre qu'ils avaient déjà occupée; Ragotin,
la Rancune et l'Olive dans une petite chambre qui était
auprès de la cuisine, et à côté de celle où était le corps
du défunt qu'on n'avait pas encore commencé d'ensevelir. L'hôtesse coucha dans une chambre haute, qui
était voisine de celle où couchaient Le Destin et Léandre;
et elle s'y mit pour n'avoir pas devant les yeux l'objet
funeste d'un mari mort et pour recevoir les consolations
de ses amis qui la vinrent visiter en grand nombre; car
elle était une des plus grosses dames du bourg et y avait

toujours été autant aimée de tout le monde que son
mari y avait toujours été haï. Le silence régnait dans
l'hôtellerie; les chiens y dormaient, puisqu'ils n'aboyaient
point; tous les autres animaux y dormaient aussi ou
le devaient faire; et cette tranquillité-là durait encore
entre deux et trois heures du matin quand tout à coup
Ragotin se mit à crier de toute sa force que la Rancune
était mort. Tout d'un temps il éveilla l'Olive, alla faire
lever Le Destin et Léandre et les fit descendre dans sa
chambre pour venir pleurer ou du moins voir la Rancune
qui venait de mourir subitement à son côté, à ce qu'il
disait. Le Destin et Léandre le suivirent, et la première
chose qu'ils virent en entrant dans la chambre, ce fut
la Rancune qui se promenait dans la chambre en homme
qui se porte bien, quoique cela soit assez difficile après
une mort subite. Ragotin, qui entrait le premier, ne
l'eût pas plutôt aperçu qu'il se rejeta en arrière, comme
s'il eût été près de marcher sur un serpent ou de mettre
le pied dans un trou. Il fit un grand cri, devint pâle
comme un mort et heurta si rudement Le Destin et
Léandre, lorsqu'il se jeta hors de la chambre à corps
perdu, qu'il s'en fallut bien peu qu'il ne les portât par
terre. Cependant que sa peur le fait fuir jusque dans le
jardin de l'hôtellerie où il hasarde de se morfondre, Le
Destin et Léandre demandent à la Rancune des particularités de sa mort. La Rancune leur dit qu'il n'en
savait pas tant que Ragotin et ajouta qu'il n'était pas
sage. L'Olive cependant riait comme un fol; la Rancune
demeurait froid sans parler, selon sa coutume, et l'Olive
et lui ne se déclaraient pas davantage. Léandre alla
après Ragotin et le trouva caché derrière un arbre, tremblant de peur plus que de froid, quoiqu'il fût en chemise. Il avait l'imagination si pleine de la Rancune mort
qu'il prit d'abord Léandre pour son fantôme et pensa
s'enfuir quand il s'approcha de lui. Là-dessus Le Destin
arriva, qui lui parut aussi autre fantôme. Ils n'en purent
tirer la moindre parole, quelque chose qu'ils lui pussent
dire; et enfin ils le prirent sous les bras pour le remener

dans sa chambre; mais dans le temps qu'ils allaient sortir du jardin, la Rancune s'étant présenté pour y entrer, Ragotin se défit de ceux qui le tenaient et s'alla jeter, regardant derrière lui d'un œil égaré, dans une grosse touffe de rosiers où il s'embarrassa depuis les pieds jusqu'à la tête et ne s'en put tirer assez vite pour s'empêcher d'être joint par la Rancune, qui l'appela cent fois fol, et lui dit qu'il le fallait enchaîner. Ils le tirèrent à trois hors de la touffe de rosiers où il s'était fourré. La Rancune lui donna une claque sur la peau nue pour lui faire voir qu'il n'était pas mort; et enfin le petit homme effrayé fut remené dans sa chambre et remis dans son lit; mais à peine y fut-il qu'une clameur de voix féminines, qu'ils entendirent dans la chambre voisine, leur donna à deviner ce que ce pouvait être. Ce n'étaient point les plaintes d'une femme affligée, c'étaient des cris effroyables de plusieurs femmes ensemble, comme quand elles ont peur. Le Destin y alla et trouva quatre ou cinq femmes avec l'hôtesse qui cherchaient sous les lits, regardaient dans la cheminée et paraissaient fort effrayées. Il leur demanda ce qu'elles avaient; et l'hôtesse, moitié hurlant, moitié parlant, lui dit qu'elle ne savait ce qu'était devenu le corps de son pauvre mari. En achevant de parler, elle se mit à hurler; et les autres femmes, comme de concert, lui répondirent en chœur et toutes ensemble firent un bruit si grand et si lamentable que tout ce qu'il y avait de gens dans l'hôtellerie entra dans la chambre et ce qu'il y avait de voisins et de passants entra dans l'hôtellerie. Dans ce temps-là un maître chat s'était saisi d'un pigeon qu'une servante avait laissé demi-lardé sur la table de la cuisine et, se sauvant avec sa proie dans la chambre de Ragotin, s'était caché sous le lit où il avait couché avec la Rancune. La servante le suivit, un bâton de fagot à la main et, regardant sous le lit pour voir ce qu'était devenu son pigeon, elle se mit à crier tant qu'elle put, qu'elle avait trouvé son maître et le répéta si souvent que l'hôtesse et les autres femmes vinrent à elle. La servante sauta au col de sa maîtresse,

lui disant qu'elle avait trouvé son maître, avec un si
grand transport de joie que la pauvre veuve eut peur
que son mari ne fût ressuscité; car on remarqua qu'elle
devint pâle comme un criminel qu'on juge. Enfin la
servante les fit regarder sous le lit où ils aperçurent le
corps mort dont ils étaient tant en peine. La difficulté
ne fut pas si grande à le tirer de là, quoiqu'il fût bien
pesant, qu'à savoir qui l'y avait mis. On le rapporta dans
la chambre où l'on commença de l'ensevelir. Les comédiens se retirèrent dans celle où avait couché Le Destin,
qui ne pouvait rien comprendre dans ces bizarres accidents. Pour Léandre, il n'avait dans la tête que sa chère
Angélique, ce qui le rendait aussi rêveur que Ragotin
était fâché de ce que la Rancune n'était pas mort, dont
les railleries l'avaient si fort mortifié qu'il ne parlait plus,
contre sa coutume de parler incessamment et de se mêler
en toutes sortes de conversations, à propos ou non. La
Rancune et l'Olive s'étaient si peu étonnés, et de la terreur panique de Ragotin, et de la transmigration d'un
corps mort d'une chambre à l'autre sans aucun secours
humain, au moins dont on eût connaissance, que Le
Destin se douta qu'ils avaient grande part dans le prodige. Cependant l'affaire s'éclaircissait dans la cuisine
de l'hôtellerie. Un valet de charrue, revenu des champs
pour dîner, ayant ouï conter à une servante, avec
grande frayeur, que le corps de son maître s'était levé
de lui-même et avait marché, lui dit qu'en passant par
la cuisine, à la pointe du jour, il avait vu deux hommes
en chemise qui le portaient sur leurs épaules dans la
chambre où l'on l'avait trouvé. Le frère du mort ouït
ce que disait le valet et trouva l'action fort mauvaise.
La veuve le sut aussitôt et ses amies aussi; les uns et les
autres s'en scandalisèrent bien fort et conclurent tout
d'une voix qu'il fallait que ces hommes-là fussent des
sorciers qui voulaient faire quelque méchanceté de ce
corps mort. Dans le temps que l'on jugeait si mal de la
Rancune, il entra dans la cuisine pour faire porter à
déjeuner dans leur chambre. Le frère du défunt lui de-

manda pourquoi il avait porté le corps de son frère dans
sa chambre. La Rancune, bien loin de lui répondre, ne le
regarda pas seulement. La veuve lui fit la même question,
il eut la même indifférence pour elle, ce que la bonne
dame n'eut pas pour lui. Elle lui sauta aux yeux, furieuse
comme une lionne à qui on a ravi ses petits (j'ai peur
que la comparaison ne soit ici trop magnifique). Son
beau-frère donna un coup de poing à la Rancune, les
amies de l'hôtesse ne l'épargnèrent pas; les servantes
s'en mêlèrent et les valets aussi; mais il n'y avait pas
place en un homme seul pour tant de frappeurs, et ils
s'entrenuisaient les uns aux autres. La Rancune seul
contre plusieurs, et, par conséquent, plusieurs contre lui,
ne s'étonna point du nombre de ses ennemis et, faisant
de nécessité vertu, commença à jouer des bras de toute
la force que Dieu lui avait donnée, laissant le reste au
hasard. Jamais combat inégal ne fut plus disputé. Mais
aussi la Rancune, conservant son jugement dans le péril,
se servait de son adresse aussi bien que de sa force,
ménageait ses coups et les faisait profiter le plus qu'il
pouvait. Il donna tel soufflet qui, ne donnant pas à
plomb sur la première joue qu'il rencontrait et ne faisant
que glisser, s'il faut ainsi dire, allait jusqu'à la seconde,
même troisième joue, parce qu'il donnait la plupart de
ses coups en faisant la demi-pirouette, et tel soufflet tira
trois sons différents de trois différentes mâchoires. Au
bruit des combattants, l'Olive descendit dans la cuisine;
et, à peine eut-il le temps de discerner son compagnon
d'entre tous ceux qui le battaient, qu'il se vit battre et
même plus que lui de qui la vigoureuse résistance commençait à se faire craindre. Deux ou trois donc des plus
maltraités par la Rancune se jetèrent sur l'Olive, peut-
être pour se racquitter. Le bruit en augmenta; et en
même temps l'hôtesse reçut un coup de poing dans son
petit œil qui lui fit voir cent mille chandelles (c'est un
nombre certain pour un incertain) et la mit hors de
combat. Elle hurla plus fort et plus franchement qu'elle
n'avait fait à la mort de son mari. Ses hurlements atti-

rèrent les voisins dans la maison et firent descendre
dans la cuisine Le Destin et Léandre. Quoiqu'ils y vinssent
avec un esprit de pacification, on leur fit d'abord la
guerre sans la leur déclarer. Les coups de poing ne leur
manquèrent pas et ils n'en laissèrent point manquer
ceux qui leur en donnèrent. L'hôtesse, ses amies et ses
servantes criaient aux voleurs et n'étaient plus que les
spectatrices du combat, les unes les yeux pochés, les
autres le nez sanglant, les autres les mâchoires brisées
et toutes décoiffées. Les voisins avaient pris parti pour
la voisine contre ceux qu'elle appelait voleurs. Il faudrait
une meilleure plume que la mienne pour bien représenter
les beaux coups de poing qui s'y donnèrent. Enfin, l'animosité et la fureur se rendant maîtresses des uns et des
autres, on commençait à se saisir des broches et des
meubles qui se peuvent jeter à la tête quand le curé
entra dans la cuisine et tâcha de faire cesser le combat.
En vérité, quelque respect que l'on eût pour lui, il eût
bien eu de la peine à séparer les combattants, si leur lassitude ne s'en fût mêlée. Tous actes d'hostilité cessèrent
donc de part et d'autre, et non pas le bruit ; car, chacun
voulant parler le premier, et les femmes plus que les
hommes avec leurs voix de fausset, le pauvre bonhomme
fut contraint de se boucher les oreilles et de gagner la
porte. Cela fit taire les plus tumultueux. Il rentra dans
le champ de bataille, et le frère de l'hôte, ayant pris la
parole par son ordre, lui fit des plaintes du corps mort
transporté d'une chambre à l'autre. Il eût exagéré la
méchante action plus qu'il ne fit s'il eût eu moins de
sang à cracher qu'il n'en avait, outre celui qui sortait
de son nez, qu'il ne pouvait arrêter. La Rancune et l'Olive
avouèrent ce qu'on leur imputait et protestèrent qu'ils
ne l'avaient pas fait à mauvaise intention, mais seulement
pour faire peur à un de leurs camarades, comme ils
avaient fait. Le curé les en blâma fort et leur fit comprendre la conséquence d'une telle entreprise, qui passait la raillerie et, comme il était homme d'esprit et
avait grand crédit parmi ses paroissiens, il n'eut pas

grand'peine à pacifier le différend, et qui plus y mit,
plus y perdit. Mais la Discorde, aux crins de couleuvre,
n'avait pas encore fait dans cette maison-là tout ce
qu'elle avait envie d'y faire. On ouït dans la chambre
haute des hurlements non guère différents de ceux que
fait un pourceau qu'on égorge; et celui qui les faisait
n'était autre que le petit Ragotin. Le curé, les comédiens
et plusieurs autres coururent à lui et le trouvèrent tout
le corps, à la réserve de la tête, enfoncé dans un grand
coffre de bois qui servait à serrer le linge de l'hôtellerie;
et, ce qui était de plus fâcheux pour le pauvre encoffré,
le dessus du coffre, fort pesant et massif, était tombé
sur ses jambes et les pressait d'une manière fort doulou-
reuse à voir. Une puissante servante, qui n'était pas loin
du coffre quand ils entrèrent, et qui leur paraissait fort
émue, fut soupçonnée d'avoir si mal placé Ragotin. Il
était vrai, et elle en était toute fière, si bien que, s'occu-
pant à faire un des lits de la chambre, elle ne daigna pas
regarder de quelle façon on tirait Ragotin du coffre, ni
même répondre à ceux qui lui demandèrent d'où venait
le bruit qu'on avait entendu. Cependant le demi-homme
fut tiré de sa chausse-trape et ne fut pas plutôt sur ses
pieds qu'il courut à une épée. On l'empêcha de la prendre,
mais on ne put l'empêcher de joindre la grande servante,
qu'il ne put aussi empêcher qu'elle ne lui donnât un si
grand coup sur la tête que tout le vaste siège de son
étroite raison en fut ébranlé. Il en fit trois pas en arrière,
mais c'eût été reculer pour mieux sauter si l'Olive ne
l'eût retenu par ses chausses, comme il s'allait élancer
comme un serpent contre sa redoutable ennemie. L'effort
qu'il fit, quoique vain, fut fort violent; la ceinture de
ses chausses s'en rompit et le silence aussi de l'assistance,
qui se mit à rire. Le curé en oublia sa gravité et le frère
de l'hôte d'en faire le triste. Le seul Ragotin n'avait pas
envie de rire et sa colère s'était tournée contre l'Olive
qui, s'en sentant injurié, le porta tout brandi, comme l'on
dit à Paris, sur le lit que faisait la servante et là, d'une
force d'Hercule, il acheva de faire tomber ses chausses

dont la ceinture était déjà rompue et haussant et bais-
sant les mains dru et menu sur ses cuisses et sur les lieux
voisins, en moins de rien les rendit rouges comme de
l'écarlate. Le hasardeux Ragotin se précipita courageu-
sement du lit en bas, mais un coup si hardi n'eut pas le
succès qu'il méritait. Son pied entra dans un pot de
chambre que l'on avait laissé dans la ruelle du lit pour
son grand malheur et y entra si avant que, ne l'en pouvant retirer à l'aide de son autre pied, il n'osa sortir de
la ruelle du lit où il était de peur de divertir davantage
la compagnie et d'en attirer sur soi la raillerie, qu'il
entendait moins que personne du monde. Chacun s'étonnait fort de le voir si tranquille après avoir été si ému.
La Rancune se douta que ce n'était pas sans cause. Il
le fit sortir de la ruelle du lit, moitié bon gré, moitié par
force; et lors tout le monde vit où était l'enclouure, et
**personne ne se put empêcher de rire, voyant le pied de
métal que s'était fait le petit homme. Nous le laisserons
foulant l'étain d'un pied superbe pour aller recevoir
un train qui entra au même temps dans l'hôtellerie.**

CHAPITRE VIII

CE QUI ARRIVA DU PIED DE RAGOTIN

Si Ragotin eût pu de son chef et sans l'aide de ses amis
se dépoter le pied, je veux dire le tirer hors du méchant
pot de chambre où il était si malheureusement entré, sa
colère eût pour le moins duré le reste du jour; mais il fut
contraint de rabattre quelque chose de son orgueil naturel
et de filer doux, priant humblement Le Destin et la Rancune de travailler à la liberté de son pied droit ou gauche,
je n'ai pas su lequel. Il ne s'adressa pas à l'Olive à cause
de ce qui s'était passé entre eux, mais l'Olive vint à son
secours sans se faire prier et ses deux camarades et lui

firent ce qu'ils purent pour le soulager. Les efforts que
le petit homme avait faits pour tirer son pied hors du
pot l'avaient enflé et ceux que faisaient Le Destin et
l'Olive l'enflaient encore davantage. La Rancune y avait
d'abord mis la main, mais si maladroitement, ou plutôt
si malicieusement, que Ragotin crut qu'il le voulait
estropier à perpétuité. Il l'avait prié instamment de ne
s'en mêler plus ; il pria les autres de la même chose et se
coucha sur un lit en attendant qu'on lui eût fait venir
un serrurier pour lui limer le pot de chambre sur le pied.
Le reste du jour se passa assez pacifiquement dans
l'hôtellerie et assez tristement entre Le Destin et Léandre,
l'un, fort en peine de son valet qui ne revenait point lui
apprendre des nouvelles de sa maîtresse comme il lui
avait promis et l'autre ne se pouvant réjouir éloigné de
sa chère mademoiselle de l'Étoile, outre qu'il prenait
part à l'enlèvement de mademoiselle Angélique et que
Léandre lui faisait pitié, sur le visage duquel il voyait
toutes les marques d'une extrême affliction. La Rancune
et l'Olive prirent bientôt parti avec quelques habitants
du bourg qui jouaient à la boule ; et Ragotin, après avoir
fait travailler à son pied, dormit le reste du jour, soit
qu'il en eût envie ou qu'il fût bien aise de ne paraître
pas en public, après les mauvaises affaires qui lui étaient
arrivées. Le corps de l'hôte fut porté à sa dernière demeure
et l'hôtesse, nonobstant les belles pensées de la mort
que lui devait avoir données celle de son mari, ne laissa
pas de faire payer en Arabe deux Anglais qui allaient
de Bretagne à Paris. Le soleil venait de se coucher quand
Le Destin et Léandre, qui ne pouvaient quitter la fenêtre
de leur chambre, virent arriver dans l'hôtellerie un carrosse à quatre chevaux, suivi de trois hommes de cheval
et de quatre ou cinq laquais. Une servante les vint prier
de vouloir céder leur chambre au train qui venait d'arriver ; et ainsi Ragotin fut obligé de se faire voir, quoiqu'il
eût envie de garder la chambre, et suivit Le Destin et
Léandre dans celle où le jour précédent il avait cru avoir
vu mourir la Rancune. Le Destin fut reconnu dans la cui-

sine de l'hôtellerie par un des messieurs du carrosse, ce
même conseiller du parlement de Rennes avec qui il avait
fait connaissance pendant les noces qui furent si malheureuses à la pauvre Caverne. Ce sénateur breton demanda
au Destin des nouvelles d'Angélique et lui témoigna
d'avoir du déplaisir de ce qu'elle n'était point retrouvée.
Il se nommait la Garouffière [89], ce qui me fait croire
qu'il était plutôt Angevin que Breton, car on ne voit pas
plus de noms bas bretons commencer par *ker* que l'on
en voit d'angevins terminer en *ière*, de normands en
ville, de picards en *cour* et des peuples voisins de la
Garonne en *ac*. Pour revenir à monsieur de la Garouffière,
il avait de l'esprit, comme je vous ai déjà dit et ne se
croyait point homme de province en nulle manière,
venant d'ordinaire, hors de son semestre, manger quelque
argent dans les auberges de Paris et prenant le deuil
quand la cour le prenait ; ce qui, bien vérifié et enregistré,
devrait être une lettre, non pas de noblesse tout à fait,
mais de non-bourgeoisie, si j'ose ainsi parler. De plus, il
était bel esprit par la raison que tout le monde presque
se pique d'être sensible aux divertissements de l'esprit,
tant ceux qui les connaissent que les ignorants présomptueux ou brutaux qui jugent témérairement des vers et
de la prose, encore qu'ils croient qu'il y a du déshonneur
à bien écrire et qu'ils reprocheraient, en cas de besoin,
à un homme qu'il fait des livres, comme ils lui reprocheraient qu'il ferait la fausse monnaie. Les comédiens
s'en trouvent bien. Ils en sont caressés davantage dans
les villes où ils représentent, car, étant les perroquets
ou sansonnets des poëtes, et même quelques-uns d'entre
eux qui sont nés avec de l'esprit se mêlant quelquefois
de faire des comédies, ou de leur propre fonds, ou de
parties empruntées, il y a quelque sorte d'ambition à
les connaître ou à les hanter. De nos jours on a rendu en
quelque façon justice à leur profession et on les estime
plus que l'on ne faisait autrefois. Aussi est-il vrai qu'en
la comédie le peuple trouve un divertissement des plus
innocents et qui peut à la fois instruire et plaire. Elle

est aujourd'hui purgée, au moins à Paris, de tout ce qu'elle avait de licencieux. Il serait à souhaiter qu'elle le fût aussi des filous, des pages et des laquais et autres ordures du genre humain que la facilité de prendre des manteaux y attire encore plus que ne faisaient autrefois les mauvaises plaisanteries des farceurs; mais aujourd'hui la farce est comme abolie et j'ose dire qu'il y a des compagnies particulières où l'on rit de bon cœur des équivoques basses et sales qu'on y débite, desquelles on se scandaliserait dans les premières loges de l'hôtel de Bourgogne. Finissons la digression. Monsieur de la Garouffière fut ravi de trouver Le Destin dans l'hôtellerie et lui fit promettre de souper avec la compagnie du carrosse, qui était composée du nouveau marié du Mans et de la nouvelle mariée qu'il menait en son pays de Laval, de madame sa mère, j'entends du marié, d'un gentilhomme de la province, d'un avocat du conseil, et de monsieur de la Garouffière, tous parents les uns des autres et que Le Destin avait vus à la noce où mademoiselle Angélique avait été enlevée. Ajoutez, à tous ceux que je viens de nommer, une servante ou femme de chambre, et vous trouverez que le carrosse qui les portait était bien plein; outre que madame Bouvillon [90] (c'est ainsi que s'appelait la mère du marié) [91] était une des plus grosses femmes de France, quoique des plus courtes; et l'on m'a assuré qu'elle portait d'ordinaire sur elle, bon an mal an, trente quintaux de chair, sans les autres matières pesantes ou solides qui entrent dans la composition d'un corps humain. Après ce que je viens de vous dire, vous n'aurez pas peine à croire qu'elle était très succulente, comme sont toutes les femmes ragotes. On servit à souper. Le Destin y parut avec sa bonne mine qui ne le quittait point et qui n'était point altérée alors par du linge sale, Léandre lui en ayant prêté de blanc. Il parla peu, selon sa coutume et quand il eût parlé **autant que les autres qui parlèrent beaucoup, il n'eût peut-être pas tant dit de choses inutiles qu'ils en dirent. La Garouffière lui servit de tout ce qu'il y avait de**

meilleur sur la table. Madame Bouvillon en fit de même
à l'envi de la Garouffière, avec si peu de discrétion que
tous les plats de la table se trouvèrent vides en un moment
et l'assiette du Destin si pleine d'ailes et de cuisses de
poulets que je me suis souvent étonné depuis comment
on avait pu faire par hasard une si haute pyramide de
viande sur si peu de base qu'est le cul d'une assiette.
La Garouffière n'y prenait pas garde, tant il était attentivement occupé à parler de vers au Destin et à lui donner
bonne opinion de son esprit. Madame Bouvillon, qui
avait aussi son dessein, continuait toujours ses bons
offices au comédien et, ne trouvant plus de poulets à
couper, fut réduite à lui servir des tranches de gigot de
mouton. Il ne savait où les mettre et en tenait une en
chacune de ses mains pour leur trouver place quelque
part, quand le gentilhomme, qui ne s'en voulut pas taire
au préjudice de son appétit, demanda au Destin, en
souriant, s'il mangerait bien tout ce qui était sur son
assiette. Le Destin y jeta les yeux, et fut bien étonné d'y
voir, presque au niveau de son menton, la pile de poulets
dépecés dont la Garouffière et la Bouvillon avaient érigé
un trophée à son mérite. Il en rougit et ne put s'empêcher
d'en rire; la Bouvillon en fut défaite; la Garouffière en
rit bien fort et donna si bien le branle à toute la compagnie qu'elle en éclata à quatre ou cinq reprises. Les
valets reprirent où leurs maîtres avaient quitté et rirent
à leur tour; ce que la jeune mariée trouva si plaisant que,
s'ébouffant de rire en commençant de boire, elle couvrit
le visage de sa belle-mère et celui de son mari de la plus
grande partie de ce qui était dans son verre et distribua
le reste sur la table et sur les habits de ceux qui y étaient
assis. On recommença à rire et la Bouvillon fut la seule
qui n'en rit point, mais qui rougit beaucoup et regarda
d'un œil courroucé sa pauvre bru, ce qui rabattit un
peu sa joie. Enfin on acheva de rire, parce que l'on ne
peut pas rire toujours. On s'essuya les yeux; la Bouvillon
et son fils s'essuyèrent le vin qui leur dégouttait des
yeux et du visage et la jeune mariée leur en fit des

excuses, ayant encore bien de la peine à s'empêcher de
rire. Le Destin mit son assiette au milieu de la table et
chacun y reprit ce qui lui appartenait. On ne put parler
d'autre chose tant que le souper dura; et la raillerie,
bonne ou mauvaise, en fut poussée bien loin, quoique
le sérieux dont s'arma mal à propos madame Boùvillon
troublât en quelque façon la gaieté de la compagnie.
Aussitôt qu'on eut desservi, les dames se retirèrent dans
leurs chambres; l'avocat et le gentilhomme se firent
donner des cartes et jouèrent au piquet. La Garouffière
et Le Destin, qui n'étaient pas de ceux qui ne savent
que faire quand ils ne jouent point, s'entretinrent ensemble fort spirituellement et firent peut-être une des
plus belles conversations qui se soient jamais faites
dans une hôtellerie du bas Maine. La Garouffière parla
à dessein de tout ce qu'il croyait devoir être le plus caché
à un comédien de qui l'esprit a ordinairement de plus
étroites limites que la mémoire et Le Destin en discourut
comme un homme fort éclairé et qui savait bien son
monde. Entre autres choses, il fit, avec tout le discernement imaginable, la distinction des femmes qui ont
beaucoup d'esprit et qui ne le font paraître que quand
elles ont à s'en servir, d'avec celles qui ne s'en servent
que pour le faire paraître; et de celles qui envient aux
mauvais plaisants leurs qualités de drôles et de bons
compagnons, qui rient des allusions et équivoques licen-
cieuses, qui en font elles-mêmes et, pour tout dire, qui
sont des rieuses de quartier, d'avec celles qui font la
plus aimable partie du beau monde et qui sont de la
bonne cabale. Il parla aussi des femmes qui savent aussi
bien écrire que les hommes qui s'en mêlent et, quand
elles ne donnent point au public les productions de leur
esprit, qui ne le font que par modestie. La Garouffière,
qui était fort honnête homme et qui se connaissait bien
en honnêtes gens, ne pouvait comprendre comment un
comédien de campagne pouvait avoir une si parfaite
connaissance de la véritable honnêteté. Cependant qu'il
l'admire en soi-même et que l'avocat et le gentilhomme,

qui ne jouaient plus parce qu'ils s'étaient querellés sur
une carte tournée, bâillent fréquemment de trop grande
envie de dormir, on leur vint dresser trois lits dans la
chambre où ils avaient soupé et Le Destin se retira dans
celle de ses camarades, où il coucha avec Léandre.

CHAPITRE IX

AUTRE DISGRÂCE DE RAGOTIN

La Rancune et Ragotin couchèrent ensemble. Pour
l'Olive, il passa une partie de la nuit à recoudre son habit
qui s'était décousu en plusieurs endroits quand il s'était
harpé avec le colère Ragotin. Ceux qui ont connu particulièrement ce petit Manceau ont remarqué que toutes
les fois qu'il avait eu à se gourmer contre quelqu'un, ce
qui lui arrivait souvent, il avait toujours décousu ou
déchiré les habits de son ennemi, en tout ou en partie.
C'était son coup sûr; et qui eût eu affaire contre lui à
coups de poing en combat assigné, eût pu défendre son
habit comme on défend le visage en faisant des armes. La
Rancune lui demanda en se couchant s'il se trouvait mal
parce qu'il avait fort mauvais visage. Ragotin lui dit
qu'il ne s'était jamais mieux porté. Ils ne furent pas
longtemps à s'endormir et bien en prit à Ragotin de ce
que la Rancune respecta la bonne compagnie qui était
arrivée dans l'hôtellerie et n'en voulut pas troubler le
repos, sans cela le petit homme eût mal passé la nuit.
L'Olive cependant travaillait à son habit et, après y
avoir fait tout ce qu'il y avait à faire, il prit les habits
de Ragotin et, aussi adroitement qu'aurait fait un tailleur, il en étrécit le pourpoint et les chausses et les remit
en leur place; et, ayant passé la plus grande partie de la
nuit à coudre et à découdre, se coucha dans le lit où
dormaient Ragotin et la Rancune. On se leva de bonne

heure, comme on fait toujours dans les hôtelleries, où le
bruit commence avec le jour. La Rancune dit encore à
Ragotin qu'il avait mauvais visage; l'Olive lui dit la
même chose. Il commença de le croire et, trouvant en
même temps son habit trop étroit de plus de quatre
doigts, il ne douta plus qu'il n'eût enflé d'autant dans
le peu de temps qu'il avait dormi et s'effraya fort d'une
enflure si subite. La Rancune et l'Olive lui exagéraient
toujours son mauvais visage et Le Destin et Léandre,
qu'ils avaient avertis de la tromperie, lui dirent aussi
qu'il était fort changé. Le pauvre Ragotin en avait la
larme à l'œil; Le Destin ne put s'empêcher d'en sourire,
dont il se fâcha bien fort. Il alla dans la cuisine de l'hôtellerie où tout le monde lui dit ce que lui avaient dit
les comédiens, même les gens du carrosse, qui, ayant
une grande traite à faire, s'étaient levés de bonne heure.
Ils firent déjeuner les comédiens avec eux et tout le
monde but à la santé de Ragotin malade qui, au lieu
de leur en faire civilité, s'en alla, grondant contre eux
et fort désolé, chez le chirurgien du bourg à qui il rendit
compte de son enflure. Le chirurgien discourut de la
cause et de l'effet de son mal, qu'il connaissait aussi
peu que l'algèbre et lui parla un quart d'heure durant
**en termes de son art, qui n'étaient non plus à propos au
sujet que s'il lui eût parlé du prêtre Jean** [92], Ragotin s'en
impatienta et lui demanda, jurant Dieu admirablement
bien pour un petit homme, s'il n'avait autre chose à lui
dire. Le chirurgien voulait encore raisonner; Ragotin le
voulut battre et l'eût fait s'il ne se fût humilié devant ce
colère malade à qui il tira trois palettes de sang et lui
ventousa les épaules vaille que vaille. La cure venait
d'être achevée quand Léandre vint dire à Ragotin que,
s'il lui voulait promettre de ne se fâcher point, il lui
apprendrait une méchanceté qu'on lui avait faite. Il
promit plus que Léandre ne voulut et jura sur sa damna-
tion éternelle de tenir tout ce qu'il promettait. Léandre
dit qu'il voulait avoir des témoins de son serment et le
remena dans l'hôtellerie où, en la présence de tout ce

qu'il y avait de maîtres et de valets, il le fit jurer de
nouveau et lui apprit qu'on lui avait étréci ses habits.
Ragotin d'abord en rougit de honte; et puis, pâlissant de
colère, il allait enfreindre son horrible serment, quand
sept ou huit personnes se mirent à lui faire des remon-
trances à la fois, avec tant de véhémence que, bien qu'il
jurât de toute sa force, on n'en entendit rien. Il cessa de
parler, mais les autres ne cessèrent pas de lui crier aux
oreilles et le firent si longtemps que le pauvre homme en
pensa perdre l'ouïe. Enfin il s'en tira mieux qu'on ne
pensait et se mit à chanter de toute sa force les premières
chansons qui lui vinrent à la bouche, ce qui changea le
grand bruit de voix confuses en de grands éclats de risées
qui passèrent des maîtres aux valets et du lieu où se
passa l'action dans tous les endroits de l'hôtellerie, où
différents sujets attiraient différentes personnes. Tandis
que le bruit de tant de personnes, qui riaient ensemble,
diminue peu à peu et se perd dans l'air, de la façon à peu
près que fait la voix des échos, le chronologiste fidèle
finira le présent chapitre sous le bon plaisir du lecteur
bénévole ou malévole, ou tel que le ciel l'aura fait naître.

CHAPITRE X

COMMENT MADAME BOUVILLON NE PUT RÉSISTER A UNE
TENTATION ET EUT UNE BOSSE AU FRONT

Le carrosse, qui avait à faire une grande journée, fut
prêt de bonne heure. Les sept personnes qui l'emplis-
saient à bonne mesure s'y entassèrent. Il partit et, à dix
pas de l'hôtellerie, l'essieu se rompit par le milieu. Le
cocher en maudit sa vie; on le gronda, comme s'il eût
été responsable de la durée d'un essieu. Il se fallut tirer
du carrosse un à un et reprendre le chemin de l'hôtellerie. Les habitants du carrosse échoué furent fort embar-

rassés quand on leur dit qu'en tout le pays il n'y avait point de charron plus près que celui d'un gros bourg à trois lieues de là. Ils tinrent conseil et ils ne résolurent rien, voyant bien que leur carrosse ne serait pas en état de rouler que le jour suivant. La Bouvillon, qui s'était conservé une grande autorité sur son fils parce que tout le bien de la maison venait d'elle, lui commanda de monter sur un des chevaux qui portaient les valets de chambre et de faire monter sa femme sur l'autre pour aller rendre visite à un vieil oncle qu'elle avait, curé du même bourg où on était allé chercher un charron. Le seigneur de ce bourg était parent du conseiller et connu de l'avocat et du gentilhomme. Il leur prit envie de l'aller voir de compagnie. L'hôtesse leur fit trouver des montures en les louant un peu cher et ainsi la Bouvillon, seule de sa troupe, demeura dans l'hôtellerie, se trouvant un peu fatiguée ou feignant de l'être, outre que sa taille ronde ne lui permettait pas de monter même sur un âne, quand on en aurait pu trouver d'assez fort pour la porter. Elle envoya sa servante au Destin le prier de venir dîner avec elle et, en attendant le dîner, se recoiffa, frisa et poudra, se mit un tablier et un peignoir à dentelle et, d'un collet de point de Gênes de son fils, se fit une cornette. Elle tira d'une cassette une des jupes de noces de sa bru et s'en para, enfin elle se transforma en une petite nymphe replète. Le Destin eût bien voulu dîner en liberté avec ses camarades, mais comment eût-il refusé sa très humble servante madame Bouvillon, qui l'envoya quérir pour dîner aussitôt que l'on eut servi ? Le Destin fut surpris de la voir si gaillardement vêtue. Elle le reçut d'un visage riant, lui prit les mains pour le faire laver et les lui serra d'une manière qui voulait dire quelque chose. Il songeait moins à dîner qu'au sujet pourquoi il en avait été prié, mais la Bouvillon lui reprocha si souvent qu'il ne mangeait point qu'il ne s'en put défendre. Il ne savait que lui dire, outre qu'il parlait peu de son naturel. Pour la Bouvillon, elle n'était que trop ingénieuse à se trouver matière de parler. Quand une personne qui parle beau-

coup se rencontre tête à tête avec une autre qui ne parle
guère et qui ne lui répond pas, elle en parle davantage;
car, jugeant d'autrui par soi-même et voyant qu'on n'a
point reparti à ce qu'elle a avancé, comme elle aurait
fait en pareille occasion, elle croit que ce qu'elle a dit
n'a point assez plu à son indifférent auditeur; elle veut
réparer sa faute par ce qu'elle dira, qui vaut le plus souvent encore moins que ce qu'elle a déjà dit, et ne déparle
point tant qu'on a de l'attention pour elle. On s'en peut
séparer mais, parce qu'il se trouve de ces infatigables
parleurs qui continuent de parler seuls quand ils s'en
sont mis en humeur en compagnie, je crois que le mieux
que l'on puisse faire avec eux, c'est de parler autant et
plus qu'eux, s'il se peut; car tout le monde ensemble ne
retiendra pas un grand parleur auprès d'un autre qui
lui aura rompu le dé et le voudra faire auditeur par force.
J'appuie cette réflexion-là sur plusieurs expériences et
même je ne sais si je ne suis point de ceux que je blâme.
Pour la nonpareille Bouvillon, elle était la plus grande
diseuse de riens qui ait jamais été et non seulement elle
parlait seule, mais aussi elle se répondait. La taciturnité
du Destin lui faisant beau jeu et ayant dessein de lui
plaire, elle battit un grand pays. Elle lui conta tout ce
qui se passait dans la ville de Laval où elle faisait sa
demeure, lui en fit l'histoire scandaleuse et ne déchira
point de particulier ou de famille entière qu'elle ne
tirât du mal qu'elle en disait matière de dire du bien
d'elle; protestant, à chaque défaut qu'elle remarquait
en son prochain, que, pour elle, encore qu'elle eût plusieurs défauts, elle n'avait pas celui-là dont elle parlait.
Le Destin en fut fort mortifié au commencement et ne lui
répondait point; mais enfin il se crut obligé de sourire
de temps en temps et de dire quelquefois ou : Cela est
fort plaisant ou Cela est fort étrange, et le plus souvent
il dit l'un et l'autre fort mal à propos. On desservit
quand Le Destin cessa de manger, madame Bouvillon
le fit asseoir auprès d'elle sur le pied d'un lit et sa servante, qui laissa sortir celles des hôtelleries les premières,

en sortant de la chambre tira la porte après elle. La
Bouvillon, qui crut peut-être que Le Destin y avait pris
garde, lui dit : Voyez un peu cette étourdie qui a fermé
la porte sur nous! Je l'irai ouvrir, s'il vous plaît, lui
répondit Le Destin. Je ne dis pas cela, répondit la Bouvillon en l'arrêtant, mais vous savez bien que deux personnes seules enfermées ensemble, comme (elles) [93] peuvent faire ce qu'il leur plaira, on en peut aussi croire ce
que l'on voudra. Ce n'est pas des personnes qui vous
ressemblent que l'on fait des jugements téméraires, lui
repartit Le Destin. Je ne dis pas cela, dit la Bouvillon,
mais on ne peut avoir trop de précaution contre la médisance. Il faut qu'elle ait quelque fondement, lui repartit Le Destin; et pour ce qui est de vous et de moi, l'on
sait bien le peu de proportion qu'il y a entre un pauvre
comédien et une femme de votre condition. Vous plaît-il
donc, continua-t-il, que j'aille ouvrir la porte? Je ne
dis pas cela, dit la Bouvillon en l'allant fermer au verrou; car, ajouta-t-elle, peut-être qu'on ne prendra pas
garde si elle est fermée ou non; et, fermée pour fermée,
il vaut mieux qu'elle ne se puisse ouvrir que de notre
consentement. L'ayant fait comme elle l'avait dit, elle
approcha du Destin son gros visage fort enflammé et
ses petits yeux fort étincelants, et lui donna bien à
penser de quelle façon il se tirerait à son honneur de la
bataille que vraisemblablement elle lui allait présenter.
La grosse sensuelle ôta son mouchoir de col et étala
aux yeux du Destin, qui n'y prenait pas grand plaisir,
dix livres de tetons pour le moins, c'est-à-dire la troisième partie de son sein, le reste étant distribué à poids
égal sous ses deux aisselles. Sa mauvaise intention la
faisant rougir (car elles rougissent aussi les dévergondées),
sa gorge n'avait pas moins de rouge que son visage et
l'un et l'autre ensemble auraient été pris de loin pour
un tapabor d'écarlate [94]. Le Destin rougissait aussi,
mais de pudeur, au lieu que la Bouvillon, qui n'en avait
plus, rougissait je vous laisse à penser de quoi. Elle
s'écria qu'elle avait quelque petite bête dans le dos et,

se remuant en son harnais comme quand on y sent quelque démangeaison, elle pria Le Destin d'y fourrer la main. Le pauvre garçon le fit en tremblant, et cependant la Bouvillon, lui tâtant les flancs au défaut du pourpoint, lui demanda s'il n'était point chatouilleux. Il fallait combattre ou se rendre, quand Ragotin se fit ouïr de l'autre côté de la porte, frappant des pieds et des mains comme s'il l'eût voulu rompre et criant au Destin qu'il ouvrît promptement. Le Destin tira sa main du dos suant de la Bouvillon pour aller ouvrir à Ragotin qui faisait toujours un bruit de diable et, voulant passer entre elle et la table, assez adroitement pour ne la pas toucher, il rencontra du pied quelque chose qui le fit broncher et se choqua la tête contre un banc, assez rudement pour en être quelque temps étourdi. La Bouvillon cependant, ayant repris son mouchoir à la hâte, alla ouvrir à l'impétueux Ragotin qui, en même temps, poussant la porte de l'autre côté de toute sa force, la fit donner si rudement contre le visage de la pauvre dame qu'elle en eut le nez écaché et de plus une bosse au front grosse comme le poing. Elle cria qu'elle était morte. Le petit étourdi ne lui en fit pas la moindre excuse et, sautant et répétant : Mademoiselle Angélique est trouvée! mademoiselle Angélique est ici! pensa mettre en colère Le Destin, qui appelait tant qu'il pouvait la servante de la Bouvillon au secours de sa maîtresse et n'en pouvait être entendu à cause du bruit de Ragotin. Cette servante enfin apporta de l'eau et une serviette blanche. Le Destin et elle réparèrent le mieux qu'ils purent le dommage que la porte, trop rudement poussée, avait fait à la pauvre dame. Quelque impatience qu'eût Le Destin de savoir si Ragotin disait vrai, il ne suivit point son impétuosité et ne quitta point la Bouvillon que son visage ne fût lavé et essuyé et la bosse de son front bandée, non sans appeler souvent Ragotin étourdi, qui, pour tout cela, ne laissa pas de le tirailler pour le faire venir où il avait envie de le conduire.

CHAPITRE XI

DES MOINS DIVERTISSANTS DU PRÉSENT VOLUME.

Il était vrai que mademoiselle Angélique venait d'arriver, conduite par le valet de Léandre. Ce valet eut assez d'esprit pour ne donner point à connaître que Léandre fût son maître et mademoiselle Angélique fit l'étonnée de le voir si bien vêtu et fit par adresse ce que la Rancune et l'Olive avaient fait tout de bon. Léandre demandait à mademoiselle [Angélique][95] et à son valet, qu'il faisait passer pour un de ses amis, où et comment il l'avait trouvée, lorsque Ragotin entra, menant Le Destin comme en triomphe, ou plutôt le traînant après soi parce qu'il n'allait pas assez vite au gré de son esprit chaud. Le Destin et Angélique s'embrassèrent avec de grands témoignages d'amitié et avec cette tendresse que ressentent les personnes qui s'aiment quand, après une longue absence, ou quand, n'espérant plus de se revoir, elles se trouvent ensemble par une rencontre inopinée. Léandre et elle ne se caressèrent que de leurs yeux, qui se dirent bien des choses si peu qu'ils se regardèrent, remettant le reste à la première entrevue particulière. Cependant le valet de Léandre commença sa narration et dit à son maître, comme s'il eût parlé à son ami, qu'après qu'il l'eut quitté pour suivre les ravisseurs d'Angélique, comme il l'en avait prié, il ne les avait perdus de vue qu'à la couchée et le lendemain jusqu'à un bois, à l'entrée duquel il avait été bien étonné d'y trouver mademoiselle Angélique seule, à pied et fort éplorée. Et il ajouta que, lui ayant dit qu'il était ami de Léandre et que c'était à sa prière qu'il la suivait, elle s'était fort consolée et l'avait conjuré de la conduire au Mans ou de la mener auprès de Léandre s'il savait où le trouver. C'est, continua-t-il, à mademoiselle à vous dire pourquoi ceux qui l'enlevaient l'ont

ainsi abandonnée, car je ne lui en ai osé parler, la voyant
si affligée pendant le chemin que nous avons fait ensemble
que j'ai eu souvent peur que ses sanglots ne la suffo-
quassent. Les moins curieux de la compagnie eurent
grande impatience d'apprendre de mademoiselle Angélique une aventure qui leur semblait si étrange, car que
pouvait-on se figurer d'une fille enlevée avec tant de
violence et rendue ou bien abandonnée si facilement
et sans que les ravisseurs y fussent forcés? Mademoiselle Angélique pria qu'on fît en sorte qu'elle se pût
coucher, mais, l'hôtellerie se trouvant pleine, le bon
curé lui fit donner une chambre chez sa sœur qui logeait
dans la maison voisine et qui était veuve d'un des plus
riches fermiers du pays. Angélique n'avait pas si grand
besoin de dormir que de se reposer; c'est pourquoi Le
Destin et Léandre l'allèrent trouver aussitôt qu'ils
surent qu'elle était dans son lit. Encore qu'elle fût
bien aise que Le Destin fût confident de son amour, elle
ne le pouvait regarder sans rougir. Le Destin eut pitié
de sa confusion; et, pour l'occuper à autre chose qu'à
se défaire, la pria de leur conter ce que le valet de
Léandre ne leur avait pu dire, ce qu'elle fit en cette
sorte : Vous vous pouvez bien figurer quelle fut la surprise de ma mère et de moi, lorsque, nous promenant
dans le parc de la maison où nous étions, nous en vîmes
ouvrir une petite porte qui donnait dans la campagne
et entrer par là cinq ou six hommes qui se saisirent de
moi sans presque regarder ma mère et m'emportèrent
demi-morte de frayeur jusqu'auprès de leurs chevaux.
Ma mère, que vous savez être une des plus résolues
femmes du monde, se jeta toute furieuse sur le premier
qu'elle trouva et le mit en si pitoyable état que, ne
pouvant se tirer de ses mains, il fut contraint d'appeler
ses compagnons à son aide. Celui qui le secourut et qui
fut assez lâche pour battre ma mère, comme je l'en
ouïs vanter par le chemin, était l'auteur de l'entreprise.
Il ne s'approcha point de moi tant que la nuit dura,
pendant laquelle nous marchâmes comme des gens

qui fuient et que l'on suit. Si nous eussions passé par des
lieux habités, mes cris étaient capables de les faire
arrêter; mais ils se détournèrent autant qu'ils purent
de tous les villages qu'ils trouvèrent, à la réserve d'un
hameau dont je réveillai tous les habitants par mes
cris. Le jour vint; mon ravisseur s'approcha de moi
et ne m'eut pas sitôt regardée au visage que, faisant un
grand cri, il assembla ses compagnons et tint avec eux
un conseil qui dura, à mon avis, près d'une demi-heure.
Mon ravisseur me paraissait aussi enragé que j'étais
affligée. Il jurait à faire peur à tous ceux qui l'entendaient et querella presque tous ses camarades. Enfin
leur conseil tumultueux finit et je ne sais ce qu'on y
avait résolu. On se remit à marcher et je commençai
à n'être plus traitée si respectueusement que je l'avais
été. Ils me querellaient toutes les fois qu'ils m'entendaient plaindre et faisaient des imprécations contre
moi, comme si je leur eusse fait bien du mal. Ils m'avaient
enlevée, comme vous avez vu, avec un habit de théâtre
et, pour le cacher, ils m'avaient couverte d'une de leurs
casaques. Ils trouvèrent un homme sur le chemin, de
qui ils s'informèrent de quelque chose. Je fus bien
étonnée de voir que c'était Léandre et je crois qu'il fut
bien surpris de me reconnaître; ce qu'il fit aussitôt que
mon habit, que je découvris exprès et qui lui était fort
connu, lui frappa la vue en même temps qu'il me vit
au visage. Il vous aura dit ce qu'il fit. Pour moi, voyant
tant d'épées tirées sur Léandre, je m'évanouis entre
les mains de celui qui me tenait embrassée sur son
cheval et, quand je revins de mon évanouissement, je
vis que nous marchions et ne vis plus Léandre. Mes
cris en redoublèrent et mes ravisseurs, dont il y en avait
un de blessé, prirent leur chemin à travers les champs
et s'arrêtèrent hier dans un village où ils couchèrent
comme des gens de guerre. Ce matin, à l'entrée d'un
bois, ils ont rencontré un homme qui conduisait une
demoiselle à cheval. Ils l'ont démasquée, l'ont reconnue et, avec toute la joie que font paraître ceux qui

trouvent ce qu'ils cherchent, l'ont emmenée après avoir
donné quelques coups à celui qui la conduisait. Cette
demoiselle faisait des cris autant que j'en avais fait et
il me semblait que sa voix ne m'était pas inconnue.
Nous n'avions pas avancé cinquante pas dans le bois
que celui que je vous ai dit paraître le maître des autres
s'approcha de l'homme qui me tenait et lui dit, parlant
de moi : Fais mettre pied à terre à cette crieuse. Il fut
obéi; ils me laissèrent, se dérobèrent à ma vue et je me
trouvai seule et à pied. L'effroi que j'eus de me voir seule
eût été capable de me faire mourir si monsieur, qui m'a
conduite ici et qui nous suivait de loin, comme il vous
a dit, ne m'eût trouvée. Vous savez tout le reste. Mais,
continua-t-elle, adressant la parole au Destin, je crois
vous devoir dire que la demoiselle qu'ils m'ont ainsi
préférée ressemble à votre sœur, ma compagne, a même
son de voix, et que je ne sais qu'en croire; car l'homme
qui était avec elle ressemble au valet que vous avez
pris depuis que Léandre vous a quitté et je ne puis
m'ôter de l'esprit que ce ne soit lui-même. Que me
dites-vous là? dit alors Le Destin fort inquiet. Ce que
je pense, lui répondit Angélique. On peut, continua-
t-elle, se tromper à la ressemblance des personnes, mais
j'ai grand'peur de ne m'être pas trompée. J'en ai grand'-
peur aussi, repartit Le Destin, le visage tout changé
et je crois avoir un ennemi dans la province, de qui
je dois tout craindre. Mais qui aurait mis à l'entrée
de ce bois ma sœur que Ragotin quitta hier au Mans ?
Je vais prier quelqu'un de mes camarades d'y aller en
diligence et je l'attendrai ici pour déterminer ce que
j'aurai à faire selon les nouvelles qu'il m'apprendra.
Comme il achevait ces paroles, il s'ouït appeler dans la
rue; il regarda par la fenêtre et vit M. de la Garouffière
qui était revenu de sa visite et qui lui dit qu'il avait
une importante affaire à lui communiquer. Il l'alla
trouver et laissa Léandre et Angélique ensemble, qui
eurent ainsi la liberté de se caresser après une fâcheuse
absence et de se faire part des sentiments qu'ils avaient

eus l'un pour l'autre. Je crois qu'il y eût eu bien du plaisir à les entendre, mais il vaut mieux pour eux que leur entrevue ait été secrète. Cependant Le Destin demandait à la Garouffière ce qu'il désirait de lui. Connaissez-vous un gentilhomme nommé Verville et est-il de vos amis? lui dit la Garouffière. C'est la personne du monde à qui je suis le plus obligé et que j'honore le plus et je crois n'en être pas haï, dit Le Destin. Je le crois, repartit la Garouffière; je l'ai vu aujourd'hui chez le gentilhomme que j'étais allé voir. En dînant on a parlé de vous, et Verville depuis n'a pu parler d'autre chose; il m'a fait cent questions sur vous dont je ne l'ai pu satisfaire, et, sans la parole que je lui ai donnée que je vous enverrais le trouver (ce qu'il ne doute point que vous ne fassiez), il serait venu ici, quoiqu'il ait des affaires où il est. Le Destin le remercia des bonnes nouvelles qu'il lui apprenait et, s'étant informé du lieu où il trouverait Verville, se résolut d'y aller, espérant d'apprendre de lui des nouvelles de son ennemi Saldagne, qu'il ne doutait point être l'auteur de l'enlèvement d'Angélique et qu'il n'eût aussi entre ses mains sa chère l'Étoile, s'il était vrai que ce fût elle qu'Angélique pensait avoir reconnue. Il pria ses camarades de retourner au Mans réjouir la Caverne des nouvelles de sa fille retrouvée et leur fit promettre de lui renvoyer un homme exprès ou que quelqu'un d'eux reviendrait lui-même lui dire en quel état serait mademoiselle de l'Étoile. Il s'informa de la Garouffière du chemin qu'il devait prendre et du nom du bourg où il devait trouver Verville. Il fit promettre au curé que sa sœur aurait soin d'Angélique jusqu'à tant qu'on la vînt querir du Mans, prit le cheval de Léandre et arriva devers le soir dans le bourg qu'il cherchait. Il ne jugea **pas à propos de l'aller chercher lui-même, Verville, de peur que Saldagne, qu'il croyait dans le pays, ne se rencontrât avec lui quand il l'aborderait. Il descendit donc dans une méchante hôtellerie, d'où il envoya un petit garçon dire à monsieur de Verville que le gentilhomme**

qu'il avait souhaité de voir le demandait. Verville le
vint trouver, se jeta à son col, et le tint longtemps embrassé sans lui pouvoir parler, de trop de tendresse.
Laissons-les s'entre-caresser comme deux personnes
qui s'aiment beaucoup et qui se rencontrent après avoir
cru qu'elles ne se verraient jamais, et passons au suivant
chapitre.

CHAPITRE XII

QUI DIVERTIRA PEUT-ÊTRE AUSSI PEU QUE LE PRÉCÉDENT

Verville et Le Destin se rendirent compte de tout ce
qu'ils ignoraient des affaires de l'un et de l'autre. Verville lui dit des merveilles de la brutalité de son frère
Saint-Far et de la vertu de sa femme à la souffrir. Il
exagéra la félicité dont il jouissait en possédant la sienne
et lui apprit des nouvelles du baron d'Arques et de monsieur de Saint-Sauveur. Le Destin lui conta toutes
ses aventures, sans lui rien cacher et Verville lui avoua
que Saldagne était dans le pays, toujours un fort malhonnête homme et fort dangereux, et lui promit, si
mademoiselle de l'Étoile était entre ses mains, de faire
tout son possible pour le découvrir et de servir Le Destin, et de sa personne, et de tous ses amis, en tout ce
qu'il en aurait à faire pour la délivrer. Il n'a point d'autre
retraite dans le pays, lui dit Verville, que chez mon père
et chez je ne sais quel gentilhomme qui ne vaut pas
mieux que lui et qui n'est pas maître en sa maison,
étant cadet des cadets. Il faut qu'il nous revienne voir,
s'il demeure dans la province; mon père et nous le souf-
frons à cause de l'alliance; Saint-Far ne l'aime plus,
quelque rapport qu'il y ait entre eux. Je suis donc
d'avis que vous veniez demain avec moi; je sais où
je vous mettrai, vous n'y serez vu que de ceux que vous

voudrez voir; et cependant je ferai observer Saldagne
et on l'éclairera de si près qu'il ne fera rien que nous
ne le sachions. Le Destin trouva beaucoup de raison
dans le conseil que lui donnait son ami et résolut de le
suivre. Verville retourna souper avec le seigneur du
bourg, vieil homme, son parent, et dont il pensait hé-
riter; et Le Destin mangea ce qu'il trouva dans son
hôtellerie et se coucha de bonne heure pour ne faire pas
attendre Verville, qui faisait état de partir de grand
matin pour retourner chez son père. Ils partirent à
l'heure arrêtée et, durant trois lieues qu'ils firent ensemble, s'entr'apprirent plusieurs particularités qu'ils
n'avaient pas eu le temps de se dire. Verville mit Le
Destin chez un valet qu'il avait marié dans le bourg
et qui y avait une petite maison fort commode, à cinq
cents pas du château du baron d'Arques. Il donna
ordre qu'il y fût secrètement et lui promit de le revenir
trouver bientôt. Il n'y avait pas plus de deux heures
que Verville l'avait quitté quand il le vint retrouver
et lui dit, en l'abordant, qu'il avait bien des choses à
lui dire. Le Destin pâlit et s'affligea par avance et Verville par avance lui fit espérer un remède au malheur
qu'il lui allait apprendre. En mettant pied à terre, lui
dit-il, j'ai trouvé Saldagne que l'on portait à quatre
dans une chambre basse; son cheval s'est abattu sur
lui à une lieue d'ici et l'a tout brisé. Il m'a dit qu'il
avait à me parler et m'a prié de le venir trouver dans
sa chambre aussitôt qu'un chirurgien, qui était présent,
aurait vu sa jambe qui est fort foulée de sa chute.
Lorsque nous avons été seuls : Il faut, m'a-t-il dit, que
je vous révèle toujours mes fautes, encore que vous
soyez le moins indulgent de mes censeurs et que votre
sagesse fasse toujours peur à ma folie. Ensuite de cela,
il m'a avoué qu'il avait enlevé une comédienne dont il
avait été toute sa vie amoureux et qu'il me conterait
des particularités de cet enlèvement qui me surpren-
draient. Il m'a dit que ce gentilhomme que je vous ai
dit être de ses amis, ne lui avait pu trouver de retraite

en toute la province et avait été obligé de le quitter et
d'emmener avec lui les hommes qu'il lui avait fournis
pour le servir dans son entreprise, à cause qu'un de ses
frères, qui se mêlait de faire des convois de faux sel,
était guetté par les archers des gabelles et avait besoin
de ses amis pour se mettre à couvert. Tellement, m'a-
t-il dit, que n'osant paraître dans la moindre ville, à
cause que mon affaire a fait grand bruit, je suis venu
ici avec ma proie. J'ai prié ma sœur, votre femme, de
la retirer dans son appartement, loin de la vue du baron
d'Arques, dont je redoute la sévérité; et je vous conjure,
puisque je ne la puis garder céans et que je n'ai que
deux valets les plus sots du monde, de me prêter le vôtre
pour la conduire avec les miens jusqu'en la terre que j'ai
en Bretagne où je me ferai porter aussitôt que je pourrai
monter à cheval. Il m'a demandé si je ne lui pourrais
point donner quelques hommes outre mon valet, car,
**tout étourdi qu'il est, il voit bien qu'il est bien difficile à
trois hommes de mener loin une fille enlevée sans son**
consentement. Pour moi, je lui ai fait la chose fort aisée,
ce qu'il a cru bientôt comme les fous espèrent facilement.
Ses valets ne vous connaissent point; le mien est fort
habile et m'est fort fidèle. Je lui ferai dire à Saldagne
qu'il aura avec lui un homme de résolution de ses amis :
ce sera vous; votre maîtresse en sera avertie; et, cette
nuit, qu'ils feront état de faire grande traite à la clarté
de la lune, elle se feindra malade au premier village;
il faudra s'arrêter. Mon valet tâchera d'enivrer les
hommes de Saldagne, ce qui est fort aisé; il vous faci-
litera les moyens de vous sauver avec la damoiselle et,
faisant accroire aux deux ivrognes que vous êtes déjà
allé après, il les mènera par un chemin contraire au
vôtre. Le Destin trouva beaucoup de vraisemblance
en ce que lui proposa Verville, dont le valet, qu'il avait
envoyé querir, entra à l'heure même dans la chambre.
Ils concertèrent ensemble ce qu'ils avaient à faire.
Verville fut enfermé le reste du jour avec Le Destin,
ayant peine à le quitter après une si longue absence qui,

possible, devait être bientôt suivie d'une autre plus longue encore. Il est vrai que Le Destin espéra de voir Verville à Bourbon [96] où il devait aller et où le Destin
lui promit de faire aller sa troupe. La nuit vint; Le
Destin se trouva au lieu assigné avec le valet de Verville; les deux valets de Saldagne n'y manquèrent pas
et Verville lui-même leur mit entre les mains mademoiselle de l'Étoile. Figurez-vous la joie de deux jeunes
amants qui s'aimaient autant qu'on se peut aimer et
la violence qu'ils se firent à ne se parler point. A demi-
lieue de là, l'Étoile commença de se plaindre; on l'exhorta
d'avoir courage jusqu'à un bourg distant de deux lieues,
où l'on lui fit espérer qu'elle se reposerait. Elle feignit
que son mal augmentait toujours; le valet de Verville
et Le Destin en faisaient fort les empêchés pour préparer les valets de Saldagne à ne trouver pas étrange que
l'on s'arrêtât si près du lieu d'où ils étaient partis. Enfin
on arriva dans le bourg et on demanda à loger dans
l'hôtellerie qui, heureusement, se trouva pleine d'hôtes
et de buveurs. Mademoiselle de l'Étoile fit encore mieux
la malade à la chandelle qu'elle ne l'avait fait dans l'obscurité; elle se coucha tout habillée et pria qu'on la laissât reposer seulement une heure et dit qu'après cela
elle croyait pouvoir monter à cheval. Les valets de Saldagne, de francs ivrognes, laissèrent tout faire au valet
de Verville, qui était chargé des ordres de leur maître
et s'attachèrent bientôt à quatre ou cinq paysans,
ivrognes aussi grands qu'eux. Les uns et les autres se
mirent à boire sans songer à tout le reste du monde.
Le valet de Verville de temps en temps buvait un coup
avec eux pour les mettre en train et, sous prétexte d'aller
voir comment se portait la malade, pour partir le plus
tôt qu'elle le pourrait, il l'alla faire remonter à cheval,
et Le Destin aussi qu'il informa du chemin qu'il devait
prendre. Il retourna à ses buveurs, leur dit qu'il avait
trouvé leur demoiselle endormie et que c'était signe
qu'elle serait bientôt en état de monter à cheval. Il
leur dit aussi que Le Destin s'était jeté sur un lit; et

puis se mit à boire et à porter des santés aux deux
valets de Saldagne qui avaient déjà la leur fort endom-
magée. Ils burent avec excès, s'enivrèrent de même et
ne purent jamais se lever de table. On les porta dans
une grange, car ils eussent gâté les lits où on les eût
couchés. Le valet de Verville fit l'ivrogne et, ayant dormi
jusqu'au jour, éveilla brusquement les valets de Saldagne, leur disant, d'un visage fort affligé, que leur
demoiselle s'était sauvée, qu'il avait fait partir après
son camarade et qu'il fallait monter à cheval et se séparer pour ne la manquer pas. Il fut plus d'une heure à
leur faire comprendre ce qu'il leur disait et je crois que
leur ivresse dura plus de huit jours. Comme toute l'hôtellerie s'était enivrée cette nuit-là, jusqu'à l'hôtesse
et aux servantes, on ne songea seulement pas à s'informer ce qu'étaient devenus Le Destin et sa demoiselle,
et même je crois que l'on ne se souvint non plus d'eux
que si on ne les eût jamais vus. Cependant que tant
de gens cuvent leur vin, que le valet de Verville fait
l'inquiété et presse les valets de Saldagne de partir
et que ces deux ivrognes ne s'en hâtent pas davantage,
Le Destin gagne pays avec sa chère mademoiselle de
l'Étoile, ravi de joie de l'avoir retrouvée et ne doutant
point que le valet de Verville n'eût fait prendre à ceux
de Saldagne un chemin contraire au sien. La lune était
alors fort claire et ils étaient dans un grand chemin
aisé à suivre et qui les conduisait en un village où nous
les allons faire arriver dans le suivant chapitre.

CHAPITRE XIII

MÉCHANTE ACTION DU SIEUR DE LA RAPPINIÈRE

Le Destin avait grande impatience de savoir de sa
chère l'Étoile par quelle aventure elle s'était trouvée

dans le bois où Saldagne l'avait prise; mais il avait
encore plus grand'peur d'être suivi. Il ne songea donc
qu'à piquer sa bête, qui n'était pas fort bonne, et à
presser de la voix et d'une houssine qu'il rompit à un
arbre le cheval de l'Étoile, qui était une puissante ha-
quenée. Enfin les deux jeunes amants se rassurèrent
et s'étant dit quelques douces tendresses (car il y avait
lieu d'en dire après ce qui venait d'arriver, et pour moi,
je n'en doute point, quoique je n'en sache rien de particulier); après donc s'être bien attendri le cœur l'un à
l'autre, l'Étoile fit savoir au Destin tous les bons offices
qu'elle avait rendus à la Caverne. Et je crains' bien,
lui dit-elle, que son affliction ne la fasse malade, car je
n'en vis jamais une pareille. Pour moi, mon cher frère,
vous pouvez bien penser que j'eus autant besoin de consolation qu'elle, depuis que votre valet, m'ayant amené
un cheval de votre part, m'apprit que vous aviez trouvé
les ravisseurs d'Angélique et que vous en aviez été fort
blessé. Moi, blessé! l'interrompit Le Destin, je ne l'ai
point été, ni en danger de l'être et je ne vous ai point
envoyé de cheval; il y a quelque mystère ici que je ne
comprends point. Je me suis aussi tantôt étonné de ce
que vous m'avez si souvent demandé comment je me
portais et si je n'étais point incommodé d'aller si vite.
Vous me réjouissez et m'affligez tout ensemble, lui dit
l'Étoile; vos blessures m'avaient donné une terrible
inquiétude, et ce que vous me venez de dire me fait
croire que votre valet a été gagné par nos ennemis
pour quelque mauvais dessein qu'on a contre nous. Il
a plutôt été gagné par quelqu'un qui est trop de nos
amis, lui dit Le Destin. Je n'ai point d'ennemi que Saldagne, mais ce ne peut être lui qui a fait agir mon traître
de valet puisque je sais qu'il l'a battu quand il vous
a trouvée. Et comment le savez-vous? lui demanda
l'Étoile, car je ne me souviens pas de vous en avoir rien
dit. Vous le saurez aussitôt que vous m'aurez appris
de quelle façon on vous a tirée du Mans. Je ne vous en
puis apprendre autre chose que ce que je vous viens

de dire, reprit l'Étoile. Le jour d'après que nous fûmes revenues au Mans, la Caverne et moi, votre valet m'amena un cheval de votre part et me dit, faisant fort l'affligé, que vous aviez été blessé par les ravisseurs d'Angélique, et que vous me priiez de vous aller trouver. Je montai à cheval dès l'heure même, encore qu'il fût bien tard; je couchai à cinq lieues du Mans, en un lieu dont je ne sais pas le nom et le lendemain, à l'entrée d'un bois, je me trouvai arrêtée par des personnes que je ne connaissais point. Je vis battre votre valet et j'en fus fort touchée. Je vis jeter fort rudement une femme de dessus un cheval et je reconnus que c'était ma compagne; mais le pitoyable état où je me trouvais et l'inquiétude que j'avais pour vous m'empêchèrent de songer davantage en elle. On me mit en sa place et on marcha jusqu'au soir, après avoir fait beaucoup de chemin, le plus souvent au travers des champs. Nous arrivâmes bien avant dans la nuit auprès d'une gentilhommière où je remarquai qu'on ne nous voulut pas recevoir. Ce fut là que je reconnus Saldagne et sa vue acheva de me désespérer. Nous marchâmes encore longtemps et enfin on me fit entrer comme en cachette dans la maison d'où vous m'avez heureusement tirée. L'Étoile achevait la relation de ses aventures quand le jour commença de paraître. Ils se trouvèrent alors dans le grand chemin du Mans et pressèrent leurs bêtes plus fort qu'ils n'avaient fait encore pour gagner un bourg qu'ils voyaient devant eux. Le Destin souhaitait ardemment d'attraper son valet pour découvrir de quel ennemi, outre le méchant Saldagne, ils avaient à se garder dans le pays; mais il n'y avait pas grande apparence qu'après le méchant tour qu'il lui avait fait, il se remît en lieu où il le pût trouver. Il apprenait à sa chère l'Étoile tout ce qu'il savait de sa compagne Angélique, quand un homme, étendu de son long auprès d'une haie, fit si grand'peur à leurs chevaux que celui du Destin se déroba presque de dessous lui et celui de mademoiselle de l'Étoile la jeta par terre. Le Destin, effrayé de sa chute, l'alla

relever aussi vite que le lui put permettre son cheval,
qui reculait toujours, ronflant, soufflant et bronchant
comme un cheval effarouché qu'il était. La demoiselle
n'était point blessée; les chevaux se rassurèrent, et Le
Destin alla voir si l'homme gisant était mort ou endormi.
On peut dire qu'il était l'un et l'autre puisqu'il était
si ivre qu'encore qu'il ronflât bien fort (marque assurée
qu'il était en vie), Le Destin eut bien de la peine à
l'éveiller. Enfin, à force d'être tiraillé, il ouvrit les yeux
et se découvrit au Destin pour être son même valet qu'il
avait si grande envie de trouver. Le coquin, tout ivre
qu'il était, reconnut bientôt son maître et se troubla
si fort en le voyant que Le Destin ne douta plus de la
trahison qu'il lui avait faite, dont il ne l'avait encore
que soupçonné. Il lui demanda pourquoi il avait dit à
mademoiselle de l'Étoile qu'il était blessé, pourquoi il
l'avait fait sortir du Mans où il l'avait voulu mener,
qui lui avait donné un cheval; mais il n'en put tirer
la moindre parole, soit qu'il fût trop ivre ou qu'il le
contrefît plus qu'il ne l'était. Le Destin se mit en colère, lui donna quelques coups de plat d'épée et, lui
ayant lié les mains du licol de son cheval, se servit de
celui du cheval de mademoiselle de l'Étoile pour mener
en laisse le criminel. Il coupa une branche d'arbre,
dont il se fit un bâton de taille considérable pour s'en
servir en temps et lieu quand son valet refuserait de
marcher de bonne grâce. Il aida à sa demoiselle à
monter à cheval, il monta sur le sien et continua son chemin, son prisonnier à son côté, en guise de limier. Le
bourg qu'avait vu Le Destin était le même d'où il était
parti deux jours devant et où il avait laissé monsieur
de la Garouffière et sa compagnie qui y étaient encore,
à cause que madame Bouvillon avait été malade d'un
furieux *choléra morbus*. Quand Le Destin y arriva, il n'y
trouva plus la Rancune, l'Olive et Ragotin qui étaient
retournés au Mans. Pour Léandre, il ne quitta point
sa chère Angélique. Je ne vous dirai point de quelle façon
elle reçut mademoiselle de l'Étoile. On peut aisément

se figurer les caresses que se devaient faire deux filles qui s'aimaient beaucoup et même après les dangers où elles s'étaient trouvées. Le Destin informa monsieur de la Garouffière du succès de son voyage et, après l'avoir quelque temps entretenu en particulier, on fit entrer dans une chambre de l'hôtellerie le valet du Destin. Là, il fut interrogé de nouveau et, sur ce qu'il voulut encore faire le muet, on fit apporter un fusil pour lui serrer les pouces. A l'aspect de la machine, il se mit à genoux, pleura bien fort, demanda pardon à son maître et lui avoua que la Rappinière lui avait fait faire tout ce qu'il avait fait et lui avait promis en récompense de le prendre à son service. On sut aussi de lui que la Rappinière était en une maison à deux lieues de là, qu'il avait usurpée sur une pauvre veuve. Le Destin parla encore en particulier à monsieur de la Garouffière, qui envoya en même temps un laquais dire à la Rappinière qu'il le vînt trouver pour une affaire de conséquence. Ce conseiller de Rennes avait grand pouvoir sur ce prévôt du Mans. Il l'avait empêché d'être roué en Bretagne et l'avait toujours protégé dans toutes les affaires criminelles qu'il avait eues. Ce n'est pas qu'il ne le connût pour un grand scélérat, mais la femme de la Rappinière était un peu sa parente. Le laquais qu'on avait envoyé à la Rappinière le trouva prêt à monter à cheval pour aller au Mans. Aussitôt qu'il eut appris que monsieur de la Garouffière le demandait, il partit pour le venir trouver. Cependant la Garouffière, qui prétendait fort au bel esprit, s'était fait apporter un portefeuille, d'où il tira des vers de toutes les façons, tant bons que mauvais. Il les lut au Destin et ensuite une historiette qu'il avait traduite de l'espagnol, que vous allez lire dans le suivant chapitre.

CHAPITRE XIV

[NOUVELLE.] LE JUGE DE SA PROPRE CAUSE [97]

Ce fut en Afrique, entre des rochers voisins de la mer,
et qui ne sont éloignés de la grande ville de Fez que
d'une heure de chemin, que le prince Mulei, fils du roi
de Maroc, se trouva seul et la nuit, après s'être égaré
à la chasse. Le ciel était sans le moindre nuage; la mer
était calme et la lune et les étoiles la rendaient toute
brillante, enfin il faisait une de ces belles nuits des pays
chauds qui sont plus agréables que les plus beaux jours
de nos régions froides. Le prince maure, galopant le
long du rivage, se divertissait à regarder la lune et les
étoiles, qui paraissaient sur la surface de la mer comme
dans un miroir, quand des cris pitoyables percèrent ses
oreilles et lui donnèrent la curiosité d'aller jusqu'au
lieu d'où il croyait qu'ils pouvaient partir. Il y poussa
son cheval, qui sera, si l'on veut, un barbe et trouva
entre des rochers une femme qui se défendait, autant
que ses forces le pouvaient permettre, contre un homme
qui s'efforçait de lui lier les mains, tandis qu'une autre
femme tâchait de lui fermer la bouche d'un linge. L'arrivée du jeune prince empêcha ceux qui faisaient cette
violence de la continuer et donna quelque relâche à
celle qu'ils traitaient si mal. Mulei lui demanda ce
qu'elle avait à crier et aux autres ce qu'ils lui voulaient faire, mais, au lieu de lui répondre, cet homme
alla à lui le cimeterre à la main et lui en porta un coup
qui l'eût dangereusement blessé s'il ne l'eût évité par la
vitesse de son cheval. Méchant, lui cria Mulei, oses-tu
t'attaquer au prince de Fez? Je t'ai bien reconnu pour
tel, lui répondit le Maure, mais c'est à cause que tu es
mon prince et que tu me peux punir qu'il faut que
j'aie ta vie ou que je perde la mienne. En achevant
ces paroles, il se lança contre Mulei avec tant de furie

que le prince, tout vaillant qu'il était, fut réduit à songer
moins à attaquer qu'à se défendre d'un si dangereux
ennemi. Les deux femmes cependant étaient aux mains
et celle qui, un moment auparavant, se croyait perdue,
empêchait l'autre de s'enfuir, comme si elle n'eût point
douté que son défenseur n'emportât la victoire. Le
désespoir augmente le courage et en donne même quelquefois à ceux qui en ont le moins. Quoique la valeur
du prince fût incomparablement plus grande que celle
de son ennemi et fût soutenue d'une vigueur et d'une
adresse qui n'étaient pas communes, la punition que
méritait le crime du Maure lui fit tout hasarder et lui
donna tant de courage et de force que la victoire demeura
longtemps douteuse entre le prince et lui. Mais le ciel,
qui protège d'ordinaire ceux qu'il élève au-dessus des
autres, fit heureusement passer les gens du prince assez
près de là pour ouïr le bruit des combattants et les cris
des deux femmes. Ils y coururent et reconnurent leur
maître, dans le temps qu'ayant choqué celui qu'ils
virent les armes à la main contre lui, il l'avait porté par
terre, où il ne le voulut pas tuer, le réservant à une
punition exemplaire. Il défendit à ses gens de lui faire
autre chose que de l'attacher à la queue d'un cheval,
de façon qu'il ne pût rien entreprendre contre soi-
même ni contre les autres. Deux cavaliers portèrent les
deux femmes en croupe et, en cet équipage-là, Mulei
et sa troupe arrivèrent à Fez à l'heure que le jour
commençait de paraître. Ce jeune prince commandait
dans Fez aussi absolument que s'il en eût déjà été
roi. Il fit venir devant lui le Maure, qui s'appelait Amet
et qui était fils d'un des plus riches habitants de Fez.
Les deux femmes ne furent connues de personne, à
cause que les Maures (les plus jaloux de tous les hommes)
ont un extrême soin de cacher aux yeux de tout le monde
leurs femmes et leurs esclaves. La femme que le prince
avait secourue le surprit, et toute sa cour aussi, par sa
beauté, plus grande que quelque autre qui fût en Afrique
et par un air majestueux que ne put cacher aux yeux

de ceux qui l'admirèrent un méchant habit d'esclave.
L'autre femme était vêtue comme le sont les femmes du
pays qui ont quelque qualité et pouvait passer pour
belle, quoiqu'elle le fût moins que l'autre; mais, quand
elle eût pu entrer en concurrence de beauté avec elle,
la pâleur que la crainte faisait paraître sur son visage
diminuait autant ce qu'elle y avait de beau que celui
de la première recevait d'avantage d'un beau rouge
qu'une honnête pudeur y faisait éclater. Le Maure parut
devant Mulei avec la contenance d'un criminel et tint
toujours les yeux attachés contre terre. Mulei lui commanda de confesser lui-même son crime s'il ne voulait
mourir dans les tourments. Je sais bien ceux qu'on me
prépare et que j'ai mérités, répondit-il fièrement, et,
s'il y avait quelque avantage pour moi à ne rien avouer,
il n'y a point de tourments qui me le fissent faire, mais
je ne puis éviter la mort puisque je te l'ai voulu donner et je veux bien que tu saches que la rage que j'ai
de ne t'avoir pas tué me tourmente davantage que ne
fera tout ce que tes bourreaux pourront inventer contre
moi. Ces Espagnoles, ajouta-t-il, ont été mes esclaves;
l'une a su prendre un bon parti et s'accommoder à sa
fortune, se mariant à mon frère Zaïde; l'autre n'a jamais voulu changer de religion, ni me savoir bon gré
de l'amour que j'avais pour elle. Il ne voulut pas parler
davantage, quelques menaces qu'on lui pût faire. Mulei
le fit jeter dans un cachot, chargé de fers; la renégate,
femme de Zaïde, fut mise en une prison séparée et la
belle esclave fut conduite chez un Maure nommé Zuléma, homme de condition, Espagnol d'origine, et qui
avait abandonné l'Espagne pour n'avoir pu se résoudre
à se faire chrétien. Il était de l'illustre maison de Zégris,
autrefois si renommée dans Grenade; et sa femme
Zoraïde, qui était de la même maison, avait la réputation d'être la plus belle femme de Fez et aussi spirituelle
que belle. Elle fut d'abord charmée de la beauté de l'esclave chrétienne et le fut aussi de son esprit dès les premières conversations qu'elle eut avec elle. Si cette belle

chrétienne eût été capable de consolation, elle en eût
trouvé dans les caresses de Zoraïde, mais, comme si
elle eût évité tout ce qui pouvait soulager sa douleur,
elle ne se plaisait qu'à être seule pour pouvoir s'affliger
davantage et, quand elle était avec Zoraïde, elle se faisait une extrême violence pour retenir devant elle ses
soupirs et ses larmes. Le prince Mulei avait une extrême
envie d'apprendre ses aventures. Il l'avait fait connaître
à Zuléma et, comme il ne lui cachait rien, il lui avait
aussi avoué qu'il se sentait porté à aimer la belle chrétienne et qu'il le lui aurait déjà fait savoir si la grande
affliction qu'elle faisait paraître ne lui eût fait craindre
d'avoir un rival inconnu en Espagne qui, tout éloigné
qu'il eût été, l'eût pu empêcher d'être heureux, même
en un pays où il était absolu. Zuléma donna donc ordre
à sa femme d'apprendre de la chrétienne les particularités de sa vie et par quel accident elle était devenue
esclave d'Amet. Zoraïde en avait autant d'envie que le
prince et n'eut pas grand'peine à y faire résoudre l'esclave espagnole, qui crut ne devoir rien refuser à une
personne qui lui donnait tant de marques d'amitié et
de tendresse. Elle dit à Zoraïde qu'elle contenterait
sa curiosité quand elle voudrait, mais que, n'ayant que
des malheurs à lui apprendre, elle craignait de lui faire
un récit fort ennuyeux. Vous verrez bien qu'il ne me le
sera pas, lui répondit Zoraïde; par l'attention que j'aurai
à l'écouter et, par la part que j'y prendrai, vous con-
naîtrez que vous ne pouvez en confier le secret à personne qui vous aime plus que moi. Elle l'embrassa en
achevant ces paroles, la conjurant de ne différer pas
plus longtemps à lui donner la satisfaction qu'elle lui
demandait. Elles étaient seules et la belle esclave,
après avoir essuyé les larmes que le souvenir de ses
malheurs lui faisait répandre, elle en commença le
récit comme vous l'allez lire :

Je m'appelle Sophie; je suis Espagnole, née à Valence,
et élevée avec tout le soin que des personnes riches et
de qualité, comme étaient mon père et ma mère, devaient

avoir d'une fille qui était le premier fruit de leur mariage et qui, dès son bas âge, paraissait digne de leur plus tendre affection. J'eus un frère plus jeune que moi d'une année; il était aimable autant qu'on le pouvait être; il m'aima autant que je l'aimai et notre amitié mutuelle alla jusqu'au point que, lorsque nous n'étions pas ensemble, on remarquait sur nos visages une tristesse et une inquiétude que les plus agréables divertissements des personnes de notre âge ne pouvaient dissiper. On n'osa donc plus nous séparer; nous apprîmes ensemble tout ce qu'on enseigne aux enfants de bonne maison de l'un et de l'autre sexe, et ainsi il arriva qu'au grand étonnement de tout le monde, je n'étais pas moins adroite que lui dans tous les exercices violents d'un cavalier et qu'il réussissait également bien dans tout ce que les filles de condition savent le mieux faire. Une éducation si extraordinaire fit souhaiter à un gentilhomme des amis de mon père que ses enfants fussent élevés avec nous. Il en fit la proposition à mes parents, qui y consentirent, et le voisinage des maisons facilita le dessein des uns et des autres. Ce gentilhomme égalait mon père en biens et ne lui cédait pas en noblesse. Il n'avait aussi qu'un fils et qu'une fille à peu près de l'âge de mon frère et de moi, et l'on ne doutait point dans Valence que les deux maisons ne s'unissent un jour par un double mariage. Dom Carlos et Lucie (c'était le nom du frère et de la sœur) étaient également aimables; mon frère aimait Lucie et en était aimé; dom Carlos m'aimait et je l'aimais aussi. Nos parents le savaient bien et, loin d'y trouver à redire, ils n'eussent pas différé de nous marier ensemble si nous eussions été moins jeunes que nous étions. Mais l'état heureux de nos amours innocentes fut troublé par la mort de mon aimable frère : une fièvre violente l'emporta en huit jours et ce fut là le premier de mes malheurs. Lucie en fut si touchée qu'on ne put jamais l'empêcher de se rendre religieuse. J'en fus malade à la mort et dom Carlos le fut assez pour faire craindre à son père

de se voir sans enfants, tant la perte de mon frère, qu'il
aimait, le péril où j'étais et la résolution de sa sœur lui
furent sensibles. Enfin la jeunesse nous guérit et le temps
modéra notre affliction. Le père de dom Carlos mourut
à quelque temps de là et laissa son fils fort riche et sans
dettes. Sa richesse lui fournit de quoi satisfaire son
humeur magnifique; les galanteries qu'il inventa pour
me plaire flattèrent ma vanité, rendirent son amour
public et augmentèrent [le mien]. Dom Carlos était
souvent aux pieds de mes parents pour les conjurer de
ne différer pas davantage de le rendre heureux en lui
donnant leur fille. Il continuait cependant ses dépenses
et ses galanteries; mon père eut peur que son bien n'en
diminuât à la fin et c'est ce qui le fit résoudre à me
marier avec lui. Il fit donc espérer à dom Carlos qu'il
serait bientôt son gendre, et dom Carlos m'en fit paraître une joie si extraordinaire qu'elle m'eût pu persuader qu'il m'aimait plus que sa vie, quand je n'en
aurais pas été aussi assurée que je l'étais. Il me donna
le bal et toute la ville en fut priée. Pour son malheur
et pour le mien, il s'y trouva un comte napolitain que
des affaires d'importance avaient amené en Espagne.
Il me trouva assez belle pour devenir amoureux de moi
et pour me demander en mariage à mon père, après
avoir été informé du rang qu'il tenait dans le royaume
de Valence. Mon père se laissa éblouir au bien et à la
qualité de cet étranger; il lui promit tout ce qu'il lui
demanda et, dès le jour même, il déclara à dom Carlos
qu'il n'avait rien plus à prétendre en sa fille, me défendit
de recevoir ses visites et me commanda en même temps
de considérer le comte italien comme un homme qui
me devait épouser au retour d'un voyage qu'il allait
faire à Madrid. Je dissimulai mon déplaisir devant
mon père, mais, quand je fus seule, dom Carlos se représenta à mon souvenir comme le plus aimable homme
du monde. Je fis réflexion sur tout ce que le comte
italien avait de désagréable; je conçus une furieuse
aversion pour lui et je sentis que j'aimais dom Carlos

plus que je n'eusse jamais cru l'aimer et qu'il m'était
également impossible de vivre sans lui et d'être heureuse avec son rival. J'eus recours à mes larmes, mais
c'était un faible remède pour un mal comme le mien.
Dom Carlos entra là-dessus dans ma chambre sans m'en
demander la permission, comme il avait accoutumé.
**Il me trouva fondant en pleurs, et il ne put retenir les
siens, quelque dessein qu'il eût fait de me cacher ce qu'il
avait dans l'âme, jusqu'à tant qu'il eût reconnu les**
véritables sentiments de la mienne. Il se jeta à mes
pieds et, me prenant les mains qu'il mouilla de ses larmes :
Sophie, me dit-il, je vous perds donc et un étranger
qui à peine vous est connu sera plus heureux que moi
parce qu'il aura été plus riche? Il vous possédera, Sophie, et vous y consentez, vous que j'ai tant aimée,
qui m'avez voulu faire croire que vous m'aimiez et qui
m'étiez promise par un père! mais, hélas! un père injuste, un père intéressé et qui m'a manqué de parole!
Si vous étiez, continua-t-il, un bien qui se pût mettre
à prix, c'est ma seule fidélité qui vous pouvait acquérir
et c'est par elle que vous seriez encore à moi plutôt
**qu'à personne du monde, si vous vous souveniez de celle
que vous m'avez promise. Mais, s'écria-t-il, croyez-**
vous qu'un homme qui a eu assez de courage pour élever ses désirs jusqu'à vous n'en ait pas assez pour se
venger de celui que vous lui préférez et trouverez-vous
étrange qu'un malheureux qui a tout perdu entre-
prenne toutes choses? Ah! si vous voulez que je périsse
seul, il vivra, ce rival bienheureux puisqu'il a pu vous
plaire et que vous le protégez; mais dom Carlos, qui vous
est odieux et que vous avez abandonné à son désespoir, mourra d'une mort assez cruelle pour assouvir la
haine que vous avez pour lui. Dom Carlos, lui répondis-je, vous joignez-vous à un père injuste et à un homme
que je ne puis aimer pour me persécuter et m'imputez-
vous comme un crime particulier un malheur qui nous
est commun? Plaignez-moi au lieu de m'accuser et
songez aux moyens de me conserver pour vous plutôt

que de me faire des reproches. Je pourrais vous en faire
de plus justes et vous faire avouer que vous ne m'avez
jamais assez aimée puisque vous ne m'avez jamais
assez connue. Mais nous n'avons point de temps à
perdre en paroles inutiles; je vous suivrai partout où
vous me mènerez; je vous permets de tout entreprendre
et vous promets de tout oser pour ne me séparer jamais
de vous. Dom Carlos fut si consolé de mes paroles que
sa joie le transporta aussi fort qu'avait fait sa douleur.
Il me demanda pardon de m'avoir accusée de l'injustice qu'il croyait qu'on lui faisait et, m'ayant fait comprendre qu'à moins que de me laisser enlever il m'était
impossible de n'obéir pas à mon père, je consentis à
tout ce qu'il me proposa et je lui promis que la nuit du
jour suivant je me tiendrais prête à le suivre partout
où il voudrait me mener. Tout est facile à un amant.
Dom Carlos en un jour donna ordre à ses affaires, fit
provision d'argent et d'une barque de Barcelone qui
devait se mettre à la voile à telle heure qu'il voudrait.
Cependant j'avais pris sur moi toutes mes pierreries
et tout ce que je pus assembler d'argent et, pour une
jeune personne, j'avais su si bien dissimuler le dessein
que j'avais que l'on ne s'en douta point. Je ne fus donc
pas observée et je pus sortir la nuit par la porte d'un
jardin où je trouvai Claudio, un page qui était cher à
Carlos parce qu'il chantait aussi bien qu'il avait la
voix belle et faisait paraître, dans sa manière de parler
et dans toutes ses actions, plus d'esprit, de bon sens et
de politesse que l'âge et la condition d'un page n'en
doivent ordinairement avoir. Il me dit que son maître
l'avait envoyé au-devant de moi pour me conduire où
l'attendait une barque et qu'il n'avait pu me venir
prendre lui-même pour des raisons que je saurais de
lui. Un esclave de dom Carlos, qui m'était fort connu,
nous vint joindre. Nous sortîmes de la ville sans peine
par le bon ordre qu'on y avait donné et nous ne marchâmes pas longtemps sans voir un vaisseau à la rade
et une chaloupe qui nous attendait au bord de la mer.

On me dit que mon cher dom Carlos viendrait, bientôt et que je n'avais cependant qu'à passer dans le vaisseau. L'esclave me porta dans la chaloupe et plusieurs hommes, que j'avais vus sur le rivage et que j'avais pris pour des matelots, firent aussi entrer dans la chaloupe Claudio, qui me sembla comme s'en défendre et faire quelques efforts pour n'y entrer pas. Cela augmenta la peine que me donnait déjà l'absence de dom Carlos. Je le demandai à l'esclave qui me dit fièrement qu'il n'y avait plus de Carlos pour moi. Dans le même temps j'ouïs Claudio criant les hauts cris et qui disait, en pleurant, à l'esclave : Traître Amet! est-ce là ce que tu m'avais promis, de m'ôter une rivale et de me laisser avec mon amant? Imprudente Claudia, lui répondit l'esclave, est-on obligé de tenir sa parole à un traître et ai-je dû espérer qu'une personne qui manque de fidélité à son maître m'en gardât assez pour n'avertir pas les gardes de la côte de courir après moi et de m'ôter Sophie que j'aime plus que moi-même? Ces paroles dites à une femme que je croyais un homme et dans lesquelles je ne pouvais rien comprendre, me causèrent un si furieux déplaisir que je tombai comme morte entre les bras du perfide Maure qui ne m'avait point quittée.

Ma pâmoison fut longue et, lorsque j'en fus revenue, je me trouvais dans une chambre du vaisseau qui était déjà bien avant en mer. Figurez-vous quel dut être mon désespoir, me voyant sans dom Carlos et avec des ennemis de ma loi, car je reconnus que j'étais au pouvoir des Maures, que l'esclave Amet avait toute sorte d'autorité sur eux et que son frère Zaïde était le maître du vaisseau. Cet insolent ne me vit pas plutôt en état d'entendre ce qu'il me dirait qu'il me déclara en peu de paroles qu'il y avait longtemps qu'il était amoureux de moi et que sa passion l'avait forcé à m'enlever et à me mener à Fez où il ne tiendrait qu'à moi que je ne fusse aussi heureuse que j'aurais été en Espagne, comme il ne tiendrait pas à lui que je n'eusse point à y regretter dom Carlos. Je me jetai sur lui, nonobstant

la faiblesse que m'avait laissée ma pâmoison et, avec
une adresse vigoureuse à quoi il ne s'attendait pas et que
j'avais acquise par mon éducation (comme je vous ai
déjà dit), je lui tirai le cimeterre du fourreau, et je m'allais
venger de sa perfidie si son frère Zaïde ne m'eût saisi le
bras assez à temps pour lui sauver la vie. On me désarma
facilement, car, ayant manqué mon coup, je ne fis point
de vains efforts contre un si grand nombre d'ennemis.
Amet, à qui ma résolution avait fait peur, fit sortir tout
le monde de la chambre où l'on m'avait mise et me laissa
dans un désespoir tel que vous vous le devez figurer
après le cruel changement qui venait d'arriver en ma
fortune. Je passai la nuit à m'affliger et le jour qui la
suivit ne donna pas le moindre relâche à mon affliction.
Le temps, qui adoucit souvent de pareils déplaisirs, ne
fit aucun effet sur les miens et au second jour de notre
navigation, j'étais encore plus affligée que je ne la fus
la sinistre nuit que je perdis avec ma liberté l'espérance
de revoir dom Carlos et d'avoir jamais un moment de
repos le reste de ma vie. Amet m'avait trouvée si terrible
toutes les fois qu'il avait osé paraître devant moi qu'il
ne s'y présentait plus. On m'apportait de temps en
temps à manger, que je refusais avec une opiniâtreté
qui fit craindre au Maure de m'avoir enlevée inutilement.
Cependant le vaisseau avait passé le détroit et n'était
pas loin de la côte de Fez quand Claudio entra dans ma
chambre. Aussitôt que je le vis : Méchant, qui m'as
trahie, lui dis-je, que t'avais-je fait pour me rendre la
plus malheureuse personne du monde et pour m'ôter
dom Carlos ? Vous en étiez trop aimée, me répondit-il,
et, puisque je l'aimais aussi bien que vous, je n'ai pas fait
un crime d'avoir voulu éloigner de lui une rivale. Mais si
je vous ai trahie, Amet m'a trahie aussi et j'en serais
peut-être aussi affligée que vous si je ne trouvais quelque
consolation à n'être pas seule misérable. Explique-moi
ces énigmes, lui dis-je, et m'apprends qui tu es afin que
je sache si j'ai en toi un ennemi ou une ennemie. Sophie,
me dit-il alors, je suis d'un même sexe que vous et comme

vous j'ai été amoureuse de dom Carlos. Mais si nous
avons brûlé d'un même feu, ce n'a pas été avec un même
succès. Dom Carlos vous a toujours aimée et a toujours
cru que vous l'aimiez et il ne m'a jamais aimée et n'a
même jamais dû croire que je pusse l'aimer, ne m'ayant
jamais connue pour ce que j'étais. Je suis de Valence
comme vous et je ne suis point née avec si peu de noblesse
et de bien que dom Carlos, m'ayant épousée, n'eût pu
être à couvert des reproches que l'on fait à ceux qui se
mésallient. Mais l'amour qu'il avait pour vous l'occupait
tout entier et il n'avait des yeux que pour vous seule.
Ce n'est pas que les miens ne fissent ce qu'ils pouvaient
pour exempter ma bouche de la confession honteuse de
ma faiblesse. J'allais partout où je le croyais trouver, je
me plaçais où il pouvait me voir et je faisais pour lui
toutes les diligences qu'il eût dû faire pour moi s'il m'eût
aimée comme je l'aimais. Je disposais de mon bien et de
moi-même, étant demeurée sans parents dès mon bas
âge et l'on me proposait souvent des partis sortables.
Mais l'espérance que j'avais toujours eue d'engager enfin
dom Carlos à m'aimer m'avait empêchée d'y entendre.
Au lieu de me rebuter de la mauvaise destinée de mon
amour, comme aurait fait toute autre personne qui eût
eu, comme moi, assez de qualités aimables pour n'être
pas méprisée, je m'excitais à l'amour de dom Carlos par
la difficulté que je trouvais à m'en faire aimer. Enfin,
pour n'avoir pas à me reprocher d'avoir négligé la
moindre chose qui pût servir à mon dessein, je me fis
couper les cheveux et, m'étant déguisée en homme, je
me fis présenter à dom Carlos par un domestique qui
avait vieilli dans ma maison, et qui se disait mon père,
pauvre gentilhomme des montagnes de Tolède. Mon
visage et ma mine, qui ne déplurent pas à votre amant,
le disposèrent d'abord à me prendre. Il ne me reconnut
point, encore qu'il m'eût vue tant de fois, et il fut bientôt
aussi persuadé de mon esprit que satisfait de la beauté
de ma voix, de ma méthode de chanter et de mon adresse
à jouer de tous les instruments de musique dont les

personnes de condition peuvent se divertir sans honte.
Il crut avoir trouvé en moi des qualités qui ne se trouvent
pas d'ordinaire en des pages et je lui donnai tant de
preuves de fidélité et de discrétion qu'il me traita bien
plus en confident qu'en domestique. Vous savez mieux
que personne du monde si je m'en fais accroire dans ce
que je vous viens de dire à mon avantage. Vous-même
m'avez cent fois louée à dom Carlos en ma présence et
m'avez rendu de bons offices auprès de lui, mais j'enra-
geais de les devoir à une rivale et, dans le temps qu'ils
me rendaient plus agréable à dom Carlos, ils vous rendaient plus haïssable à la malheureuse Claudia (car c'est
ainsi que l'on m'appelle). Votre mariage cependant
s'avançait et mes espérances reculaient; il fut conclu et
elles se perdirent. Le comte italien, qui devint en ce
temps-là amoureux de vous et dont la qualité et le bien
donnèrent autant dans les yeux de votre père que sa
mauvaise mine et ses défauts vous donnèrent d'aversion
pour lui, me fit du moins avoir le plaisir de vous voir
troublée dans les vôtres et mon âme alors se flatta de
ces espérances folles que les changements font toujours
avoir aux malheureux. Enfin votre père préféra l'étranger
que vous n'aimiez pas à dom Carlos que vous aimiez. Je
vis celui qui me rendait malheureuse, malheureux à son
tour, et une rivale que je haïssais encore plus malheureuse
que moi puisque je ne perdais rien en un homme qui
n'avait jamais été à moi; que vous perdiez dom Carlos
qui était tout à vous et que cette perte, quelque grande
qu'elle fût, vous était peut-être encore un moindre
malheur que d'avoir pour votre tyran éternel un homme
que vous ne pouviez aimer. Mais ma prospérité ou, pour
mieux dire, mon espérance ne fut pas longue. J'appris
de dom Carlos que vous vous étiez résolue à le suivre et
je fus même employée à donner les ordres nécessaires au
dessein qu'il avait de vous emmener à Barcelone et, de
là, de passer en France ou en Italie. Toute la force que
j'avais eue jusqu'alors à souffrir ma mauvaise fortune
m'abandonna après un coup si rude et qui me surprit

d'autant plus que je n'avais jamais craint un pareil
malheur. J'en fus affligée jusqu'à en être malade et malade jusqu'à en garder le lit. Un jour que je me plaignais
à moi-même de ma triste destinée et que la croyance de
n'être ouïe de personne me faisait parler aussi haut que
si j'eusse parlé à quelque confident de mon amour, je vis
paraître devant moi le Maure Amet qui m'avait écoutée
et qui, après que le trouble où il m'avait mise fut passé,
me dit ces paroles : Je te connais, Claudia, et dès le temps
que tu n'avais point encore déguisé ton sexe pour servir
de page à dom Carlos; et si je ne t'ai jamais fait savoir
que je te connusse, c'est que j'avais un dessein aussi
bien que toi. Je te viens d'ouïr prendre des résolutions
désespérées; tu veux te découvrir à ton maître pour une
jeune fille qui meurt d'amour pour lui et qui n'espère
plus d'en être aimée; et puis tu te veux tuer à ses yeux
pour mériter au moins des regrets de celui de qui tu n'as
pu gagner l'amour. Pauvre fille! que vas-tu faire en te
tuant que d'assurer davantage à Sophie la possession
de dom Carlos! J'ai bien un meilleur conseil à te donner,
si tu es capable de le prendre. Ote ton amant à ta rivale :
le moyen en est aisé, si tu me veux croire et, quoiqu'il
demande beaucoup de résolution, il ne t'est pas besoin
d'en avoir davantage que celle que tu as eue à t'habiller
en homme et à hasarder ton honneur pour contenter
ton amour. Écoute-moi donc avec attention, continua
le Maure; je te vais révéler un secret que je n'ai jamais
découvert à personne et, si le dessein que je te vais
proposer ne te plaît pas, il dépendra de toi de ne le pas
suivre. Je suis de Fez, homme de qualité en mon pays;
mon malheur me fit esclave de dom Carlos et la beauté
de Sophie me fit le sien. Je t'ai dit en peu de paroles bien
des choses. Tu crois ton mal sans remède parce que ton
amant enlève sa maîtresse et s'en va avec elle à Barcelone. C'est ton bonheur et le mien, si tu te sais servir de
l'occasion. J'ai traité de ma rançon et l'ai payée. Une
galiote d'Afrique m'attend à la rade, assez près du lieu
où dom Carlos en fait tenir une toute prête pour l'exé-

cution de son dessein. Il l'a différé d'un jour; prévenons-le
avec autant de diligence que d'adresse. Va dire à Sophie,
de la part de ton maître, qu'elle se tienne prête à partir
cette nuit à l'heure que tu la viendras querir; amène-la
dans mon vaisseau, je l'emmènerai en Afrique et tu
demeureras à Valence seule à posséder ton amant qui,
peut-être, t'aurait aimée aussitôt que Sophie s'il avait su
que tu l'aimasses.

A ces dernières paroles de Claudia, je fus si pressée de
ma juste douleur qu'en faisant un grand soupir, je
m'évanouis encore sans donner le moindre signe de vie.
Les cris que fit Claudia, qui se repentait peut-être alors
de m'avoir rendue malheureuse sans cesser de l'être
attirèrent Amet et son frère dans la chambre du vaisseau
où j'étais. On me fit tous les remèdes qu'on me put faire;
je revins à moi et j'ouïs Claudia qui reprochait encore au
Maure la trahison qu'il nous avait faite. Chien infidèle!
lui disait-elle, pourquoi m'as-tu conseillé de réduire cette
belle fille au déplorable état où tu la vois si tu ne me
voulais pas laisser auprès de mon amant ? Et pourquoi
m'as-tu fait faire à un homme qui me fut si cher une
trahison qui me nuit autant qu'à lui ? Comment oses-tu
dire que tu es de noble naissance dans ton pays si tu es
le plus traître et le plus lâche de tous les hommes ?
Tais-toi, folle! lui répondit Amet, ne me reproche point
un crime dont tu es complice. Je t'ai déjà dit que, qui a
pu trahir un maître, comme toi, méritait bien d'être
trahie et que, t'emmenant avec moi, j'assurais ma vie
et peut-être celle de Sophie, puisqu'elle pourrait mourir
de douleur quand elle saurait que tu serais demeurée
avec dom Carlos. Le bruit que firent en même temps les
matelots qui étaient près d'entrer dans le port de la ville
de Salé et l'artillerie du vaisseau, à laquelle répondit
celle du port, interrompirent les reproches que se faisaient Amet et Claudia et me délivrèrent pour un temps
de la vue de ces deux personnes odieuses. On se débar-
qua, on nous couvrit les visages d'un voile, à Claudia et à
moi, et nous fûmes logées, avec le perfide Amet, chez

un Maure de ses parents. Dès le jour suivant on nous fit
monter dans un chariot couvert et prendre le chemin de
Fez où, si Amet y fut reçu de son père avec beaucoup de
joie, j'y entrai la plus affligée et plus désespérée personne
du monde. Pour Claudia, elle eut bientôt pris parti,
renonçant au christianisme et épousant Zaïde, le frère
de l'infidèle Amet. Cette méchante personne n'oublia
aucun artifice pour me persuader de changer aussi de
religion et d'épouser Amet comme elle avait fait Zaïde;
et elle devint le plus cruel de mes tyrans, lorsque après
avoir en vain essayé de me gagner par toutes sortes de
promesses, de bons traitements et de caresses, Amet et
tous les siens exercèrent sur moi toute la barbarie dont
ils étaient capables. J'avais tous les jours à exercer ma
constance contre tant d'ennemis et j'étais plus forte à
souffrir mes peines que je ne le souhaitais quand je
commençai à croire que Claudia se repentait d'être
méchante. En public elle me persécutait apparemment
avec plus d'animosité que les autres et, en particulier,
elle me rendait quelquefois de bons offices qui me la
faisaient considérer comme une personne qui eût pu
être vertueuse si elle eût été élevée à la vertu. Un jour
que toutes les autres femmes de la maison étaient allées
aux bains publics, comme c'est la coutume de vous
autres mahométans, elle me vint trouver où j'étais, ayant
le visage composé à la tristesse, et me parla en ces termes:
Belle Sophie, quelque sujet que j'aie eu autrefois de
vous haïr, ma haine a cessé en perdant l'espoir de posséder jamais celui qui ne m'aimait pas assez, à cause
qu'il vous aimait trop. Je me reproche sans cesse de vous
avoir rendue malheureuse et d'avoir abandonné mon
Dieu pour la crainte des hommes. Le moindre de ces
remords serait capable de me faire entreprendre les
choses du monde les plus difficiles à mon sexe. Je ne
puis plus vivre loin de l'Espagne et de toute terre chrétienne, avec des infidèles entre lesquels je sais bien qu'il
est impossible que je trouve mon salut, ni pendant ma
vie, ni après ma mort. Vous pouvez juger de mon véri-

table repentir par le secret que je vous confie, qui vous rend maîtresse de ma vie et qui vous donne moyen de vous venger de tous les maux que j'ai été forcée de vous faire. J'ai gagné cinquante esclaves chrétiens, la plupart Espagnols, et tous gens capables d'une grande entreprise. Avec l'argent que je leur ai secrètement donné, ils se sont assurés d'une barque capable de nous porter en Espagne, si Dieu favorise un si bon dessein. Il ne tiendra qu'à vous de suivre ma fortune, de vous sauver si je me sauve ou, périssant avec moi, de vous tirer d'entre les mains de vos cruels ennemis et de finir une vie aussi malheureuse qu'est la vôtre. Déterminez-vous donc, Sophie; et, tandis que nous ne pouvons être soupçonnées d'aucun dessein, délibérons sans perdre de temps sur la plus importante action de votre vie et de la mienne. Je me jetai aux pieds de Claudia et, jugeant d'elle par moi-même, je ne doutai point de la sincérité de ses paroles. Je la remerciai de toutes les forces de mon expression et de toutes celles de mon âme; je ressentis la grâce que je croyais qu'elle me voulait faire. Nous prîmes jour pour notre fuite vers un lieu du rivage de la mer où elle me dit que des rochers tenaient notre petit vaisseau à couvert. Ce jour, que je croyais bienheureux, arriva. Nous sortîmes heureusement, et de la maison, et de la ville. J'admirais la bonté du ciel dans la facilité que nous trouvions à faire réussir notre dessein et j'en bénissais Dieu sans cesse, mais la fin de mes maux n'était pas si proche que je le pensais. Claudia n'agissait que par l'ordre du perfide Amet et, encore plus perfide que lui, elle ne me conduisait en un lieu écarté, et la nuit, que pour m'abandonner à la violence du Maure, qui n'eût rien osé entreprendre contre ma pudicité dans la maison de son père, quoique mahométan, moralement homme de bien. Je suivais innocemment celle qui me menait perdre et je ne pensais pas pouvoir jamais être assez reconnaissante envers elle de la liberté que j'espérais bientôt avoir par son moyen. Je ne me lassais point de l'en remercier, ni de marcher bien vite dans des chemins rudes, environnés de

rochers, où elle me disait que ses gens l'attendaient
quand j'ouïs du bruit derrière moi et, tournant la tête,
j'aperçus Amet le cimeterre à la main. Infâmes esclaves,
s'écria-t-il, c'est donc ainsi que l'on se dérobe à son
maître! Je n'eus pas le temps de répondre. Claudia me
saisit les bras par derrière et Amet, laissant tomber son
cimeterre, se joignit à la renégate et, tous deux ensemble,
firent ce qu'ils purent pour me lier les mains avec des
cordes dont ils s'étaient pourvus pour cet effet. Ayant
plus de vigueur et d'adresse que les femmes n'en ont
d'ordinaire, je résistai longtemps aux efforts de ces deux
méchantes personnes, mais à la longue je me sentis
affaiblir et, me défiant de mes forces, je n'avais presque
plus recours qu'à mes cris, qui pouvaient attirer quelque
passant en ce lieu solitaire ou, plutôt, je n'espérais plus
rien quand le prince Mulei survint lorsque je l'espérais
le moins. Vous avez su de quelle façon il me sauva l'honneur et je puis dire la vie puisque je serais assurément
morte de douleur si le détestable Amet eût contenté
sa brutalité. Sophie acheva ainsi le récit de ses aventures
et l'aimable Zoraïde l'exhorta d'espérer de la générosité
du prince les moyens de retourner en Espagne, et dès
le jour même elle apprit à son mari tout ce qu'elle avait
appris de Sophie, dont il alla informer Mulei. Encore
que tout ce qu'on lui conta de la fortune de la belle chrétienne ne flattât point la passion qu'il avait pour elle,
il fut pourtant bien aise, vertueux comme il était, d'en
avoir eu connaissance et d'apprendre qu'elle était
engagée d'affection en son pays afin de n'avoir point à
tenter une action blâmable par l'espérance d'y trouver
de la facilité. Il estima la vertu de Sophie et fut porté
par la sienne à tâcher de la rendre moins malheureuse
qu'elle n'était. Il lui fit dire par Zoraïde qu'il la renver-
rait en Espagne quand elle le voudrait et, depuis qu'il
en eut pris la résolution, il s'empêcha de la voir, se
défiant de sa propre vertu et de la beauté de cette aimable
personne. Elle n'était pas peu empêchée à prendre ses
sûretés pour son retour. Le trajet était long jusqu'en

Espagne, dont les marchands ne trafiquaient point à
Fez. Et, quand elle eût pu trouver un vaisseau chrétien,
belle et jeune comme elle était, elle pouvait trouver
entre des hommes de sa loi ce qu'elle avait eu peur de
trouver entre des Maures. La probité ne se rencontre
guère sur un vaisseau; la bonne foi n'y est guère mieux
gardée qu'à la guerre; et, en quelque lieu que la beauté
et l'innocence se trouvent les plus faibles, l'audace des
méchants se sert de son avantage et se porte facilement
à tout entreprendre. Zoraïde conseilla à Sophie de s'habiller en homme puisque sa taille, avantageuse plus que
celle des autres femmes, facilitait ce déguisement. Elle
lui dit que c'était l'avis de Mulei qui ne trouvait personne dans Fez à qui il la pût sûrement confier; et
elle lui dit aussi qu'il avait eu la bonté de pourvoir à
la bienséance de son sexe, lui donnant une compagne
de sa croyance et travestie comme elle et qu'elle serait
ainsi garantie de l'inquiétude qu'elle pourrait avoir de
se voir seule dans un vaisseau entre des soldats et des
matelots. Ce prince maure avait acheté d'un corsaire
une prise qu'il avait faite sur mer : c'était d'un vaisseau
du gouverneur d'Oran qui portait la famille entière d'un
gentilhomme espagnol, que, par animosité, ce gouverneur envoyait prisonnier en Espagne. Mulei avait su
que ce chrétien était un des plus grands chasseurs du
monde et, comme la chasse était la plus forte passion
de ce jeune prince, il avait voulu l'avoir pour esclave;
et, afin de le mieux conserver, ne l'avait point voulu
séparer de sa femme, de son fils et de sa fille. En deux
ans qu'il vécut dans Fez au service de Mulei, il apprit
à ce prince à tirer parfaitement de l'arquebuse sur toute
sorte de gibier qui court sur la terre ou qui s'élève dans
l'air et plusieurs chasses inconnues aux Maures. Il
avait par là si bien mérité les bonnes grâces du prince
et s'était rendu si nécessaire à son divertissement qu'il
n'avait jamais voulu consentir à sa rançon, et par toutes
sortes de bienfaits avait tâché de lui faire oublier l'Espagne, mais le regret de n'être pas en sa patrie et de

n'avoir plus d'espérance d'y retourner lui avait causé
une mélancolie qui finit bientôt par sa mort et sa femme
n'avait pas vécu longtemps après son mari. Mulei se
sentait du remords de n'avoir pas remis en liberté,
quand ils la lui avaient demandée, des personnes qui
l'avaient méritée par leurs services et il voulut, autant
qu'il le pouvait, réparer envers leurs enfants le tort
qu'il croyait leur avoir fait. La fille s'appelait Dorothée,
était de l'âge de Sophie, belle, et avait de l'esprit. Son
frère n'avait pas plus de quinze ans et s'appelait Sanche.
Mulei les choisit l'un et l'autre pour tenir compagnie à
Sophie et se servit de cette occasion-là pour les envoyer
ensemble en Espagne. On tint l'affaire secrète. On fit
faire des habits d'homme à l'espagnole pour les deux
demoiselles et pour le petit Sanche; Mulei fit paraître
sa magnificence dans la quantité de pierreries qu'il
donna à Sophie. Il fit aussi à Dorothée de beaux présents
qui, joints à tous ceux que son père avait déjà reçus de
la libéralité du prince, la rendirent riche pour le reste
de sa vie.

Charles-Quint, en ce temps-là faisait la guerre en
Afrique et avait assiégé la ville de Tunis. Il avait envoyé
un ambassadeur à Mulei pour traiter de la rançon de
quelques Espagnols de qualité qui avaient fait naufrage
à la côte de Maroc. Ce fut à cet ambassadeur que Mulei
recommanda Sophie sous le nom de dom Fernand, gentilhomme de qualité, qui ne voulait pas être connu
par son nom véritable; et Dorothée et son frère passaient
pour être de son train, l'un en qualité de gentilhomme,
et l'autre de page. Sophie et Zoraïde ne se purent quitter
sans regret et il y eut bien des larmes versées de part
et d'autre. Zoraïde donna à la belle chrétienne un rang
de perles si riche qu'elle ne l'eût point reçu si cette
aimable Maure et son mari Zuléma, qui n'aimait pas
moins Sophie que faisait sa femme, ne lui eussent fait
connaître qu'elle ne pouvait davantage les désobliger
qu'en refusant ce gage de leur amitié. Zoraïde fit promettre à Sophie de lui faire savoir de temps en temps de

241 *LE ROMAN COMIQUE*

ses nouvelles par la voie de Tanger, d'Oran ou des autres places que l'empereur possédait en Afrique. L'ambassadeur chrétien s'embarqua à Salé, emmenant avec lui Sophie, qu'il faut désormais appeler dom Fernand. Il joignit l'armée de l'empereur qui était encore devant Tunis. Notre Espagnole déguisée lui fut présentée comme un gentilhomme d'Andalousie qui avait été longtemps esclave du prince de Fez. Elle n'avait pas assez de sujet d'aimer sa vie pour craindre de la hasarder à la guerre et, voulant passer pour un cavalier, elle n'eût pu avec honneur n'aller pas souvent au combat, comme faisaient tant de vaillants hommes dont l'armée de l'empereur était pleine. Elle se mit donc entre les volontaires, ne perdit pas une occasion de se signaler et le fit avec tant d'éclat que l'empereur ouït parler du faux dom Fernand. Elle fut assez heureuse pour se trouver auprès de lui lorsque, dans l'ardeur d'un combat dont les chrétiens eurent tout le désavantage, il donna dans une embuscade de Maures, fut abandonné des siens et environné des infidèles; et il y a apparence qu'il eût été tué, son cheval l'ayant déjà été sous lui, si notre amazone ne l'eût remonté sur le sien, et, secondant sa vaillance par des efforts difficiles à croire, n'eût donné aux chrétiens le temps de se reconnaître et de venir dégager ce vaillant empereur. Une si belle action ne fut pas sans récompense. L'empereur donna à l'inconnu dom Fernand une commanderie de Saint-Jacques de grand revenu et le régiment de cavalerie d'un seigneur espagnol qui avait été tué au dernier combat. Il lui fit donner aussi tout l'équipage d'un homme de qualité et, depuis ce temps-là, il n'y eut personne dans l'armée qui fût plus estimé et plus considéré que cette vaillante fille. Toutes les actions d'un homme lui étaient si naturelles, son visage était si beau et la faisait paraître si jeune, sa vaillance était si admirable en une si grande jeunesse et son esprit était si charmant qu'il n'y avait pas une personne de qualité ou de commandement dans les troupes de l'empereur qui ne recherchât son amitié. Il ne faut donc pas s'éton-

ner si, tout le monde parlant pour elle, et plus encore
ses belles actions, elle fut en peu de temps en faveur
auprès de son maître. Dans ce temps-là de nouvelles
troupes arrivèrent d'Espagne sur les vaisseaux qui
apportèrent de l'argent et des munitions pour l'armée.
L'empereur les voulut voir sous les armes, accompagné
de ses principaux chefs, desquels était notre guerrière.
Entre ces soldats nouveaux venus, elle crut avoir vu
dom Carlos et elle ne s'était pas trompée. Elle en fut
inquiétée le reste du jour, le fit chercher dans le quartier de ces nouvelles troupes et on ne le trouva pas
parce qu'il avait changé de nom. Elle n'en dormit point
toute la nuit, se leva aussitôt que le soleil et alla chercher elle-même ce cher amant qui lui avait tant fait
verser de larmes. Elle le trouva et n'en fut point reconnue, ayant changé de taille, parce qu'elle avait crû,
et de visage, parce que le soleil d'Afrique avait changé
la couleur du sien. Elle feignit de le prendre pour un
autre de sa connaissance et lui demanda des nouvelles
de Séville et d'une personne qu'elle lui nomma du premier nom qui lui vint dans l'esprit. Dom Carlos lui dit
qu'elle se méprenait, qu'il n'avait jamais été à Séville
et qu'il était de Valence. Vous ressemblez extrêmement
à une personne qui m'était fort chère, lui dit Sophie
et, à cause de cette ressemblance, je veux bien être de
vos amis si vous n'avez point de répugnance à devenir
des miens. La même raison, lui répondit dom Carlos,
qui vous oblige à m'offrir votre amitié vous aurait déjà
acquis la mienne si elle était du prix de la vôtre. Vous
ressemblez à une personne que j'ai longtemps aimée,
vous avez son visage et sa voix, mais vous n'êtes pas de
son sexe et assurément, ajouta-t-il en faisant un grand
soupir, vous n'êtes pas de son humeur. Sophie ne put
s'empêcher de rougir à ces dernières paroles de dom
Carlos, à quoi il ne prit pas garde à cause peut-être que
ses yeux, qui commençaient à se mouiller de larmes, ne
purent voir les changements du visage de Sophie. Elle
en fut émue et, ne pouvant plus cacher cette émotion,

elle pria dom Carlos de la venir voir en sa tente où elle
l'allait attendre, et le quitta après lui avoir appris son
quartier et qu'on l'appelait dans l'armée le *mestre de
camp dom Fernand*. A ce nom-là dom Carlos eut peur de
ne lui avoir pas fait assez d'honneur. Il avait déjà su à
quel point il était estimé de l'empereur et que, tout
inconnu qu'il était, il partageait la faveur de son maître
avec les premiers de la cour. Il n'eut pas grand'peine à
trouver son quartier et sa tente, qui n'étaient ignorés de
personne, et il en fut reçu autant bien qu'un simple cavalier le pouvait être d'un des principaux officiers du
camp. Il reconnut encore le visage de Sophie dans celui
de dom Fernand, en fut encore plus étonné qu'il ne l'avait
été et il le fut encore davantage du son de sa voix qui
lui entrait dans l'âme et y renouvelait le souvenir de la
personne du monde qu'il avait le plus aimée. Sophie,
inconnue à son amant, le fit manger avec [elle] [98]; et,
après le repas, ayant fait retirer les domestiques et donné
ordre de n'être visitée de personne, se fit redire encore
une fois par ce cavalier qu'il était de Valence; et ensuite
se fit conter ce qu'elle savait aussi bien que lui de leurs
aventures communes jusqu'au jour qu'il avait fait dessein
de l'enlever. Croiriez-vous, lui disait dom Carlos, qu'une
fille de condition qui avait tant reçu de preuves de mon
amour et qui m'en avait tant donné [du sien] [99], fut sans
fidélité et sans honneur, eut l'adresse de me cacher de si
grands défauts et fut si aveuglée dans son choix qu'elle
me préféra un jeune page que j'avais, qui l'enleva un
jour devant celui que j'avais choisi pour l'enlever ?
Mais en êtes-vous bien assuré ? lui dit Sophie. Le hasard
est maître de toutes choses et prend souvent plaisir à
confondre nos raisonnements par des succès les moins
attendus. Votre maîtresse peut avoir été forcée à se
séparer de vous et est peut-être plus malheureuse que
coupable. Plût à Dieu, lui répondit dom Carlos, que
j'eusse pu douter de sa faute! toutes les pertes et les
malheurs qu'elle m'a causés ne m'auraient pas été difficiles à souffrir et même je ne me croirais pas malheu-

reux si je pouvais croire qu'elle me fût encore fidèle,
mais elle ne l'est qu'au perfide Claudio et n'a jamais
feint d'aimer le malheureux dom Carlos que pour le
perdre. Il paraît, par ce que vous dites, lui repartit
Sophie, que vous ne l'avez guère aimée, de l'accuser ainsi
sans l'entendre et de la publier encore plus méchante que
légère. Et peut-on l'être davantage, s'écria dom Carlos,
que l'a été cette imprudente fille lorsque, pour ne faire
pas soupçonner [m]on page de son enlèvement, elle laissa
dans sa chambre, la nuit même qu'elle disparut de chez
son père, une lettre qui est de la dernière malice et qui
m'a rendu trop misérable pour n'être pas demeurée
dans mon souvenir ? Je vous la veux faire entendre et
vous faire juger par là de quelle dissimulation cette jeune
fille était capable.

LETTRE

« Vous n'avez pas dû me défendre d'aimer dom Carlos
« après me l'avoir ordonné. Un mérite aussi grand que
« le sien ne me pouvait donner que beaucoup d'amour et,
« quand l'esprit d'une jeune personne en est prévenu,
« l'intérêt n'y peut trouver de place. Je m'enfuis donc
« avec celui que vous avez trouvé bon que j'aimasse dès
« ma jeunesse et sans qui il me serait autant impossible
« de vivre que de ne mourir pas mille fois le jour avec
« un étranger que je ne pourrais aimer, quand il serait
« encore plus riche qu'il n'est pas. Notre faute (si c'en
« est une) mérite votre pardon. Si vous nous l'accordez,
« nous reviendrons le recevoir plus vite que nous n'avons
« fui l'injuste violence que vous nous vouliez faire.

                                        « SOPHIE. »

Vous vous pouvez figurer, poursuivit dom Carlos, l'extrême douleur que sentirent les parents de Sophie quand
ils eurent lu cette lettre. Ils espérèrent que je serais
encore avec leur fille, caché dans Valence, ou que je n'en
serais pas loin. Ils tinrent leur perte secrète à tout le

monde, hormis au vice-roi, qui était leur parent et, à
peine le jour commençait-il de paraître, que la justice
entra dans ma chambre et me trouva endormi. Je fus
surpris d'une telle visite autant que j'avais sujet de
l'être et quand, après qu'on m'eut demandé où était
Sophie, je demandai aussi où elle était, mes parties s'en
irritèrent et me firent conduire en prison avec une
extrême violence. Je fus interrogé et je ne pus rien dire
pour ma défense contre la lettre de Sophie. Il paraissait
par là que je l'avais voulu enlever, mais il paraissait encore
plus que mon page avait disparu en même temps qu'elle.
Les parents de Sophie la faisaient chercher et mes amis,
de leur côté, faisaient toutes sortes de diligences pour
découvrir où ce page l'avait emmenée; c'était le seul moyen
de faire voir mon innocence, mais on ne put jamais
apprendre des nouvelles de ces amants fugitifs et mes
ennemis m'accusèrent alors de la mort de l'un et de
l'autre. Enfin l'injustice, appuyée de la force, l'emporta
sur l'innocence opprimée. Je fus averti que je serais bientôt
jugé et que je le serais à mort. Je n'espérai pas que le
ciel fît un miracle en ma faveur et je voulus donc hasarder ma délivrance par un coup de désespoir. Je me joignis
à des bandouliers, prisonniers comme moi, et tous gens
de résolution; nous forçâmes les portes de notre prison et,
favorisés de nos amis, nous eûmes plus tôt gagné les
montagnes les plus proches de Valence que le vice-roi
n'en put être averti. Nous fûmes longtemps maîtres de
la campagne. L'infidélité de Sophie, la persécution de
ses parents, tout ce que je croyais que le vice-roi avait
fait d'injuste contre moi et enfin la perte de mon bien,
me mirent dans un tel désespoir que je hasardai ma vie
dans toutes les rencontres où mes camarades et moi
trouvâmes de la résistance; et je m'acquis par là une telle
réputation parmi eux qu'ils voulurent que je fusse leur
chef. Je le fus avec tant de succès que notre troupe
devint redoutable aux royaumes d'Aragon et de Valence
et que nous eûmes l'insolence de mettre ces pays à contribution. Je vous en fais ici une confidence bien délicate,

ajouta dom Carlos, mais l'honneur que vous me faites et mon inclination me donnent tellement à vous que je veux bien vous faire maître de ma vie, vous en révélant des secrets si dangereux. Enfin, poursuivit-il, je me lassai d'être méchant; je me dérobai de mes camarades qui ne s'y attendaient pas, et je pris le chemin de Barcelone où je fus reçu simple cavalier dans les recrues qui s'embarquaient pour l'Afrique et qui ont joint depuis peu l'armée. Je n'ai pas sujet d'aimer la vie, et, après m'être mal servi de la mienne, je ne la puis mieux employer que contre les ennemis de ma loi et pour votre service puisque la **bonté que vous avez pour moi m'a causé la seule joie dont mon âme ait été capable depuis que la plus ingrate fille du monde m'a rendu le plus malheureux de tous les hommes.** Sophie inconnue prit le parti de Sophie injustement accusée et n'oublia rien pour persuader à son amant de ne point faire de mauvais jugements de sa maîtresse avant que d'être mieux informé de sa faute. Elle dit au malheureux cavalier qu'elle prenait grande part dans ses infortunes; qu'elle voudrait de bon cœur les adoucir et, pour lui en donner des marques plus effectives que des paroles, qu'elle le priait de vouloir être à elle et que, lorsque l'occasion s'en présenterait, elle emploierait auprès de l'empereur son crédit et celui de tous ses amis pour le délivrer de la persécution des parents de Sophie et du vice-roi de Valence. Dom Carlos ne se rendit jamais à tout ce que le faux dom Fernand lui put dire pour la justification de Sophie, mais il se rendit à la fin aux offres qu'il lui fit de sa table et de sa maison. Dès le jour même, cette fidèle amante parla au mestre de camp de dom Carlos et lui fit trouver bon que ce cavalier, qu'elle lui dit être son parent, prît parti avec lui, je veux dire avec elle. Voilà notre amant infortuné au service de sa maîtresse qu'il croyait morte ou infidèle. Il se voit dès le commencement de sa servitude tout à fait bien avec celui qu'il croit son maître et est en peine lui-même de savoir comment il a pu faire en si peu de temps pour s'en faire tant aimer. Il est à la fois son inten-

dant, son secrétaire, son gentilhomme et son confident.
Les autres domestiques n'ont guère moins de respect
pour lui que pour dom Fernand et il serait sans doute
heureux, se connaissant aimé d'un maître qui lui paraît
tout aimable et qu'un secret instinct le force d'aimer si
Sophie perdue, si Sophie infidèle ne lui revenait sans
cesse à la pensée et ne lui causait une tristesse que les
caresses d'un si cher maître et sa fortune rendue meilleure
ne pouvaient vaincre. Quelque tendresse que Sophie eût
pour lui, elle était bien aise de le voir affligé, ne doutant
point qu'elle ne fût la cause de son affliction. Elle lui
parlait si souvent de Sophie et justifiait quelquefois avec
tant d'emportement, et même de colère et d'aigreur,
celle que dom Carlos n'accusait pas moins que d'avoir
manqué à sa fidélité et à son honneur qu'enfin il vint à
croire que ce dom Fernand, qui le mettait toujours sur
le même sujet, avait peut-être été autrefois amoureux
de Sophie et peut-être l'était encore.

La guerre d'Afrique s'acheva de la façon qu'on le
voit dans l'histoire. L'empereur la fit depuis en Allemagne, en Italie, en Flandres et en divers lieux. Notre
guerrière, sous le nom de dom Fernand, augmenta sa
réputation de vaillant et expérimenté capitaine par
plusieurs actions de valeur et de conduite, quoique la
dernière de ces qualités-là ne se rencontre que rarement
en une personne aussi jeune que le sexe de cette vaillante fille la faisait paraître. L'empereur fut obligé d'aller
en Flandres et de demander au roi de France passage
par ses États. Le grand roi qui régnait alors voulut sur-
passer en générosité et en franchise un mortel ennemi
qui l'avait toujours surmonté en bonne fortune et n'en
avait pas toujours bien usé, Charles-Quint fut reçu
dans Paris comme s'il eût été roi de France. Le beau
dom Fernand fut du petit nombre des personnes de qualité qui l'accompagnèrent et, si son maître eût fait un
plus long séjour dans la cour du monde la plus galante,
cette belle Espagnole, prise pour un homme, eût donné
de l'amour à beaucoup de dames françaises et de la

jalousie aux plus accomplis de nos courtisans. Cependant
le vice-roi de Valence mourut en Espagne. Dom Fernand espéra assez de son mérite et de l'affection que lui
portait son maître pour lui oser demander une si importante charge et il l'obtint sans qu'elle lui fût enviée.
Il fit savoir le plus tôt qu'il put le bon succès de sa prétention à dom Carlos et lui fit espérer qu'aussitôt qu'il
aurait pris possession de la vice-royauté de Valence, il
ferait sa paix avec les parents de Sophie, obtiendrait sa
grâce de l'empereur pour avoir été chef de bandouliers
et même essayerait de le remettre dans la possession de
son bien sans cesser de lui en faire dans toutes les occasions qui s'en présenteraient. Dom Carlos eût pu recevoir
quelque consolation de toutes ces belles promesses si
le malheur de son amour lui eût permis d'être consolable.
L'empereur arriva en Espagne et alla droit à Madrid,
et dom Fernand alla prendre possession de son gouvernement. Dès le jour qui suivit celui de son entrée dans
Valence, les parents de Sophie présentèrent requête
contre dom Carlos qui faisait, auprès du vice-roi, la
charge d'intendant de sa maison et de secrétaire de ses
commandements. Le vice-roi promit de leur rendre justice et à dom Carlos de protéger son innocence. On fit
de nouvelles informations contre lui; l'on fit ouïr des
témoins une seconde fois et enfin les parents de Sophie,
animés par le regret qu'ils avaient de la perte de leur
fille et par un désir de vengeance qu'ils croyaient légitime, pressèrent si fort l'affaire qu'en cinq ou six jours
elle fut en état d'être jugée. Ils demandèrent au vice-roi
que l'accusé entrât en prison. Il leur donna sa parole
qu'il ne sortirait pas de son hôtel et leur marqua un jour
pour le juger. La veille de ce jour fatal, qui tenait en
suspens toute la ville de Valence, dom Carlos demanda
une audience particulière au vice-roi qui la lui accorda.
Il se jeta à ses pieds et lui dit ces paroles : C'est demain,
monseigneur, que vous devez faire connaître à tout le
monde que je suis innocent. Quoique les témoins que
j'ai fait ouïr me déchargent entièrement du crime dont

on m'accuse, je viens encore jurer à Votre Altesse, comme
si j'étais devant Dieu, que non seulement je n'ai pas
enlevé Sophie, mais que, le jour devant celui qu'elle fût
enlevée, je ne la vis point, je n'eus point de ses nouvelles
et n'en ai pas eu depuis. Il est bien vrai que je la devais
enlever, mais un malheur qui jusqu'ici m'est inconnu
la fit disparaître, ou pour ma perte, ou pour la sienne.
C'est assez, dom Carlos, lui dit le vice-roi; va dormir
en repos. Je suis ton maître et ton ami, et mieux informé
de ton innocence que tu ne penses et, quand j'en pourrais douter, je serais obligé à n'être pas exact à m'en
éclaircir puisque tu es dans ma maison et de ma maison
et que tu n'es venu ici avec moi que sous la promesse
que je t'ai faite de te protéger. Dom Carlos remercia
un si obligeant maître de tout ce qu'il eut d'éloquence;
il s'alla coucher et l'impatience qu'il eut de se voir
bientôt absous ne lui permit pas de dormir.

Il se leva aussitôt que le jour parut et, propre et paré
plus qu'à l'ordinaire, se trouva au lever de son maître;
mais je me trompe, il n'entra dans sa chambre qu'après
qu'il fut habillé, car depuis que Sophie avait déguisé
son sexe, la seule Dorothée, déguisée comme elle, et la
confidente de son déguisement, couchait dans sa chambre
et lui rendait tous les services qui, rendus par un autre,
lui eussent pu donner connaissance de ce qu'elle voulait
tenir si caché. Dom Carlos entra donc dans la chambre
du vice-roi quand Dorothée l'eut ouverte à tout le
monde et le vice-roi ne le vit pas plutôt qu'il lui reprocha
qu'il s'était levé bien matin pour un homme accusé
qui se voulait faire croire innocent et lui dit qu'une personne qui ne dormait point devait sentir sa conscience
chargée. Dom Carlos lui répondit, un peu troublé,
que la crainte d'être convaincu ne l'avait pas tant empêché de dormir que l'espérance de se voir bientôt à
couvert des poursuites de ses ennemis par la bonne justice que lui rendrait Son Altesse. Mais vous êtes bien
paré et bien galant, lui dit encore le vice-roi, et je vous
trouve bien tranquille le jour que l'on doit délibérer

sur votre vie. Je ne sais plus ce que je dois croire du
crime dont on vous accuse. Toutes les fois que nous nous
entretenons de Sophie, vous en parlez avec moins de
chaleur et plus d'indifférence que moi; on ne m'accuse
pourtant pas, comme vous, d'en avoir été aimé et de
l'avoir tuée, et, possible, le jeune Claudio aussi, sur qui
vous voulez faire tomber l'accusation de son enlèvement.
Vous dites que vous l'avez aimée, continua le vice-roi,
et vous vivez après l'avoir perdue, et vous n'oubliez
rien pour vous voir absous et en repos, vous qui devriez
haïr la vie et tout ce qui vous la pourrait faire aimer!
Ah! inconstant dom Carlos, il faut bien qu'un autre
amour vous ait fait oublier [celui] [100] que vous deviez
conserver à Sophie perdue si vous l'aviez véritablement
aimée quand elle était toute à vous et osait tout faire
pour vous. Dom Carlos, demi-mort à ces paroles du
vice-roi, voulut y répondre, mais il ne le lui permit pas.
Taisez-vous, lui dit-il d'un visage sévère, et réservez
votre éloquence pour vos juges, car pour moi je n'en
serai pas surpris et je n'irai pas, pour un de mes domestiques, donner à l'empereur mauvaise opinion de mon
équité. Et cependant, ajouta le vice-roi se tournant vers
le capitaine de ses gardes, que l'on s'assure de lui : qui
a rompu sa prison peut bien manquer à la parole qu'il
m'a donnée de ne chercher point son impunité dans la
fuite. On ôta aussitôt l'épée à dom Carlos qui fit grand'-
pitié à tous ceux qui le virent environné de gardes,
pâle et défait, et qui avait bien de la peine à retenir
ses larmes. Cependant que le pauvre gentilhomme se
repent de ne s'être pas assez défié de l'esprit changeant
des grands seigneurs, les juges qui le devaient juger
entrèrent dans la chambre et prirent leurs places après
que le vice-roi eut pris la sienne. Le comte italien, qui
était encore à Valence, et le père et la mère de Sophie
parurent et produisirent leurs témoins contre l'accusé,
qui était si désespéré de son procès qu'il n'avait pas
quasi le courage de répondre. On lui fit reconnaître les
lettres qu'il avait autrefois écrites à Sophie; on lui con-

fronta les voisins et les domestiques de la maison de
Sophie et enfin on produisit contre lui la lettre qu'elle
avait laissée dans sa chambre le jour que l'on prétendait
qu'il l'avait enlevée. L'accusé fit ouïr ses domestiques
qui témoignèrent d'avoir vu coucher leur maître, mais
il pouvait s'être levé après avoir fait semblant de s'endormir. Il jurait bien qu'il n'avait pas enlevé Sophie
et représentait aux juges qu'il ne l'aurait pas enlevée
pour se séparer d'elle; mais on ne l'accusait pas moins
que de l'avoir tuée, et le page aussi, le confident de son
amour. Il ne restait plus qu'à le juger et il allait être
condamné tout d'une voix quand le vice-roi le fit approcher et lui dit : Malheureux dom Carlos! tu peux bien
croire, après toutes les marques d'affection que je t'ai
données, que si je t'eusse soupçonné d'être coupable
du crime dont on t'accuse, je ne t'aurais pas amené à
Valence. Il m'est impossible de ne te condamner pas si
je ne veux commencer l'exercice de ma charge par une
injustice et tu peux juger du déplaisir que j'ai de ton
malheur par les larmes qui m'en viennent aux yeux.
On pourrait rechercher d'accord tes parties, si elles
étaient de moindre qualité ou moins animées à ta perte.
Enfin, si Sophie ne paraît elle-même pour te justifier,
tu n'as qu'à te préparer à bien mourir. Carlos, désespéré
de son salut, se jeta aux pieds du vice-roi et lui dit :
Vous vous souvenez bien, monseigneur, qu'en Afrique,
et dès le temps que j'eus l'honneur d'entrer au service
de Votre Altesse, et toutes les fois qu'elle m'a engagé
au récit ennuyeux de mes infortunes, que je les lui ai
toujours contées d'une même manière; et elle doit
croire qu'en ce pays-là, et partout ailleurs, je n'aurais
pas avoué, à un maître qui me faisait l'honneur de
m'aimer, ce qu'ici j'aurais dû nier devant un juge. J'ai
toujours dit la vérité à Votre Altesse comme à mon Dieu
et je lui dis encore que j'aimai, que j'adorai Sophie,
Dis que tu l'adores, ingrat, l'interrompit le vice-roi.
surprenant tout le monde. Je l'adore, reprit dom Carlos,
fort étonné de ce que le vice-roi venait de dire. Je lui

ai promis de l'épouser, continua-t-il, et j'ai convenu
avec elle de l'emmener à Barcelone, mais si je l'ai enlevée, si je sais où elle se cache, je veux qu'on me fasse
mourir de la mort la plus cruelle. Je ne puis l'éviter,
mais je mourrai innocent, si ce n'est mériter la mort
que d'avoir aimé plus que ma vie une fille inconstante et
perfide. Mais, s'écria le vice-roi, le visage furieux, que
sont devenus cette fille et ton page? Ont-ils monté au
ciel? Sont-ils cachés sous la terre? Le page était galant,
lui répondit dom Carlos, elle était belle; il était homme,
elle était femme. Ah! traître! lui dit le vice-roi, que tu
découvres bien ici tes lâches soupçons et le peu d'estime
que tu as eu pour la malheureuse Sophie! Maudite soit
la femme qui se laisse aller aux promesses des hommes
et s'en fait mépriser par sa trop facile croyance! Ni
Sophie n'était point une femme de vertu commune,
méchant! ni ton page Claudio un homme. Sophie était
une fille constante et ton page une fille perdue, amoureuse de toi et qui t'a volé Sophie qu'elle trahissait
comme une rivale. Je suis Sophie, injuste amant! amant
ingrat, je suis Sophie, qui ai souffert des maux incroyables
pour un homme qui ne méritait pas d'être aimé et qui
m'a crue capable de la dernière infamie. Sophie n'en
put pas dire davantage; son père, qui la reconnut, la
prit entre ses bras; sa mère se pâma d'un côté et dom
Carlos de l'autre. Sophie se débarrassa des bras de son
père pour courir aux deux personnes évanouies qui reprirent leurs esprits tandis qu'elle douta à qui des deux elle
courrait. Sa mère lui mouilla le visage de larmes; elle
mouilla de larmes le visage de sa mère. Elle embrassa
avec toute la tendresse imaginable son cher dom Carlos
qui pensa en évanouir encore. Il tint pourtant bon pour
le coup et, n'osant pas encore baiser Sophie de toute sa
force, se récompensa sur ses mains qu'il baisa mille fois
l'une après l'autre. Sophie pouvait à peine suffire à
toutes les embrassades et à tous les compliments qu'on
lui fit. Le comte italien, en faisant le sien comme les
autres, lui voulut parler des prétentions qu'il avait

sur elle, comme lui ayant été promise par son père et
par sa mère. Dom Carlos, qui l'ouït, en quitta une des
mains de Sophie, qu'il baisait alors avidement et, portant la sienne à son épée qu'on lui venait de rendre,
se mit en une posture qui fit peur à tout le monde et,
jurant à faire abîmer la ville de Valence, fit bien connaître que toutes les puissances humaines ne lui ôteraient
pas Sophie si elle-même ne lui défendait de songer davantage en elle. Mais elle déclara qu'elle n'aurait jamais
d'autre mari que son cher dom Carlos et conjura son
père et sa mère de le trouver bon ou de se résoudre à
la voir enfermer dans un couvent pour toute sa vie. Ses
parents lui laissèrent la liberté de choisir tel mari qu'elle
voudrait et le comte italien, dès le jour même, prit la
poste pour l'Italie ou pour tout autre pays où il voulut
aller. Sophie conta toutes ses aventures, qui furent admirées de tout le monde. Un courrier alla porter la nouvelle de cette merveille à l'empereur qui conserva à dom
Carlos, après qu'il aurait épousé Sophie, la vice-royauté
de Valence et tous les bienfaits que cette vaillante fille
avait mérités sous le nom de dom Fernand, et donna
à ce bienheureux amant une principauté dont ses des-
cendants jouissent encore. La ville de Valence fit la
dépense des noces avec toute sorte de magnificence, et
Dorothée, qui reprit ses habits de femme en même temps
que Sophie, fut mariée en même temps qu'elle avec un
cavalier proche parent de dom Carlos.

CHAPITRE XV

EFFRONTERIE DU SIEUR DE LA RAPPINIÈRE

Le conseiller de Rennes achevait de lire sa nouvelle,
quand la Rappinière arriva dans l'hôtellerie. Il entra
en étourdi dans la chambre où on lui avait dit qu'était

monsieur de la Garouffière, mais son visage épanoui se
changea visiblement quand il vit Le Destin dans un
coin de la chambre et son valet, qui était aussi défait
et effrayé qu'un criminel que l'on juge. La Garouffière
ferma la porte de la chambre par dedans et ensuite demanda au brave la Rappinière s'il ne devinait pas bien
pourquoi il l'avait envoyé querir. N'est-ce pas à cause
d'une comédienne dont j'ai voulu avoir ma part? répondit en se riant le scélérat. Comment, votre part!
lui dit la Garouffière, prenant un visage sérieux. Sont-ce
là les discours d'un juge comme vous êtes et avez-vous
jamais fait pendre de si méchant homme que vous?
La Rappinière continua de tourner la chose en raillerie
et de la vouloir faire passer pour un tour de bon compagnon, mais le sénateur le prit toujours d'un ton si
sévère qu'enfin il avoua son mauvais dessein et en fit
de mauvaises excuses au Destin, qui avait eu besoin de
toute sa sagesse pour ne se pas faire raison d'un homme
qui l'avait voulu offenser si cruellement après lui être
obligé de la vie, comme l'on a pu voir au commencement de ces aventures comiques. Mais il avait encore à
démêler avec cet inique prévôt une autre affaire qui
lui était de grande importance et qu'il avait communiquée à monsieur de la Garouffière qui lui avait promis
de lui faire avoir raison de ce méchant homme. Quelque
peine que j'aie prise à bien étudier la Rappinière, je
n'ai jamais pu découvrir s'il était moins méchant envers
Dieu qu'envers les hommes et moins injuste envers son
prochain que vicieux en sa personne. Je sais seulement
avec certitude que jamais homme n'a eu plus de vices
ensemble et en plus éminent degré. Il avoua qu'il avait
eu envie d'enlever mademoisélle de l'Étoile, aussi hardiment que s'il se fût vanté d'une bonne action et il dit
effrontément au conseiller et au comédien que jamais
il n'avait moins douté du succès d'une pareille entreprise, car, continua-t-il, se tournant vers Le Destin,
j'avais gagné votre valet; votre sœur avait donné dans
le panneau et, pensant vous venir trouver où je lui avais

fait dire que vous étiez blessé, elle n'était pas à deux
lieues de la maison où je l'attendais quand je ne sais
qui diable l'a ôtée à ce grand sot qui me l'amenait et qui
m'a perdu un bon cheval après s'être bien fait battre.
Le Destin pâlissait de colère et quelquefois aussi rougissait de honte de voir de quel front ce scélérat lui osait
parler à lui-même de l'offense qu'il lui avait voulu faire
comme s'il lui eût conté une chose indifférente. La Garouffière s'en scandalisait aussi et n'avait pas une moindre
indignation contre un si dangereux homme. Je ne sais
pas, lui dit-il, comment vous osez nous apprendre si
franchement les circonstances d'une mauvaise action
pour laquelle monsieur Le Destin vous aurait donné
cent coups si je ne l'en eusse empêché, mais je vous
avertis qu'il le pourra bien faire encore si vous ne lui
restituez une boîte de diamants que vous lui avez autrefois volée dans Paris dans le temps que vous y tiriez
la laine [101]. Doguin, votre complice alors, et depuis votre
valet, lui a avoué en mourant que vous l'aviez encore
et moi je vous déclare que, si vous faites la moindre
difficulté de la rendre, vous m'avez pour aussi dangereux
ennemi que je vous ai été utile protecteur. La Rappinière fut foudroyé de ce discours à quoi il ne s'attendait
pas. Son audace à nier absolument une méchanceté
qu'il avait faite lui manqua au besoin. Il avoua, en bégayant comme un homme qui se trouble, qu'il avait
cette boîte au Mans et promit de la rendre avec des serments exécrables qu'on ne lui demandait point, tant
on faisait peu de cas de tous ceux qu'il eût pu faire.
Ce fut peut-être là une des plus ingénues actions qu'il
fit de sa vie et encore n'était-elle pas nette, car il est
bien vrai qu'il rendit la boîte, comme il avait promis;
mais il n'était pas vrai qu'elle fût au Mans puisqu'il
l'avait sur lui à l'heure même, à dessein d'en faire un
présent à mademoiselle de l'Étoile en cas qu'elle n'eût
pas voulu se donner à lui pour peu de chose. C'est ce
qu'il confessa en particulier à monsieur de la Garouffière dont il voulut par là regagner les bonnes grâces,

lui mettant entre les mains cette boîte de portrait pour
en disposer comme il lui plairait. Elle était composée
de cinq diamants d'un prix considérable. Le père de
mademoiselle de l'Étoile y était peint en émail et le
visage de cette belle fille avait tant de rapport à ce
portrait que cela seul pouvait suffire pour la faire reconnaître à son père. Le Destin ne savait comment
remercier assez M. de la Garouffière quand il lui donna
la boîte de diamants. Il se voyait exempté par là d'avoir
à se la faire rendre par force de la Rappinière qui ne
savait rien moins que de restituer et qui eût pu se pré-
valoir contre un pauvre comédien de sa charge de prévôt, qui est un dangereux bâton entre les mains d'un
méchant homme. Quand cette boîte fut ôtée au Destin,
il en avait eu un déplaisir très grand qui s'augmenta
encore par celui qu'en eut la mère de l'Étoile qui gardait
chèrement ce bijou comme un gage de l'amitié de son
mari. On peut donc aisément se figurer qu'il eut une
extrême joie de l'avoir recouvrée. Il alla en faire part
à l'Étoile, qu'il trouva chez la sœur du curé du bourg
en la compagnie d'Angélique et de Léandre. Ils délibérèrent ensemble de leur retour au Mans qui fut résolu
pour le lendemain. Monsieur de la Garouffière leur offrit
un carrosse qu'ils ne voulurent pas prendre. Les comédiens et les comédiennes soupèrent avec monsieur de
la Garouffière et sa compagnie. On se coucha de bonne
heure dans l'hôtellerie et, dès la pointe du jour, Le
Destin et Léandre, chacun sa maîtresse en croupe,
prirent le chemin du Mans où Ragotin, la Rancune et
l'Olive étaient déjà retournés. Monsieur de la Garouffière fit cent offres de service au Destin. Pour la Bouvillon, elle fit la malade plus qu'elle ne l'était pour ne
point recevoir l'adieu du comédien dont elle n'était pas
satisfaite.

CHAPITRE XVI

DISGRACE DE RAGOTIN

Les deux comédiens qui retournèrent au Mans avec Ragotin furent détournés du droit chemin par le petit homme qui les voulut traiter dans une petite maison de campagne qui était proportionnée à sa petitesse. Quoiqu'un fidèle et exact historien soit obligé à particulariser les accidents importants de son histoire et les lieux où ils se sont passés, je ne vous dirai pas fort juste en quel endroit de notre hémisphère était la maisonnette où Ragotin mena ses confrères futurs, que j'appelle ainsi parce qu'il n'était pas encore reçu dans l'ordre vagabond des comédiens de campagne. Je vous dirai donc seulement que la maison était au deçà du Gange, et n'était pas loin de Sillé-le-Guillaume [102]. Quand il y arriva, il la trouva occupée par une compagnie de Bohémiens qui, au grand déplaisir de son fermier, s'y étaient arrêtés sous prétexte que la femme du capitaine avait été pressée d'accoucher ou plutôt par la facilité que ces voleurs espérèrent de trouver à manger impunément des volailles d'une métairie écartée du grand chemin. D'abord Ragotin se fâcha en petit homme fort colère et menaça les Bohémiens du prévôt du Mans dont il se dit allié à cause qu'il avait épousé une Portail [103]; et là-dessus il fit un long discours, pour apprendre aux auditeurs de quelle façon les Portails étaient parents des Ragotins, sans que son long discours apportât aucun tempérament à sa colère immodérée et l'empêchât de jurer scandaleusement. Il les menaça aussi du lieutenant de prévôt la Rappinière au nom duquel tout genou fléchissait, mais le capitaine bohême le fit enrager à force de lui parler civilement et fut assez effronté pour le louer de sa bonne mine qui sentait son homme de qualité et qui ne le faisait pas peu repentir

d'être entré par ignorance dans son château (c'est
ainsi que le scélérat appela sa maisonnette qui n'était
fermée que de haies). Il ajouta encore que la dame en
mal d'enfant serait bientôt délivrée du sien et que la
petite troupe délogerait après avoir payé à son fermier
ce qu'il leur avait fourni pour eux et pour leurs bêtes.
Ragotin se mourait de dépit de ne pouvoir trouver à
quereller avec un homme qui lui riait au nez et lui faisait mille révérences, mais ce flegme du Bohémien allait
enfin échauffer la bile de Ragotin, quand la Rancune
et le frère du capitaine se reconnurent pour avoir été
autrefois grands camarades et cette reconnaissance fit
grand bien à Ragotin qui s'allait sans doute engager en
une mauvaise affaire pour l'avoir prise d'un ton trop
haut. La Rancune le pria donc de s'apaiser, ce qu'il
avait grande envie de faire et ce qu'il eût fait de lui-
même si son orgueil naturel eût pu y consentir. Dans
ce même temps la dame bohémienne accoucha d'un
garçon. La joie en fut grande dans la petite troupe
et le capitaine pria à souper les comédiens et Ragotin
qui avait déjà fait tuer des poulets pour en faire une
fricassée. On se mit à table. Les Bohémiens avaient des
perdrix et des lièvres qu'ils avaient pris à la chasse
et deux poulets d'Inde et autant de cochons de lait qu'ils
avaient volés. Ils avaient aussi un jambon et des langues
de bœuf et on y entama un pâté de lièvre dont la croûte
même fut mangée par quatre ou cinq Bohémillons qui
servirent à table. Ajoutez à cela la fricassée de six poulets
de Ragotin et vous avouerez que l'on n'y fit pas mauvaise chère. Les convives, outre les comédiens, étaient
au nombre de neuf, tous bons danseurs et encore meilleurs larrons. On commença des santés par celle du roi
et de messieurs les princes et on but en général celles
de tous les bons seigneurs qui recevaient dans leurs
villages les petites troupes. Le capitaine pria les comédiens de boire à la mémoire de défunt Charles Dodo,
oncle de la dame accouchée et qui fut pendu pendant
le siège de la Rochelle, par la trahison du capitaine La

Grave [104]. On fit de grandes imprécations contre ce
capitaine faux frère et contre tous les prévôts, et on
fit une grande dissipation du vin de Ragotin dont la
vertu fut telle que la débauche fut sans noise et que chacun des conviés, sans même en excepter le misanthrope
la Rancune, fit des protestations d'amitié à son voisin,
le baisa de tendresse et lui mouilla le visage de larmes.
Ragotin fit tout à fait bien les honneurs de sa maison
et but comme une éponge. Après avoir bu toute la nuit,
ils devaient vraisemblablement se coucher quand le
soleil se leva, mais ce même vin qui les avait rendus si
tranquilles buveurs leur inspira à tous en même temps
un esprit de séparation, si j'ose ainsi dire. La caravane
fit ses paquets, non sans y comprendre quelques gue-
nilles du fermier de Ragotin et le joli seigneur monta
sur son mulet et, aussi sérieux qu'il avait été emporté
pendant le repas, prit le chemin du Mans sans se mettre
en peine si la Rancune et l'Olive le suivaient et n'ayant
de l'attention qu'à sucer une pipe à tabac qui était vide
il y avait plus d'une heure. Il n'eut pas fait demi-lieue,
toujours suçant sa pipe vide, qui ne lui rendait aucune
fumée, que celles du vin lui étourdirent tout à coup la tête.
Il tomba de son mulet qui retourna avec beaucoup de
prudence à la métairie d'où il était parti et, pour Ragotin,
après quelques soulèvements de son estomac trop chargé,
qui fit ensuite parfaitement son devoir, il s'endormit
au milieu du chemin. Il n'y avait pas longtemps qu'il
dormait, ronflant comme une pédale d'orgue, quand
un homme nu (comme on peint notre premier père),
mais effroyablement barbu, sale et crasseux, s'approcha
de lui et se mit à le déshabiller. Cet homme sauvage
fit de grands efforts pour ôter à Ragotin les bottes
neuves que, dans une hôtellerie, la Rancune s'était ap-
propriées par la supposition des siennes, de la manière
que je vous l'ai conté en quelque endroit de cette véritable histoire; et tous ses efforts, qui eussent éveillé
Ragotin s'il n'eût été mort-ivre, comme on dit, et qui
l'eussent fait crier comme un homme que l'on tire à quatre

chevaux, ne firent autre effet que de le traîner à
écorche-cul la longueur de sept ou huit pas. Un couteau
en tomba de la poche du beau dormeur; ce vilain homme
s'en saisit et, comme s'il eût voulu écorcher Ragotin,
il lui fendit sur la peau sa chemise, ses bottes et tout ce
qu'il eut de la peine à lui ôter de dessus le corps; et,
ayant fait un paquet de toutes les hardes de l'ivrogne
dépouillé, l'emporta, fuyant comme un loup avec sa
proie. Nous laisserons courir avec son butin cet homme,
qui était le même fou qui avait autrefois fait si grand'-
peur au Destin, quand il commença la quête de mademoiselle Angélique, et ne quitterons point Ragotin qui
ne veille pas et qui a grand besoin d'être réveillé. Son
corps nu, exposé au soleil, fut bientôt couvert et piqué
de mouches et de moucherons de différentes espèces
dont pourtant il ne fut point éveillé, mais il le fut quelque
temps après par une troupe de paysans qui conduisaient
une charrette. Le corps nu de Ragotin ne leur donna
pas plutôt dans la vue qu'ils s'écrièrent : Le voilà!
et, s'approchant de lui faisant le moins de bruit qu'ils
purent, comme s'ils eussent eu peur de l'éveiller, ils
s'assurèrent de ses pieds et de ses jambes qu'ils lièrent
avec de grosses cordes et, l'ayant ainsi garrotté, le portèrent dans leur charrette, qu'ils firent aussitôt partir
avec autant de hâte qu'en a un galant qui enlève une
maîtresse contre son gré et celui de ses parents. Ragotin
était si ivre que toutes les violences qu'on lui fit ne le
purent éveiller, non plus que les rudes cahots de la charrette que ces paysans faisaient aller fort vite et avec
tant de précipitation qu'elle versa en un mauvais pas
plein d'eau et de boue, et Ragotin par conséquent versa
aussi. La fraîcheur du lieu où il tomba, dont le fond
avait quelques pierres ou quelque chose d'aussi dur,
et le rude branle de sa chute l'éveillèrent et l'état surprenant où il se trouva l'étonna furieusement. Il se
voyait lié pieds et mains et tombé dans de la boue;
il se sentait la tête tout étourdie de son ivresse et de
sa chute et ne savait que juger de trois ou quatre pay-

sans qui le relevaient et d'autant d'autres qui relevaient
une charrette. Il était si effrayé de son aventure que
même il ne parla pas en un si beau sujet de parler, lui qui
était grand parleur de son naturel, et un moment après
il n'eût pu parler à personne quand il l'eût voulu; car
les paysans, ayant tenu ensemble un conseil secret,
délièrent le pauvre petit homme des pieds seulement
et, au lieu de lui en dire la raison ou de lui en faire
quelque civilité, observant entre eux un grand silence,
tournèrent la charrette du côté qu'elle était venue et
s'en retournèrent avec autant de précipitation qu'ils
en avaient eu à venir là. Le lecteur discret est, possible,
en peine de savoir ce que les paysans voulaient à Ragotin
et pourquoi ils ne lui firent rien. L'affaire est assurément difficile à deviner et ne se peut savoir à moins que
d'être révélée. Et, pour moi, quelque peine que j'y aie
prise, et après y avoir employé tous mes amis, je ne l'ai
su depuis peu de temps que par hasard et lorsque je
l'espérais le moins, de la façon que je vous le vais dire.
Un prêtre du bas Maine, un peu fou mélancolique,
qu'un procès avait fait venir à Paris, en attendant
que son procès fût en état d'être jugé, voulut faire imprimer quelques pensées creuses qu'il avait eues sur
l'Apocalypse. Il était si fécond en chimères et si amoureux des dernières productions de son esprit qu'il en
haïssait les vieilles, et ainsi pensa faire enrager un
imprimeur à qui il faisait vingt fois refaire une même
feuille. Il fut obligé par là d'en changer souvent et
enfin il s'était adressé à celui qui a imprimé le présent
livre, chez qui il lut une fois quelques feuilles qui parlaient de cette même aventure que je vous raconte.
Ce bon prêtre en avait plus de connaissance que moi,
ayant su des mêmes paysans qui enlevèrent Ragotin
de la façon que je vous ai dit, le motif de leur entreprise que je n'avais pu savoir. Il connut donc d'abord
où l'histoire était défectueuse et, en ayant donné connaissance à mon imprimeur qui en fut fort étonné (car
il avait cru, comme beaucoup d'autres, que mon roman

était un livre fait à plaisir), il ne se fit pas beaucoup
prier par l'imprimeur pour me venir voir. Lors j'appris
du véritable Manceau que les paysans qui lièrent Ragotin endormi étaient les proches parents du pauvre fou
qui courait les champs, que Le Destin avait rencontré
de nuit et qui avait dépouillé Ragotin en plein jour.
Ils avaient fait dessein d'enfermer leur parent, avaient
souvent essayé de le faire et avaient souvent été bien
battus par le fou qui était un fort et puissant homme.
Quelques personnes du village, [qui] avaient vu de loin
reluire au soleil le corps de Ragotin, le prirent pour le
fou endormi, et, n'en ayant osé approcher, de peur
d'être battus, ils en avaient averti ces paysans qui vinrent avec toutes les précautions que vous avez vues,
prirent Ragotin sans le reconnaître et, l'ayant reconnu
pour n'être pas celui qu'ils cherchaient, le laissèrent
les mains liées afin qu'il ne pût rien entreprendre contre
eux. Les mémoires que j'eus de ce prêtre me donnèrent
beaucoup de joie et j'avoue qu'il me rendit un grand
service, mais je ne lui en rendis pas un petit en lui conseillant en ami de ne pas faire imprimer son livre plein
de visions ridicules. Quelqu'un m'accusera peut-être
d'avoir conté ici une particularité fort inutile, quelque
autre m'en louera de beaucoup de sincérité. Retournons
à Ragotin, le corps crotté et meurtri, la bouche sèche,
la tête pesante et les mains liées derrière le dos. Il se
leva le mieux qu'il put et, ayant porté sa vue de part
et d'autre, le plus loin qu'elle se put étendre sans voir
ni maisons ni hommes, il prit le premier chemin battu
qu'il trouva, bandant tous les ressorts de son esprit
pour connaître quelque chose en son aventure. Ayant
les mains liées comme il avait, il recevait une furieuse
incommodité de quelques moucherons opiniâtres qui
s'attachaient par malheur aux parties de son corps où
ses mains garrottées ne pouvaient aller et l'obligeaient
quelquefois à se coucher par terre pour s'en délivrer
en les écrasant ou en leur faisant quitter prise. Enfin,
il attrapa un chemin creux revêtu de haies et plein

d'eau et ce chemin allait au gué d'une petite rivière. Il
s'en réjouit, faisant état de se laver le corps qu'il avait
plein de boue, mais, en approchant du gué, il vit un
carrosse versé d'où le cocher et un paysan tiraient,
par les exhortations d'un vénérable homme d'église,
cinq ou six religieuses fort mouillées. C'était la vieille
abbesse d'Estival [105] qui revenait du Mans où une affaire
importante l'avait fait aller et qui, par la faute de son
cocher, avait fait naufrage. L'abbesse et les religieuses
tirées du carrosse aperçurent de loin la figure nue de
Ragotin qui venait droit à elles, dont elles furent fort
scandalisées, et encore plus qu'elles, père Giflot, le
directeur discret de l'abbaye. Il fit tourner vitement
le dos aux bonnes mères, de peur d'irrégularité, et cria
de toute sa force à Ragotin qu'il n'approchât pas de plus
près. Ragotin poussa toujours en avant et commença
d'enfiler une longue planche qui était là pour la commodité des gens de pied, et père Giflot vint au-devant
de lui, suivi du cocher et du paysan, et douta d'abord
s'il le devait exorciser, tant il trouvait sa figure diabolique. Enfin il lui demanda qui il était, d'où il venait,
pourquoi il était nu, pourquoi il avait les mains liées,
et lui fit toutes ces questions-là avec beaucoup d'éloquence et ajustant à ses paroles le ton de la voix et
l'action des mains. Ragotin lui répondit incivilement :
**Qu'en avez-vous à faire ? et, voulant passer outre sur
la planche, il poussa si rudement le révérend père Giflot, qu'il le fit choir dans l'eau.** Le bon prêtre entraîna
avec lui le cocher, le cocher le paysan ; et Ragotin trouva
leur manière de tomber dans l'eau si divertissante qu'il
en éclata de rire. Il continua son chemin vers les religieuses qui, le voile baissé, lui tournèrent le dos en
haie, toutes le visage tourné vers la campagne. Ragotin
eut beaucoup d'indifférence pour les visages des religieuses, et passait outre, pensant en être quitte, ce que
ne pensait pas le père Giflot [106]. Il suivit Ragotin, secondé du paysan et du cocher qui, le plus colère des
trois, et déjà de mauvaise humeur à cause que madame

l'abbesse l'avait grondé, se détacha du gros, joignit
Ragotin et, à grands coups de fouet, se vengea sur la
peau d'autrui de l'eau qui avait mouillé la sienne. Ragotin n'attendit pas une seconde décharge; il s'enfuit
comme un chien qu'on fouette; et le cocher, qui n'était
pas satisfait d'un seul coup de fouet, le hâta d'aller de
plusieurs autres qui tous tirèrent le sang de la peau du
fustigé. Giflot, quoique essoufflé d'avoir couru, ne se
lassait pas de crier : Fouettez, fouettez! de toute sa
force; et le cocher de toute la sienne redoublait ses coups
sur Ragotin et commençait à s'y plaire quand un moulin se présenta au pauvre homme comme un asile. Il
y courut, ayant toujours son bourreau à ses trousses et,
trouvant la porte d'une basse-cour ouverte, y entra
et y fut reçu d'abord par un mâtin qui le prit aux fesses.
Il en jeta des cris douloureux et gagna un jardin ouvert
avec tant de précipitation qu'il renversa six ruches de
mouches à miel qui y étaient posées à l'entrée; et ce fut
là le comble de ses infortunes. Ces petits éléphants ailés,
pourvus de proboscides et armés d'aiguillons, s'achar-
nèrent sur ce petit corps nu qui n'avait point de mains
pour se défendre et le blessèrent d'une horrible manière.
Il en cria si haut que le chien qui le mordait s'enfuit
de la peur qu'il en eut, ou plutôt des mouches. Le cocher
impitoyable fit comme le chien et père Giflot, à qui
la colère avait fait oublier pour un temps la charité,
se repentit d'avoir été trop vindicatif et alla lui-même
hâter le meunier et ses gens qui, à son gré, venaient trop
lentement au secours d'un homme qu'on assassinait
dans leur jardin. Le meunier retira Ragotin d'entre les
glaives pointus et venimeux de ces ennemis volants et,
quoiqu'il fût enragé de la chute de ses ruches, il ne
laissa pas d'avoir pitié du misérable. Il lui demanda
où diable il se venait fourrer nu et les mains liées entre
des paniers à mouches. Mais quand Ragotin eût voulu
lui répondre, il ne l'eût pu dans l'extrême douleur qu'il
sentait par tout son corps. Un petit ours nouveau-né,
qui n'a point encore été léché de sa mère, est plus formé

en sa figure oursine que ne le fut Ragotin en sa figure
humaine après que les piqûres des mouches l'eurent
enflé depuis les pieds jusqu'à la tête. La femme du
meunier, pitoyable comme une femme, lui fit dresser
un lit et le fit coucher. Père Giflot, le cocher et le paysan
retournèrent à l'abbesse d'Estival et à ses religieuses
qui se rembarquèrent dans leur carrosse et, escortées
du révérend père Giflot, monté sur une jument, continuèrent leur chemin. Il se trouva que le moulin était
à l'élu du Rignon [107] ou à son gendre Bagottière (je
n'ai pas bien su lequel). Ce du Rignon était parent de
Ragotin qui, s'étant fait connaître au meunier et à
sa femme, en fut servi avec beaucoup de soin et pansé
heureusement par le chirurgien d'un bourg voisin jusqu'à son entière convalescence. Aussitôt qu'il put marcher, il retourna au Mans où la joie de savoir que la
Rancune et l'Olive avaient trouvé son mulet et l'avaient
ramené au Mans lui fit oublier la chute de la charrette,
les coups de fouet du cocher, les morsures du chien
et les piqûres des mouches.

CHAPITRE XVII

CE QUI SE PASSA ENTRE LE PETIT RAGOTIN ET LE GRAND
BAGUENODIÈRE [108]

Le Destin et l'Étoile, Léandre et Angélique, deux
couples de beaux et parfaits amants, arrivèrent dans
la capitale du Maine sans faire de mauvaise rencontre.
Le Destin remit Angélique dans les bonnes grâces de
sa mère à qui il sut si bien faire valoir le mérite, la condition et l'amour de Léandre que la bonne Caverne
commença d'approuver la passion que ce jeune garçon
et sa fille avaient l'un pour l'autre autant qu'elle s'y
était opposée. La pauvre troupe n'avait pas encore bien

fait ses affaires dans la ville du Mans, mais un homme
de condition, qui aimait fort la comédie, suppléa à
l'humeur chiche des Manceaux. Il avait la plus grande
partie de son bien dans le Maine, avait pris une maison
dans le Mans et y attirait souvent des personnes de
condition de ses amis, tant courtisans que provinciaux,
et même quelques beaux esprits de Paris, entre lesquels
il se trouvait des poëtes du premier ordre; et enfin,
il était une manière de Mécénas moderne. Il aimait
passionnément la comédie et tous ceux qui s'en mê-
laient et c'est ce qui attirait tous les ans dans la capitale
du Maine les meilleures troupes de comédiens du
royaume. Ce seigneur que je vous dis arriva au Mans
dans le temps que nos pauvres comédiens en voulaient
sortir, mal satisfaits de l'auditoire manceau; il les pria
d'y demeurer encore quinze jours pour l'amour de lui
et, pour les y obliger, leur donna cent pistoles et leur
en promit autant quand ils s'en iraient. Il était bien
aise de donner le divertissement de la comédie à plusieurs personnes de qualité de l'un et de l'autre sexe qui
arrivèrent au Mans dans le même temps et qui y devaient
faire séjour à sa prière. Ce seigneur, que j'appellerai
le marquis d'Orsé [109], était grand chasseur et avait
fait venir au Mans son équipage de chasse qui était
des plus beaux qui fût en France. Les landes et les
forêts du Maine font un des plus agréables pays de
chasse qui se puisse trouver dans tout le reste de la
France, soit pour le cerf, soit pour le lièvre et, en ce
temps-là, la ville du Mans se trouva pleine de chasseurs
que le bruit de cette grande fête y attira, la plupart
avec leurs femmes qui furent ravies de voir des dames
de la cour pour en pouvoir parler le reste de leurs jours
auprès de leur feu. Ce n'est pas une petite ambition aux
provinciaux que de pouvoir dire quelquefois qu'ils ont
vu en tel lieu et en tel temps des gens de la cour dont
ils prononcent toujours le nom tout sec, comme, par
exemple : Je perdis mon argent contre Roquelaure [110];
Créqui [111] a tant gagné; Coatquin [112] courre le cerf en

Touraine; et, si on leur laisse quelquefois entamer un
discours de politique ou de guerre, ils ne déparlent pas
(si j'ose ainsi dire) tant qu'ils aient épuisé la matière autant qu'ils en sont capables. Finissons la digression. Le Mans donc se trouva plein de noblesse grosse
et menue. Les hôtelleries furent pleines d'hôtes et la
plupart des gros bourgeois qui logèrent des personnes
de qualité ou des nobles campagnards de leurs amis
salirent en peu de temps tous leurs draps fins et leur
linge damassé. Les comédiens ouvrirent leur théâtre
en humeur de bien faire comme des comédiens payés
par avance. Le bourgeois du Mans se réchauffa pour la
comédie. Les dames de la ville et de la province étaient
ravies d'y voir tous les jours des dames de la cour, de
qui elles apprirent à se bien habiller, au moins mieux
qu'elles ne faisaient, au grand profit de leurs tailleurs à qui
elles donnèrent à réformer quantité de vieilles robes. Le
bal se donnait tous les soirs, où de très méchants danseurs
dansèrent de très mauvaises courantes et où plusieurs
jeunes gens de la ville dansèrent en bas de drap de Hollande
ou d'Usseau [113] et en souliers cirés. Nos comédiens furent
souvent appelés pour jouer en visite. L'Étoile et Angélique donnèrent de l'amour aux cavaliers et de l'envie
aux dames. Inézille, qui danse la sarabande à la prière
des comédiens, se fit admirer; Roquebrune en pensa
mourir de réplétion d'amour tant le sien s'augmenta tout
à coup; et Ragotin avoua à la Rancune que, s'il diffé-
rait plus longtemps à le mettre bien dans l'esprit de
l'Étoile, la France allait être sans Ragotin. La Rancune
lui donna de bonnes espérances et, pour lui témoigner
l'estime particulière qu'il faisait de lui, le pria de lui
prêter pour vingt-cinq ou trente francs de monnaie.
Ragotin pâlit à cette prière incivile, se repentit de ce
qu'il lui venait de dire et renonça quasi à son amour.
Mais enfin, en enrageant tout vif, il fit la somme en
toutes sortes d'espèces qu'il tira de différents boursons
et la donna fort tristement à la Rancune qui lui promit
que, dès le jour d'après, il entendrait parler de lui.

Ce jour-là on joua le *Dom Japhet* [114], ouvrage de théâtre
aussi enjoué que celui qui l'a fait a sujet de l'être peu.
L'auditoire fut nombreux, la pièce fut bien représentée
et tout le monde fut satisfait, à la réserve du désastreux
Ragotin. Il vint tard à la comédie et, pour la punition
de ses péchés, il se plaça derrière un gentilhomme provincial, homme à large échine et couvert d'une grosse
casaque qui grossissait beaucoup sa figure. Il était d'une
taille si haute au-dessus des plus grandes qu'encore
qu'il fût assis, Ragotin, qui n'était séparé de lui que
d'un rang de sièges, crut qu'il était debout et lui cria
incessamment qu'il s'assît comme les autres, ne pouvant croire qu'un homme assis ne dût pas avoir sa tête
au niveau de toutes celles de la compagnie. Ce gentilhomme, qui se nommait la Baguenodière, ignora longtemps que Ragotin parlât à lui. Enfin Ragotin l'appela
monsieur à la plume verte, et comme véritablement il
en avait une bien touffue, bien sale et peu fine, il tourna
la tête et vit le petit impatient qui lui dit assez rudement qu'il s'assît. La Baguenodière en fut si peu ému
qu'il se retourna vers le théâtre comme si de rien n'eût
été. Ragotin lui recria encore qu'il s'assît. Il tourna encore
la tête devers lui, le regarda et se retourna vers le théâtre.
Ragotin recria; Baguenodière tourna la tête pour la troisième fois, **pour la troisième** fois regarda son homme et,
pour la troisième fois, se retourna vers le théâtre. Tant que
dura la comédie, Ragotin lui cria de même force qu'il
s'assît et la Baguenodière le regarda toujours d'un
même flegme capable de faire enrager tout le genre
humain. On eût pu comparer la Baguenodière à un
grand dogue et Ragotin à un roquet qui aboie après lui
sans que le dogue en fasse autre chose que d'aller pisser
contre une muraille. Enfin tout le monde prit garde à
ce qui se passait entre le plus grand homme et le plus
petit de la compagnie et tout le monde commença
d'en rire dans le temps que Ragotin commença d'en
jurer d'impatience sans que la Baguenodière fît autre
chose que de le regarder froidement. Ce Baguenodière

était le plus grand homme et plus grand brutal du
monde; il demanda avec sa froideur accoutumée à deux
gentilshommes qui étaient auprès de lui de quoi ils
riaient. Ils lui dirent ingénument que c'était de lui
et de Ragotin et pensaient bien par là le congratuler
que plutôt lui déplaire. Ils lui déplurent pourtant et
un : *Vous êtes de bons sots,* que la Baguenodière, d'un
visage refrogné, leur lâcha assez mal à propos, leur
apprit qu'il prenait mal la chose et les obligea à lui repartir, chacun pour sa part, d'un grand soufflet. La Baguenodière ne put d'abord que les pousser des coudes à
droite et à gauche, ses mains étant embarrassées dans
sa casaque et, devant qu'il les eût libres, les gentilshommes, qui étaient frères et fort actifs de leur naturel,
lui purent donner demi-douzaine de soufflets, dont
les intervalles furent par hasard si bien compassés
que ceux qui les ouïrent sans les voir donner crurent
que quelqu'un avait frappé six fois des mains l'une contre
l'autre à égaux intervalles. Enfin Baguenodière tira ses
bras de dessous sa lourde casaque, mais, pressé comme
il était des deux frères qui le gourmaient comme des
lions, ses longs bras n'eurent pas leurs mouvements
libres. Il se voulut reculer et il tomba à la renverse sur
un homme qui était derrière lui et le renversa, lui et
son siège, sur le malheureux Ragotin, qui fut renversé
sur un autre, qui fut renversé sur un autre, qui fut aussi
renversé sur un autre, et ainsi de même jusqu'où finis-
saient les sièges, dont une file entière fut renversée
comme des quilles. Le bruit des tombants, des dames
foulées, de celles qui avaient peur, des enfants qui
criaient, des gens qui parlaient, de ceux qui riaient,
de ceux qui se plaignaient et de ceux qui battaient des
mains fit une rumeur infernale. Jamais un aussi petit
sujet ne causa de plus grands accidents; et ce qu'il
y eut de merveilleux, c'est qu'il n'y eut pas une épée
tirée, quoique le principal démêlé fût entre des personnes
qui en portaient et qu'il y en eût plus de cent dans la
compagnie. Mais ce qui fut encore plus merveilleux,

c'est que la Baguenodière se gourma et fut gourmé
sans s'émouvoir non plus que de l'affaire du monde la
plus indifférente et, de plus, on remarqua que, de toute
l'après-dînée, il n'avait pas ouvert la bouche que pour
dire les quatre malheureux mots qui lui attirèrent
cette grêle de souffletades et ne l'ouvrit pas jusqu'au
soir, tant ce grand homme avait un flegme et une taciturnité proportionnée à sa taille. Ce hideux chaos de
tant de personnes et de sièges mêlés les uns dans les
autres fut longtemps à se débrouiller. Tandis que l'on
y travaillait et que les plus charitables se mettaient
entre Baguenodière et ses deux ennemis, on entendait
des hurlements effroyables qui sortaient comme de
dessous terre. Qui pouvait-ce être que Ragotin? En
vérité, quand la fortune a commencé de persécuter un
misérable, elle le persécute toujours. Le siège du pauvre
petit était justement posé sur l'ais qui couvre l'égout
du tripot. Cet égout est toujours au milieu, immédiatement sous la corde. Il sert à recevoir l'eau de la pluie
et l'ais qui le couvre se lève comme un dessus de boîte.
Comme les ans viennent à bout de toutes choses, l'ais
de ce tripot où se faisait la comédie était fort pourri
et s'était rompu sous Ragotin, quand un homme honnêtement pesant l'accabla de son corps et de son siège.
Cet homme fourra une jambe dans le trou où Ragotin
était tout entier; cette jambe était bottée et l'éperon
en piquait Ragotin à la gorge, ce qui lui faisait faire
ces furieux hurlements qu'on ne pouvait deviner. Quelqu'un donna la main à cet homme et, dans le temps
que sa jambe, engagée dans le trou, changea de place,
Ragotin lui mordit le pied si serré que cet homme crut
être mordu d'un serpent et fit un cri qui fit tressaillir
celui qui le secourait qui, de peur, en lâcha prise. Enfin
il se reconnut, redonna la main à son homme qui ne
criait plus parce que Ragotin ne le mordait plus et tous
deux ensemble déterrèrent le petit qui ne vit pas plutôt
la lumière du jour que, menaçant tout le monde de la
tête et des yeux, et principalement ceux qu'il vit rire

en le regardant, il se fourra dans la presse de ceux qui
sortaient, méditant quelque chose de bien glorieux pour
lui et bien funeste pour la Baguenodière. Je n'ai pas su
de quelle façon la Baguenodière fut accommodé avec
les deux frères, tant il y a qu'il le fut ; du moins n'ai-je pas
ouï dire qu'ils se soient depuis rien fait les uns aux
autres. Et voilà ce qui troubla en quelque façon la
première représentation que firent nos comédiens devant
l'illustre compagnie qui se trouvait lors dans la ville
du Mans.

CHAPITRE XVIII

QUI N'A PAS BESOIN DE TITRE

On représenta le jour suivant le *Nicomède* de l'inimitable monsieur de Corneille. Cette comédie est admirable
à mon jugement et celle de cet excellent poète de théâtre
en laquelle il a le plus mis du sien et a plus fait paraître
la fécondité et la grandeur de son génie [115], donnant
à tous les acteurs des caractères fiers tous différents
les uns des autres. La représentation n'en fut point
troublée et ce fut peut-être à cause que Ragotin ne
s'y trouva pas. Il ne se passait guère de jour qu'il ne
s'attirât quelque affaire, à quoi sa mauvaise gloire et
son esprit violent et présomptueux contribuaient autant
que sa mauvaise fortune qui jusqu'alors ne lui avait
point fait de quartier. Le petit homme avait passé
l'après-dînée dans la chambre du mari d'Inézille, l'opérateur Ferdinando Ferdinandi, Normand, se disant
Vénitien (comme je vous ai déjà dit), médecin spagirique [116] de profession et, pour dire franchement ce qu'il
était, grand charlatan et encore plus grand fourbe.
La Rancune, pour se donner quelque relâche des impor-
tunités que lui faisait sans cesse Ragotin à qui il avait
promis de le faire aimer de mademoiselle de l'Étoile,

lui avait fait accroire que l'opérateur était un grand
magicien qui pouvait faire courir en chemise après un
homme la femme du monde la plus sage, mais qu'il ne
faisait de semblables merveilles que pour ses amis particuliers dont il connaissait la discrétion, à cause qu'il
s'était mal trouvé d'avoir fait agir son art pour des
plus grands seigneurs de l'Europe. Il conseilla à Ragotin
de mettre tout en usage pour gagner ses bonnes grâces,
ce qu'il lui assura ne lui [devoir] [117] pas être difficile,
l'opérateur étant homme d'esprit qui devenait aisément
amoureux de ceux qui en avaient et qui, quand une
fois il aimait quelqu'un, n'avait plus rien de réservé pour
lui. Il n'y a qu'à louer ou à respecter un homme glorieux : on lui fait faire ce que l'on veut. Il n'en est pas
de même d'un homme patient, il n'est pas aisé à gou-
verner; et l'expérience apprend qu'une personne humble
et qui a le pouvoir sur soi de remercier quand on l'a
refusée, vient plutôt à bout de ce qu'elle entreprend
que celle qui s'offense d'un refus. La Rancune persuada
à Ragotin ce qu'il voulut et Ragotin, dès l'heure même,
alla persuader à l'opérateur qu'il était un grand magicien.
Je ne vous redirai point ce qu'il lui dit; il suffit que
l'opérateur, qui avait été averti par la Rancune, jou[ât]
bien son personnage et ni[ât] qu'il fût magicien, d'une
manière à faire croire qu'il l'était. Ragotin passa l'après-
dînée auprès de lui qui avait un matras [118] sur le feu
pour quelque opération chimique et, pour ce jour-là,
n'en put rien tirer d'affirmatif, dont l'impatient Manceau
passa une nuit fort mauvaise. Le jour suivant il entra
dans la chambre de l'opérateur, qui était encore dans
le lit. Inézille le trouva fort mauvais, car elle n'était plus
d'âge à sortir de son lit fraîche comme une rose et
elle avait besoin tous les matins d'être longtemps
enfermée en particulier devant que d'être en état de paraître en public. Elle se coula donc dans un petit cabinet,
suivie de sa servante morisque qui lui porta toutes ses
munitions d'amour; et cependant Ragotin remit le
sieur Ferdinandi sur la magie et le sieur Ferdinandi

s'ouvrit plus qu'il n'avait fait, mais sans lui vouloir rien promettre. Ragotin lui voulut donner des marques de sa largesse; il fit fort bien apprêter à dîner et y convia les comédiens et les comédiennes. Je ne vous dirai point les particularités du repas; vous saurez seulement qu'on s'y réjouit beaucoup et qu'on y mangea de grande force. Après dîner, Inézille fut priée par Le Destin et les comédiennes de leur lire quelque historiette espagnole, de celles qu'elle composait ou traduisait tous les jours, à l'aide du divin Roquebrune, qui lui avait juré par Apollon et les neuf Sœurs qu'il lui apprendrait dans six mois toutes les grâces et les finesses de notre langue. Inézille ne se fit point prier et, tandis que Ragotin fit la cour au magicien Ferdinandi, elle lut d'un ton de voix charmant la nouvelle que vous allez lire dans le suivant chapitre.

CHAPITRE XIX

NOUVELLE : LES DEUX FRÈRES RIVAUX [119]

Dorothée et Féliciane de Monsalve étaient les deux plus aimables filles de Séville, et quand elles ne l'eussent pas été, leur bien et leur condition les eussent fait rechercher de tous les cavaliers qui avaient envie de se bien marier. Dom Manuel, leur père, ne s'était point encore déclaré en faveur de personne; et Dorothée, sa fille qui, comme aînée, devait être mariée devant sa sœur, avait comme elle si bien ménagé ses regards et ses actions que le plus présomptueux de ses prétendants avait encore à douter si ses promesses amoureuses étaient bien ou mal reçues. Cependant ces belles filles n'allaient point à la messe sans un cortège d'amants bien parés; elles ne prenaient point d'eau bénite que plusieurs mains, belles ou laides, ne leur en offrissent à la fois; leurs beaux yeux ne se pouvaient lever de dessus leur livre de prières qu'ils ne se trouvassent le centre de je ne sais combien de regards immodérés et elles ne faisaient pas un pas dans l'église qu'elles n'eussent des révérences à rendre. Mais, si leur mérite leur causait tant de fatigue dans les lieux publics et dans les églises, il leur attirait souvent, devant les fenêtres de la maison de leur père, des divertissements qui leur rendaient supportable la sévère clôture à quoi les obligeaient leur sexe et la coutume de la nation. Il ne se passait guère de nuit qu'elles ne fussent régalées de quelque musique et l'on courait fort souvent la bague devant leurs fenêtres qui donnaient sur une place publique. Un jour entre autres un étranger s'y fit admirer par son adresse sur tous les cavaliers de la ville et fut remarqué pour un homme parfaitement bien fait par les deux belles sœurs. Plusieurs cavaliers de Séville, qui l'avaient connu en Flandres où il avait commandé un régiment de cavalerie, le convièrent de courir la bague avec eux; ce qu'il fit, habillé à la soldate. A quelques jours de là on fit dans Séville la cérémonie de sacrer un évêque. L'étranger, qui se faisait appeler dom Sanche de Sylva, se trouva dans l'église où se faisait la cérémonie avec les plus galants de Séville; et les belles sœurs de Monsalve s'y trouvèrent aussi, entre plusieurs dames déguisées comme elles, à la mode de Séville, avec une mante de grosse étoffe et un petit chapeau couvert de plumes sur la tête. Dom Sanche se trouva par hasard entre les deux belles sœurs et une dame qu'il accosta, mais qui le pria civilement de ne point parler à elle et de laisser libre la place qu'il occupait à une personne qu'elle attendait. Dom Sanche lui obéit et, s'approchant de Dorothée de Monsalve, qui était plus près de lui que sa sœur et qui avait vu ce qui s'était passé entre cette dame et lui : J'avais espéré, lui dit-il, qu'étant étranger, la dame à qui j'ai voulu parler ne me refuserait pas sa conversation, mais elle m'a puni d'avoir cru trop témérairement que la mienne n'était pas à mépriser. Je vous supplie, continua-t-il, de n'avoir pas tant de rigueur qu'elle pour un étranger qu'elle vient de maltraiter et, pour la gloire des dames de Séville, de lui donner sujet de se louer de leur bonté. Vous m'en donnez un bien grand de vous traiter aussi mal qu'a fait cette dame, lui répondit Dorothée, puisque vous n'avez recours à moi qu'à son refus, mais, afin que vous n'ayez pas à vous plaindre des dames de mon pays, je veux bien ne parler qu'avec vous tant que durera la cérémonie, et par là vous jugerez que je n'ai point donné ici de rendez-vous à personne. C'est de quoi je suis étonné, faite comme vous êtes, lui dit dom Sanche, et il faut que vous soyez bien à craindre ou que les galants de cette ville soient bien timides, ou plutôt que celui dont j'occupe le poste soit absent. Et pensez-vous, lui dit Dorothée, que je sache si peu comment il faut aimer qu'en l'absence d'un galant je ne m'empêchasse pas bien d'aller en une assemblée où je le trouverais à redire ? Ne faites pas une autre fois un si mauvais jugement d'une personne que vous ne connaissez pas. Vous connaîtriez bien, répliqua dom Sanche, que je juge de vous plus avantageusement que vous ne pensez si vous me permettiez de vous servir autant que mon inclination m'y porte. Nos premiers mouvements ne sont pas toujours bons à suivre, lui dit Dorothée, et, de plus, il se trouve une grande difficulté dans ce que vous me proposez. Il n'y en a point que je ne surmonte pour mériter d'être à vous, lui repartit dom Sanche. Ce n'est pas un dessein de peu de jours, lui répondit Dorothée; vous ne songez peut-être pas que vous ne faites que passer par Séville, et peut-être ne savez-vous pas aussi que je ne trouverais pas bon qu'on ne m'aimât qu'en passant. Accordez-moi seulement ce que je vous demande, lui dit-il, et je vous promets que je serai dans Séville toute ma vie. Ce que vous me dites là est bien galant, repartit Dorothée, et je m'étonne fort qu'un homme qui sait dire de pareilles choses n'ait point encore ici choisi de dame à qui il pût débiter sa galanterie. N'est-ce point qu'il ne croit pas qu'elles en valent la peine ? C'est plutôt qu'il se défie de ses forces, lui dit

dom Sanche. Répondez-moi précisément à ce que je
vous demande, lui dit Dorothée, et m'apprenez confi-
demment celle de nos dames qui aurait le pouvoir de
vous arrêter dans Séville. Je vous ai déjà dit que vous
m'y arrêteriez si vous vouliez, lui répondit dom Sanche.
Vous ne m'avez jamais vue, lui dit Dorothée; déclarez-
vous donc sur quelque autre. Je vous avouerai donc,
puisque vous me l'ordonnez, lui dit dom Sanche, que,
si Dorothée de Monsalve avait autant d'esprit que vous,
je croirais un homme heureux dont elle estimerait le
mérite et souffrirait les soins. Il se trouve dans Séville
plusieurs dames qui l'égalent et même qui la surpassent,
lui dit Dorothée, mais, ajouta-t-elle, n'avez-vous point
ouï dire qu'entre ses galants il s'en trouvât quelqu'un
qu'elle favorisât plus que les autres ? Comme je me suis
vu fort éloigné de la mériter, lui dit dom Sanche, je ne
me suis pas beaucoup mis en peine de m'informer de ce
que vous dites. Pourquoi ne la mériteriez-vous pas aussitôt qu'un autre ? lui demanda Dorothée. Le caprice des
dames est quelquefois étrange et, souvent, le premier
abord d'un nouveau venu fait plus de progrès que plusieurs années de service des galants qui sont tous les
jours devant leurs yeux. Vous vous défaites de moi adroitement, dit dom Sanche, en me donnant courage d'en
aimer une autre que vous et je vois bien par là que vous
ne considéreriez guère les services d'un nouveau galant
au préjudice de celui avec qui il y a longtemps que vous
êtes engagée. Ne vous mettez pas cela dans l'esprit, lui
répondit Dorothée, et croyez plutôt que je ne suis pas
assez facile à persuader par une simple cajolerie pour
croire la vôtre l'effet d'une inclination naissante, et même
ne m'ayant jamais vue. S'il ne manque que cela à la
déclaration d'amour que je vous fais pour la rendre recevable, repartit dom Sanche, ne vous cachez pas davantage à un étranger qui est déjà charmé de votre esprit.
Le vôtre ne le serait pas de mon visage, lui répondit
Dorothée. Ah! vous ne pouvez être que fort belle, répliqua dom Sanche, puisque vous avouez si franchement

que vous ne l'êtes pas et je ne doute plus à cette heure
que vous ne vous vouliez défaire de moi parce que je
vous ennuie ou que toutes les places de votre cœur ne
soient déjà prises. Il n'est donc pas juste, ajouta-t-il,
que la bonté que vous avez eue à me souffrir se lasse
davantage et je ne veux pas vous laisser croire que je
n'ai eu dessein que de passer mon temps lorsque je vous
offrais tout celui de ma vie. Pour vous témoigner, lui dit
Dorothée, que je ne veux pas avoir perdu celui que j'ai
employé à m'entretenir avec vous, je serais bien aise de
ne m'en séparer point que je ne sache qui vous êtes. Je
ne puis faillir en vous obéissant. Sachez donc, aimable
inconnue, lui dit-il, que je porte le nom de Sylva qui est
celui de ma mère, que mon père est gouverneur de Quito
dans le Pérou, que je suis dans Séville par son ordre et
que j'ai passé toute ma vie en Flandres où j'ai mérité
des plus beaux emplois de l'armée et une commanderie
de Saint-Jacques. Voilà en peu de paroles ce que je suis,
continua-t-il, et il ne tiendra désormais qu'à vous que
je ne vous puisse faire savoir, en un lieu moins public,
ce que je veux être toute ma vie. Ce sera le plus tôt que
je pourrai, lui dit Dorothée, et cependant, sans vous
mettre en peine de me connaître davantage, si vous ne
voulez vous mettre en danger de ne me connaître jamais,
contentez-vous de savoir que je suis de qualité et que
mon visage ne fait pas peur. Dom Sanche la quitta, lui
faisant une profonde révérence et alla joindre un grand
nombre de galants à louer qui s'entretenaient ensemble.
Quelques dames tristes, de celles qui sont toujours en
peine de la conduite des autres et fort en repos de la
leur, qui se font d'elles-mêmes arbitres du mal et du bien,
quoiqu'on puisse faire des gageures sur leur vertu comme
sur tout ce qui n'est pas bien avéré, et qui croient qu'avec
un peu de rudesse brutale et de grimace dévote elles ont
de l'honneur à revendre, quoique l'enjouement de leur
jeunesse ait été plus scandaleux que le chagrin de leurs
rides n'a été de bon exemple, ces dames donc, le plus
souvent de connaissance très courte, diront ici que made-

moiselle Dorothée est pour le moins une étourdie, non
seulement d'avoir si brusquement fait de si grandes
avances à un homme qu'elle ne connaissait que de vue,
mais aussi d'avoir souffert qu'on lui parlât d'amour;
et que si une fille sur qui elles auraient du pouvoir en
avait fait autant, elle ne serait pas un quart d'heure dans
le monde. Mais que les ignorantes sachent que chaque
pays a ses coutumes particulières et que, si, en France,
les femmes et même les filles qui vont partout sur leur
bonne foi, s'offensent, ou du moins le doivent faire, de
la moindre déclaration d'amour, qu'en Espagne, où elles
sont resserrées comme des religieuses, on ne les offense
point de leur dire qu'on les aime quand celui qui le leur
dirait n'aurait pas de quoi se faire aimer. Elles font bien
davantage : ce sont toujours presque les dames qui font
les premières avances et qui sont les premières prises
parce qu'elles sont les dernières à être vues des galants
qu'elles voient tous les jours dans les églises, dans le
cours et de leurs balcons et jalousies. Dorothée fit confidence à sa sœur Féliciane de la conversation qu'elle avait
eue avec dom Sanche et lui avoua que cet étranger lui
plaisait davantage que tous les cavaliers de Séville et sa
sœur approuva fort le dessein qu'elle avait fait sur sa
liberté. Les deux belles sœurs moralisèrent longtemps
sur les privilèges avantageux qu'avaient les hommes
par-dessus les femmes, qui n'étaient presque jamais
mariées qu'au choix de leurs parents qui n'était pas
toujours à leur gré, au lieu que les hommes se pouvaient
choisir des femmes aimables. Pour moi, disait Dorothée à sa sœur, je suis bien assurée que l'amour ne me
fera jamais rien faire contre mon devoir, mais je suis
aussi bien résolue de ne me marier jamais avec un homme
qui ne possédera pas lui seul tout ce que j'aurais à chercher en plusieurs autres et j'aime bien mieux passer ma
vie dans un couvent qu'avec un mari que je ne pourrais
pas aimer. Féliciane dit à sa sœur qu'elle avait pris cette
résolution-là aussi bien qu'elle et elles s'y fortifièrent
l'une l'autre par tous les raisonnements que leurs beaux

esprits leur fournirent sur le sujet. Dorothée trouvait de
la difficulté à tenir à dom Sanche la parole qu'elle lui
avait donnée de se faire connaître à lui et elle en témoignait à sa sœur beaucoup d'inquiétude. Mais Féliciane,
qui était heureuse à trouver des expédients, fit souvenir
sa sœur qu'une dame de leurs parentes et de plus de leurs
intimes amies (car toutes les parentes n'en sont pas),
la servirait de tout son cœur dans une affaire où il y allait
de son repos. Vous savez bien, lui disait cette bonne
sœur, la plus commode du monde, que Marine, qui nous
a servies si longtemps, est mariée à un chirurgien qui
loue de notre parente une petite maison jointe à la sienne
et que les deux maisons ont une entrée l'une dans l'autre.
Elles sont dans un quartier éloigné et quand on remar-
querait que nous irions visiter notre parente plus souvent
que nous n'aurions jamais fait, on ne prendra pas garde
que ce dom Sanche entre chez un chirurgien, outre qu'il
y peut entrer de nuit et déguisé. Cependant que Dorothée
dresse, à l'aide de sa sœur, le plan de son intrigue amoureuse, qu'elle dispose sa parente à la servir et instruit
Marine de ce qu'elle a à faire, dom Sanche songe en son
inconnue, ne sait si elle lui a promis de lui faire savoir
de ses nouvelles pour se moquer de lui et la voit tous les
jours sans la connaître, ou dans les églises, ou à son
balcon, recevant les adorations de ses galants, qui sont
tous de la connaissance de dom Sanche et les plus grands
amis qu'il ait dans Séville. Il s'habillait un matin, songeant à son inconnue, quand on lui vint dire qu'une
femme voilée le demandait. On la fit entrer et il en reçut
le billet que vous allez lire.

BILLET

« Je vous aurais plus tôt fait savoir de mes nouvelles
« si je l'avais pu. Si l'envie que vous avez eue de me con-
« naître vous dure encore, trouvez-vous au commence-
« ment de la nuit où celle qui vous a donné mon billet
« vous dira et d'où elle vous conduira où je vous atten-
« drai. »

Vous pouvez vous figurer la joie qu'il eut. Il embrassa avec emportement la bienheureuse ambassadrice et lui donna une chaîne d'or qu'elle prit après quelque petite cérémonie. Elle lui donna heure au commencement de la nuit, en un lieu écarté qu'elle lui marqua, où il se devait rendre sans suite, et prit congé de lui, le laissant l'homme du monde le plus aise et le plus impatient. Enfin la nuit vint; il se trouva à l'assignation, embelli et parfumé, où l'attendait l'ambassadrice du matin. Il fut introduit par elle dans une petite maison de mauvaise mine et ensuite en un fort bel appartement où il trouva trois dames, toutes le visage couvert d'un voile. Il reconnut son inconnue à sa taille et lui fit d'abord des plaintes de ce qu'elle ne levait pas son voile. Elle ne fit point de façons, et sa sœur et elle se découvrirent au bienheureux dom Sanche pour les belles dames de Monsalve. Vous voyez, lui dit Dorothée en ôtant son voile, que je disais la vérité quand je vous assurais qu'un étranger obtenait quelquefois en un moment ce que des galants qu'on voyait tous les jours ne méritaient pas en plusieurs années; et vous seriez, ajouta-t-elle, le plus ingrat de tous les hommes si vous n'estimiez pas la faveur que je vous fais ou si vous en faisiez des jugements à mon désavantage. J'estimerai toujours tout ce qui me viendra de vous comme s'il me venait du ciel, lui dit le passionné dom Sanche, et vous verrez bien, par le soin que j'aurai à me conserver le bien que vous me ferez, que si jamais je le perds ce sera plutôt par mon malheur que par ma faute.

> *Ils se dirent en peu de temps*
> *Tout ce que l'amour nous fait dire*
> *Quand il est maître de nos sens.*

La maîtresse du logis et Féliciane, qui savaient bien vivre, s'étaient éloignées d'une honnête distance de nos deux amants; et ainsi ils eurent toute la commodité qu'il leur fallait pour s'entre-donner de l'amour encore plus qu'ils n'en avaient, quoiqu'ils en eussent déjà beaucoup, et prirent jour pour s'en donner, s'il se pouvait,

encore davantage. Dorothée promit à dom Sanche de
faire ce qu'elle pourrait pour se voir souvent avec lui.
Il l'en remercia le plus spirituellement qu'il put. Les
deux autres dames se mêlèrent quelque temps dans leur
conversation et Marine les fit souvenir de se séparer
quand il en fut temps. Dorothée en fut triste, dom Sanche
en changea de visage, mais il fallut pourtant se dire
adieu. Le brave cavalier écrivit dès le jour suivant à sa
belle dame qui lui fit une réponse telle qu'il la pouvait
souhaiter. Je ne vous ferai point voir ici de leurs billets
amoureux, car il n'en est point tombé entre mes mains.
Ils se virent souvent dans le même lieu et de la même
façon qu'ils s'étaient vus la première fois et vinrent à
s'aimer si fort que, sans répandre leur sang comme
Pyrame et Thisbé [120], ils ne leur en durent guère en
tendresse impétueuse. On dit que l'amour, le feu et
l'argent ne se peuvent longtemps cacher. Dorothée, qui
avait son galant étranger dans la tête, n'en pouvait
parler petitement, et elle le mettait si haut au-dessus
de tous les gentilshommes de Séville que quelques dames
qui avaient leurs intérêts cachés aussi bien qu'elle et qui
l'entendaient incessamment parler de dom Sanche et
l'élever au mépris de ce qu'elles aimaient, y prirent garde
et s'en piquèrent. Féliciane l'avait souvent avertie en
particulier d'en parler avec plus de retenue et, cent fois
en compagnie, quand elle la voyait se laisser emporter
au plaisir qu'elle prenait de parler de son galant, lui
avait marché sur les pieds jusqu'à lui faire mal. Un
cavalier, amoureux de Dorothée, en fut averti par une
dame de ses intimes amies et n'eut point de peine à
croire que Dorothée aimait dom Sanche parce qu'il se
souvint que, depuis que cet étranger était dans sa ville,
les esclaves de cette belle fille, desquels il était le plus
enchaîné, n'en avaient pas reçu le moindre petit regard
favorable. Ce rival de dom Sanche était riche, de bonne
maison et était agréable à dom Manuel qui ne pressait
pourtant pas sa fille de l'épouser à cause que, toutes les
fois qu'il lui en parlait, elle le conjurait de ne la marier

pas si jeune. Ce cavalier (je me viens de souvenir qu'il
s'appelait dom Diegue) voulut s'assurer davantage de
ce qu'il ne faisait encore que soupçonner. Il avait un
valet de chambre, de ceux qu'on appelle braves garçons,
qui ont d'aussi beau linge que leurs maîtres ou qui
portent le leur, qui font les modes entre les autres valets
et qui en sont autant enviés qu'estimés des servantes.
Ce valet se nommait Gusman et, ayant eu du ciel une
demi-teinture de poésie, faisait la plupart des romances de
Séville, ce qui est à Paris des chansons de Pont-Neuf;
il les chantait sur sa guitare et ne les chantait pas toutes
unies et sans y faire de la broderie des lèvres ou de la
langue. Il dansait la sarabande, n'était jamais sans cas-
tagnettes, avait eu envie d'être comédien et faisait entrer
dans la composition de son mérite quelque bravoure,
mais, pour vous dire les choses comme elles sont, un peu
filoutière. Tous ces beaux talents, joints à quelque éloquence de mémoire que lui avait communiquée celle
de son maître, l'avaient rendu sans contredit le blanc
(si je l'ose ainsi dire) de tous les désirs amoureux des
servantes qui se croyaient aimables. Dom Diegue lui
commanda de se radoucir pour Isabelle, jeune fille qui
servait les dames de Monsalve. Il obéit à son maître;
Isabelle s'en aperçut et se crut heureuse d'être aimée de
Gusman qu'elle aima en peu de temps et qui, de son côté,
vint aussi à l'aimer et à continuer tout de bon ce qu'il
n'avait commencé que pour obéir à son maître. Si Gusman éveillait la convoitise des servantes de la plus grande
ambition, Isabelle était un parti avantageux pour le
valet d'Espagne qui eût eu les pensées les plus hautes.
Elle était aimée de ses maîtresses, qui étaient fort libé-
rales, et avait à attendre quelque bien de son père qui
était un honnête artisan. Gusman songea donc sérieusement à être son mari; elle l'agréa pour tel; ils se donnèrent mutuellement la foi de mariage et vécurent depuis
ensemble comme s'ils eussent été mariés. Isabelle avait
bien du déplaisir de ce que Marine, la femme du chirurgien chez qui Dorothée et dom Sanche se voyaient

secrètement, et qui avait servi sa maîtresse devant elle,
était encore sa confidente dans une affaire de cette nature
où la libéralité d'un amant se faisait toujours paraître.
Elle avait eu connaissance de la chaîne d'or que dom
Sanche avait donnée à Marine, de plusieurs autres présents qu'il lui avait faits et s'imaginait qu'elle en avait
reçu bien d'autres. Elle en haïssait Marine à mort et
c'est ce qui m'a fait croire que la belle fille était un
peu intéressée. Il ne faut donc pas s'étonner si, à la
première prière que lui fit Gusman de lui avouer s'il
était vrai que Dorothée aimât quelqu'un, elle fit part du
secret de sa maîtresse à un homme à qui elle s'était
donnée tout entière. Elle lui apprit tout ce qu'elle savait
de l'intrigue de nos jeunes amants et exagéra longtemps
la bonne fortune de Marine, que dom Sanche enrichissait
et ensuite pesta contre elle d'emporter ainsi des profits
qui étaient mieux dus à une servante de la maison.
Gusman la pria de l'avertir du jour que Dorothée se
trouverait avec son galant. Elle le fit et il ne manqua
pas d'en avertir son maître, à qui il apprit tout ce qu'il
avait appris de la peu fidèle Isabelle. Dom Diegue,
habillé en pauvre, se posta auprès de la porte du logis
de Marine la nuit que lui marqua son valet, y vit entrer
son rival et, à quelque temps de là, arrêter un carrosse
devant la maison de la parente de Dorothée d'où cette
belle fille et sa sœur descendirent, laissant dom Diegue
dans la rage que vous pouvez vous imaginer. Il fit dessein dès lors de se délivrer d'un si redoutable rival en
l'ôtant du monde, s'assura d'assassins de louage, attendit
dom Sanche plusieurs nuits de suite et enfin le trouva et
l'attaqua, secondé de deux braves bien armés aussi bien
que lui. Dom Sanche, de son côté, était en état de se
défendre et, outre le poignard et l'épée, avait deux pistolets à sa ceinture. Il se défendit d'abord comme un lion
et connut bien que ses ennemis en voulaient à sa vie et
étaient couverts à l'épreuve des coups d'épée. Dom Diegue
le pressait plus que les autres, qui n'agissaient qu'au
prix de l'argent qu'ils en avaient reçu. Il lâcha quelque

temps le pied devant ses ennemis pour tirer le bruit du
combat loin de la maison où était sa Dorothée, mais
enfin, craignant de se faire tuer à force d'être trop discret, et se voyant trop pressé de dom Diegue, il lui tira
un de ses pistolets et l'étendit par terre demi-mort et
demandant un prêtre à haute voix. Au bruit du coup de
pistolet les braves disparurent; dom Sanche se sauva
chez lui et les voisins sortirent dans la rue et trouvèrent
dom Diegue, qu'ils reconnurent, tirant à la fin et qui
accusa dom Sanche de sa mort. Notre cavalier en fut
averti par ses amis qui lui dirent que, quand la justice
ne le chercherait pas, les parents de dom Diegue ne
laisseraient pas la mort de leur parent impunie et tâche-
raient assurément de le tuer en quelque lieu qu'ils le
trouvassent. Il se retira donc dans un couvent, d'où il
fit savoir de ses nouvelles à Dorothée et donna ordre à
ses affaires pour pouvoir sortir de Séville quand il le
pourrait faire sûrement. La justice cependant fit ses
diligences, chercha dom Sanche et ne le trouva point.

Après que la première ardeur des poursuites fut passée
et que tout le monde fut persuadé qu'il s'était sauvé,
Dorothée et sa sœur, sous un prétexte de dévotion, se
firent mener par leur parente dans le couvent où s'était
retiré dom Sanche; et là, par l'entremise d'un bon père,
les deux amants se virent dans une chapelle, se promirent
une fidélité à toutes épreuves, et se séparèrent avec tant
de regrets et se dirent des choses si pitoyables que sa
sœur, sa parente et le bon religieux, qui en furent témoins,
en pleurèrent et en ont toujours pleuré depuis toutes les
fois qu'ils y ont songé. Il sortit déguisé de Séville et laissa,
devant que de partir, des lettres au facteur de son père
pour les lui faire tenir aux Indes. Par ces lettres il lui
faisait savoir l'accident qui l'obligeait à s'absenter de
Séville et qu'il se retirait à Naples. Il y arriva heureusement et fut bien venu auprès du vice-roi, à qui il avait
l'honneur d'appartenir. Quoiqu'il en reçût toutes sortes
de faveurs, il s'ennuya dans la ville de Naples pendant
une année entière, puisqu'il n'avait point de nouvelles

de Dorothée. Le vice-roi arma six galères qu'il envoya
en course contre le Turc. Le courage de dom Sanche ne
lui laissa pas négliger une si belle occasion de l'exercer;
et celui qui commandait ces galères le reçut dans la
sienne et le logea dans la chambre de poupe, ravi d'avoir
avec lui un homme de sa condition et de son mérite.
Les six galères de Naples en trouvèrent huit turques
presque à la vue de Messine et n'hésitèrent point à les
attaquer. Après un long combat les chrétiens prirent
trois galères ennemies et en coulèrent deux à fond. La
patronne des galères chrétiennes s'était attachée à celle
des Turcs qui, pour être mieux armée que les autres,
avait fait aussi plus de résistance. La mer cependant
était devenue grosse et l'orage s'était augmenté si furieusement qu'enfin les chrétiens et les Turcs songèrent moins
à s'entre-nuire qu'à se garantir de l'orage. On déprit
donc de part et d'autre les crampons de fer dont les
galères avaient été accrochées et la patronne turque
s'éloigna de la chrétienne dans le temps que le trop
hardi dom Sanche s'était jeté dedans et n'avait été suivi
de personne. Quand il se vit lui seul au pouvoir des
ennemis, il préféra la mort à l'esclavage et, au hasard
de tout ce qui en pourrait arriver, se lança dans la mer,
espérant en quelque façon, comme il était grand nageur,
de gagner à nage les galères chrétiennes, mais le mauvais
temps empêcha qu'il n'en fût aperçu, quoique le général
chrétien, qui avait été témoin de l'action de dom Sanche
et qui se désespérait de sa perte qu'il croyait inévitable,
fît revirer sa galère du côté qu'il s'était jeté dans la mer.
Dom Sanche cependant fendait les vagues de toute la
force de ses bras et, après avoir nagé quelque temps vers
la terre, où le vent et la marée le portaient, il trouva
heureusement une planche des galères turques que le
canon avait brisées et se servit utilement de ce secours
venu à propos qu'il crut que le ciel lui avait envoyé. Il
n'y avait pas plus d'une lieue et demie du lieu où le
combat s'était fait jusqu'à la côte de Sicile et dom Sanche
y aborda plus vite qu'il ne l'espérait, aidé, comme il

était, du vent et de la marée. Il prit terre sans se blesser contre le rivage et, après avoir remercié Dieu de l'avoir tiré d'un péril si évident, il alla plus avant en terre, autant que sa lassitude le put permettre; et, d'une éminence qu'il monta, aperçut un hameau habité de pêcheurs qu'il trouva les plus charitables du monde. Les efforts qu'il avait faits pendant le combat, qui l'avaient fort échauffé, et ceux qu'il avait faits dans la mer et le froid qu'il y avait souffert, et ensuite dans ses habits mouillés, lui causèrent une violente fièvre qui lui fit longtemps garder le lit; mais enfin il guérit sans y faire autre chose que de vivre de régime. Pendant sa maladie, il fit dessein de laisser tout le monde dans la croyance qu'on devait avoir de sa mort pour n'avoir plus tant à se garder de ses ennemis les parents de dom Diegue et pour éprouver la fidélité de Dorothée. Il avait fait grande amitié en Flandres avec un marquis sicilien, de la maison de Montalte, qui s'appelait Fabio. Il donna ordre à un pêcheur de s'informer s'il était à Messine où il savait qu'il demeurait; et, ayant su qu'il y était, il y alla en habit de pêcheur et entra la nuit chez ce marquis, qui l'avait pleuré avec tous ceux qui avaient été affligés de sa perte. Le marquis Fabio fut ravi de retrouver un ami qu'il avait cru perdu. Dom Sanche lui apprit de quelle façon il s'était sauvé et lui conta son aventure de Séville sans lui cacher la violente passion qu'il avait pour Dorothée. Le marquis sicilien s'offrit d'aller en Espagne et même d'enlever Dorothée, si elle y consentait, et de l'amener en Sicile. Dom Sanche ne voulut pas recevoir de son ami de si périlleuses marques d'amitié, mais il eut une extrême joie de ce qu'il voulait bien l'accompagner en Espagne. Sanchez, valet de dom Sanche, avait été si affligé de la perte de son maître que, quand les galères de Naples vinrent se rafraîchir à Messine, il entra dans un couvent pour y passer le reste de ses jours. Le marquis Fabio l'envoya demander au supérieur, qui l'avait reçu à la recommandation de ce seigneur sicilien et qui ne lui avait **pas** encore donné l'habit de religieux. Sanchez pensa

mourir de joie quand il revit son cher maître et ne songea
plus à retourner dans son couvent. Dom Sanche l'envoya en Espagne préparer ses voies et pour lui faire
savoir des nouvelles de Dorothée qui, cependant, avait
cru avec tout le monde que dom Sanche était mort.
Le bruit en alla jusqu'aux Indes; le père de dom Sanche
en mourut de regret et laissa à un autre fils qu'il avait
quatre cent mille écus de bien, à condition d'en donner
la moitié à son frère si la nouvelle de sa mort se trouvait
fausse. Le frère de dom Sanche se nommait dom Juan
de Péralte, du nom de son père. Il s'embarqua pour
l'Espagne avec tout son argent et arriva à Séville un
an après l'accident qui y était arrivé à dom Sanche.
Ayant un nom différent du sien, il lui fut aisé de cacher
qu'il fût son frère, ce qu'il lui était important de tenir
secret à cause du long séjour que ses affaires l'obligèrent
de faire dans une ville où son frère avait des ennemis.
Il vit Dorothée et en devint amoureux comme son
frère, mais il n'en fut pas aimé comme lui. Cette belle
fille affligée ne pouvait rien aimer après son cher dom
Sanche; tout ce que dom Juan de Péralte faisait pour
lui plaire l'importunait et elle refusait tous les jours
les meilleurs partis de Séville que son père dom Manuel
lui proposait. Dans ce temps-là Sanchez arriva à Séville
et, suivant les ordres que lui avait donnés son maître,
il voulut s'informer de la conduite de Dorothée. Il sut
du bruit de la ville qu'un cavalier fort riche, venu depuis
peu des Indes, en était amoureux et faisait pour elle
toutes les galanteries d'un amant bien raffiné. Il l'écrivit à son maître et lui fit le mal plus grand qu'il n'était
et son maître se l'imagina encore plus grand que son
valet ne le lui avait fait. Le marquis Fabio et dom
Sanche s'embarquèrent à Messine sur des galères d'Espagne qui y retournaient et arrivèrent heureusement à
San-Lucar où ils prirent la poste jusqu'à Séville. Ils y
entrèrent de nuit et descendirent dans le logis que Sanchez leur avait arrêté. Ils gardèrent la chambre le lendemain et, la nuit, dom Sanche et le marquis Fabio

allèrent faire la ronde dans le quartier de dom Manuel. Ils ouïrent accorder des instruments sous les fenêtres de Dorothée et ensuite une excellente musique, après laquelle une voix seule, accompagnée d'un théorbe, se plaignit longtemps des rigueurs d'une tigresse déguisée en ange. Dom Sanche fut tenté de charger messieurs de la sérénade, mais le marquis Fabio l'en empêcha, lui représentant que c'était tout ce qu'il pourrait faire si Dorothée avait paru à son balcon pour obliger son rival ou si les paroles de l'air qu'on avait chanté étaient des remercîments de faveurs reçues plutôt que des plaintes d'un amant qui n'était pas content. La sérénade se retira peut-être assez mal satisfaite et dom Sanche et le marquis Fabio se retirèrent aussi. Cependant Dorothée commençait à se trouver importunée de l'amour du cavalier indien. Son père, dom Manuel, avait une extrême passion de la voir mariée et elle ne doutait point que si cet Indien, dom Juan de Péralte, riche et de bonne maison comme il était, s'offrait à lui pour son gendre, il ne fût préféré à tous les autres et elle plus pressée de son père qu'elle n'avait encore été. Le jour qui suivit la sérénade, dont le marquis Fabio et dom Sanche avaient eu leur part, Dorothée s'en entretint avec sa sœur et lui dit qu'elle ne pouvait plus souffrir les galanteries de l'Indien et qu'elle trouvait étrange qu'il les fît si publiques devant que d'avoir fait parler à son père. C'est un procédé que je n'ai jamais approuvé, lui dit Féliciane, et, si j'étais en votre place, je le traiterais si mal la première fois que l'occasion s'en présenterait qu'il serait bientôt désabusé de l'espérance qu'il a de vous plaire. Pour moi, il ne m'a jamais plu, ajouta-t-elle; il n'a point ce bon air qu'on ne prend qu'à la cour et la grande dépense qu'il fait dans Séville n'a rien de poli et rien qui ne sente son étranger. Elle s'efforça ensuite de faire une fort désagréable peinture de dom Juan de Péralte, ne se souvenant pas qu'au commencement qu'il parut dans Séville elle avait avoué à sa sœur qu'il ne lui déplaisait pas et que, toutes les fois qu'elle avait eu à en parler, elle l'avait fait en le louant avec quelque sorte d'emportement. Dorothée, remarquant sa sœur si changée, ou qui feignait de l'être dans les sentiments qu'elle avait eus autrefois pour ce cavalier, la soupçonna d'avoir de l'inclination pour lui autant qu'elle lui voulait faire croire de n'en avoir point et, pour s'en éclaircir, elle lui dit qu'elle n'était point offensée des galanteries de dom Juan par l'aversion qu'elle eut pour sa personne et qu'au contraire, lui trouvant dans le visage quelque air de celui de dom Sanche, il aurait été plus capable de lui plaire qu'aucun autre cavalier de Séville, outre qu'elle savait bien qu'étant riche et de bonne maison, il obtiendrait aisément le consentement de son père; mais, ajouta-t-elle, je ne puis rien aimer après dom Sanche et, puisque je n'ai pu être sa femme, je ne la serai jamais d'un autre et je passerai le reste de mes jours dans un couvent. Quand vous ne seriez pas encore bien résolue à un si étrange dessein, lui dit Féliciane, vous ne pouvez m'affliger davantage que de me le dire. N'en doutez point, ma sœur, lui répondit Dorothée, vous serez bientôt le plus riche parti de Séville et c'est ce qui me faisait avoir envie de voir dom Juan pour lui persuader d'avoir pour vous les sentiments d'amour qu'il a pour moi, après l'avoir désabusé de l'espérance qu'il a que je puisse jamais consentir à l'épouser; mais je ne le verrai que pour le prier de ne m'importuner plus de ses galanteries puisque je vois que vous avez tant d'aversion pour lui. Et, en vérité, continua-t-elle, j'en ai du déplaisir, car je ne vois personne dans Séville avec qui vous puissiez être aussi bien mariée que vous le seriez avec lui. Il m'est plus indifférent que haïssable, lui dit Féliciane et, si je vous ai dit qu'il me déplaisait, ç'a été plutôt par quelque complaisance que j'ai voulu avoir pour vous que par une véritable aversion que j'eusse pour lui. Avouez plutôt, ma chère sœur, lui répondit Dorothée, que vous ne me parlez pas ingénument; et, quand vous m'avez témoigné peu d'estime pour dom Juan, que vous ne vous

êtes pas souvenue que vous me l'avez quelquefois extrêmement loué ou que vous avez plutôt craint qu'il ne
me plût trop que découvert qu'il ne vous plaisait guère.
Féliciane rougit à ces dernières paroles de Dorothée,
et se défit extrêmement; elle lui dit, l'esprit fort troublé,
quantité de choses mal arrangées qui la défendirent
moins qu'elles ne la convainquirent de ce que l'accusait
sa sœur, et enfin elle lui confessa qu'elle aimait dom
Juan. Dorothée ne désapprouva pas son amour et lui
promit de la servir de tout son pouvoir. Dès le jour
même, Isabelle, qui avait rompu tout commerce avec
son Gusman depuis l'accident arrivé à dom Sanche,
eut ordre de Dorothée d'aller trouver dom Juan, de
lui porter la clef d'une porte du jardin de dom Manuel
et de lui dire que Dorothée et sa sœur l'y attendraient
et qu'il se rendît à l'assignation à minuit quand leur
père serait couché. Isabelle, qui avait été gagnée de
dom Juan et qui avait fait ce qu'elle avait pu pour le
mettre bien dans l'esprit de sa maîtresse sans y avoir
réussi, fut fort surprise de la voir si changée et fort
aise de porter une bonne nouvelle à une personne à
qui elle n'en avait encore porté que de mauvaises et
de qui elle avait déjà reçu beaucoup de présents. Elle
vola chez ce cavalier, qui eût eu peine à croire sa bonne
fortune sans la fatale clef du jardin qu'elle lui mit
dans les mains. Il mit dans les siennes une petite bourse
de senteur pleine de cinquante pistoles dont elle eut
pour le moins autant de joie qu'elle venait de lui en
donner. Le hasard voulut que, la même nuit que dom
Juan devait avoir entrée dans le jardin du père de
Dorothée, dom Sanche, accompagné de son ami le
marquis, vînt encore faire la ronde alentour du logis
de cette belle fille pour s'assurer davantage des desseins de son rival. Le marquis et lui étaient sur les
onze heures dans la rue de Dorothée quand quatre
hommes bien armés s'arrêtèrent auprès d'eux. L'amant
jaloux crut que c'était son rival. Il s'approcha de ces
hommes et leur dit que le poste qu'ils occupaient lui

était commode pour un dessein qu'il avait et qu'il les priait de le lui céder. Nous le ferions par civilité, lui répondirent les autres, si le même poste que vous nous demandez n'était absolument nécessaire à un dessein que nous avons aussi et qui sera exécuté assez tôt pour ne retarder pas longtemps l'exécution du vôtre. La colère de dom Sanche était déjà au plus haut point où elle pouvait aller; mettre donc l'épée à la main et charger ces hommes qu'il trouvait incivils fut presque la même chose. Cette attaque imprévue de dom Sanche les surprit et les mit en désordre et le marquis, les chargeant d'aussi grande vigueur qu'avait fait son ami, ils se défendirent mal et furent poussés plus vite que le pas jusqu'au bout de la rue. Là, dom Sanche reçut une légère blessure dans un bras, et perça celui qui l'avait blessé d'un si grand coup qu'il fut longtemps à retirer son épée du corps de son ennemi et crut l'avoir tué. Le marquis cependant s'était opiniâtré à poursuivre les autres, qui fuirent devant lui de toute leur force aussitôt qu'ils virent tomber leur camarade. Dom Sanche vit à l'un des deux bouts de la rue des gens avec de la lumière qui venaient au bruit du combat. Il eut peur que ce ne fût la justice, et c'était elle. Il se retira en diligence dans la rue où le combat avait commencé et, de cette rue, dans une autre au milieu de laquelle il trouva tête pour tête un vieux cavalier qui s'éclairait d'une lanterne et qui avait mis l'épée à la main au bruit que faisait dom Sanche qui venait à lui en courant. Ce vieux cavalier était dom Manuel qui revenait de jouer chez un de ses voisins, comme il faisait tous les soirs, et allait entrer chez lui par la porte de son jardin qui était proche du lieu où le trouva dom Sanche. Il cria à notre amoureux cavalier : Qui va là ? Un homme, lui répondit dom Sanche, à qui il importe de passer vite si vous ne l'en empêchez. Peut-être, lui dit dom Manuel, vous est-il arrivé quelque accident qui vous oblige à chercher un asile; ma maison, qui n'est pas éloignée, vous en peut servir. Il est vrai, lui répondit dom Sanche, que je suis en peine de me cacher

à la justice qui, peut-être, me cherche; et, puisque vous
êtes assez généreux pour offrir votre maison à un étranger, il vous fie son salut en toute assurance et vous promet
de n'oublier jamais la grâce que vous lui faites et de ne
s'en servir qu'autant de temps qu'il lui est nécessaire
pour laisser passer outre ceux qui le cherchent. Dom
Manuel là-dessus ouvrit sa porte d'une clef qu'il avait
sur lui et, ayant fait entrer dom Sanche dans son jardin,
le mit dans un bois de lauriers en attendant qu'il irait
donner ordre à le cacher mieux dans sa maison sans qu'il
fût vu de personne. Il n'y avait pas longtemps que dom
Sanche était caché entre ces lauriers quand il vit venir à
lui une femme qui lui dit en l'approchant : Venez, mon
cavalier, ma maîtresse Dorothée vous attend. A ce nom-là,
dom Sanche pensa qu'il pouvait bien être dans la maison
de sa maîtresse et que le vieux cavalier était son père.
Il soupçonna Dorothée d'avoir donné assignation dans
le même lieu à son rival et suivit Isabelle, plus tourmenté
de sa jalousie que de la peur de la justice. Cependant
dom Juan vint à l'heure qu'on lui avait donnée, ouvrit
la porte du jardin de dom Manuel avec la clef qu'Isabelle
lui avait donnée et se cacha dans les mêmes lauriers d'où
dom Sanche venait de sortir. Un moment après il vit
venir un homme droit à lui; il se mit en état de se défendre s'il était attaqué et fut bien surpris quand il
reconnut cet homme pour dom Manuel, qui lui dit qu'il
le suivît et qu'il l'allait mettre en un lieu où il n'aurait
pas à craindre d'être pris. Dom Juan conjectura, des
paroles de dom Manuel, qu'il pouvait avoir fait sauver
dans son jardin quelque homme poursuivi de la justice.
Il ne put faire autre chose que de le suivre en le remer-
ciant du plaisir qu'il lui faisait; et l'on peut croire qu'il
ne fut pas moins troublé du péril qu'il courait que fâché
de l'obstacle qui faisait manquer son amoureux dessein.
Dom Manuel le conduisit dans sa chambre et l'y laissa
pour s'aller faire dresser un lit dans une autre.

Laissons-le dans la peine où il doit être et reprenons son
frère dom Sanche de Silva. Isabelle le conduisit dans

une chambre basse qui donnait sur le jardin où Dorothée
et Féliciane attendaient dom Juan de Péralte, l'une
comme un amant à qui elle a grande envie de plaire,
l'autre pour lui déclarer qu'elle ne peut l'aimer et qu'il
ferait mieux de tâcher à plaire à sa sœur. Dom Sanche
entra donc où étaient les deux belles sœurs qui furent
bien surprises de le voir. Dorothée en demeura sans
sentiment, comme une personne morte et, si sa sœur ne
l'eût soutenue et ne l'eût mise dans une chaise, elle serait
tombée de sa hauteur. Dom Sanche demeura immobile;
Isabelle pensa mourir de peur et crut que dom Sanche
mort leur apparaissait pour venger le tort que lui faisait
sa maîtresse. Féliciane, quoique fort effrayée de voir
dom Sanche ressuscité, était encore plus en peine de
l'accident de sa sœur, qui reprit enfin ses esprits; et alors
dom Sanche lui dit ces paroles : Si le bruit qui a couru
de ma mort, ingrate Dorothée, n'excusait en quelque
façon votre inconstance, le désespoir qu'elle me cause
ne me laisserait pas assez de vie pour vous en faire des
reproches. J'ai voulu faire croire à tout le monde que
j'étais mort pour être oublié de mes ennemis, et non pas
de vous qui m'avez promis de n'aimer jamais que moi et
qui avez sitôt manqué à votre promesse. Je me pourrais venger et faire tant de bruit par mes cris et par mes
plaintes que votre père s'en éveillerait et trouverait
l'amant que vous cachez dans sa maison; mais, insensé
que je suis! j'ai peur encore de vous déplaire et je m'afflige davantage de ce que je ne dois plus vous aimer
que de ce que vous en aimez un autre. Jouissez, belle
infidèle, jouissez de votre cher amant; ne craignez plus
rien dans vos nouvelles amours; je vous délivrerai bientôt
d'un homme qui vous pourrait reprocher toute votre vie
que vous l'avez trahi lorsqu'il exposait sa vie pour
venir vous revoir. Dom Sanche voulut s'en aller après
ces paroles, mais Dorothée l'arrêta et allait tâcher de se
justifier quand Isabelle lui dit, fort effrayée, que Dom
Manuel la suivait. Dom Sanche n'eut que le temps de se
mettre derrière la porte; le vieillard fit une réprimande

à ses filles de ce qu'elles n'étaient pas encore couchées;
et, cependant qu'il eut le dos tourné vers la porte de la
chambre, dom Sanche en sortit et, gagnant le jardin,
s'alla remettre dans le même bois de lauriers où il s'était
déjà mis et où, préparant son courage à tout ce qui lui
pourrait arriver, il attendit une occasion de sortir quand
elle se présenterait. Dom Manuel était entré dans la
chambre de ses filles pour y prendre de la lumière et
pour aller de là ouvrir la porte de son jardin aux officiers
de la justice qui y frappaient pour la faire ouvrir parce
qu'on leur avait dit que dom Manuel avait retiré dans
sa maison un homme qui pouvait être de ceux qui
venaient de se battre dans la rue. Dom Manuel ne fit
pas difficulté de les laisser chercher dans sa maison,
croyant bien qu'ils ne feraient pas ouvrir sa chambre et
que le cavalier qu'ils cherchaient y était enfermé. Dom
Sanche, voyant qu'il ne pouvait éviter d'être trouvé par
le grand nombre de sergents qui s'étaient épandus par
le jardin, sortit du bois de lauriers où il était; et, s'approchant de dom Manuel, qui était fort surpris de le voir,
lui dit à l'oreille qu'un cavalier d'honneur gardait sa
parole et n'abandonnait jamais une personne qu'il avait
prise en sa protection. Dom Manuel pria le prévôt, qui
était son ami, de lui laisser dom Sanche en sa garde; ce
qui lui fut aisément accordé, et à cause de sa qualité, et
parce que le blessé ne l'était pas dangereusement. La
justice se retira; et dom Manuel, ayant reconnu par les
mêmes discours qu'il avait tenus à dom Sanche quand
il le trouva et que ce cavalier lui redit, que c'était véritablement celui qu'il avait reçu dans son jardin, ne douta
point que l'autre ne fût quelque galant introduit dans
sa maison par ses filles ou par Isabelle. Pour s'en éclaircir,
il fit entrer dom Sanche de Silva dans une chambre et
le pria d'y demeurer jusqu'à ce qu'il le vînt trouver. Il
alla dans celle où il avait laissé dom Juan de Péralte à
qui il feignit que son valet était entré en même temps
que les officiers de la justice et qu'il demandait à parler
à lui. Dom Juan savait bien que son valet de chambre

était fort malade et peu en état de le venir trouver; outre
qu'il ne l'eût pas fait sans son ordre quand il eût su
où il était, ce qu'il ignorait. Il fut donc fort troublé
de ce que lui dit dom Manuel, à qui à tout hasard il
répondit que son valet n'avait qu'à l'aller attendre dans
son logis. Dom Manuel le reconnut alors pour ce jeune
gentilhomme indien qui faisait tant de bruit dans Séville
et, étant bien informé de sa qualité et de son bien,
résolut de ne le laisser point sortir de sa maison qu'il
n'eût épousé celle de ses filles avec qui il aurait le moindre
commerce. Il s'entretint quelque temps avec lui pour
s'éclaircir davantage des doutes dont il avait l'esprit
agité. Isabelle, du pas de la porte, les vit parlant ensemble
et l'alla dire à sa maîtresse. Dom Manuel entrevit Isabelle et crut qu'elle venait de faire quelque message à
dom Juan de la part de sa fille. Il le quitta pour courir
après elle dans le temps que le flambeau qui éclairait la
chambre acheva de brûler et s'éteignit de lui-même.
Cependant que le vieillard ne trouve pas Isabelle où il
la cherche, cette fille apprend à Dorothée et à Féliciane
que dom Sanche était dans la chambre de leur père et
qu'elle les avait vus parler ensemble. Les deux sœurs y
coururent sur sa parole. Dorothée ne craignait point de
trouver son cher dom Sanche avec son père, résolue
qu'elle était de lui confesser qu'elle l'aimait et qu'elle
en avait été aimée et de lui dire à quelle intention elle
avait donné assignation à dom Juan. Elle entra donc
dans la chambre, qui était sans lumière, et s'étant ren-
contrée avec dom Juan dans le temps qu'il en sortait, elle
le prit pour dom Sanche, l'arrêta par le bras et lui parla
en cette sorte : Pourquoi me fuis-tu, cruel dom Sanche,
et pourquoi n'as-tu pas voulu entendre ce que j'aurais
pu répondre aux injustes reproches que tu m'as faits ?
J'avoue que tu ne m'en pourrais faire d'assez grands si
j'étais aussi coupable que tu as en quelque façon sujet
de le croire, mais tu sais bien qu'il y a des choses fausses
qui ont quelquefois plus d'apparence de vérité que la
vérité même et qu'elle se découvre toujours avec le

temps ; donne-moi donc celui de te la faire voir en débrouil-
lant la confusion où ton malheur et le mien, et peut-être
celui de plusieurs autres, nous [viennent] [121] de mettre.
Aide-moi à me justifier et ne hasarde pas d'être injuste
pour être trop précipité à me condamner devant de
m'avoir convaincue. Tu peux avoir ouï dire qu'un cavalier m'aime, mais as-tu ouï dire que je l'aime aussi ?
Tu peux l'avoir trouvé ici, car il est vrai que je l'y ai fait
venir, mais quand tu sauras à quel dessein je l'ai fait, je
suis assurée que tu auras un cruel remords de m'avoir
offensée lorsque je te donne la plus grande marque de
fidélité que je te puis donner. Que n'est-il en ta présence
ce cavalier dont l'amour m'importune ! tu connaîtrais, par
ce que je lui dirais, si jamais il a pu me dire qu'il m'aimât
et si j'ai jamais voulu lire les lettres qu'il m'a écrites.
Mais mon malheur, qui me l'a toujours fait voir quand
sa vue m'a pu nuire, m'empêche de le voir quand il me
pourrait servir à te désabuser. Dom Juan eut la patience
de laisser parler Dorothée sans l'interrompre pour en
apprendre encore davantage qu'elle ne lui en venait de
découvrir. Enfin il allait peut-être la quereller quand
dom Sanche, qui cherchait de chambre en chambre le
chemin du jardin qu'il avait manqué, et qui ouït la voix
de Dorothée qui parlait à dom Juan, s'approcha d'elle
avec le moindre bruit qu'il put et fut pourtant ouï de
dom Juan et des deux sœurs. Dans ce même temps, dom
Manuel entra dans la même chambre avec de la lumière
que portaient devant lui quelques-uns de ses domestiques.
Les deux frères rivaux se virent et furent vus se regardant fièrement l'un l'autre, la main sur la garde de leurs
épées. Dom Manuel se mit au milieu d'eux et commanda
à sa fille d'en choisir un pour mari afin qu'il se battît
contre l'autre. Dom Juan prit la parole et dit que, pour
lui, il cédait toutes sortes de prétentions, s'il en pouvait
avoir, au cavalier qu'il voyait devant lui. Dom Sanche
dit la même chose et ajouta que, puisque dom Juan
avait été introduit chez dom Manuel par sa fille, il y avait
apparence qu'elle l'aimait et en était aimée et que, pour

lui, il mourrait mille fois plutôt que de se marier avec le moindre scrupule. Dorothée se jeta aux pieds de son père et le conjura de l'entendre. Elle lui conta tout ce qui s'était passé entre elle et dom Sanche de Silva devant qu'il eût tué dom Diegue pour l'amour d'elle. Elle lui apprit que dom Juan de Péralte était ensuite devenu amoureux d'elle, le dessein qu'elle avait eu de le désabuser et de lui proposer de demander sa sœur en mariage, et elle conclut que, si elle ne pouvait persuader son innocence à dom Sanche, elle voulait, dès le jour suivant, entrer dans un couvent pour n'en sortir jamais. Par sa relation les deux frères se reconnurent; dom Sanche se raccommoda avec Dorothée qu'il demanda en mariage à dom Manuel; don Juan lui demanda aussi Féliciane, et dom Manuel les reçut pour ses gendres avec une satisfaction qui ne se peut exprimer. Aussitôt que le jour parut, dom Sanche envoya querir le marquis Fabio qui vint prendre part en la joie de son ami. On tint l'affaire secrète jusqu'à tant que dom Manuel et le marquis eurent disposé un cousin, héritier de dom Diegue, à oublier la mort de son parent et à s'accommoder avec dom Sanche. Pendant la négociation le marquis Fabio devint amoureux de la sœur de ce cavalier et la lui demanda en mariage. Il reçut avec beaucoup de joie une proposition si avantageuse à sa sœur et, dès lors, se laissa aller à tout ce qu'on lui proposa en faveur de dom Sanche. Les trois mariages se firent en un même jour; tout y alla bien de part et d'autre et même longtemps, ce qui est à considérer.

CHAPITRE XX

DE QUELLE FAÇON LE SOMMEIL DE RAGOTIN
FUT INTERROMPU

L'agréable Inézille acheva de lire sa nouvelle et fit regretter à tous ses auditeurs de ce qu'elle n'était pas

plus longue. Tandis qu'elle la lut, Ragotin qui, au lieu
de l'écouter, s'était mis à entretenir son mari sur le sujet
de la magie, s'endormit dans une chaise basse où il était,
ce que l'opérateur fit aussi. Le sommeil de Ragotin
n'était pas tout à fait volontaire et, s'il eût pu résister
aux vapeurs des viandes qu'il avait mangées en grande
quantité, il eût été attentif par bienséance à la lecture
de la nouvelle d'Inézille. Il ne dormait donc pas de toute
sa force, laissant souvent aller sa tête jusqu'à ses genoux
et la relevant tantôt demi-endormi, et tantôt se réveillant en sursaut, comme on fait plus souvent qu'ailleurs
au sermon quand on s'y ennuie. Il y avait un bélier dans
l'hôtellerie, à qui la canaille qui va et vient d'ordinaire
en de semblables maisons, avait accoutumé de présenter
la tête, les mains devant, contre lesquelles le bélier prenait sa course et choquait rudement de la sienne, je veux
dire de sa tête, comme tous les béliers font de leur naturel.
Cet animal allait sur sa bonne foi par toute l'hôtellerie
et entrait même dans les chambres où l'on lui donnait
souvent à manger. Il était dans celle de l'opérateur dans
le temps qu'Inézille lisait sa nouvelle. Il aperçut Ragotin,
à qui le chapeau était tombé de la tête, et qui (comme
je vous ai déjà dit), la haussait et baissait souvent. Il
crut que c'était un champion qui se présentait à lui pour
exercer sa valeur contre la sienne. Il recula quatre ou
cinq pas en arrière, comme l'on fait pour mieux sauter, et,
partant comme un cheval dans une carrière, alla heurter
de sa tête armée de cornes celle de Ragotin qui était
chauve par le haut. Il la lui aurait cassée comme un pot
de terre, de la force qu'il la choqua, mais, par bonheur
pour Ragotin, il la prit dans le temps qu'il la haussait
et ainsi ne fit que lui froisser superficiellement le visage.
L'action du bélier surprit tellement ceux qui la virent
qu'ils en demeurèrent comme en extase, sans toutefois
oublier d'en rire. Si bien que le bélier, qu'on faisait
toujours choquer plus d'une fois, put sans empêchement
reprendre autant de champ qu'il lui en fallait pour une
seconde course et vint inconsidérément donner dans les

genoux de Ragotin dans le temps que, tout étourdi du choc du bélier et le visage écorché et sanglant en plusieurs endroits, il avait porté les mains à ses yeux qui lui faisaient grand mal, ayant été également foulés l'un et l'autre, chacun de sa corne en particulier, parce que celles du bélier étaient entre elles à la même distance qu'étaient entre eux les yeux du malheureux Ragotin. Cette seconde attaque du bélier les lui fit ouvrir et il n'eut pas plutôt reconnu l'auteur de son dommage qu'en la colère où il était, il frappa de sa main fermée le bélier par la tête et se fit grand mal contre ses cornes. Il en enragea beaucoup et encore plus d'ouïr rire toute l'assistance qu'il querella en général, et sortit de la chambre en furie. Il sortait aussi de l'hôtellerie, mais l'hôte l'arrêta pour compter, ce qui lui fut peut-être aussi fâcheux que les coups de cornes du bélier.

FIN DE LA SECONDE PARTIE

A

M. BOUILLIOUD

ÉCUYER ET CONSEILLER DU ROI EN LA SÉNÉCHAUSSÉE
ET SIÈGE PRÉSIDIAL DE LYON

MONSIEUR,

Je ne sais si c'est vous donner une grande marque de
mon respect que de vous intéresser dans le bon ou dans
le mauvais accueil que le public pourra faire à cet ouvrage. Comme je ne vous offre rien du mien, je ne devrais
pas prétendre que vous me sussiez gré de mon présent;
et, puisqu'il n'est peut-être pas digne de vous, il est
encore à craindre que vous n'ayez point pour lui toute
l'indulgence que j'oserai m'en promettre. En effet, MON-
SIEUR, vous pourriez bien vous faire le juge d'une chose
dont je ne vous fais que le protecteur et désavouer le
dessein de celui qui vous la présente si vous ne trouvez
pas qu'elle mérite votre approbation. Je l'expose beaucoup en l'exposant aux yeux d'un homme aussi sage et
aussi éclairé que vous et toute la bonne opinion que
j'en ai conçue ne me persuade pas que vous en deveniez
plus favorable à un *Roman comique*. Car enfin, ce n'est
pas dans ces sortes de livres que l'on recherche le solide
ou le délicat : il semble qu'ils ne tiennent ordinairement
ni de l'un ni de l'autre et, tout l'avantage que l'on se
propose dans leur lecture, c'est d'y perdre assez agréablement quelques moments et de s'y délasser l'esprit
d'une occupation, ou plus importante, ou plus sérieuse.

Ainsi, comme le vôtre ne s'attache qu'à ce qui a de la
force ou de l'élévation, ne vous surprendrai-je point
lorsque je vous demanderai votre aveu pour cette pro-
duction d'un esprit enjoué et que je l'autoriserai de votre
nom pour la rendre recommandable ? Non, MONSIEUR,
il ne faut pas que vous condamniez d'abord ma liberté
ou, pour mieux dire, que vous désapprouviez ce témoignage public de ma reconnaissance. Je vous ai de si
singulières obligations et je suis à vous en tant de manières
qu'il me fallait satisfaire à tous ces devoirs et joindre à
mon ressentiment des marques de la fidèle passion que
je vous ai vouée. Ce n'était pas répondre tout à fait à
vos bontés que d'en conserver un juste souvenir; elles
exigeaient de moi quelque chose de plus particulier et
je n'ai pas cru enfin pouvoir les reconnaître par une plus
forte preuve de mon respect, dans l'impuissance où je me
vois de les reconnaître autant que j'y suis sensible. Aussi
osé-je me flatter que vous la recevrez de fort bonne grâce
et qu'elle achèvera de vous persuader que l'on ne peut
pas vous honorer avec plus de zèle ni avec une plus parfaite déférence. Mais MONSIEUR, après avoir agréé mon
présent, ne jugerez-vous pas favorablement de mon
auteur et le croirez-vous sans mérite puisque je ne doute
presque plus que vous ne l'estimiez ? Ses expressions
sont naturelles, son style est aisé, ses aventures ne sont
point mal imaginées et, pour s'accommoder à son sujet,
il étale partout un tour d'agrément qui lui tient lieu de
force et de délicatesse. En un mot, il vient de fournir
une carrière qu'un illustre de notre temps avait laissée
imparfaite et il a fouillé jusque dans ses cendres pour y
reprendre son génie et pour nous le redonner après sa
mort. C'est de la sorte que l'on peut parler des deux
premiers volumes du *Roman comique*, et c'est dans ce
troisième que M. Scarron revivra tout entier ou, du
moins, par la meilleure partie de lui-même. Il est peu de
gens qui ne sachent que cet homme eut un talent merveilleux pour tourner toutes choses au plaisant et qu'il
s'est rendu inimitable dans cette ingénieuse et charmante

manière d'écrire. Elle a été reçue avec applaudissement de tout le monde; les esprits forts, qui s'offensent de tout ce qui semble opposé à une vertu sévère, n'ont pu s'empêcher de la goûter et les moins raisonnables ont été forcés de l'approuver malgré leur caprice. Si bien que vous me permettrez, MONSIEUR, d'espérer un heureux succès dans mon dessein, et de croire, non seulement que ma liberté ne vous déplaira pas, mais même que vous appuierez avec joie la suite d'un ouvrage dont la réputation est si bien établie. Après tout, ne sera-ce pas votre intérêt plutôt que le mien ? Et, depuis que de mes mains elle sera passée dans les vôtres, pourrez-vous la regarder que comme une chose qui est absolument à vous. Aussi n'aura-t-elle point de meilleur titre pour s'autoriser ou pour se produire avec avantage. Un magistrat d'un caractère tout à fait singulier et qui, dans un âge si peu avancé, possède des lumières et des qualités que l'on admire, fera sa plus grande recommandation et son aveu lui procurera celui de tous les esprits raisonnables. Mais, puisqu'elle peut servir à votre gloire et qu'elle publiera à son tour les bontés et le mérite de son protecteur, souffrez qu'elle soit aujourd'hui un hommage que je vous rends et un témoignage éclatant de la respectueuse passion avec laquelle je me dois dire,

MONSIEUR,

Votre très humble, très obéissant
et très obligé serviteur,

A. OFFRAY.

AVIS AU LECTEUR

Lecteur, qui que tu sois, qui verras cette troisième partie du *Roman comique* paraître au jour après la mort de l'incomparable monsieur SCARRON, auteur des deux premières, ne t'étonne pas si un génie beaucoup au-dessous du sien a entrepris ce qu'il n'a pu achever. Il avait promis de te le faire voir revu, corrigé et augmenté, mais la mort le prévint dans ce dessein et l'empêcha de continuer les histoires du Destin et de Léandre, non plus que celle de la Caverne, qu'il fait paraître au Mans sans dire de quelle manière elle et sa mère sortirent du château du baron de Sigognac; et c'est sur quoi tu seras éclairci dans cette troisième partie. Je ne doute point que l'on ne m'accuse de témérité, d'avoir voulu en quelque sorte donner la perfection à l'ouvrage d'un si grand homme; mais sache que, pour peu d'esprit que l'on ait, on peut bien inventer des histoires fabuleuses telles que sont celles qu'il nous a données dans les deux premières parties de ce roman. J'avoue franchement que ce que tu y verras n'est pas de sa force et qu'il ne répond pas ni au sujet ni à l'expression de son discours mais sache du moins que tu y pourras satisfaire ta curiosité, si tu en as assez pour désirer une conclusion au dernier ouvrage d'un esprit si agréable et si ingénieux. Au reste, j'ai attendu long-temps à la donner au public, sur l'avis que l'on m'avait donné qu'un homme d'un mérite fort particulier y avait travaillé sur les mémoires de l'auteur. S'il l'eût entrepris, il aurait sans doute beaucoup mieux réussi que moi; mais après trois années d'attente sans en avoir rien vu paraître, j'ai hasardé le mien, nonobstant la censure des critiques. Je te le donne donc, tout défectueux qu'il est, afin que, quand tu n'auras rien de meilleur à faire, tu prennes la peine de le lire.

TROISIÈME PARTIE

CHAPITRE PREMIER

QUI FAIT L'OUVERTURE DE CETTE TROISIÈME PARTIE

VOUS avez vu, en la seconde partie de ce roman, le petit Ragotin le visage tout sanglant du coup que le bélier lui avait donné quand il dormait assis sur une chaise basse dans la chambre des comédiens d'où il était sorti si fort en colère que l'on ne croyait pas qu'il y retournât jamais; mais il était trop piqué de mademoiselle de l'Étoile et il avait trop d'envie de savoir le succès de la magie de l'opérateur, ce qui l'obligea, après s'être lavé la face, à retourner sur ses pas pour voir quel effet aurait la promesse del signore Ferdinando Ferdinandi, qu'il crut d'avoir trouvé en la personne d'un avocat qu'il rencontra et qui allait au palais. Il était si étourdi du coup du bélier et avait l'esprit si troublé de celui que l'Étoile lui avait donné au cœur sans y penser qu'il se persuada facilement que cet avocat était l'opérateur; aussi il l'aborda fort civilement et lui tint ce discours : Monsieur, je suis ravi d'une si heureuse rencontre; je le cherchais avec tant d'impatience que je m'en allais exprès à votre logis pour apprendre de vous l'arrêt de ma vie ou de ma mort. Je ne doute pas que vous n'ayez employé tout ce que votre science magique vous a pu suggérer pour me rendre le plus fortuné de tous les hommes; aussi ne serai-je pas ingrat à le reconnaître.

Dites-moi donc si cette miraculeuse Étoile me départira de ses bénignes influences. L'avocat, qui n'entendait rien en tout ce beau discours, non plus que de raillerie, l'interrompit aussitôt et lui dit fort brusquement : Monsieur Ragotin, s'il était un peu plus tard je croirais que vous êtes ivre, mais il faut que vous soyez fou tout à fait. Eh ! à qui pensez-vous parler ? Que diable m'allez-vous dire de magie et d'influence des astres ? Je ne suis ni sorcier ni astrologue. Eh quoi ! ne me connaissez-vous pas ? Ah ! monsieur, repartit Ragotin, que vous êtes cruel ! Vous êtes si bien informé de mon mal et vous m'en refusez le remède ? Ha ! je... Il allait poursuivre, quand l'avocat le laissa là en lui disant : Vous êtes un grand extravagant pour un petit homme, adieu. Ragotin le voulait suivre, mais il s'aperçut de sa méprise dont il fut bien honteux ; aussi il ne s'en vanta pas et vous ne la liriez pas ici, si je ne l'avais apprise de l'avocat même qui s'en divertit bien avec ses amis. Ce petit fou continua son chemin et alla au logis des comédiens, où il ne fut pas plutôt entré qu'il ouït la proposition que la Caverne et Le Destin faisaient de quitter la ville du Mans et de chercher quelque autre poste, ce qui le démonta si fort qu'il pensa tomber de son haut et dont la chute n'eût pas été périlleuse (quand cet accident lui fût arrivé) à cause de la modification de son individu. Mais ce qui l'acheva tout à fait, ce fut la résolution qui fut prise de dire adieu le lendemain à la bonne ville du Mans, c'est-à-dire à ses habitants, et notamment à ceux qui avaient été leurs plus fidèles auditeurs et de prendre la route d'Alençon, à l'ordinaire, sur l'assurance qu'ils avaient eue que le bruit de peste qui avait couru était faux. J'ai dit à l'ordinaire, car ces sortes de gens (comme beaucoup d'autres) ont leur cours limité, comme celui du soleil dans le zodiaque. En ce pays-là ils viennent de Tours à Angers, d'Angers à la Flèche, de la Flèche au Mans, du Mans à Alençon, d'Alençon à Argentan ou à Laval, selon la route qu'ils prennent de Paris ou de Bretagne. Quoi qu'il en soit, cela ne fait guère à notre roman. Cette déli-

bération, ayant été prise unanimement par tous les
comédiens et comédiennes, ils se résolurent de représenter
le lendemain quelque excellente pièce pour laisser bonne
bouche à l'auditoire manceau. Le sujet n'en est pas venu
à ma connaissance. Ce qui les obligea de quitter si promptement, ce fut que le marquis d'Orsé, qui avait obligé la
troupe à continuer la comédie, fut pressé de s'en aller
en cour ; tellement que, n'ayant plus de bienfaiteur et
l'auditoire du Mans diminuant tous les jours, ils se disposèrent à en sortir. Ragotin voulut s'ingérer d'y former
une opposition, apportant beaucoup de mauvaises raisons dont il était toujours pourvu, auxquelles l'on ne fit
nulle considération ; ce qui fâcha fort le petit homme,
lequel les pria de lui faire au moins la grâce de ne sortir
point de la province du Maine, ce qui était très facile, en
prenant le jeu de paume qui est au faubourg de Monsort [123], lequel en dépend, tant au spirituel qu'au temporel,
et que de là ils pourraient aller à Laval, qui est aussi du
Maine, d'où ils se rendraient facilement en Bretagne,
suivant la promesse qu'ils en avaient faite à monsieur
de la Garouffière. Mais Le Destin lui rompit les chiens
en disant que ce ne serait pas le moyen de faire affaires ;
car ce méchant tripot étant, comme il est, fort éloigné
de la ville et au deçà de la rivière, la belle compagnie ne
s'y rendrait que rarement à cause de la longueur du chemin ; que le grand jeu de paume du marché aux moutons
était environné de toutes les meilleures maisons d'Alençon, et au milieu de la ville ; que c'était là où il se fallait
placer et payer plutôt quelque chose de plus que de ce
malotru tripot de Monsort, le bon marché duquel était
une des plus fortes raisons de Ragotin, ce qui fut déli-
béré d'un commun accord, et qu'il fallait donner ordre
d'avoir une charrette pour le bagage et des chevaux
pour les demoiselles. La charge en fut donnée à Léandre, parce qu'il avait beaucoup d'intrigue dans le Mans
où il n'est pas difficile à un honnête homme de faire
en peu de temps des connaissances. Le lendemain l'on
représenta la comédie, tragédie pastorale, ou tragi-

comédie, car je ne sais laquelle, mais qui eut pourtant le
succès que vous pouvez penser. Les comédiennes furent
admirées de tout le monde. Le Destin y réussit à merveille, surtout au compliment [duquel] [124] il accompagna
leur adieu; car il témoigna tant de reconnaissance, qu'il
exprima avec tant de douleur et de tendresse, qui furent
suivies de tant de grands remerciements qu'il charma
toute la compagnie. L'on m'a dit que plusieurs personnes
en pleurèrent, principalement des jeunes demoiselles qui
avaient le cœur tendre. Ragotin en devint si immobile
que tout le monde était déjà sorti qu'il demeurait toujours dans sa chaise, où il aurait peut-être encore demeuré si le marqueur du tripot ne l'eût averti qu'il n'y
avait plus personne, ce qu'il eut bien de la peine à lui
faire comprendre. Il se leva enfin et s'en alla dans sa
maison, où il prit la résolution d'aller trouver les comédiens de bon matin pour leur découvrir ce qu'il avait
sur le cœur et dont il s'en était expliqué à la Rancune et
à l'Olive.

CHAPITRE II

OU VOUS VERREZ LE DESSEIN DE RAGOTIN

Les crieurs d'eau-de-vie n'avaient pas encore réveillé
ceux qui dormaient d'un profond sommeil (qui est souvent interrompu par cette canaille, qui est à mon avis
la plus importune engeance qui soit dans la république
humaine), que Ragotin était déjà habillé à dessein d'aller proposer à la troupe comique celui qu'il avait fait
d'y être admis. Il s'en alla donc au logis des comédiens
et comédiennes, qui n'étaient pas encore levés, ni levées,
ni même éveillés, ni éveillées; il eut la discrétion de
les laisser reposer, mais il entra dans la chambre où
l'Olive était couché avec la Rancune, lequel il pria de
se lever pour faire une promenade jusques à la Cousture,

qui est une très-belle abbaye située au faubourg qui
porte le même nom et qu'après ils iraient déjeuner à la
Grande Étoile d'or [125] où il l'avait fait apprêter. La
Rancune, qui était du nombre de ceux qui aiment les
repues franches, fut aussitôt habillé que la proposition
en fut faite; ce qui ne vous sera pas difficile à croire,
si vous considérez que ces gens-là sont si accoutumés à
s'habiller et déshabiller derrière les tentes du théâtre,
surtout quand il faut qu'un seul acteur représente deux
personnages, que cela est aussitôt fait que dit. Ragotin
donc avec la Rancune s'acheminèrent à l'abbaye de la
Cousture; il est à croire qu'ils entrèrent dans l'église
où ils firent courte prière, car Ragotin avait bien d'autres
choses en tête. Il n'en dit pourtant rien à la Rancune
pendant le cours du chemin, jugeant bien qu'il eût
trop retardé le déjeuner que la Rancune aimait beaucoup mieux que tous ses compliments. Ils entrèrent
dans le logis où le petit homme commença à crier de ce
que l'on n'avait encore apporté les petits pâtés qu'il
avait commandés; à quoi l'hôtesse, sans se bouger de
dessus le siège où elle était, lui repartit : Vraiment,
monsieur Ragotin, je ne suis pas devine pour savoir
l'heure que vous deviez venir ici; à présent que vous y
êtes, les pâtés y seront bientôt. Passez à la salle où l'on
a mis la nappe; il y a un jambon, donnez dessus en
attendant le reste. Elle dit cela d'un ton si gravement
cabarétique que la Rancune jugea qu'elle avait raison;
et, s'adressant à Ragotin, lui dit : Monsieur, passons deçà
et buvons un coup en attendant; ce qui fut fait. Ils
se mirent à table, qui fut un peu de temps après couverte,
et ils déjeunèrent à la mode du Mans, c'est-à-dire fort
bien; ils burent de même et se le portèrent à la santé
de plusieurs personnes. Vous jugez bien, mon lecteur,
que celle de l'Étoile ne fut pas oubliée; le petit Ragotin
la but une douzaine de fois, tantôt sans bouger de sa
place, tantôt debout et le chapeau à la main, mais, la
dernière fois, il la but à genoux et tête nue, comme s'il
eût fait amende honorable à la porte de quelque église.

Ce fut alors qu'il supplia très instamment la Rancune
de lui tenir la parole qu'il lui avait donnée d'être son
guide et son protecteur en une entreprise si difficile telle
qu'était la conquête de mademoiselle de l'Étoile; sur
quoi la Rancune lui répondit, à demi en colère ou feignant de l'être : Sachez, monsieur Ragotin, que je suis
homme qui ne m'embarque point sans biscuit, c'est-à-dire
que je n'entreprends jamais rien que je ne sois assuré
d'y réussir; soyez-le de la bonne volonté que j'ai de vous
servir utilement. Je le vous dis encore, j'en sais les
moyens que je mettrai en usage quand il sera temps.
Mais je vois un grand obstacle à votre dessein, qui est
notre départ; et je ne vois point de jour pour vous,
si ce n'est en exécutant ce que je vous ai déjà dit une
autre fois, de vous résoudre à faire la comédie avec nous;
vous y avez toutes les dispositions imaginables; vous
avez grande mine, le ton de voix agréable, le langage
fort bon et la mémoire encore meilleure; vous ne ressen-
tez du tout point le provincial; il semble que vous
ayez passé toute votre vie à la cour; vous en avez si
fort l'air que vous le sentez d'un quart de lieue. Vous
n'aurez pas représenté une douzaine de fois que vous
jetterez de la poussière aux yeux de nos jeunes godelureaux qui font tant les entendus et qui seront obligés
à vous céder les premiers rôles et, après cela, laissez-
moi faire; car, pour le présent, je le vous ai déjà dit,
nous avons affaire à une étrange tête; il faut se ménager
avec elle avec beaucoup d'adresse; je sais bien qu'il ne
vous en manque pas, mais un peu d'avis ne gâte pas les
choses. D'ailleurs, raisonnons un peu : si vous faisiez connaître votre dessein amoureux avec celui d'entrer dans
la troupe, ce serait le moyen de vous faire refuser; il faut
donc cacher votre jeu. Le petit bout d'homme avait
été si attentif au discours de la Rancune qu'il en était
tout à fait extasié, s'imaginant de tenir déjà, comme l'on
dit, le loup par les oreilles; quand, se réveillant comme
d'un profond sommeil, il se leva de table et passa de
l'autre côté pour embrasser la Rancune, qu'il remercia

en même temps et supplia de continuer, lui protestant
qu'il ne l'avait convié à déjeuner que pour lui déclarer
le dessein qu'il avait de suivre son sentiment touchant
la comédie, à quoi il était tellement résolu qu'il n'y
avait personne au monde qui l'en pût divertir; qu'il
ne fallait que le faire savoir à la troupe et en obtenir
la faveur de l'association, ce qu'il désirait faire à la même
heure. Ils comptèrent avec l'hôtesse; Ragotin paya;
et, étant sortis, ils prirent le chemin du logis des comédiens qui n'était pas fort éloigné de celui où ils avaient
déjeuné. Ils trouvèrent les demoiselles habillées; mais,
comme la Rancune eut ouvert le discours du dessein
de Ragotin de faire la comédie, il en fut interrompu
par l'arrivée d'un des fermiers du père de Léandre, qu'il
lui envoyait pour l'avertir qu'il était malade à la mort
et qu'il désirait de le voir devant que de lui payer le tri-
but que tous les hommes lui doivent; ce qui obligea tous
ceux de la troupe à conférer ensemble pour délibérer
sur un événèment si inopiné. Léandre tira Angélique à
part et lui dit que le temps était venu pour vivre heureux,
si elle avait la bonté d'y contribuer; à quoi elle répondit
qu'il ne tiendrait jamais à elle et toutes les choses que
vous verrez au chapitre suivant.

CHAPITRE III

DESSEIN DE LÉANDRE, HARANGUE ET RÉCEPTION DE RAGOTIN A LA TROUPE COMIQUE

Les jésuites de la Flèche n'ayant rien pu gagner sur
l'esprit de Léandre pour lui faire continuer ses études
et voyant son assiduité à la comédie, jugèrent aussitôt
qu'il était amoureux de quelqu'une des comédiennes;
en quoi ils furent confirmés quand, après le départ de
la troupe, ils apprirent qu'il l'avait suivie à Angers. Ils

ne manquèrent pas d'en avertir son père par un messager exprès et qui arriva à même temps que la lettre de
Léandre lui fut rendue, par laquelle il lui marquait
qu'il allait à la guerre et lui demandait de l'argent,
comme il l'avait concerté avec Le Destin quand il lui
découvrit sa qualité dans l'hôtellerie où il était blessé.
Son père, reconnaissant la fourbe, se mit en une si furieuse colère qui, jointe à une extrême vieillesse, lui causa
une maladie qui fut assez longue, mais qui se termina
pourtant par la mort, de laquelle, se voyant proche, il
commanda à un de ses fermiers de chercher son fils
pour l'obliger de se retirer auprès de lui, lui disant qu'il
le pourrait trouver en s'enquérant où il y avait des
comédiens; ce que le fermier savait assez, car c'était celui
qui lui fournissait de l'argent après qu'il eut quitté le
collège. Aussi, ayant appris qu'il y en avait une troupe
au Mans, il s'y achemina et y trouva Léandre, comme
vous avez vu au précédent chapitre. Ragotin fut prié
par tous ceux de la troupe de le laisser conférer un
moment sur le sujet du fermier nouvellement arrivé, ce
qu'il fit se retirant dans une autre chambre où il demeura
avec l'impatience qu'on peut s'imaginer. Aussitôt qu'il
fut sorti, Léandre fit entrer le fermier de son père,
lequel leur déclara l'état où il était et le désir qu'il avait
de voir son fils devant que de mourir. Léandre demanda
congé pour y satisfaire, ce que tous ceux de la troupe
jugèrent très raisonnable. Ce fut alors que Le Destin
déclara le secret qu'il avait tenu caché jusques alors,
touchant la qualité de Léandre; ce qu'il n'avait appris
qu'après le ravissement de mademoiselle Angélique,
comme vous avez vu en la seconde partie de cette véritable histoire, ajoutant qu'ils avaient bien pu s'aper-
cevoir qu'il n'agissait pas avec lui, depuis qu'il l'avait
appris, comme il faisait auparavant puisque même il
avait pris un autre valet; que si quelquefois il était
contraint de lui parler en maître, c'était pour ne le
découvrir pas, mais qu'à présent il n'était plus temps
de le celer, tant pour désabuser mademoiselle de la Ca-

verne, qui n'avait pu ôter de son esprit que Léandre
ne fût complice de l'enlèvement de sa fille ou peut-être
l'auteur que pour l'assurer de l'amour sincère qu'il
lui portait et pour laquelle il s'était réduit à lui servir
de valet; ce qu'il aurait continué s'il n'eût été obligé
de lui déclarer le secret lorsqu'il le trouva dans l'hôtellerie quand il allait à la quête de mademoiselle Angélique. Et tant s'en faut qu'il fût consentant à son enlèvement, qu'ayant trouvé les ravisseurs, il avait hasardé
sa vie pour la secourir, mais qu'il n'avait pu résister à
tant de gens qui l'avaient furieusement blessé et laissé
pour mort sur la place. Tous ceux de la troupe lui demandèrent pardon de ce qu'ils ne l'avaient pas traité selon
sa qualité, mais qu'ils étaient excusables puisqu'ils n'en
avaient pas la connaissance. Mademoiselle de l'Étoile
ajouta qu'elle avait remarqué beaucoup d'esprit et de
mérite en sa personne, ce qui l'avait longtemps fait
soupçonner quelque chose, en quoi elle avait été comme
confirmée depuis son retour, à cela joint les lettres que
la Caverne lui avait fait voir, mais que pourtant elle
ne savait quel jugement en faire, le voyant si soumis
au service de son frère, mais qu'à présent il n'y avait
lieu de douter de sa qualité. Alors la Caverne prit la
parole et, s'adressant à Léandre, lui dit : Vraiment,
monsieur, après avoir connu en quelque façon votre
condition par le contenu des lettres que vous écriviez
à ma fille, j'avais toujours un juste sujet de me défier
de vous, n'y ayant point d'apparence que l'amour que
vous dites avoir pour elle fût légitime, comme le dessein
que vous aviez formé de la mener en Angleterre me le
témoigne assez. Et, en effet, monsieur, quelle apparence
qu'un seigneur si relevé, comme vous espérez d'être après
la mort de monsieur votre père, voulût songer à épouser
une pauvre comédienne de campagne? Je loue Dieu
que le temps est venu que vous pourrez vivre content
dans la possession de ces belles terres qu'il vous laisse et
moi hors de l'inquiétude qu'à la fin vous ne me jouassiez
quelque mauvais tour. Léandre, qui s'était fort impa-

tienté en écoutant ce discours de la Caverne, lui répondit : Tout ce que vous dites, mademoiselle, que je suis sur le point de posséder ne saurait me rendre heureux si je ne suis assuré à même temps de la possession de mademoiselle Angélique votre fille; sans elle je renonce à tous les biens que la nature ou plutôt la mort de mon père me donne et je vous déclare que je ne m'en vais recueillir sa succession qu'à dessein de revenir aussitôt pour accomplir la promesse que je fais, devant cette honorable compagnie, de n'avoir jamais pour femme autre que mademoiselle Angélique votre fille pourvu qu'il vous plaise me la donner et qu'elle y consente, comme je vous en supplie très humblement toutes deux. Et ne vous imaginez pas que je la veuille emmener chez moi; c'est à quoi je ne pense point du tout. J'ai trouvé tant de charmes en la vie comique que je ne m'en saurais distraire, et non plus que de me séparer de tant d'honnêtes gens qui composent cette illustre troupe. Après cette franche déclaration, les comédiens et comédiennes, parlant tous ensemble, lui dirent qu'ils lui avaient des grandes obligations de tant de bontés et que mademoiselle de la Caverne et sa fille seraient bien délicates si elles ne lui donnaient la satisfaction qu'il prétendait. Angélique ne répondit que comme une fille qui dépendait de la volonté de sa mère, laquelle finit la conversation en disant à Léandre que si, à son retour, il était dans les mêmes sentiments, il pouvait tout espérer. Ensuite il y eut des grands embrassements et quelques larmes jetées les unes par un motif de joie et les autres par la tendresse, qui fait ordinairement pleurer ceux qui en sont si susceptibles qu'ils ne sauraient s'en empêcher quand ils voient ou entendent dire quelque chose de tendre. Après tous ces beaux compliments, il fut conclu que Léandre s'en irait le lendemain et qu'il prendrait un des chevaux que l'on avait loués, mais il dit qu'il monterait celui de son fermier, qui se servirait du sien qui le porterait assez bien chez lui. Nous ne prenons pas garde, dit Le Destin, que monsieur Ragotin s'impatiente; il le faut faire entrer. Mais, à propos, n'y a-t-il personne qui sache quelque chose de son dessein? La Rancune, qui avait demeuré sans parler, ouvrit la bouche pour dire qu'il le savait et que le matin il lui avait donné à dîner pour lui déclarer qu'il désirait de s'associer à la troupe et faire la comédie sans prétendre de lui être à charge, d'autant qu'il avait assez de bien; qu'il aimait autant le dépenser en voyant le monde que de demeurer au Mans; à quoi il l'avait fort persuadé. Aussitôt Roquebrune s'avança pour dire poétiquement qu'il n'était pas d'avis qu'on le reçût, en étant des poëtes comme des femmes, quand il y en a deux dans une maison il y en a une trop; que deux poëtes dans une troupe y pourraient exciter des tempêtes dont la source viendrait des contrariétés du Parnasse; d'ailleurs, que la taille de Ragotin était si défectueuse qu'au lieu d'apporter de l'ornement au théâtre, il en serait déshonoré. Et puis, quel personnage pourra-t-il faire? Il n'est pas capable des premiers rôles; monsieur Le Destin s'y opposerait et l'Olive pour les seconds; il ne saurait représenter un roi, non plus qu'une nourrice ou une confidente, car il aurait aussi mauvaise mine sous le masque qu'à visage découvert; et, partant, je conclus qu'il ne soit pas reçu. Et moi, repartit la Rancune, je soutiens qu'on le doit recevoir et qu'il sera fort propre pour représenter un nain quand il en sera besoin ou quelque monstre comme celui de l'Andromède [126]; cela sera plus naturel que d'en faire d'artificiels. Et, quant à la déclamation, je puis vous assurer que ce sera un autre Orphée qui attirera tout le monde après lui. Dernièrement, quand nous cherchions mademoiselle Angélique, l'Olive et moi, nous le rencontrâmes monté sur un mulet semblable à lui, c'est-à-dire petit. Comme nous marchions, il se mit à déclamer des vers de Pyrame [127] avec tant d'emphase que des passants qui conduisaient des ânes s'approchèrent du mulet et l'écoutèrent avec tant d'attention qu'ils ôtèrent leurs chapeaux de leurs têtes pour le mieux ouïr, et le suiverint

jusques au logis où nous nous arrêtâmes pour boire
un coup. Si donc il a été capable d'attirer l'attention de
ces âniers, jugez ce que ne feront pas ceux qui sont capables de faire le discernement des belles choses. Cette
saillie fit rire tous ceux qui l'avaient entendue et l'on fut
d'avis de faire entrer Ragotin pour l'entendre lui-même.
On l'appela, il vint, il entra et, après avoir fait une douzaine de révérences, il commença sa harangue en cette
sorte : Illustres personnages, auguste sénat du Parnasse
(il s'imaginait sans doute d'être dans le barreau du présidial du Mans où il n'était guère entré depuis qu'il y
avait été reçu avocat, ou dans l'académie des puristes),
l'on dit, en commun proverbe, que les mauvaises compagnies corrompent les bonnes mœurs et, par un contraire, les bonnes dissipent les mauvaises et rendent les
personnes semblables à ceux qui les composent. Cet
exorde, si bien débité, fit croire aux comédiennes qu'il
allait faire un sermon, car elles tournèrent la tête et
eurent beaucoup de peine à s'empêcher de rire. Quelque
critique glosera peut-être sur ce mot de sermon, mais
pourquoi Ragotin n'eût-il pas été capable d'une telle
sottise puisqu'il avait bien fait chanter des chants
d'église en sérénade avec des orgues? Mais il continua :
Je me trouve si destitué de vertus que je désire m'associer à votre illustre troupe pour en apprendre et pour
m'y façonner, car vous êtes les interprètes des muses,
les échos vivants de leurs chers nourrissons, et vos mérites
sont si connus à toute la France que l'on vous admire
jusques au delà des pôles. Pour vous, mesdemoiselles,
vous charmez tous ceux qui vous considèrent et l'on ne
saurait ouïr l'harmonie de vos belles voix sans être ravi
en admiration; aussi, beaux anges en chair et en os,
tous les plus doctes poëtes ont rempli leurs vers de
vos louanges. Les Alexandre et les César n'ont jamais
égalé la valeur de monsieur Le Destin et des autres
héros de cette illustre troupe. Il ne faut donc pas vous
étonner si je désire avec tant de passion d'en accroître
le nombre, ce qui vous sera facile si vous me faites l'hon-

neur de m'y recevoir, vous protestant, au reste de ne vous être point à charge, ni prétendre de participer aux émoluments du théâtre, mais seulement vous être très humble et très obéissant serviteur. On le pria de sortir pour un moment, afin que l'on pût résoudre sur le sujet de sa harangue et y procéder avec les formes. Il sortit, et l'on commençait d'opiner quand le poëte se jeta à la traverse pour former une seconde opposition; mais il fut relancé par la Rancune, qui l'eût encore bien mieux poussé s'il n'eût regardé son habit neuf qu'il avait acheté de l'argent qu'il lui avait prêté. Enfin, il fut conclu qu'il serait reçu pour être le divertissement de la compagnie. On l'appela, et quand il fut entré, Le Destin prononça en sa faveur. L'on fit les cérémonies accoutumées, il fut écrit sur le registre, prêta le serment de fidélité; l'on lui donna le mot avec lequel tous les comédiens se reconnaissent et soupa ce soir-là avec toute la caravane.

CHAPITRE IV

DÉPART DE LÉANDRE ET DE LA TROUPE COMIQUE POUR ALLER A ALENÇON. DISGRACE DE RAGOTIN

Après le souper, il n'y eut personne qui ne félicitât Ragotin de l'honneur qu'on lui avait fait de le recevoir dans la troupe, de quoi il s'enfla si fort que son pourpoint s'en ouvrit en deux endroits. Cependant Léandre prit occasion d'entretenir sa chère Angélique, à laquelle il réitéra le dessein qu'il avait fait de l'épouser, mais il le dit avec tant de douceur qu'elle ne lui répondit que des yeux d'où elle laissa couler quelques larmes; je ne sais si ce fut de joie des belles promesses de Léandre ou de tristesse de son départ; quoi qu'il en soit, ils se firent beaucoup de caresses, la Caverne n'y apportant plus d'obstacle. La nuit étant déjà fort avancée, il fal-

lut se retirer. Léandre prit congé de toute la compagnie
et s'en alla coucher. Le lendemain il se leva de bon matin,
partit avec le fermier de son père et fit tant par ses
journées qu'il arriva en la maison de son père qui était
malade, lequel lui témoigna d'être bien aise de sa venue;
et, selon que ses forces le lui permirent, lui exprima la
douleur que lui avait causée son absence et lui dit ensuite
qu'il avait bien de la joie de le revoir pour lui donner
sa dernière bénédiction et, avec elle, tous ses biens,
nonobstant l'affliction qu'il avait eue de sa mauvaise
conduite; mais qu'il croyait qu'il en userait mieux à
l'avenir. Nous apprendrons la suite à son retour. Les
comédiens et comédiennes étant habillés et habillées,
chacun amassa ses nippes; l'on remplit les coffres; l'on
fit les balles du bagage comique et l'on prépara tout pour
partir. Il manquait un cheval pour une des demoiselles
parce que l'un de ceux qui les avaient loués s'était dédit;
l'on priait l'Olive d'en chercher un autre quand Ragotin
entra, lequel, ayant ouï cette proposition, dit qu'il
n'en était pas besoin parce qu'il en avait un pour porter
mademoiselle de l'Étoile ou Angélique en croupe, attendu qu'à son avis l'on ne pourrait pas aller en un jour
à Alençon, y ayant dix grandes lieues du Mans; qu'en
y mettant deux jours, comme nécessairement il le fallait, son cheval ne serait pas trop fatigué de porter deux
personnes. Mais l'Étoile, l'interrompant, lui dit qu'elle
ne pourrait pas se tenir en croupe; ce qui affligea fort
le petit homme qui fut un peu consolé quand Angélique
dit que si ferait bien, elle. Ils déjeunèrent tous et l'opérateur et sa femme furent de la partie. Mais pendant
que l'on apprêtait le déjeuner, Ragotin prit l'occasion
pour parler au seigneur Ferdinandi auquel il fit la même
harangue qu'il avait faite à l'avocat dont nous avons
parlé quand il le prenait pour lui, à laquelle il répondit
qu'il n'avait rien oublié à mettre tous les secrets de la
magie en pratique, mais sans aucun effet, ce qui l'obligeait à croire que l'Étoile était plus grande magicienne
que lui n'était magicien; qu'elle avait des charmes beau-

coup plus puissants que les siens et que c'était une
dangereuse personne, qu'il avait grand sujet de craindre.
Ragotin voulait repartir, mais on les pressa de laver
les mains et de se mettre à table, ce qu'ils firent tous.
Après le déjeuner, Inézilla témoigna à tous ceux de la
troupe, et principalement aux demoiselles, le déplaisir
qu'elle et son mari avaient d'un si prompt départ, leur
protestant qu'ils eussent bien désiré de les suivre à Alençon pour avoir l'honneur de leur conversation plus longtemps, mais qu'ils seraient obligés de monter en théâtre
pour débiter leurs drogues et par conséquent faire des
farces; que cela étant public et ne coûtant rien, le monde
y va plus facilement qu'à la comédie où il faut bailler
de l'argent, et qu'ainsi, au lieu de les servir, ils leur pourraient nuire et que, pour l'éviter, ils avaient résolu de
monter au Mans après leur départ. Alors ils s'embrassèrent les uns les autres et se dirent mille douceurs.
Les demoiselles pleurèrent et enfin tous se firent de grands
compliments, à la réserve du poëte qui, en d'autres occasions, eût parlé plus que quatre et en celle-ci il demeura
muet, la séparation d'Inézilla lui ayant été un si furieux
coup de foudre qu'il ne le put jamais parer, nonobstant
qu'il s'estimât tout couvert des lauriers du Parnasse. La
charrette étant chargée et prête à partir, la Caverne y
prit place au même endroit que vous avez vu au commencement de ce roman. L'Étoile monta sur un cheval que
Le Destin conduisait et Angélique se mit derrière Ragotin qui avait pris avantage en montant à cheval pour
éviter un second accident de sa carabine qu'il n'avait
pourtant pas oubliée, car il l'avait pendue à sa bandoulière; tous les autres allèrent à pied, au même ordre
que quand ils arrivèrent au Mans. Quand ils furent dans un
petit bois qui est au bout du pavé, environ une lieue
de la ville, un cerf, qui était poursuivi par les gens de
monsieur le marquis de Lavardin [128] leur traversa le
chemin, et fit peur au cheval de Ragotin, qui allait
devant, ce qui lui fit quitter l'étrier et mettre à même
temps la main à sa carabine; mais comme il le fit avec

précipitation, le talon se trouva justement sous son
aisselle; et comme il avait la main à la détente le coup
partit, et parce qu'il l'avait beaucoup chargée, et à
balle, elle repoussa si furieusement qu'elle le renversa
par terre et, en tombant, le bout de la carabine donna
contre les reins d'Angélique, qui tomba aussi, mais sans
se faire aucun mal, car elle se trouva sur ses pieds; pour
Ragotin, il donna de la tête contre la souche d'un vieil
arbre pourri qui était environ un pied hors de terre, qui
lui fit une assez grosse bosse au-dessus [de la tempe] [129];
l'on y mit une pièce d'argent et on lui banda la tête avec
un mouchoir, ce qui excita des grands éclats de rire à
tous ceux de la troupe, ce qu'ils n'eussent peut-être pas
fait s'il y eût eu un plus grand mal; encore ne le sait-on,
car il est bien difficile de s'en empêcher en de pareilles occasions; aussi ils s'en régalèrent comme il faut, ce qui pensa
faire enrager le petit homme, lequel fut remonté sur son
cheval, et semblablement Angélique qui ne lui permit pas
de recharger sa carabine, comme il le voulait faire, et
l'on continua de marcher jusques à la Guerche [130], où
l'on fit repaître la charrette, c'est-à-dire les quatre chevaux qui y étaient attelés et les deux autres porteurs.
Tous les comédiens goûtèrent; pour les demoiselles, elles
se mirent sur un lit tant pour se reposer que pour
considérer les hommes, qui buvaient à qui mieux mieux,
et sur tous la Rancune et Ragotin (à qui l'on avait
débandé la tête, à laquelle la pièce d'argent avait réper-
cuté la contusion), qui se le portaient à une santé qu'ils
s'imaginaient que personne n'entendait; ce qui obligea
Angélique de crier à Ragotin : Monsieur, prenez garde
à vous, et songez à bien conduire votre voiture; ce
qui démonta un peu le petit avocat encomédienné,
lequel fit aussitôt cession d'armes ou plutôt de verres
avec la Rancune. L'on paya l'hôtesse, l'on remonta à
cheval, et la caravane comique marcha. Le temps était
beau, et le chemin de même, ce qui fut cause qu'ils
arrivèrent de bonne heure à un bourg qu'on appelle
[Vivoin] [131]. Ils descendirent au Coq-Hardi, qui est le

meilleur logis, mais l'hôtesse, qui n'était pas la plus agréable
du pays du Maine, fit quelque difficulté de les recevoir,
disant qu'elle avait beaucoup de monde, entre autres
un receveur des tailles de la province et un autre receveur des épices du présidial du Mans avec quatre ou
cinq marchands de toile. La Rancune, qui songea aussitôt à faire quelque tour de son métier, lui dit qu'ils
ne demandaient qu'une chambre pour les demoiselles
et que pour les hommes ils se coucheraient comme que
ce fut et qu'une nuit était bientôt passée, ce qui adoucit
un peu la fierté de la dame cabaretière. Ils entrèrent
donc et l'on ne déchargea point la charrette, car il y
avait dans la basse-cour une remise de carrosse où on
la mit et on la ferma à clef; et l'on donna une chambre
aux comédiennes où tous ceux de la troupe soupèrent
et, quelque temps après, les demoiselles se couchèrent
dans deux lits qu'il y avait, savoir l'Étoile dans un
et la Caverne et sa fille Angélique dans l'autre. Vous
jugez bien qu'elles ne manquèrent pas à fermer la porte,
aussi bien que les deux receveurs qui se retirèrent aussi
dans une autre chambre où ils firent porter leurs valises,
qui étaient pleines d'argent sur lequel la Rancune ne
put pas mettre la main, car ils se précautionnèrent
bien; mais les marchands payèrent pour eux. Ce méchant
homme eut assez de prévoyance pour être logé dans la
même chambre où ils avaient fait porter leurs balles.
Il y avait trois lits, dont les marchands en occupaient
deux et l'Olive et la Rancune l'autre, lequel ne dormit
point; mais quand il connut que les autres dormaient
ou devaient dormir, il se leva doucement pour faire
son coup, qui fut interrompu par un des marchands
auquel il était survenu un mal de ventre avec une envie
de le décharger; ce qui l'obligea à se lever et la Rancune
à regagner le lit. Cependant le marchand, qui logeait
ordinairement dans ce logis et qui en savait toutes les
issues, alla, par la porte qui conduisait à une petite
galerie, au bout de laquelle étaient les lieux communs;
ce qu'il fit pour ne donner pas mauvaise odeur aux véné-

rables comédiens. Quand il se fut vidé, il retourna au
bout de la galerie, mais, au lieu de prendre le chemin
qui conduisait à la chambre d'où il était parti, il prit
de l'autre côté et descendit dans la chambre où les receveurs étaient couchés (car les deux chambres et les
montées étaient disposées de la sorte); il s'approcha
du premier lit qu'il rencontra, croyant que ce fût le
sien, et une voix, à lui inconnue, lui demanda : Qui
est là? Il passa sans rien dire à l'autre lit où on lui dit
le même, mais d'un ton plus élevé et en criant : L'hôte !
de la chandelle, il y a quelqu'un dans notre chambre.
L'hôte fit lever une servante mais devant qu'elle fût
en état de comprendre qu'il fallait de la lumière, le marchand eut loisir de remonter et de descendre par où
il était allé. La Rancune, qui entendait tout ce débat,
car il n'y avait qu'une simple cloison d'ais entre
les deux chambres, ne perdit pas temps, mais dénoua
habilement les cordes de deux balles, dans chacune
desquelles il prit deux pièces de toile et renoua les
cordes comme si personne n'y eût touché; car il savait
le secret qui n'est connu que de ceux du métier, non
plus que leur numéro et leurs chiffres. Il en voulait
attaquer une autre quand le marchand entra dedans la
chambre et, y ayant ouï marcher, dit : Qui est là? La
Rancune, qui ne manquait point de repartie, après avoir
fourré les quatre pièces de toile dans le lit, dit que l'on
avait oublié à mettre un pot de chambre et qu'il cherchait la fenêtre pour pisser. Le marchand, qui n'était
pas encore recouché, lui dit : Attendez, monsieur, je
la vais ouvrir, car je sais mieux où elle est que vous;
il l'ouvrit et se remit au lit. La Rancune s'approcha de
la fenêtre, par laquelle il pissa aussi copieusement que
quand il arrosa un marchand du bas Maine avec lequel
il était couché dans un cabaret de la ville du Mans,
comme vous avez vu dans le sixième chapitre de la
première partie de ce roman; après quoi il se retourna
coucher sans fermer la fenêtre. Le marchand lui cria
qu'il ne devait pas l'avoir laissée ouverte et l'autre lui

cria encore plus haut qu'il la fermât s'il voulait; que
pour lui il n'eût pas pu retrouver son lit dans l'obscurité, ce qui n'était pas quand elle était ouverte, parce
que la lune luisait bien fort dans la chambre. Le marchand, appréhendant qu'il ne lui voulût faire une querelle d'Allemand, se leva sans lui repartir, ferma la
fenêtre et se remit au lit où il ne dormait pas dont bien
lui prit, car sa balle n'eût pas eu meilleur marché que
les deux autres. Cependant l'hôte et l'hôtesse criaient
à la chambrière d'allumer vite la chandelle; elle s'en
mettait en devoir, mais, comme il arrive ordinairement
que plus l'on s'empresse moins l'on avance, aussi cette
misérable servante souffla les charbons plus d'une heure
sans la pouvoir allumer. L'hôte et l'hôtesse lui disaient
mille malédictions et les receveurs criaient toujours
plus fort : De la chandelle! Enfin, quand elle fut allu-
mée, l'hôte et l'hôtesse et la servante montèrent à leur
chambre où, n'ayant trouvé personne, ils leur dirent
qu'ils avaient grand tort de mettre ainsi tous ceux du
logis en alarme; eux soutenaient toujours d'avoir vu
et ouï un homme et de lui avoir parlé. L'hôte passa de
l'autre côté et demanda aux comédiens et aux marchands si quelqu'un d'eux était sorti? Ils dirent tous
que non, à la réserve de monsieur, dit un des marchands,
parlant de la Rancune, qui s'est levé pour pisser par la
fenêtre, car l'on n'a point donné de pot de chambre.
L'hôte cria fort la servante de ce manquement et alla
retrouver les receveurs auxquels il dit qu'il fallait qu'ils
eussent fait quelque mauvais songe, car personne n'avait
bougé; et, après leur avoir dit qu'ils dormissent bien
et qu'il n'était pas encore jour, ils se retirèrent. Sitôt
qu'il fut venu, je veux dire le jour, la Rancune se leva
et demanda la clef de la remise où il entra pour cacher
les quatre pièces de toile qu'il avait dérobées et qu'il
mit dans une des balles de la charrette.

CHAPITRE V

CE QUI ARRIVA AUX COMÉDIENS ENTRE [VIVOIN] ET ALENÇON. AUTRE DISGRACE DE RAGOTIN

Tous les héros et héroïnes de la troupe comique partirent de bon matin et prirent le grand chemin d'Alençon et arrivèrent heureusement au Bourg-le-Roi, que le vulgaire appelle le Boulerey, où ils dînèrent et se reposèrent quelque temps, pendant lequel l'on mit en avant si l'on passerait par Arsonnay, qui est un village à une lieue d'Alençon, ou si l'on prendrait de l'autre côté, pour éviter Barée, qui est un chemin où, pendant les plus grandes chaleurs de l'été, il y a de la boue où les chevaux enfoncent jusques aux sangles. On consulta là-dessus le charretier, lequel assura qu'il passerait partout, ses quatre chevaux étant les meilleurs de tous les attelages du Mans; d'ailleurs, qu'il n'y avait qu'environ cinq cents pas de mauvais chemin, et que celui des communes de Saint-Pater [132] où il faudrait passer, n'était guère plus beau et beaucoup plus long; qu'il n'y aurait que les chevaux et la charrette qui entreraient dans la boue parce que les gens de pied passeraient dans les champs, quittes pour enjamber certaines fascines qui ferment les terres afin que les chevaux n'y puissent pas entrer; on les appelle en ce pays-là des éthaliers. Ils enfilèrent donc ce chemin-là. Mademoiselle de l'Étoile dit qu'on l'avertît quand l'on en serait près, parce qu'elle aimait mieux aller à pied en beau chemin qu'à cheval dans la boue. Angélique en dit autant et semblablement la Caverne qui appréhenda que la charrette ne versât. Quand ils furent sur le point d'entrer dans ce mauvais chemin, Angélique descendit de la croupe du cheval de Ragotin, Le Destin fit mettre pied à terre à l'Étoile et l'on aida à la Caverne à descendre de la charrette. Roquebrune monta sur le cheval de l'Étoile et suivit

Ragotin qui allait après la charrette. Quand ils furent
au plus boueux du chemin et à un lieu où il n'y avait
d'espace que pour la charrette, quoique le chemin fût
fort large, ils firent rencontre d'une vingtaine de chevaux de voiture que cinq ou six paysans conduisaient
qui se mirent à crier au charretier de reculer. Le charretier leur criait encore plus fort : Reculez vous-mêmes,
vous le ferez plus aisément que moi. De détourner ni
à droite ni à gauche, cela ne se pouvait nullement, car
de chaque côté il n'y avait que des fondrières insondables.
Les voituriers, voulant faire les mauvais, s'avancèrent
si brusquement contre la charrette en criant si fort
que les chevaux en prirent tant de peur qu'ils en rompirent leurs traits et se jetèrent dans les fondrières;
le timonier se détourna tant soit peu sur la gauche, ce
qui fit avancer la roue du même côté qui, pour ne trouver
point de ferme, fit verser la charrette. Ragotin, tout
bouffi d'orgueil et de colère, criait comme un démo-
niaque contre les voituriers et, croyant de pouvoir
passer au côté droit où il semblait y avoir du vide, car
il voulait joindre les voituriers qu'il menaçait de sa
carabine pour les faire reculer, il s'avança donc, mais
son cheval s'embourba si fort que tout ce qu'il put
faire ce fut de désétriver promptement et désarçonner
à même temps et de mettre pied à terre; mais il enfonça
jusques aux aisselles et, s'il n'eût pas étendu les bras, il
eût enfoncé jusques au menton. Cet accident si imprévu
fit arrêter tous ceux qui passaient dans les champs pour
penser à y remédier. Le poëte, qui avait toujours bravé
la fortune, s'arrêta doucement et fit reculer son cheval
jusques à ce qu'il eût trouvé le sec. Les voituriers, voyant
tant d'hommes qui avaient tous chacun un fusil sur
l'épaule et une épée au côté, reculèrent sans bruit de
peur d'être battus et prirent un autre chemin. Cependant
il fallut songer à remédier à tout ce désordre et l'on dit
qu'il fallait commencer par monsieur Ragotin et par son
cheval, car ils étaient tous deux en grand péril. L'Olive
et la Rancune furent les premiers qui s'en mirent en

devoir, mais quand ils s'en voulurent approcher, ils enfoncèrent jusques aux cuisses et auraient encore enfoncé s'ils eussent avancé davantage; tellement qu'après avoir sondé en plusieurs endroits sans y trouver du ferme, la Rancune, qui avait toujours des expédients d'un homme de son naturel, dit sans rire qu'il n'y avait point d'autre remède, pour sortir monsieur Ragotin du danger où il était, que de prendre la corde de la charrette, qu'aussi bien il la fallait décharger et la lui attacher au col et le faire tirer par les chevaux qui s'étaient remis dans le grand chemin. Cette proposition fit rire tous ceux de la compagnie, mais non pas Ragotin qui en eut autant de peur comme quand la Rancune lui voulait couper son chapeau sur le visage quand il l'avait enfoncé dedans. Mais le charretier, qui s'était hasardé pour relever les chevaux, le fit encore pour Ragotin; il s'approcha de lui et, à diverses reprises, le sortit et le conduisit dans le champ où étaient les comédiennes qui ne purent s'empêcher de rire le voyant en si bel équipage; elles s'en contraignirent pourtant tant qu'elles purent. Cependant le charretier retourna à son cheval qui, étant assez vigoureux, sortit avec un peu d'aide et alla trouver les autres; ensuite de quoi l'Olive, et la Rancune, et le même charretier, qui étaient déjà tous gâtés de la boue, déchargèrent la charrette, la remuèrent et la rechargèrent. Elle fut aussitôt réattelée et les chevaux la sortirent de ce mauvais pas. Ragotin remonta sur son cheval avec peine, car le harnais était tout rompu, mais Angélique ne voulut pas se remettre derrière lui pour ne gâter ses habits. La Caverne dit qu'elle irait bien à pied, ce que fit aussi l'Étoile que Le Destin continua de conduire jusques aux Chênes-Verts [133] qui est le premier logis que l'on trouve en venant du Mans au faubourg de Monsort, où ils s'arrêtèrent, n'osant pas entrer dans la ville dans un si étrange désordre. Après que ceux qui avaient travaillé eurent bu, ils employèrent le reste du jour à faire sécher leurs habits après en avoir pris d'autres dans les coffres que l'on avait

déchargés, car ils en avaient eu chacun en présent de
la noblesse mancelle. Les comédiennes soupèrent légèrement, à cause de la lassitude du chemin qu'elles avaient
été contraintes de faire à pied, ce qui les obligea aussi
à se coucher de bonne heure. Les comédiens ne se couchèrent qu'après avoir bien soupé. Les uns et les autres
étaient à leur premier sommeil, environ les onze heures,
quand une troupe de cavaliers frappèrent à la porte de
l'hôtellerie. L'hôte répondit que son logis était plein et,
d'ailleurs, qu'il était heure indue. Ils recommencèrent
à frapper plus fort, en menaçant d'enfoncer la porte.
Le Destin, qui avait toujours Saldagne en tête, crut que
c'était lui qui venait à force ouverte pour enlever l'Étoile,
mais, ayant regardé par la fenêtre, il aperçut, à la faveur
de la clarté de la lune, un homme qui avait les mains
liées par derrière, ce qu'ayant dit fort bas à ses compagnons, qui étaient tous aussi bien que lui en état de le bien
recevoir, Ragotin dit assez haut que c'était M. de la
Rappinière qui avait pris quelque voleur, car il en était
à la quête. Ils furent confirmés en cette opinion quand
ils ouïrent faire commandement à l'hôte d'ouvrir de
par le roi. Mais pourquoi diable, dit la Rancune, ne
l'a-t-il mené au Mans ou à Beaumont-le-Vicomte [134]
ou au pis-aller à Fresnay [135]? car, encore que ce faubourg
soit du Maine, il n'y a point de prison; il faut qu'il y
ait là du mystère. L'hôte fut contraint d'ouvrir à la
Rappinière qui entra avec dix archers, lesquels menaient
un homme attaché, comme je vous viens de dire,
et qui ne faisait que rire surtout quand il regardait la
Rappinière; ce qu'il faisait fixement, contre l'ordinaire
des criminels et c'est la première raison pourquoi il ne
le mena pas au Mans. Or, vous saurez que la Rappinière, ayant appris que l'on avait fait plusieurs voleries
et pillé quelques maisons champêtres, il se mit en devoir
de chercher les malfaiteurs. Comme lui et ses archers
approchaient de la forêt de Persaine [136] ils virent un
homme qui en sortait; mais, quand il aperçut cette
troupe d'hommes à cheval, il reprit le chemin du bois,

ce qui fit juger à la Rappinière que ce pouvait en être
un. Il piqua si fort, et ses gens aussi, qu'ils attrapèrent
cet homme qui ne répondit qu'en termes confus aux
interrogats que la Rappinière lui fit, mais qui ne parut
point de l'être; au contraire, il se mit à rire et à regarder
fixement la Rappinière, lequel, tant plus il le consi-
dérait, tant plus il s'imaginait de l'avoir vu autrefois,
et il ne se trompait pas; mais du temps qu'ils s'étaient
vus, l'on portait les cheveux courts et des grandes barbes
et cet homme-là avait la chevelure fort longue et point
de barbe, et d'ailleurs les habits différents; tout cela
lui en ôtait la connaissance. Il le fit néanmoins attacher
à un banc de la table de la cuisine, qui était à dossier
à l'antique et le laissa en la garde de deux archers et
s'alla coucher après avoir fait un peu de collation. Le
lendemain Le Destin se leva le premier et, en passant
par la cuisine, il vit les archers endormis sur une méchante paillasse et un homme attaché à un des bancs
de la table, lequel lui fit signe de s'approcher, ce qu'il
fit; mais il fut fort étonné quand le prisonnier lui dit :
Vous souvient-il, quand vous fûtes attaqué à Paris sur
le Pont-Neuf, où vous fûtes volé et principalement
d'une boîte de portrait? J'étais alors avec le sieur de
la Rappinière, qui était notre capitaine; ce fut lui qui
me fit avancer pour vous attaquer; vous savez tout ce
qui se passa. J'ai appris que vous avez tout su de Doguin
à l'heure de sa mort et que la Rappinière vous a rendu
votre boîte. Vous avez une belle occasion de vous venger
de lui, car, s'il me mène au Mans, comme il fera peut-
être, j'y serai pendu sans doute, mais il ne tiendra qu'à
vous qu'il ne soit de la danse. Il ne faudra que joindre
votre déposition à la mienne, et puis vous savez comme
va la justice du Mans. Le Destin le quitta et attendit que
la Rappinière fût levé. Ce fut pour lors qu'il témoigna
bien qu'il n'était pas vindicatif, car il l'avertit du dessein du criminel en lui disant tout ce qu'il avait dit
de lui et, ensuite, lui conseilla de s'en retourner et de
laisser ce misérable. Il voulait attendre que les comé-

diennes fussent levées pour leur donner le bonjour,
mais Le Destin lui dit franchement que l'Étoile ne
le pourrait pas voir sans s'emporter furieusement contre
lui avec justice. Il lui dit, de plus, que si le vi-bailli
d'Alençon (qui est le prévôt de ce bailliage-là) savait
tout ce ménage, il le viendrait prendre. Il le crut, fit
détacher le prisonnier qu'il laissa en liberté, monta à
cheval avec ses archers et s'en alla sans payer l'hôtesse,
ce qui lui était assez ordinaire, et sans remercier Le
Destin, tant il était troublé. Après son départ, Le Destin
appela Roquebrune, l'Olive et le décorateur qu'il mena
dans la ville et allèrent directement au grand jeu de paume
où ils trouvèrent six gentilshommes qui jouaient partie.
Il demanda le maître du tripot et ceux qui étaient dans
la galerie, ayant connu que c'étaient des comédiens,
dirent aux joueurs que c'étaient des comédiens et qu'il
y en avait un qui avait fort bonne mine. Les joueurs
achevèrent leur partie et montèrent dans une chambre
pour se faire frotter tandis que Le Destin traitait avec
le maître du jeu de paume. Ces gentilshommes, étant
descendus à demi vêtus, saluèrent Le Destin et lui
demandèrent toute les particularités de la troupe, de
quel nombre de personnes elle était composée, s'il y
avait des bons acteurs, s'ils avaient des beaux habits
et si les femmes étaient belles. Le Destin répondit sur
tous ces chefs, ensuite de quoi ces gentilshommes lui
offrirent service et prièrent le maître de les accommoder, ajoutant que s'ils avaient patience qu'ils fussent
tout à fait habillés, qu'ils boiraient ensemble, ce que Le
Destin accepta pour faire des amis en cas que Saldagne le cherchât encore, car il en avait toujours de
l'appréhension. Cependant, il convint du prix pour le
louage du tripot et ensuite le décorateur alla chercher
un menuisier pour bâtir le théâtre suivant le modèle
qu'il lui bailla; et les joueurs étant habillés, Le Destin
s'approcha d'eux de si bonne grâce et avec sa grand'-
mine, et leur fit paraître tant d'esprit, qu'ils conçurent
de l'amitié pour lui. Ils lui demandèrent où la troupe

était logée et lui, leur ayant répondu qu'elle était aux
Chênes-Verts, en Monsort, ils lui dirent : Allons boire
dans un [logis] qui sera votre fait; nous voulons vous
aider à faire le marché. Ils y allèrent, furent d'accord
du prix pour trois chambres et y déjeunèrent très bien.
Vous pouvez bien croire que leur entretien ne fut que
de vers et de pièces de théâtre, ensuite de quoi ils firent
grande amitié et allèrent avec lui voir les comédiennes
qui étaient sur le point de dîner; ce qui fut cause que ces
gentilshommes ne demeurèrent pas longtemps avec elles.
Ils les entretinrent pourtant agréablement pendant le
peu de temps qu'ils y furent, ils leur offrirent service et
protection, car c'étaient des principaux de la ville. Après
le dîner, l'on fit porter le bagage comique à la Coupe
d'or, qui était le logis que Le Destin avait retenu et,
quand le théâtre fut en état, ils commencèrent à représenter. Nous les laisserons dans cet exercice, dans lequel
ils firent tous voir qu'ils n'étaient pas apprentis, et
retournerons voir ce que fait Saldagne depuis sa chute.

CHAPITRE VI

MORT DE SALDAGNE

Vous avez vu, dans le douzième chapitre de la seconde
partie de ce roman, comme Saldagne était demeuré
dans un lit, malade de sa chute, dans la maison du baron
d'Arques, à l'appartement de Verville et ses valets si
ivres dans une hôtellerie d'un bourg distant de deux
lieues de ladite maison, que celui de Verville eut bien
de la peine à leur faire comprendre que la demoiselle
s'était sauvée et que l'autre homme que son maître
leur avait donné la suivait avec l'autre cheval. Après
qu'ils se furent bien frotté les yeux et bâillé chacun
trois ou quatre fois et allongé les bras en s'étirant,

ils se mirent en devoir de la chercher. Ce valet leur fit
prendre un chemin par lequel il savait bien qu'ils ne la
trouveraient pas, suivant l'ordre que son maître lui en
avait donné; aussi ils roulèrent trois jours, au bout
desquels ils s'en retournèrent trouver Saldagne qui
n'était pas encore guéri de sa chute, ni même en état
de quitter le lit, auquel ils dirent que la fille s'était
sauvée, mais que l'homme que monsieur de Verville
leur avait baillé la suivait à cheval. Saldagne pensa
enrager à la réception de cette nouvelle, et bien prit à
ses valets qu'il était au lit et attaché par une jambe,
car s'il eût été debout où s'il eût pu se lever, ils n'eussent
pas seulement essuyé des paroles comme ils firent, mais
ils les aurait roués de coups de bâton; car il pesta si
furieusement contre eux, leur disant toutes les injures
imaginables et se mit si fort en colère que son mal augmenta et la fièvre le reprit, en sorte que, quand le chirurgien vint pour le panser, il appréhenda que la gangrène
ne se mît à sa jambe, tant elle était enflammée, et même
il y avait quelque lividité, ce qui obligea d'aller trouver
Verville auquel il conta cet accident, lequel se douta
bien de ce qui l'avait causé et qui alla aussitôt voir
Saldagne pour lui demander la cause de son altération,
ce qu'il savait assez, car il avait été averti par son valet
de tout le succès de l'affaire; et, l'ayant appris de lui-
même, il lui redoubla sa douleur, en lui disant que
c'était lui qui avait tramé cette pièce pour lui éviter
la plus mauvaise affaire qui lui pût jamais arriver;
car, lui dit-il, vous voyez bien que personne n'a voulu
retirer cette fille et je vous déclare que si j'ai souffert
que ma femme, votre sœur, l'ait logée céans, ce n'a été
qu'à dessein de la remettre entre les mains de son frère
et de ses amis. Dites-moi un peu, que seriez-vous devenu
si l'on avait fait des informations contre vous pour
un rapt, qui est un crime capital et que l'on ne pardonne
point? Vous croyez peut-être que la bassesse de sa
naissance et la profession qu'elle fait vous auraient
excusé de cette licence; et en cela vous vous flattez,

car apprenez qu'elle est fille de gentilhomme et de
demoiselle et qu'au bout vous n'y auriez pas trouvé
votre compte. Et, après tout, quand les moyens de la
justice auraient manqué, sachez qu'elle a un frère qui
s'en serait vengé, car c'est un homme qui a du cœur
et vous l'avez éprouvé en plusieurs rencontres, ce qui
vous devrait obliger à avoir de l'estime pour lui plutôt
que de le persécuter comme vous faites. Il est temps
de cesser ces vaines poursuites où vous pourriez à la
fin succomber, car vous savez bien que le désespoir
fait tout hasarder; il vaut donc bien mieux pour vous
le laisser en paix. Ce discours, qui devait obliger Saldagne à rentrer en lui-même, ne servit qu'à lui redoubler
sa rage et à lui faire prendre d'étranges résolutions qu'il
dissimula en présence de Verville et qu'il tâcha depuis
à exécuter. Il se dépêcha de guérir et, sitôt qu'il fut
en état de pouvoir monter à cheval, il prit congé de
Verville et à même temps il prit le chemin du Mans où
il croyait de trouver la troupe; mais, ayant appris qu'elle
en était partie pour aller à Alençon, il se résolut d'y
aller. Il passa par Vivoin où il fit repaître ses gens et
trois coupe-jarrets qu'il avait pris avec lui. Quand il
entra au logis du Coq hardi où il mit pied à terre, il
entendit une grande rumeur; c'étaient les marchands de
toile qui, étant allés au marché à Beaumont, s'étaient
aperçus du larcin que leur avait fait la Rancune et
étaient revenus s'en plaindre à l'hôtesse qui, en criant
bien fort, leur soutenait qu'elle n'en était pas responsable
puisqu'ils ne lui avaient pas baillé leurs balles à garder,
mais les avaient fait porter dans leur chambre. Et les
marchands répliquaient : Cela est vrai, mais que diable
aviez-vous affaire d'y mettre coucher ces bateleurs ? car
sans doute [ce sont] [137] eux qui nous ont volés. Mais,
repartit l'hôtesse, trouvâtes-vous vos balles crevées ou
les cordes défaites ? Non, disaient les marchands, et
c'est ce qui nous étonne, car elles étaient nouées comme
si nous-mêmes l'eussions fait. Or, allez vous promener,
dit l'hôtesse. Les marchands voulaient répliquer, quand

Saldagne jura qu'il les battrait s'ils menaient plus de
bruit. Ces pauvres marchands, voyant tant de gens et
de si mauvaise mine, furent contraints de faire silence
et attendirent leur départ pour recommencer leur dispute
avec l'hôtesse. Après que Saldagne, et ses gens, et ses
chevaux eurent repu, il prit la route d'Alençon où il
arriva fort tard. Il ne dormit point de toute la nuit qu'il
employa à penser aux moyens de se venger sur Le Destin
de l'affront qu'il lui avait fait de lui avoir ravi sa proie
et, comme il était fort brutal, il ne prit que des résolutions brutales. Le lendemain il alla à la comédie avec
ses compagnons, qu'il fit passer devant, et paya pour
quatre; ils n'étaient connus de personne; ainsi il leur fut
facile de passer pour étrangers; pour lui, il entra le visage
couvert de son manteau et la tête enfoncée dans son
chapeau, comme un homme qui ne veut pas être connu.
Il s'assit et assista à la comédie où il s'ennuya autant
que les autres y eurent de satisfaction, car tous admirèrent l'Étoile qui représenta ce jour-là la Cléopâtre de
la pompeuse tragédie du grand Pompée, de l'inimitable
Corneille. Quand elle fut finie, Saldagne et ses gens
demeurèrent dans le jeu de paume, résolus d'y attaquer
Le Destin. Mais cette troupe avait si fort gagné les
bonnes grâces de toute la noblesse et de tous les honnêtes
bourgeois d'Alençon que ceux et celles qui la composaient
n'allaient point au théâtre ni ne s'en retournaient point
à leur logis qu'avec grand cortège. Ce jour-là, une jeune
dame, veuve fort galante, qu'on appelait madame de
Villefleur, convia les comédiennes à souper, ce que Saldagne put facilement entendre; elles s'en excusèrent
civilement, mais, voyant qu'elle persistait de si bonne
grâce à les en prier, elles lui promirent d'y aller. Ensuite
elles se retirèrent, mais très bien accompagnées, et notamment de ces gentilshommes qui jouaient à la paume
quand Le Destin vint pour louer le tripot et d'un grand
nombre d'autres; ce qui rompit le mauvais dessein de
Saldagne, qui n'osa éclater devant tant d'honnêtes gens
avec lesquels il n'eût pas trouvé son compte. Mais il

s'avisa de la plus insigne méchanceté que l'on puisse
imaginer, qui fut d'enlever l'Étoile quand elle sortirait
de chez madame de Villefleur et de tuer tous ceux qui
voudraient s'y opposer à la faveur de la nuit. Les trois
comédiennes y allèrent souper et passer la veillée. Or,
comme je vous ai déjà dit, cette dame était jeune et fort
galante, ce qui attirait à sa maison toute la belle compagnie qui augmenta ce soir-là à cause des comédiennes.
Or, Saldagne s'était imaginé d'enlever l'Étoile avec
autant de facilité que quand il l'avait ravie lorsque le
valet du Destin la conduisait, suivant la maudite invention de la Rappinière. Il prit donc un fort cheval qu'il fît
tenir par un de ses laquais, lequel il posta à la porte de la
maison de ladite dame de Villefleur, qui était située dans
une petite rue proche du palais, croyant qu'il lui serait
facile de faire sortir l'Étoile sous quelque prétexte et
la monter promptement sur le cheval avec l'aide de ses
trois hommes, qui battaient l'estrade dans la grande
place, pour la mener après où il lui plairait. Enfin, il se
repaissait de ces vaines chimères et tenait déjà la proie
en imagination; mais il arriva qu'un homme d'église,
qui n'était pas de ceux qui font scrupule de tout et bien
souvent de rien (car il fréquentait les honorables compagnies et aimait si fort la comédie qu'il faisait connaissance
avec tous les comédiens qui venaient à Alençon et l'avait
fait fort étroitement avec ceux de notre illustre troupe),
allait veiller ce soir-là chez madame de Villefleur et,
ayant aperçu un laquais qu'il ne connaissait point, non
plus que la livrée qu'il portait, tenant un cheval par la
bride, et l'ayant enquis à qui il était et ce qu'il faisait là,
et si son maître était dans la maison, et ayant trouvé
beaucoup d'obscurité en ses réponses, il monta à la salle
où était la compagnie, à laquelle il raconta ce qu'il avait
vu et qu'il avait ouï marcher des personnes à l'entrée
de la petite rue. Le Destin, qui avait observé cet homme
qui se cachait le visage de son manteau et qui avait
toujours l'imagination frappée de Saldagne, ne douta
point que ce ne fût lui; pourtant il n'en avait rien dit à

personne, mais il avait mené tous ses compagnons chez
madame de Villefleur pour faire escorte aux demoiselles
qui y veillaient; mais ayant appris de la bouche de l'ecclésiastique ce que vous venez d'ouïr, il fut confirmé dans
la croyance que c'était Saldagne qui voulait hasarder
un second enlèvement de sa chère [l']Étoile. L'on consulta
ce que l'on devait faire et l'on conclut que l'on attendrait
l'événement et que, si personne ne paraissait devant
l'heure de la retraite, l'on sortirait avec toute la précaution que l'on peut prendre en pareilles occasions. Mais
l'on ne demeura pas longtemps, qu'un homme inconnu
entra et demanda mademoiselle de l'Étoile à laquelle il
dit qu'une demoiselle de ses amies lui voulait dire un mot
à la rue et qu'elle la priait de descendre pour un moment.
L'on jugea alors que c'était par ce moyen que Saldagne
voulait réussir en son dessein, ce qui obligea tous ceux
de la compagnie à se mettre en état de le bien recevoir.
L'on ne trouva pas bon qu'aucune des comédiennes
descendît, mais l'on fit avancer une des femmes de
chambre de madame de Villefleur, que Saldagne saisit
aussitôt, croyant que ce fut l'Étoile. Mais il fut bien étonné
quand il se trouva investi d'un grand nombre d'hommes
armés, car il en était passé une partie par une porte qui
est sur la grand'place et les autres par la porte ordinaire;
mais, comme il n'avait du jugement qu'autant qu'un
brutal en peut avoir, sans considérer si ses gens étaient
joints à lui, il tira un coup de pistolet dont un des comédiens fut blessé légèrement, mais qui fut suivi d'une demi-
douzaine qu'on déchargea sur lui. Ses gens, qui ouïrent
le bruit, au lieu de s'approcher pour le secourir, firent
comme font ordinairement ces canailles que l'on emploie
pour assassiner quelqu'un, qui s'enfuient quand ils trouvent de la résistance; autant en firent les compagnons
de Saldagne qui était tombé, car il avait un coup de
pistolet à la tête et deux dans le corps. L'on apporta de
la lumière pour le regarder, mais personne ne le connut
que les comédiens et les comédiennes qui assurèrent que
c'était Saldagne. On le crut mort, quoiqu'il ne le fût pas,

ce qui fut cause que l'on aida à son laquais à le mettre
de travers sur son cheval. Il le mena à son logis où on lui
reconnut encore de vie, ce qui obligea l'hôte à le faire
panser, mais ce fut inutilement, car il mourut le lendemain. Son corps fut porté en son pays où il fut reçu par
ses sœurs et leurs maris; elles le pleurèrent par contenance, mais dans leur cœur elles furent très aises de sa
mort et j'oserais croire que madame de Saint-Far eût
bien voulu que son brutal de mari eût eu un pareil sort
et il le devait avoir à cause de la sympathie; pourtant
je ne voudrais pas faire un jugement téméraire. La
justice se mit en devoir de faire quelques formalités,
mais, n'ayant trouvé personne et personne ne se plaignant, d'ailleurs que ceux qui pouvaient être soupçonnés
étant des principaux gentilshommes de la ville, cela
demeura dans le silence. Les comédiennes furent con-
duites à leur logis où elles apprirent le lendemain la mort
de Saldagne, dont elles se réjouirent fort, étant alors en
assurance, car partout elles n'avaient que des amis et partout ce seul ennemi, car il les suivait partout.

CHAPITRE VII

SUITE DE L'HISTOIRE DE LA CAVERNE

Le Destin avec l'Olive allèrent le lendemain chez le
prêtre, que l'on appelait M. le prieur de Saint-Louis (qui
est un titre plutôt honorable que lucratif, d'une petite
église qui est située dans une île que fait la rivière de
Sarthe entre les ponts d'Alençon), pour le remercier de
ce que, par son moyen, ils avaient évité le plus grand
malheur qui leur pût jamais arriver et qui ensuite les
avait mis dans un parfait repos, puisqu'ils n'avaient
plus rien à craindre après la mort funeste du misérable
Saldagne qui continuait toujours à les troubler. Vous

ne devez pas vous étonner si les comédiens et comédiennes de cette troupe avaient reçu le bienfait d'un prêtre puisque vous avez pu voir, dans les aventures comiques de cette illustre histoire, les bons offices que trois ou quatre curés leur avaient rendus, tant dans le logis où l'on se battait la nuit, et que le soin de loger et garder Angélique après qu'elle fut retrouvée, et autres que vous avez pu remarquer et que vous verrez encore à la suite. Ce prieur, qui n'avait fait que simplement connaissance avec eux, fit alors une fort étroite amitié, en sorte qu'ils se visitèrent depuis et mangèrent souvent ensemble. Or, un jour que M. de Saint-Louis était dans la chambre des comédiennes (c'était un vendredi que l'on ne représentait pas), Le Destin et l'Étoile prièrent la Caverne d'achever son histoire. Elle eut un peu de peine à s'y résoudre; mais enfin elle toussa trois ou quatre fois et cracha bien autant, l'on dit même qu'elle se moucha aussi et se mit en état de parler quand M. de Saint-Louis voulut sortir, croyant qu'il y eût quelque secret mystère qu'elle n'eût pas voulu que tout le monde eût entendu; mais il fut arrêté par tous ceux de la troupe, qui l'assurèrent qu'ils seraient très aises qu'il apprît leurs aventures, et j'ose croire, dit l'Étoile, qui avait l'esprit fort éclairé, que vous n'êtes pas venu jusqu'à l'âge où vous êtes sans en avoir éprouvé quelques-unes, car vous n'avez pas la mine d'avoir toujours porté la soutane. Ces paroles démontèrent un peu le prieur qui leur avoua franchement que ses aventures ne rempliraient pas mal une partie de roman au lieu des histoires fabuleuses que l'on y met le plus souvent. L'Étoile lui repartit qu'elle jugeait bien qu'elles étaient dignes d'être ouïes et l'engagea à les raconter à la première réquisition qui lui en serait faite, ce qu'il promit fort agréablement. Alors la Caverne reprit son histoire en cette sorte : Le lévrier qui nous fit peur interrompit ce que vous allez apprendre. La proposition que le baron de Sigognac fit faire à ma mère, par le bon curé, de l'épouser, la rendit aussi affligée que j'en étais joyeuse, comme

je vous ai déjà dit; et ce qui augmentait son affliction,
c'était de ne savoir par quel moyen sortir de son château.
De le faire seules, nous n'eussions pu aller guère loin
qu'il ne nous eût fait suivre et reprendre et ensuite peut-
être maltraiter. D'ailleurs, c'était hasarder à perdre nos
nippes qui étaient le seul moyen qui nous restait pour
subsister, mais le bonheur nous en fournit un tout à fait
plausible. Ce baron, qui avait toujours été un homme
farouche et sans humanité, ayant passé de l'excès de
l'insensibilité brutale à la plus belle de toutes les passions, qui est l'amour, qu'il n'avait jamais ressenti, ce
fut avec tant de violence qu'il en fut malade, et malade
à la mort. Au commencement de sa maladie, ma mère
s'entremit de le servir, mais son mal augmentait toutes
les fois qu'elle approchait de son lit; ce [qu'] [138] ayant
aperçu, comme elle était femme d'esprit, elle dit à ses
domestiques qu'elle et sa fille leur étaient plutôt des
sujets d'empêchement que nécessaires et, partant, qu'elle
les priait de leur procurer des montures pour nous porter
et une charrette pour le bagage. Ils eurent un peu de
peine à s'y résoudre, mais, le curé survenant et ayant
reconnu que M. le baron était en rêverie, se mit en devoir
d'en chercher; enfin il trouva ce qui nous était nécessaire.
Le lendemain, nous fîmes charger notre équipage et,
après avoir pris congé des domestiques et principalement
de cet obligeant curé, nous allâmes coucher à une petite
ville de Périgord dont je n'ai pas retenu le nom; mais
je sais bien que c'était celle où l'on alla querir un chirurgien pour panser ma mère, qui avait été blessée quand
les gens du baron de Sigognac nous prirent pour les Bohémiens. Nous descendîmes dans un logis où l'on nous prit
aussitôt pour ce que nous étions, car une chambrière dit
assez haut : Courage! l'on fera la comédie puisque voici
l'autre partie de la troupe arrivée; ce qui nous fit connaître qu'il y avait là quelques débris de caravane comique
dont nous fûmes très aises, parce que nous pourrions
faire troupe et ainsi gagner notre vie. Nous ne nous
trompâmes point, car le lendemain, après que nous

eûmes congédié la charrette et les chevaux, deux comédiens qui avaient appris notre arrivée nous furent voir et nous apprirent qu'un de leurs compagnons avec sa femme les avaient quittés et que, si nous voulions nous joindre à eux, nous pourrions faire affaire. Ma mère, qui était encore fort belle, accepta l'offre qu'ils nous firent et l'on fut d'accord qu'elle aurait les premiers rôles et l'autre femme qui était restée, les seconds, et moi je ferais ce que l'on voudrait, car je n'avais pas plus de treize ou quatorze ans. Nous représentâmes environ quinze jours, cette ville-là n'étant pas capable de nous entretenir davantage de temps. D'ailleurs, ma mère pressa d'en sortir et de nous éloigner de ce pays-là, de crainte que ce baron, étant guéri, ne nous cherchât et ne nous fît quelque insulte. Nous fîmes environ quarante lieues sans nous arrêter et, à la première ville où nous représentâmes, le maître de la troupe, que l'on appelait Bellefleur, parla de mariage à ma mère; mais elle le remercia et le conjura à même temps de ne prendre pas la peine d'être son galant, parce qu'elle était déjà avancée en âge et qu'elle avait résolu de ne se marier jamais. Bellefleur, ayant appris une si ferme résolution, ne lui en parla plus depuis. Nous roulâmes trois ou quatre années avec succès; je devins grande et ma mère si valétudinaire qu'elle ne pouvait plus représenter. Comme j'avais exercé avec la satisfaction des auditeurs et l'approbation de la troupe, je fus subrogée en sa place. Bellefleur, qui ne l'avait pu avoir en mariage, me demanda à elle pour être sa femme; mais elle ne lui répondit pas selon son désir, car elle eût bien voulu trouver quelque occasion pour se retirer à Marseille. Mais, étant tombée malade à Troyes en Champagne et appréhendant de me laisser seule, elle me communiqua le dessein de Bellefleur. La nécessité présente m'obligea de l'accepter. D'ailleurs[139], c'était un fort honnête homme. Il est vrai qu'il eût pu être mon père. Ma mère eut donc la satisfaction de me voir mariée et de mourir quelques jours après. J'en fus affligée autant qu'une fille le peut être, mais, comme le temps

guérit tout, nous reprîmes notre exercice et quelque
temps après je devins grosse. Celui de mon accouchement
étant venu, je mis au monde cette fille que vous voyez,
Angélique, qui m'a tant coûté de larmes et qui m'en
fera bien verser si je demeure encore quelque temps en
ce monde. Comme elle allait poursuivre, Le Destin l'interrompit, lui disant qu'elle ne pouvait espérer à l'avenir
que toute sorte de satisfaction puisqu'un seigneur, tel
qu'était Léandre, la voulait pour femme. L'on dit, en
commun proverbe, que *Lupus in fabula;* excusez ces
trois mots de latin assez faciles à entendre; aussi, comme
la Caverne allait achever son histoire, Léandre entra et
salua tous ceux de la compagnie. Il était vêtu de noir et
suivi de trois laquais aussi vêtus de noir, ce qui donna
assez à connaître que son père était mort. Le prieur de
Saint-Louis sortit et s'en alla, et je finis ici ce chapitre.

CHAPITRE VIII

FIN DE L'HISTOIRE DE LA CAVERNE

Après que Léandre eut fait toutes les cérémonies de
son arrivée, Le Destin lui dit qu'il le fallait consoler
de la mort de son père et le féliciter des grands biens
qu'il lui avait laissés. Léandre le remercia du premier,
avouant que, pour la mort de son père, il y avait longtemps qu'il l'attendait avec impatience. Toutefois, leur
dit-il, il ne serait pas séant que je parusse sur le théâtre
sitôt et si près de mon pays natal; il faut donc, s'il vous
plaît, que je demeure dans la troupe, sans représenter,
jusques à ce que nous soyons éloignés d'ici. Cette proposition fut approuvée de tous. Ensuite de quoi l'Étoile lui
dit : Monsieur, vous agréerez donc que je vous demande
vos titres et comme il vous plaît que nous vous appelions
à présent. Sur quoi Léandre lui répondit : Le titre de

mon père était le baron de Rochepierre, lequel je pourrais porter, mais je ne veux point que l'on m'appelle autrement que Léandre, nom sous lequel j'ai été si heureux que d'agréer à ma chère Angélique. C'est donc ce nom-là que je veux porter jusques à la mort, tant pour cette raison que pour vous faire voir que je veux exécuter ponctuellement la résolution que je pris à mon départ et que je communiquai à tous ceux de la troupe. Ensuite de cette déclaration, les embrassades redoublèrent, beaucoup de soupirs furent poussés, quelques larmes coulèrent des plus beaux yeux et tous approuvèrent la résolution de Léandre, lequel, s'étant approché d'Angélique, lui conta mille douceurs auxquelles elle répondit avec tant d'esprit que Léandre en fut d'autant plus confirmé en sa résolution. Je vous aurais volontiers fait le récit de leur entretien et de la manière qu'il se passa, mais je ne suis pas amoureux comme ils étaient. Léandre leur dit de plus qu'il avait donné ordre à toutes ses affaires, qu'il avait mis des fermiers dans toutes ses terres et qu'il leur avait fait avancer chacun six mois, ce qui pouvait monter à six mille livres qu'il avait apportées afin que la troupe ne manquât de rien. A ce discours, grands remercîments. Alors Ragotin, qui n'avait point paru en tout ce que nous avons dit en ces deux derniers chapitres, s'avança pour dire que, puisque monsieur Léandre ne voulait pas représenter en ce pays, qu'on pouvait bien lui bailler ses rôles et qu'il s'en acquitterait comme il faut. Mais Roquebrune, qui était son antipode, dit que cela lui appartenait bien mieux qu'à un petit bout de flambeau. Cette épithète fit rire toute la compagnie, ensuite de quoi Le Destin dit que l'on y aviserait et qu'en attendant la Caverne pourrait achever son histoire et qu'il serait bon d'envoyer quérir le prieur de Saint-Louis, afin qu'il en ouït la fin, comme il avait fait la suite, et afin que plus facilement il nous débitât la sienne; mais la Caverne répondit qu'il n'était pas nécessaire parce qu'en deux mots elle aurait achevé. On lui donna audience et elle continua ainsi :

Je suis demeurée au temps de mon accouchement
d'Angélique. Je vous ai dit aussi que deux comédiens
nous vinrent trouver pour nous persuader de faire troupe
avec eux, mais je ne vous ai pas dit que c'était l'Olive
et un autre qui nous quitta depuis, en la place duquel
nous reconnûmes notre poëte; mais me voici au lieu de
mes plus sensibles malheurs. Un jour que nous allions
représenter la comédie du *Menteur*, de l'incomparable
monsieur Corneille, dans une ville de Flandre où nous
étions alors, un laquais d'une dame qui avait charge
de garder sa chaise la quitta pour aller ivrogner et aussitôt une autre dame prit place. Quand celle à qui elle
appartenait vint pour s'y asseoir et, la trouvant prise,
elle dit civilement à celle qui l'occupait que c'était là sa
chaise et qu'elle la priait de la lui laisser. L'autre répondit
que si cette chaise était sienne qu'elle la pourrait prendre,
mais qu'elle ne bougerait pas de cette place-là. Les paroles
augmentèrent et, des paroles, on en vint aux mains.
Les dames se tiraient les unes les autres, ce qui aurait
été peu; mais les hommes s'en mêlèrent, les parents de
chaque parti en formèrent un chacun; l'on criait, l'on
se poussait, et nous regardions le jeu par les ouvertures
des tentes du théâtre. Mon mari, qui devait faire le personnage de Dorante, avait son épée au côté; quand il en
vit une vingtaine de tirées hors du fourreau, il ne mar-
chanda point, il sauta du théâtre en bas et se jeta dans
la mêlée, ayant aussi l'épée à la main, tâchant d'apaiser
le tumulte, quand quelqu'un de l'un des partis, le prenant sans doute pour être du contraire au sien, lui porta
un grand coup d'épée que mon mari ne put parer, car,
s'il s'en fût aperçu, il lui eût bien baillé le change, car
il était fort adroit aux armes. Ce coup lui perça le cœur;
il tomba et tout le monde s'enfuit. Je me jetai en bas du
théâtre et m'approchai de mon mari que je trouvai sans
vie. Angélique, qui pouvait avoir alors treize ou quatorze
ans, se joignit à moi, avec tous ceux de la troupe; notre
recours fut à verser des larmes, mais inutilement. Je fis
enterrer le corps de mon mari, après qu'il eut été visité

par la justice, qui me demanda si je voulais faire partie, à quoi je répondis que je n'en avais pas le moyen. Nous sortîmes de la ville et la nécessité nous contraignit de représenter, pour gagner notre vie, bien que notre troupe ne fût pas guère bonne, le principal acteur nous manquant. D'ailleurs, j'étais si affligée que je n'avais pas le courage d'étudier mes rôles ; mais Angélique, qui se faisait grande, suppléa à mon défaut. Enfin nous étions dans une ville de Hollande où vous nous vîntes trouver, vous, monsieur Le Destin, mademoiselle votre sœur et la Rancune. Vous vous offrîtes de représenter avec nous et nous fûmes ravis de vous recevoir et d'avoir le bonheur de votre compagnie. Le reste de mes aventures a été commun entre nous, comme vous ne savez que trop, au moins depuis Tours, où notre portier tua un des fusiliers de l'intendant, jusques en cette ville d'Alençon. La Caverne finit ainsi son histoire en versant beaucoup de larmes, ce que fit l'Étoile, en l'embrassant et la consolant du mieux qu'elle put de ses malheurs, qui véritablement n'étaient pas médiocres. Mais elle lui dit qu'elle avait sujet de se consoler, attendu l'alliance de Léandre. La Caverne sanglotait si fort qu'elle ne put lui repartir non plus que moi à continuer ce chapitre.

CHAPITRE IX

LA RANCUNE DÉSABUSE RAGOTIN SUR LE SUJET DE L'ÉTOILE. L'ARRIVÉE D'UN CARROSSE PLEIN DE NOBLESSE, ET AUTRES AVENTURES DE RAGOTIN.

La comédie allait toujours avant et l'on représentait tous les jours avec grande satisfaction de l'auditoire, qui était toujours beau et fort nombreux et il n'y arrivait aucun désordre parce que Ragotin tenait son rang derrière la scène, lequel n'était pourtant pas content de ce qu'on

ne lui donnait point de rôle et dont il grondait souvent;
mais on lui donnait espérance que, quand il serait temps,
qu'on le ferait représenter. Il s'en plaignait presque tous
les jours à la Rancune, en qui il avait une grande confiance, quoique ce fût le plus méfiable de tous les hommes.
Mais comme il l'en pressait une fois extraordinairement,
la Rancune lui dit : Monsieur Ragotin, ne vous ennuyez
pas encore, car apprenez qu'il y a grande différence du
barreau au théâtre : si l'on n'y est bien hardi, on s'inter-
rompt facilement; et puis la déclamation des vers est
plus difficile que vous ne pensez. Il faut observer la ponc-
tuation des périodes et ne faire pas paraître que ce soit de la
poésie, mais les prononcer comme si c'était de la prose
et il ne faut pas les chanter, ni s'arrêter à la moitié ni à
la fin des vers, comme fait le vulgaire, ce qui a très mauvaise grâce et il y faut être bien assuré; en un mot, il
les faut animer par l'action. Croyez-moi donc, attendez
encore quelque temps et, pour vous accoutumer au
théâtre, représentez sous le masque à la farce, vous y
pourrez faire le second Zani [140]; nous avons un habit qui
vous sera fort propre (c'était celui d'un petit garçon
qui faisait quelquefois ce personnage-là et que l'on appelait Godenot [141]); il en faut parler à M. Le Destin et à
mademoiselle de l'Étoile. Ce qu'ils firent le jour même
et fut arrêté que le lendemain Ragotin ferait ce personnage-là. Il fut instruit par la Rancune (qui, comme
vous avez vu au premier tome de ce roman, s'enfarinait
à la farce) de ce qu'il devait dire. Le sujet de celles qu'ils
jouèrent fut une intrigue amoureuse que la Rancune
démêlait en faveur du Destin. Comme il se préparait à
exécuter ce négoce, Ragotin parut sur la scène, auquel
la Rancune demanda en ces termes : Petit garçon, mon
petit Godenot, où vas-tu si empressé ? Puis, s'adressant
à la compagnie, après lui avoir passé la main sous le
menton et trouvé sa barbe : Messieurs, j'avais toujours
cru que ce que dit Ovide de la métamorphose des fourmis
en pygmées, auxquelles les grues font la guerre, était
une fable, mais à présent je change de sentiment, car

sans doute en voici un de la race, ou bien ce petit homme
ressuscité, pour lequel l'on a fait, il y a environ sept ou
huit cents ans, une chanson que je suis résolu de vous
dire; écoutez bien :

CHANSON

Mon père m'a donné mari.
Qu'est-ce que d'un homme si petit?
Il n'est pas plus grand qu'une fourmi.
Hé ! qu'est-ce ? qu'est-ce ? qu'est-ce ? qu'est-ce ?
Qu'est-ce que d'un homme,
S'il n'est, s'il n'est homme ?
Qu'est-ce que d'un homme si petit ?

A chaque vers la Rancune tournait et retournait le
pauvre Ragotin et faisait des postures qui faisaient bien
rire la compagnie. L'on n'a pas mis le reste de la chanson,
comme chose superflue à notre roman.

Après que la Rancune eut achevé sa chanson, il montra Ragotin et dit : Le voici ressuscité; et en disant cela
il dénoua le cordon avec lequel son masque était attaché,
de sorte qu'il parut à visage découvert, non pas sans
rougir de honte et de colère tout ensemble. Il fit pourtant de nécessité vertu et, pour se venger, il dit à la
Rancune qu'il était un franc ignorant d'avoir terminé
tous les vers de sa chanson en *i*, comme *cribli, trouvi*, etc.,
et que c'était très mal parler; qu'il fallait dire *trouva* ou
trouvai. Mais la Rancune lui repartit : C'est vous, monsieur, qui êtes un grand ignorant pour un petit homme,
car vous n'avez pas compris ce que j'ai dit, que c'était
une chanson si vieille que, si l'on faisait un rôle de toutes
les chansons que l'on a faites en France depuis que l'on
y a fait des chansons, ma chanson serait en chef. D'ailleurs, ne voyez-vous pas que c'est l'idiome de cette province de Normandie, où cette chanson a été faite, et qui
n'est pas si mal à propos comme vous vous imaginez ?
Car puisque, selon ce fameux Savoyard, monsieur de
[Vaugelas] [142], qui a réformé la langue française, l'on ne
saurait donner de raison pourquoi l'on prononce certains
termes et qu'il n'y a que l'usage qui les fait approuver,

ceux du temps que l'on fit cette chanson étaient en usage;
et comme ce qui est ancien est toujours le meilleur, ma
chanson doit passer puisqu'elle est la plus ancienne. Je
vous demande, monsieur Ragotin, pourquoi est-ce que,
puisque l'on dit de quelqu'un *il monta* à cheval et *il
entra* en sa maison, que l'on ne dit pas *il descenda* et *il
sorta*, mais *il descendit* et *il sortit*. Il s'ensuit donc que
l'on peut dire *il entrit* et *il montit*, et ainsi de tous les
termes semblables. Or, puisqu'il n'y a que l'usage qui
leur donne le cours, c'est aussi l'usage qui fait passer ma
chanson. Comme Ragotin voulait repartir, Le Destin
entra sur la scène, se plaignant de la longueur de son
valet la Rancune et, l'ayant trouvé en différend avec
Ragotin, il leur demanda le sujet de leur dispute, qu'il
ne put jamais apprendre, car ils se mirent à parler tous
à la fois et si haut qu'il s'impatienta et poussa Ragotin
contre la Rancune, qui le lui renvoya de même; en telle
sorte qu'ils le ballottèrent longtemps d'un bout du
théâtre à l'autre jusques à ce que Ragotin tomba sur ses
mains et marcha ainsi jusques aux tentes du théâtre, sous
lesquelles il passa. Tous les auditeurs se levèrent pour
voir cette badinerie et sortirent de leur place, protestant
aux comédiens que cette saillie valait mieux que leur
farce, qu'aussi bien ils n'auraient pu achever, car les
demoiselles et les autres acteurs, qui regardaient par les
ouvertures des tentes du théâtre, riaient si fort qu'il leur
eût été impossible [143]. Nonobstant cette boutade, Ragotin
persécutait sans cesse la Rancune de [le] mettre aux
bonnes grâces de l'Étoile et, pour ce sujet, il lui donnait
souvent des repas, ce qui ne déplaisait pas à la Rancune
qui tenait toujours le bec en l'eau au petit homme; mais
comme il était frappé d'un même trait, il n'osait parler
à cette belle, ni pour lui, ni pour Ragotin, lequel le pressa
une fois si fort qu'il fut obligé de lui dire : Monsieur Ragotin, cette Étoile est sans doute de la nature de celles
du ciel que les astrologues appellent errantes, car, aussitôt que je lui ouvre le discours de votre passion, elle
me laisse sans me répondre. Mais comment me répon-

drait-elle puisqu'elle ne m'écoute pas? Mais je crois
avoir découvert le sujet qui la rend de si difficile abord.
Ceci vous surprendra sans doute, mais il faut être préparé à tous événements. Ce monsieur Le Destin qu'elle
appelle son frère ne lui est rien moins que cela : je les
surpris, il y a quelques jours, se faisant des caresses
fort éloignées d'un frère et d'une sœur, ce qui m'a depuis
fait conjecturer que c'était plutôt son galant; et je suis
le plus trompé du monde si, quand Léandre et Angélique
se marieront, ils n'en font [de] même. Sans cela elle serait
bien dégoûtée de mépriser votre recherche, vous qui
êtes un homme de qualité et de mérite, sans compter
la bonne mine. Je vous dis ceci afin que vous tâchiez
à chasser de votre cœur cette passion, puisqu'elle ne
peut servir qu'à vous tourmenter comme un damné.
Le petit poëte et avocat fut si assommé de ce discours
qu'il quitta la Rancune en branlant la tête et en disant
sept ou huit fois à son ordinaire : Serviteur, serviteur, etc.
Ensuite Ragotin s'avisa d'aller faire un voyage à Beaumont-le-Vicomte, petite ville distante d'environ cinq
lieues d'Alençon et où l'on tient un beau marché tous les
lundis de chaque semaine. Il voulut choisir ce jour-là
pour y aller, ce qu'il fit savoir à tous ceux de la troupe,
leur disant que c'était pour retirer quelque somme d'argent qu'un des marchands de cette ville-là lui devait, ce
que tous trouvèrent bon. Mais, lui dit la Rancune, comment pensez-vous faire, car votre cheval est encloué?
Il ne pourra pas vous porter. Il n'importe, dit Ragotin,
j'en prendrai un de louage et, si je n'en puis trouver,
j'irai bien à pied, il n'y a pas si loin; je profiterai de
la compagnie de quelqu'un des marchands de cette ville
qui y vont presque tous de la sorte. Il en chercha un
partout sans en pouvoir trouver, ce qui l'obligea à demander à un marchand de toiles, voisin de leur logis,
s'il irait lundi prochain au marché à Beaumont et, ayant
appris que c'était sa résolution, il le pria d'agréer qu'il
l'accompagnât, ce que le marchand accepta à condition
qu'ils partiraient aussitôt que la lune serait levée, qui

était environ une heure après minuit; ce qui fut exécuté·
Or, un peu devant qu'ils se missent en chemin, il était
parti un pauvre cloutier, lequel avait accoutumé de suivre
les marchés pour débiter ses clous et des fers de cheval
quand il les avait faits et qu'il portait sur son dos dans
une besace. Ce cloutier étant en chemin et, n'entendant
ni ne voyant personne devant ni derrière lui, jugea qu'il
était encore trop tôt pour partir. D'ailleurs, une certaine
frayeur le saisit quand il pensa qu'il lui fallait passer
tout proche des fourches patibulaires où il y avait alors
un grand nombre de pendus; ce qui l'obligea à s'écarter
un peu du chemin et se coucher sur une petite motte
de terre où était une haie, en attendant que quelqu'un
passât, et où il s'endormit. Quelque peu de temps après,
le marchand et Ragotin passèrent; ils allaient au petit
pas et ne disaient mot, car Ragotin rêvait au discours
que lui avait fait la Rancune. Comme ils furent proches
du gibet, Ragotin dit qu'il fallait compter les pendus;
à quoi le marchand s'accorda par complaisance. Ils
avancèrent jusques au milieu des piliers pour compter
et, aussitôt, ils aperçurent qu'il en était tombé un qui
était fort sec. Ragotin, qui avait toujours des pensées
dignes de son bel esprit, dit au marchand qu'il lui aidât
à le relever et qu'il le voulait appuyer tout droit contre
un des piliers; ce qu'ils firent facilement avec un bâton,
car, comme j'ai dit, il était roide et fort sec; et après
avoir vu qu'il y en avait quatorze de pendus, sans celui
qu'ils avaient relevé, ils continuèrent leur chemin. Ils
n'avaient pas fait vingt pas quand Ragotin arrêta le
marchand pour lui dire qu'il fallait appeler ce mort pour
voir s'il voudrait venir avec eux et se mit à crier bien
fort : Holà! ho! veux-tu venir avec nous? Le cloutier,
qui ne dormait pas ferme, se leva aussitôt de son poste
et, en se levant, cria aussi bien fort : J'y vais, j'y vais,
attendez-moi, et se mit à les suivre. Alors le marchand
et Ragotin, croyant que ce fût effectivement le pendu,
se mirent à courir bien fort et le cloutier se mit aussi
à courir en criant toujours plus fort : Attendez-moi!

et, comme il courait, les fers et les clous qu'il portait
faisaient un grand bruit, ce qui redoubla la peur de Ragotin et du marchand, car ils crurent pour lors que c'était
véritablement le mort qu'ils avaient relevé ou l'ombre
de quelque autre qui traînait des chaînes (car le vulgaire
croit qu'il n'apparaît jamais de spectre qui n'en traîne
après soi), ce qui les mit en état de ne plus fuir, un trem-
blement les ayant saisis; en telle sorte que, leurs jambes
ne les pouvant plus soutenir, ils furent contraints de se
coucher par terre où le cloutier les trouva et qui fit
déloger la peur de leur cœur par un bonjour qu'il leur
donna, ajoutant qu'ils l'avaient bien fait courir. Ils
eurent de la peine à se rassurer, mais après avoir reconnu
le cloutier, ils se levèrent et continuèrent heureusement
leur chemin jusques à Beaumont où Ragotin fit ce qu'il
y avait à faire et, le lendemain, s'en retourna à Alençon.
Il trouva tous ceux de la troupe qui sortaient de table,
auxquels il raconta son aventure qui les pensa faire mourir de rire; les demoiselles en faisaient de si grands
éclats qu'on les entendait de l'autre bout de la rue, et
qui furent interrompus par l'arrivée d'un carrosse rempli
de noblesse campagnarde. C'était un gentilhomme qu'on
appelait monsieur de la Fresnaye. Il mariait sa fille
unique, et il venait prier les comédiens de représenter
chez lui le jour de ses noces. Cette fille, qui n'était pas
des plus spirituelles du monde, leur dit qu'elle désirait
que l'on jouât la *Sylvie* de Mairet [144]. Les comédiennes
se contraignirent beaucoup pour ne rire pas, et lui
dirent qu'il fallait donc leur en procurer une, car ils ne
l'avaient plus. La demoiselle répondit qu'elle leur en
baillerait une, ajoutant qu'elle avait toutes les pastorales : celles de Racan, la *Belle Pêcheuse*, le *Contraire
en amour*, *Ploncidon*, *le Mercier* [145], et un grand nombre
d'autres dont je n'ai pas retenu les titres; car, disait-
elle, cela est propre à ceux qui, comme nous, demeu-
rent dans des maisons aux champs. Et d'ailleurs les
habits ne coûtent guère; il ne se faut point mettre en
peine d'en avoir de somptueux, comme quand il faut

représenter la *Mort de Pompée*, le *Cinna*, *Héraclius* ou
la *Rodogune* [146]. Et puis, les vers des pastorales ne sont
pas si ampoulés comme ceux des poëmes graves et ce
genre pastoral est plus conforme à la simplicité de nos
premiers parents, qui n'étaient habillés que de feuilles
de figuier, même après leur péché. Son père et sa mère
écoutaient ce discours avec admiration, s'imaginant
que les plus excellents orateurs du royaume n'auraient
su débiter de si riches pensées, ni en termes si relevés.
Les comédiens demandèrent du temps pour se préparer et on leur donna huit jours. La compagnie s'en
alla après avoir dîné, quand le prieur de Saint-Louis
entra. L'Étoile lui dit qu'il avait bien fait de venir, car
il avait ôté la peine à l'Olive de l'aller querir pour s'acquitter de sa promesse, à quoi il ne lui fallait guère
de persuasion puisqu'il venait pour ce sujet. Les comédiennes s'assirent sur un lit et les comédiens dans des
chaises. L'on ferma la porte avec commandement au
portier de dire qu'il n'y avait personne s'il fut survenu
quelqu'un. L'on fit silence et le prieur débuta comme
vous allez voir au suivant chapitre, si vous prenez la
peine de le lire.

CHAPITRE X

HISTOIRE DU PRIEUR DE SAINT-LOUIS, ET L'ARRIVÉE DE M. DE VERVILLE

Le commencement de cette histoire ne peut vous être
qu'ennuyeux puisqu'il est généalogique; mais cet exorde
est, ce me semble, nécessaire pour une plus parfaite
intelligence de ce que vous y entendrez. Je ne veux point
déguiser ma condition, puisque je suis dans ma patrie;
peut-être qu'ailleurs j'aurais pu passer pour autre que
je ne suis, bien que je ne l'aie jamais fait; j'ai toujours
été fort sincère en ce point-là. Je suis donc natif de cette

ville. Les femmes de mes deux grands-pères étaient
demoiselles et il y avait du *de* à leur surnom. Mais comme
vous savez que les fils aînés emportent presque tout le
bien et qu'il en reste fort peu pour les autres garçons
et pour les filles suivant l'ordre du coutumier de cette
province, on les loge comme l'on peut, ou en les mettant
en l'ordre ecclésiastique ou religieux, ou en les mariant
à des personnes de moindre condition, pourvu qu'ils
soient honnêtes gens et qu'ils aient du bien suivant le
proverbe qui court en ce pays : *Plus de profit et moins
d'honneur*, proverbe qui, depuis longtemps, a passé les
limites de cette province et s'est épandu par tout le
royaume. Aussi mes grand'mères furent mariées à des
riches marchands, l'un de draps de laine et l'autre de
toiles. Le père de mon père avait quatre fils, dont mon
père n'était point l'aîné. Celui de ma mère avait deux
fils et deux filles dont elle en était une. Elle fut mariée
au second fils de ce marchand drapier, lequel avait
quitté le commerce pour s'adonner à la chicane, ce qui
est cause que je n'ai pas eu tant de bien que j'eusse pu
avoir. Mon père, qui avait beaucoup gagné au commerce
et qui avait épousé en premières noces une femme fort
riche qui mourut sans enfants [147], était déjà fort avancé
en âge quand il épousa ma mère qui consentit à ce
mariage plutôt par obéissance que par inclination;
aussi il y avait plutôt de l'aversion de son côté que de
l'amour, ce qui fut sans doute la cause qu'ils demeurèrent
treize ans mariés, et quasi hors d'espérance d'avoir des
enfants; mais enfin ma mère devint enceinte. Quand le
terme fut venu de produire son fruit, ce fut avec une
peine extrême, car elle demeura quatre jours au mal
de l'enfantement; à la fin elle accoucha de moi sur le
soir du quatrième jour. Mon père, qui avait été occupé
pendant ce temps-là à faire condamner un homme à
être pendu parce qu'il avait tué un sien frère, et quatorze faux témoins au fouet, fut ravi de joie quand les
femmes, qu'il avait laissées dans sa maison pour secourir ma mère, le félicitèrent de la naissance de son

fils. Il les régala du mieux qu'il put et enivra quelques-
unes auxquelles il fit boire du vin blanc en guise de
cidre-poiré; lui-même me l'a raconté plusieurs fois. Je
fus baptisé deux jours après ma naissance; le nom que
l'on m'imposa ne fait rien à mon histoire. J'eus pour
parrain un seigneur de place fort riche, dont mon père
était voisin, lequel ayant appris de madame sa femme
la grossesse de ma mère, après un si long temps de mariage, comme j'ai dit, il lui demanda son fruit pour le
présenter au baptême, ce qui lui fut accordé fort agréablement. Comme ma mère n'avait que moi, elle m'éleva
avec grand soin et un peu trop délicatement pour un
enfant de ma condition. Quand je fus un peu grand, je
fis paraître que je ne serais pas sot, ce qui me fit aimer
de tous ceux de qui j'étais connu et principalement de
mon parrain, lequel n'avait qu'une fille unique, mariée
à un gentilhomme parent de ma mère. Elle avait deux
fils, un plus âgé d'un an que moi et l'autre moins âgé
d'un an, mais qui étaient aussi brutaux que je faisais
paraître d'esprit; ce qui obligeait mon parrain à m'envoyer querir quand il avait quelque illustre compagnie,
car c'était un homme splendide et qui traitait tous les
princes et grands seigneurs qui passaient par cette ville.
Il me faisait chanter, danser et caqueter pour les divertir et j'étais toujours assez bien vêtu pour avoir entrée
partout. J'aurais fait fortune avec lui si la mort ne me
l'eût ravi trop tôt, à un voyage qu'il fit à Paris. Je ne
ressentis point alors cette mort comme j'ai fait du
depuis. Ma mère me fit étudier et je profitais beaucoup,
mais, quand elle aperçut que j'avais de l'inclination
à être d'église, elle me retira du collége et me jeta dans
le monde où je pensai me perdre, nonobstant le vœu
qu'elle avait fait à Dieu de lui consacrer le fruit qu'elle
produirait, s'il lui accordait la prière qu'elle lui faisait
de lui en donner. Elle était, tout au contraire des autres
mères qui ôtent à leurs enfants les moyens de se débau-
cher, car elle me baillait tous les dimanches et fêtes
de l'argent pour jouer et aller au cabaret. Néanmoins,

comme j'avais le naturel bon, je ne faisais point d'excès et tout se terminait à me réjouir avec mes voisins. J'avais fait grande amitié avec un jeune garçon âgé de quelques années plus que moi, fils d'un officier de la reine mère du roi Louis XIIIᵉ, de glorieuse mémoire, lequel avait aussi deux filles. Il faisait sa résidence dans une maison située dans ce beau parc, lequel, comme vous pouvez savoir, a été autrefois le lieu de délices des anciens ducs d'Alençon. Cette maison lui avait été donnée avec un grand enclos par la reine, sa maîtresse, qui jouissait alors en apanage de ce duché. Nous passions agréablement le temps dans ce parc, mais comme des enfants, sans penser à ce qui arriva depuis. Cet officier de la reine, que l'on appelait monsieur du Fresne, avait un frère aussi officier dans la maison du roi, lequel lui demanda son fils, ce que du Fresne n'osa refuser. Devant que de partir pour la cour, il me vint dire adieu et j'avoue que ce fut la première douleur que je ressentis en ma vie. Nous pleurâmes bien fort en nous séparant; mais je pleurai bien davantage quand, trois mois après son départ, sa mère m'apprit la nouvelle de sa mort. Je ressentis cette affliction autant que j'en étais capable et je m'en allai le pleurer avec ses sœurs qui en étaient sensiblement touchées. Mais comme le temps modère tout, quand ce triste souvenir me fut un peu passé, mademoiselle du Fresne vint un jour prier ma mère d'agréer que j'allasse donner quelques exemples d'écriture à sa jeune fille, que l'on appelait mademoiselle du Lis, pour la discerner d'avec son aînée qui portait le nom de la maison; d'autant, lui dit-elle, que l'écrivain qui l'enseignait s'en était allé, ajoutant qu'il y en avait beaucoup d'autres, mais qu'ils ne voulaient pas aller montrer en ville et que sa fille n'était pas de condition à rouler les écoles. Elle s'excusa fort de cette liberté, mais elle dit qu'avec les amis l'on en use facilement. Elle ajouta que cela pourrait se terminer à quelque chose de plus important, sous-entendant notre mariage, qu'elles conclurent depuis secrètement entre elles. Ma mère ne m'eût pas plutôt proposé

cet emploi que l'après-dînée, j'y allai, ressentant déjà
quelque secrète cause qui me faisait agir, sans y faire
pourtant guère de réflexion. Mais je n'eus pas demeuré
huit jours en la pratique de cet exercice que la du Lis,
qui était la plus jolie des deux filles, se rendit fort fami-
lière avec moi et souvent par raillerie m'appelait *mon
petit maître*. Ce fut pour lors que je commençai à ressentir quelque chose dans mon cœur, qu'il avait ignoré
jusques alors, et il en fut de même de la du Lis. Nous
étions inséparables et nous n'avions point de plus grande
satisfaction que quand l'on nous laissait seuls, ce qui
arrivait assez souvent. Ce commerce dura environ six
mois, sans que nous nous parlassions de ce qui nous
possédait, mais nos yeux en disaient assez. Je voulus
un jour essayer à faire des vers à sa louange pour voir
si elle les recevrait agréablement, mais comme je n'en
avais point encore composé, je ne pus pas y réussir.
Je commençais à lire les bons romans et les bons poëtes,
ayant laissé les *Mélusine*, *Robert le Diable*, les *Quatre
fils Aimon*, la *Belle Maguelone*, *Jean de Paris*, etc.,
qui sont les romans des enfants. Or, en lisant les œuvres
de Marot, j'y trouvai un triolet qui convenait mer-
veilleusement bien à mon dessein. Je le transcris mot à
mot. Voici comme il y avait :

> *Votre bouche petite et belle*
> *Et de gracieux entretien,*
> *Puis un peu son maître m'appelle,*
> *Et l'alliance je retien,*
> *Car ce m'est honneur et grand bien ;*
> *Mais quand vous me prites pour maître,*
> *Que ne disiez-vous aussi bien :*
> *Votre maîtresse je veux être!* [148]

Je lui donnai ces vers qu'elle lut avec joie, comme je
connus sur son visage. Après quoi elle les mit dans son
sein, d'où elle les tomba un moment après et qui furent
relevés par sa sœur aînée sans qu'elle s'en aperçût et
dont elle fut avertie par un petit laquais. Elle les lui
demanda et, voyant qu'elle faisait quelque difficulté
de les lui rendre, elle se mit furieusement en colère et

s'en plaignit à sa mère qui commanda à sa fille de les
lui bailler; ce qu'elle fit. Ce procédé me donna des bonnes
espérances, quoique ma condition me rebutât. Or, pendant que nous passions ainsi agréablement le temps,
mon père et ma mère, qui étaient fort avancés en âge,
délibérèrent de me marier, et ils m'en firent un jour la
proposition. Ma mère découvrit à mon père le projet
qu'elle avait fait avec mademoiselle du Fresne, comme
je vous ai dit; mais, comme c'était un homme fort intéressé, il lui répondit que cette fille-là était d'une condition trop relevée pour moi et, d'ailleurs, qu'elle avait
trop peu de bien, nonobstant quoi elle voudrait trop
trancher de la dame. Comme j'étais fils unique et que
mon père était fort riche selon sa condition, et semblablement un mien oncle qui n'avait point d'enfants, et
duquel il n'y avait que moi qui en pût être héritier selon
la coutume de Normandie, plusieurs familles me regardaient comme un objet digne de leur alliance et même
l'on me fit porter trois ou quatre enfants au baptême
avec des filles des meilleures maisons de notre voisinage
(qui est ordinairement par où l'on commence pour
réussir au mariage); mais je n'avais dans la pensée que
ma chère du Lis. J'en étais néanmoins si persécuté de
tous mes parents que je pris résolution de m'en aller
à la guerre, quoique je n'eusse que seize ou dix-sept
ans. L'on fit des levées en cette ville pour aller en Dane-
mark sous la conduite de M. le comte de Montgommery.
Je me fis enrôler secrètement avec trois cadets mes
voisins et nous partîmes de même en fort bon équipage.
Mon père et ma mère en furent fort affligés et ma mère
en pensa mourir de douleur. Je ne pus savoir alors quel
effet ce départ inopiné fit sur l'esprit de la du Lis, car
je ne lui en dis rien du tout, mais je l'ai su depuis par
elle-même. Nous nous embarquâmes au Havre-de-
Grâce et voguâmes assez heureusement jusques à ce que
nous fussions près du Sund; mais alors il se leva la plus
furieuse tempête que l'on ait jamais vue sur la mer
océane; nos vaisseaux furent jetés par la tourmente en

divers endroits et celui de M. de Montgommery, dans
lequel j'étais, vint aborder heureusement à l'embouchure
de la Tamise, par laquelle nous montâmes, à l'aide du
reflux, jusques à Londres, capitale d'Angleterre où
nous séjournâmes environ six semaines, pendant lequel
temps j'eus le loisir de voir une partie des raretés de
cette superbe ville et l'illustre cour de son roi, qui était
alors Charles Stuart, premier du nom. M. de Montgommery s'en retourna dans sa maison de Pontorson, en
basse Normandie, où je ne voulus pas le suivre; je le
suppliai de me permettre de prendre la route de Paris,
ce qu'il fit. Je m'embarquai dans un vaisseau qui allait
à Rouen où j'arrivai heureusement; et de là je me mis
sur un bateau qui me remonta jusques à Paris, où je
trouvai un mien parent fort proche qui était ciergier du
roi. Je le priai que, par son moyen, je pusse entrer au
régiment des gardes. Il s'y employa et fut mon répondant, car en ce temps-là il en fallait avoir pour y être reçu,
ce que je fus, dans la compagnie de M. de la Rauderie.
Mon parent me bailla de quoi me remettre en équipage,
car, en ce voyage de mer, j'avais gâté mes habits, et de
l'argent, ce qui me faisait parier [149] avec une trentaine de
cadets de grande maison, qui portaient tous le mous-
quet aussi bien que moi. En ce temps-là, les princes et
grands seigneurs de France se soulevèrent contre le roi,
et même monseigneur le duc d'Orléans, son frère; mais
Sa Majesté, par l'adresse ordinaire du grand cardinal
de Richelieu, rompit leurs mauvais desseins; ce qui
obligea Sa Majesté de faire un voyage en Bretagne avec
une puissante armée. Nous arrivâmes à Nantes, où l'on
fit la première exécution des rebelles sur la personne du
comte de Chalais [150] qui y eut la tête tranchée; ce qui
donna de la terreur à tous les autres, qui moyennèrent leur
paix avec le roi, lequel s'en retourna à Paris. Il passa
par la ville du Mans, où mon père me vint trouver tout
vieux qu'il était, car il avait été averti par mon cousin,
ce ciergier du roi, que j'étais au régiment des gardes;
il me demanda à mon capitaine, lequel lui accorda mon

congé. Nous nous en revînmes en cette ville, où mes
parents résolurent que, pour m'arrêter, il me fallait lier
avec une femme. Celle d'un chirurgien, voisin d'une
mienne cousine germaine, fit venir pendant le carême,
sous prétexte d'ouïr les prédications, la fille d'un lieutenant de bailli d'un bourg distant de trois lieues
d'ici; ma cousine me vint querir à notre maison pour
me la faire voir, mais, après une heure de conversation
que j'eus avec elle dans la maison de madite cousine, où
elle était venue, elle se retira; et alors l'on me dit
que c'était une maîtresse pour moi, à quoi je répondis
froidement qu'elle ne m'agréait pas. Ce n'est pas qu'elle
ne fût assez belle et riche, mais toutes les beautés me
semblaient laides en comparaison de ma chère du Lis
qui, seule, occupait toutes mes pensées. J'avais un
oncle, frère de ma mère, homme de justice, et que je
craignais beaucoup, lequel s'en vint un soir à notre maison
et, après m'avoir fort bravé sur le mépris que j'avais
témoigné faire de cette fille, me dit qu'il fallait me résoudre à l'aller voir chez elle aux prochaines fêtes de
Pâques et qu'il y avait des personnes qui valaient plus
que moi qui se tiendraient bien honorées de cette alliance. Je ne répondis ni oui ni non, mais, les fêtes sui-
vantes, il fallut y aller avec ma cousine, cette chirur-
gienne, et un sien fils. Nous fûmes agréablement reçus
et l'on nous régala trois jours durant. L'on nous mena
aussi à toutes les métairies de ce lieutenant, dans toutes
lesquelles il y avait festin. Nous fûmes aussi à un gros
bourg, distant d'une lieue de cette maison, voir le curé
du lieu, qui était frère de la mère de cette fille, lequel
nous fit un fort gracieux accueil. Enfin nous nous en
retournâmes comme nous étions venus, c'est-à-dire,
pour ce qui me regardait, aussi peu amoureux que devant. Il fut pourtant résolu que, dans une quinzaine
de jours, l'on parlerait à fond de ce mariage. Le terme
étant expiré, j'y retournai avec trois de mes cousins
germains, deux avocats et un procureur en ce présidial;
mais, par bonheur, l'on ne conclut rien et l'affaire fut

remise aux fêtes de mai prochaines. Mais le **proverbe** est bien véritable, que *l'homme propose, et Dieu dispose,* car ma mère tomba malade quelques jours devant lesdites fêtes et mon père quatre jours après ; l'une et l'autre maladie se terminèrent par la mort. Celle de ma mère arriva un mardi et celle de mon père le jeudi de la même semaine et je fus aussi fort malade ; mais je me levai pour aller voir cet oncle sévère qui était aussi fort malade et qui mourut quinze jours après. A quelque temps de là, l'on me reparla de cette fille du lieutenant que j'étais allé voir, mais je n'y voulus pas entendre, car je n'avais plus de parents qui eussent droit de me commander. D'ailleurs, que mon cœur était toujours dans ce parc où je me promenais ordinairement, mais bien plus souvent en imagination. Un matin que je ne croyais pas qu'il y eût encore personne de levé dans la maison du sieur du Fresne, je passai devant et je fus bien étonné quand j'ouïs la du Lis qui chantait sur un balcon cette vieille chanson qui a pour reprise : *Que n'est-il auprès de moi, celui que mon cœur aime!* ce qui m'obligea à m'approcher d'elle et à lui faire une profonde révérence que j'accompagnai de telles ou semblables paroles : Je souhaiterais de tout mon cœur, mademoiselle, que vous eussiez la satisfaction que vous désirez et je voudrais y pouvoir contribuer ; ce serait avec la même passion que j'ai toujours été votre très humble serviteur. Elle me rendit bien mon salut, mais elle ne me répondit pas et, continuant à chanter, elle changea la reprise de la chanson en ces paroles : *Le voici auprès de moi, celui que mon cœur aime!* Je ne demeurai pas court, car je m'étais un peu ouvert à la guerre et à la cour et, quoique le procédé fût capable de me démonter, je lui dis : J'aurai sujet de le croire si vous me faites ouvrir la porte. A même temps elle appela le petit laquais dont j'ai déjà parlé, auquel elle commanda de me l'ouvrir, ce qu'il fit. J'entrai et je fus reçu avec tous les témoignages de bienveillance du père, de la mère et de la sœur aînée, mais encore plus de la du Lis. La mère me demanda

pourquoi j'étais si sauvage et que je ne les visitais pas
si souvent que j'avais accoutumé; qu'il ne fallait pas
que le deuil de mes parents m'en empêchât et qu'il
fallait se divertir comme auparavant et, en un mot,
que je serais toujours le bienvenu dans leur maison.
Ma réponse ne fut que pour faire paraître mon peu de
mérite, en disant quelque peu de paroles aussi mal ran-
gées que celles que je vous débite. Mais enfin tout se
termina à un déjeuner de laitage, qui est en ce pays un
grand régal, comme vous savez. Et qui n'est pas désagréable, répondit l'Étoile, mais poursuivez.

Quand je pris congé pour sortir, la mère me demanda
si je ne m'incommoderais point d'accompagner elle et
ses filles, chez un vieux gentilhomme leur parent qui
demeurait à deux lieues d'ici. Je lui répondis qu'elle
me faisait tort de me le demander, et qu'un commandement absolu m'eût été plus agréable. Le voyage fut
conclu au lendemain. La mère monta un petit mulet
qui était dans la maison, la fille aînée monta le cheval
de son père et je portai en croupe, sur le mien qui était
fort, ma chère du Lis. Je vous laisse à penser quel fut
notre entretien le long du chemin, car pour moi je ne
m'en souviens plus. Tout ce que je vous puis dire, c'est
que nous nous séparâmes, la du Lis et moi, fort amoureux.
Depuis ce temps-là mes visites furent fort fréquentes,
ce qui dura tout le long de l'été et de l'automne. De
vous dire tout ce qui se passa, je vous serais trop ennuyeux. Seulement vous dirai-je que nous nous déro-
bions souvent de la compagnie et nous allions demeurer
seuls à l'ombrage de ce bois de haute futaie et toujours
sur le bord de la belle petite rivière qui passe au milieu
où nous avions la satisfaction d'ouïr le ramage des
oiseaux qu'ils accordaient au doux murmure de l'eau,
parmi lequel nous mêlions mille douceurs que nous nous
disions et nous nous faisions ensuite autant d'innocentes caresses. Ce fut là où nous prîmes résolution de nous
bien divertir le carnaval prochain. Un jour que j'étais
occupé à faire faire du cidre à un pressoir du faubourg

de la Barre, qui est tout joignant le parc, la du Lis m'y
vint trouver. A son abord je connus qu'elle avait quelque
chose sur le cœur, en quoi je ne me trompais pas, car,
après qu'elle m'eut un peu raillé sur l'équipage où j'étais,
elle me tira à part et me dit que le gentilhomme dont
la fille était chez M. de Planche-Panete, son beau-frère,
en avait amené un autre qu'il prétendait lui faire donner
pour mari et qu'ils étaient à la maison dont elle s'était
dérobée pour m'en venir avertir. Ce n'est pas, ajouta-
t-elle, que je favorise jamais sa recherche et que je consente à quoi que ce soit, mais j'aimerais mieux que
tu trouvasses quelque moyen de le renvoyer que s'il
venait de moi. Je lui dis alors : Va-t'en et lui fais bonne
mine pour ne rien altérer; mais sache qu'il ne sera pas
ici demain à midi. Elle s'en alla plus joyeuse, attendant
l'événement. Cependant je quittai tout et abandonnai
mon cidre à la discrétion des valets, et m'en allai à ma
maison où je pris du linge et un autre habit, et m'en
allai chercher mes camarades, car vous devez savoir
que nous étions une quinzaine de jeunes hommes qui
avions tous chacun notre maîtresse et tellement unis
que, qui en offensait un, avait offensé tous les autres,
et nous étions tous résolus que si quelque étranger venait
pour nous les ravir, de le mettre en état de n'y réussir
jamais. Je leur proposai ce que vous venez d'ouïr et,
aussitôt, tous conclurent qu'il fallait aller trouver ce
galant, qui était un gentilhomme de la plus petite noblesse du bas Maine, et l'obliger à s'en retourner comme
il était venu. Nous allâmes donc à son logis où il sou-
pait avec l'autre gentilhomme son conducteur. Nous ne
marchandâmes point à lui dire qu'il se pouvait bien
retirer et qu'il n'y avait rien à gagner pour lui en ce
pays. Alors le conducteur repartit que nous ne savions
pas leur dessein et que, quand nous le saurions, nous
n'y avions aucun intérêt. Alors je m'avançai et, mettant la main sur la garde de mon épée, je lui dis : Si ai
bien, moi; j'y en ai et, si vous ne le quittez, je vous
mettrai en état de n'en faire plus. L'un d'eux repartit

que la partie n'était pas égale et que, si j'étais seul, je
ne parlerais pas ainsi. Alors je lui dis : Vous êtes deux,
et je sors avec celui-ci, en prenant un de mes camarades;
suivez-nous. Ils s'en mirent en devoir, mais l'hôte et un
sien fils les en empêchèrent et leur firent connaître que
le meilleur pour eux était de se retirer et qu'il ne faisait
pas bon de se frotter avec nous. Ils profitèrent de l'avis
et l'on n'en ouït plus parler depuis. Le lendemain j'allai
voir la du Lis, à laquelle je racontai l'action que j'avais
faite dont elle fut très contente et m'en remercia en
des termes fort obligeants. L'hiver approchait, les veil-
lées étaient fort longues et nous les passions à jouer à
des petits jeux d'esprit, ce qui étant souvent réitéré,
ennuya, ce qui me fit résoudre à lui donner le bal. J'en
conférai avec elle et elle s'y accorda. J'en demandai
la permission à M. du Fresne son père et il me la donna.
Le dimanche suivant nous dansâmes et continuâmes
plusieurs fois, mais il y avait toujours une si grande
foule de monde que la du Lis me conseilla de ne faire plus
danser, mais de penser à quelque autre divertissement.
Il fut donc résolu d'étudier une comédie, ce qui fut
exécuté. L'Étoile l'interrompit en lui disant : Puisque
vous en êtes à la comédie, dites-moi si cette histoire
est encore guère longue, car il se fait tard; l'heure du
souper approche. Ah! dit le prieur, il y en a encore
deux fois autant pour le moins. L'on jugea donc qu'il
la fallait remettre à une autre fois pour donner du temps
aux acteurs d'étudier leurs rôles; et quand ce n'eût pas
été pour ces raisons, il eût fallu cesser à cause de l'arrivée
de M. de Verville qui entra dans la chambre facilement,
car le portier s'était endormi. Sa venue surprit bien
fort toute la compagnie. Il fit des grandes caresses à
tous les comédiens et comédiennes, et principalement au
Destin qu'il embrassa à diverses reprises, et leur dit le
sujet de son voyage, comme vous verrez au chapitre
suivant, qui est fort court.

CHAPITRE XI

RÉSOLUTION DES MARIAGES DU DESTIN AVEC L'ÉTOILE ET DE LÉANDRE AVEC ANGÉLIQUE

Le prieur de Saint-Louis voulut prendre congé, mais Le Destin l'arrêta, lui disant que dans peu de temps il faudrait souper et qu'il tiendrait compagnie à M. de Verville qu'il pria de leur faire l'honneur de souper avec eux. L'on demanda à l'hôtesse si elle avait quelque chose d'extraordinaire, elle dit que oui. L'on mit du linge blanc, et l'on servit quelque temps après. L'on fit bonne chère, l'on but à la santé de plusieurs personnes et l'on parla beaucoup. Après le dessert, Le Destin demanda à Verville le sujet de son voyage en ces quartiers et il lui répondit que ce n'était pas la mort de son beau-frère Saldagne, que ses sœurs ne plaignaient guère non plus que lui, mais qu'ayant une affaire d'importance à Rennes en Bretagne, il s'était détourné exprès pour avoir le bien de les voir, dont il fut grandement remercié; ensuite il fut informé du mauvais dessein de Saldagne et du succès et enfin de tout ce que vous avez vu au sixième chapitre. Verville plia les épaules en disant qu'il avait trouvé ce qu'il cherchait avec trop de soin. Après souper, Verville fit connaissance avec le prieur, duquel tous ceux de la troupe dirent beaucoup de bien et, après avoir un peu veillé, il se retira. Alors Verville tira Le Destin à part et lui demanda pourquoi Léandre était vêtu de noir et pourquoi tant de laquais vêtus de même. Il lui en apprit le sujet et le dessein qu'il avait fait d'épouser Angélique. Et vous, dit Verville, quand vous marierez-vous? Il est, ce me semble, temps de faire connaître au monde qui vous êtes, ce qui ne se peut que par un mariage, ajoutant que, s'il n'était pressé, qu'il demeurerait pour assister à l'un et à l'autre. Le Destin dit qu'il fallait savoir le sentiment de l'Étoile; ils l'appelèrent et lui proposèrent le mariage; à quoi elle répondit

qu'elle suivrait toujours le sentiment de ses amis. Enfin
il fut conclu que, quand Verville aurait mis fin aux
affaires qu'il avait à Rennes, qui serait dans une quinzaine de jours au plus tard, qu'il repasserait par Alençon
et que l'on exécuterait la proposition. Il en fut autant
conclu entre eux et la Caverne pour Léandre et Angélique. Verville donna le bonsoir à la compagnie et se
retira à son logis. Le lendemain il partit pour Bretagne
et il arriva à Rennes où il alla voir M. de la Garouffière,
lequel, après les compliments accoutumés, lui dit qu'il
y avait dans la ville une troupe de comédiens, l'un desquels avait beaucoup de traits du visage de la Caverne;
ce qui l'obligea d'aller le lendemain à la comédie où,
ayant vu le personnage, il fut tout persuadé que c'était
son parent (je dis de la Caverne). Après la comédie il
l'aborda et s'enquit de lui d'où il était, s'il y avait longtemps qu'il était dans la troupe et par quels moyens il
y était venu. Il répondit sur tous les chefs, en sorte
qu'il fut facile à Verville de connaître qu'il était le frère
de la Caverne qui s'était perdu quand son père fut tué
en Périgord par le page du baron de Sigognac; ce qu'il
avoua franchement, en ajoutant qu'il n'avait jamais pu
savoir ce que sa sœur était devenue. Lors Verville lui
apprit qu'elle était dans une troupe de comédiens qui
était à Alençon; qu'elle avait eu beaucoup de disgrâces,
mais qu'elle avait sujet d'en être consolée parce qu'elle
avait une très belle fille qu'un seigneur de douze mille
livres de rente était sur le point d'épouser et qu'il
faisait la comédie avec eux et qu'à son retour il assis-
terait au mariage, et qu'il ne tiendrait qu'à lui de s'y
trouver pour réjouir sa sœur, qui était fort en peine de
lui, n'en ayant eu aucunes nouvelles depuis sa fuite.
Non seulement le comédien accepta cette offre, mais il
supplia instamment M. de Verville de souffrir qu'il
l'accompagnât, ce qu'il agréa. Cependant il mit ordre
à ses affaires, que nous lui laisserons négocier, et retournerons à Alençon. Le prieur de Saint-Louis alla le même
jour que partit Verville, trouver les comédiens et comé-

diennes pour leur dire que monseigneur l'évêque de
Séez [151] l'avait envoyé quérir pour lui communiquer
une affaire d'importance et qu'il était bien marri de ne
se pouvoir acquitter de sa promesse, mais qu'il n'y avait
rien de perdu. Que cependant qu'il serait à Séez, ils
iraient à la Fresnaye représenter *Sylvie* aux noces de la
fille du seigneur du lieu et qu'à leur retour et du sien il
achèverait ce qu'il avait commencé. Il s'en alla et les
comédiens se disposèrent à partir.

CHAPITRE XII

CE QUI ARRIVA AU VOYAGE DE LA FRESNAYE [152].
AUTRE DISGRACE DE RAGOTIN

La veille de la noce, on envoya un carrosse et des
chevaux de selle aux comédiens. Les comédiennes s'y
placèrent dedans avec Le Destin, Léandre et l'Olive;
les autres montèrent les chevaux et Ragotin le sien
qu'il avait encore pour n'avoir pu le vendre et qui était
guéri de son enclouure. Il voulut persuader à l'Étoile
ou à Angélique de se mettre en croupe derrière lui,
disant qu'elles seraient plus à leur aise que dans le carrosse qui ébranle beaucoup les personnes; mais ni l'une
ni l'autre n'en voulurent rien faire. Pour aller d'Alençon
à la Fresnaye, il faut passer une partie de la forêt de
Persaine, qui est au pays du Maine. Ils n'eurent pas fait
mille pas dans cette forêt que Ragotin, qui allait devant,
cria au cocher d'arrêter parce, dit-il, qu'il voyait une
troupe d'hommes à cheval. L'on ne trouva pas bon
d'arrêter, mais de se tenir chacun sur ses gardes. Quand
ils furent près de ces cavaliers, Ragotin dit que c'était
la Rappinière avec ses archers. L'Étoile pâlit, mais Le
Destin, qui s'en aperçut, l'assura en lui disant qu'il
n'oserait leur faire insulte en la présence de ses archers

et des domestiques de monsieur de la Fresnaye et si
près de sa maison. La Rappinière connut bien que
c'était la troupe comique; aussi il s'approcha du carrosse
avec son effronterie ordinaire et salua les comédiennes
auxquelles il fit d'assez mauvais compliments, à quoi
elles répondirent avec une froideur capable de démonter
un moins effronté que ce lévrier de bourreau, lequel leur
dit qu'il cherchait des brigands qui avaient volé des
marchands du côté de Balon [153] et qu'on lui avait dit
qu'ils avaient pris cette route. Comme il entretenait la
compagnie, le cheval d'un de ses archers, qui était fougueux, sauta sur le col du cheval de Ragotin auquel il
fit si grand'peur, qu'il recula et enfonça dans une touffe
d'arbres, dont il y en avait quelques-uns dont les branches
étaient sèches, l'une desquelles se trouva sous le pourpoint de Ragotin et qui lui piqua le dos, en sorte qu'il y
demeura pendu; car, voulant se dégager de parmi ces
arbres, il avait donné des deux talons à son cheval,
qui avait passé et l'avait laissé ainsi en l'air criant
comme un petit fou qu'il était : Je suis mort, l'on m'a
donné un coup d'épée dans les reins! L'on riait si fort
de le voir en cette posture que l'on ne songeait à rien
moins qu'à le secourir. L'on criait bien aux laquais de
le dépendre, mais ils s'enfuyaient d'un autre côté en
riant. Cependant son cheval gagnait toujours pays sans
se laisser prendre. Enfin, après avoir bien ri, le cocher,
qui était un grand et fort garçon, descendit de dessus
son siège et s'approcha de Ragotin, le souleva et le
dépendit. On le visita et on lui fit accroire qu'il était
fort blessé, mais qu'on ne pouvait le panser que l'on ne
fût au village où il y avait un fort bon chirurgien; en
attendant, on lui appliqua quelques feuilles fraîches pour
le soulager. On le plaça dans le carrosse, dont l'Olive
sortit, tandis que les laquais passèrent au travers du
bois pour gagner le devant du cheval qui ne voulait pas
se laisser prendre et qui fut pourtant pris, et l'Olive
monta dessus. La Rappinière continua son chemin et
la troupe arriva au château d'où l'on envoya querir

le chirurgien auquel l'on donna le mot. Il fit semblant
de sonder la plaie imaginaire de Ragotin que l'on avait
fait mettre dans le lit. Il le pansa de même qu'il l'avait
sondé, après lui avoir dit que son coup était favorable
et que, deux doigts plus à côté, il n'y avait plus de
Ragotin. Il lui ordonna le régime ordinaire et le laissa
reposer. Ce petit bout d'homme avait l'imagination si
frappée de tout ce qu'on lui avait dit qu'il crut toujours
d'être fort blessé. Il ne se leva point pour voir le bal qui
fut tenu le soir après souper, car l'on avait fait venir la
grande bande de violons du Mans, celle d'Alençon étant
à une autre noce à Argentan. L'on dansa à la mode du
pays et les comédiens et comédiennes dansèrent à la
mode de la cour. Le Destin et l'Étoile dansèrent la sarabande avec l'admiration de toute la compagnie, qui
était composée de noblesse campagnarde et des plus
gros manants du village. Le lendemain l'on joua la
pastorale que l'épouse avait demandée. Ragotin s'y fit
porter en chaise avec son bonnet de nuit. Ensuite l'on
fit bonne chère et, le lendemain, après avoir bien déjeuné, l'on paya et remercia la troupe. Le carrosse et
les chevaux furent prêts et l'on tâcha à désabuser Ragotin de sa prétendue blessure, mais on ne lui put jamais
persuader le contraire, car il disait toujours qu'il sentait
bien son mal. On le mit dans le carrosse et toute la troupe
arriva heureusement à Alençon. Le lendemain l'on ne
représenta point, car les comédiennes se voulurent
reposer. Cependant le prieur de Saint-Louis était de
retour de son voyage de Séez. Il alla voir la troupe et
l'Étoile lui dit qu'il ne trouverait point d'occasion plus
favorable pour achever son histoire; il ne s'en fit point
prier, et il poursuivit comme vous allez voir au suivant
chapitre.

CHAPITRE XIII

SUITE ET FIN DE L'HISTOIRE DU PRIEUR DE SAINT-LOUIS

Si le commencement de cette histoire, où vous n'avez
vu que de la joie et des contentements, vous a été ennuyeux, ce que vous allez ouïr le sera bien davantage
puisque vous n'y verrez que des revers de la fortune,
des douleurs et des désespoirs qui suivront les plaisirs
et les satisfactions où vous me verrez encore, mais pour
fort peu de temps. Pour donc reprendre au même lieu
où je finis le récit, après que mes camarades et moi
eûmes appris nos rôles et exercé plusieurs fois, un jour
de dimanche au soir nous représentâmes notre pièce
dans la maison du sieur du Fresne, ce qui fit un grand
bruit dans le voisinage. Quoique nous eussions pris
tous les soins de faire tenir les portes du parc bien
fermées, nous fûmes accablés de tant de monde qui
avait passé le château ou escaladé les murailles,
que nous eûmes toutes les peines imaginables à gagner
le théâtre que nous avions fait dresser dans une salle
de médiocre grandeur; aussi il resta les deux tiers du
monde dehors. Pour obliger ces gens-là à se retirer,
nous leur fîmes promesse que le dimanche suivant nous
la représenterions dans la ville et dans une plus grande
salle. Nous fîmes passablement bien pour des apprentis,
excepté un de nos acteurs qui faisait le personnage du
secrétaire du roi Darius (la mort de ce monarque était
le sujet de notre pièce), car il n'avait que huit vers à
dire, ce qu'il faisait assez bien entre nous, mais quand
il fallut représenter tout à bon, il le fallut pousser sur
la scène par force, et ainsi il fut obligé de parler, mais si
mal que nous eûmes beaucoup de peine à faire cesser
les éclats de rire. La tragédie étant finie, je commençai
le bal avec la du Lis et qui dura jusques à minuit.
Nous prîmes goût à cet exercice et, sans en rien dire à
personne, nous étudiâmes une autre pièce. Cependant

je ne désistais point de mes visites ordinaires. Or, un jour que nous étions assis auprès du feu, il arriva un jeune homme auquel l'on y fit prendre place; après un quart d'heure d'entretien, il sortit de sa poche une boîte dans laquelle il y avait un portrait de cire en relief, très bien fait, qu'il dit être celui de sa maîtresse. Après que toutes les demoiselles l'eurent vu et dit qu'elle était fort belle, je le pris à mon tour et, en le considérant avec attention, je m'imaginai qu'il ressemblait à la du Lis et que ce galant-là avait quelque pensée pour elle. Je ne marchandai point à jeter cette boîte dans le feu où la petite statue se fondit bientôt, car, quand il se mit en devoir de l'en tirer, je l'arrêtai et le menaçai de le jeter par la fenêtre. Monsieur du Fresne, qui m'aimait autant alors comme il m'a haï depuis, jura qu'il lui ferait sauter l'escalier; ce qui obligea ce malheureux à sortir confusément. Je le suivis sans que personne de la compagnie m'en pût empêcher et je lui dis que, s'il avait quelque chose sur le cœur, que nous avions chacun une épée et que nous étions en beau lieu pour se satisfaire, mais il n'en eut pas le courage. Or, le dimanche suivant, nous jouâmes la même tragédie que nous avions déjà représentée, mais dans la salle d'un de nos voisins qui était assez grande et, par ce moyen, nous eûmes quinze jours pour étudier l'autre pièce. Je m'avisai de l'accompagner de quelques entrées de ballet et je fis choix de six de mes camarades qui dansaient le mieux et je fis le septième. Le sujet du ballet était les bergers et bergères soumis à l'amour, car, à la première entrée, paraissait un Cupidon et aux autres des bergers et des bergères tous vêtus de blanc, et leurs habits tout parsemés de nœuds de petits rubans bleus qui était la couleur de la du Lis et que j'ai aussi toujours portée depuis; il est vrai que j'y ai ajouté la feuille morte pour les raisons que je vous dirai à la fin de cette histoire. Ces bergers et bergères faisaient deux à deux chacun une entrée et, quand ils paraissaient tous ensemble, ils formaient les lettres du nom de la du Lis et l'Amour décochait une flèche à chaque berger et jetait des flammes de feu aux bergères, et tous en signe de soumission fléchissaient le genou. J'avais composé quelques vers sur le sujet du ballet que nous récitâmes, mais la longueur du temps me les a fait oublier et, quand je m'en souviendrais encore, je n'aurais garde de vous les dire, car je suis assuré qu'ils ne vous agréeraient pas à présent que la poésie française est au plus haut degré où elle puisse monter. Comme nous avions tenu la chose secrète, il nous fut facile de n'avoir que de nos amis particuliers qui, insensiblement et sans que l'on s'en aperçût, entrèrent dans le parc où nous représentâmes à notre aise les Amours d'Angélique et de Sacripant, roi de Circassie, sujet tiré de l'Arioste. Ensuite nous dansâmes notre ballet. Je voulus commencer le bal à l'ordinaire, mais monsieur du Fresne ne le voulut pas permettre, disant que nous étions assez fatigués de la comédie et du ballet; il nous donna congé et nous nous retirâmes. Nous résolûmes de rendre cette comédie publique et la représenter dans la ville, ce que nous fîmes, le dimanche gras, dans la salle de mon parrain et en plein jour. La du Lis me dit, que si je commençais le bal, que ce fût avec une fille de notre voisinage qui était vêtue de taffetas bleu tout de même qu'elle, ce que je fis. Mais il s'éleva un murmure sourd dans la compagnie et il y en eut qui dirent assez haut : Il se trompe, il se manque, ce qui excita le rire à la du Lis et à moi, de quoi la fille s'étant aperçue, me dit : Ces gens ont raison, car vous avez pris l'une pour l'autre. Je lui répondis succinctement : Pardonnez-moi, je sais fort bien ce que je fais. Le soir je me masquai avec trois de mes camarades et je portais le flambeau croyant que par ce moyen je ne serais pas connu et nous allâmes dans le parc. Quand nous fûmes entrés dans la maison, la du Lis regarda attentivement les trois masques et, ayant reconnu que je n'y étais pas, elle s'approcha de moi à la porte où je m'étais arrêté avec le flambeau et, me prenant par la main, me dit ces obligeantes

paroles : Déguise-toi de toutes les façons que tu pourras
t'imaginer, je te connaîtrai toujours facilement. Après
avoir éteint le flambeau je m'approchai de la table
sur laquelle nous posâmes nos boîtes de dragées et
jetâmes les dés. La du Lis me demanda à qui j'en
voulais et je lui fis signe que c'était à elle. Elle me répliqua qu'est-ce que je voulais qu'elle mît au jeu et je
lui montrai un nœud de ruban, que l'on appelle à présent galant, et un bracelet de corail qu'elle avait au
bras gauche. Sa mère ne voulait pas qu'elle le hasar-
dât, mais elle éclata de rire, en disant qu'elle n'appréhendait pas de me le laisser. Nous jouâmes et je gagnai
et je lui fis un présent de mes dragées. Autant en firent
mes compagnons avec la fille aînée et d'autres demoiselles qui y étaient venues passer la veillée; après quoi,
nous prîmes congé [154]. Mais comme nous allions sortir,
la du Lis s'approcha de moi et mit la main au cordon
qui tenait mon masque attaché qu'elle dénoua promptement, en disant : C'est ainsi que l'on fait, de s'en aller
si vite? Je fus un peu honteux, mais pourtant bien
aise d'avoir un si beau prétexte de l'entretenir. Les
autres se démasquèrent aussi et nous passâmes la veillée
fort agréablement. Le dernier soir du carnaval je lui
donnai le bal avec la petite bande de violons, la grande
étant employée pour la noblesse. Pendant le carême,
il fallut faire trêve de divertissement pour vaquer à
la piété et je vous puis assurer que nous ne manquions
pas un sermon, la du Lis et moi. Nous passions les
autres heures du jour en visites et en promenades, ou
à ouïr chanter les filles de la ville, sur le derrière du
château, où il y a un excellent écho où elles provo-
quaient cette nymphe imaginaire à leur répondre. Les
fêtes de Pâques approchaient, quand un jour mademoiselle du Fresne la fille me dit en riant : Nous mèneras-
tu à Saint-Pater [155]? C'est une petite paroisse qui est à
un quart de lieue du faubourg de Monsort, où l'on va
en dévotion le lundi de Pâques après dîner et c'est là
aussi où l'on voit tous les galants et galantes. Je lui

répondis qu'il ne tiendrait qu'à elle. Le jour venu, comme je me disposais pour les aller prendre au sortir de ma maison, je rencontrai un mien voisin, jeune homme fort riche, lequel me demande où j'allais si empressé; je lui dis que j'allais au parc querir les demoiselles du Fresne pour les accompagner à Saint-Pater. Alors il me répondit que je pouvais bien rentrer, car il savait de bonne part que leur mère avait dit qu'elle ne voulait que ses filles y allassent avec moi. Ce discours m'assomma si fort que je ne pus lui rien répliquer, mais je rentrai dans ma maison où étant, je me mis à penser d'où pouvait venir un si prompt changement. Après y avoir bien rêvé, je n'en trouvai autre sujet que mon peu de mérite et ma condition. Pourtant je ne pus m'empêcher de déclamer contre leur procédé de m'avoir souffert tandis que je les avais diverties par des bals, ballets, comédies et sérénades, car je leur en donnais souvent, en toutes lesquelles choses j'avais fait des grandes dépenses et qu'à présent l'on me rebutait. La colère où j'étais me fit résoudre d'aller à l'assemblée avec quelques-uns de mes voisins, ce que je fis. Cependant l'on m'attendait au parc et, quand le temps fut passé que je devais m'y rendre, la du Lis et sa sœur avec quelques autres demoiselles du voisinage y allèrent. Après avoir fait leur dévotion dans l'église, elles se placèrent sur la muraille du cimetière au-devant d'un ormeau qui leur donnait de l'ombrage. Je passai devant elles, mais d'assez loin, et la du Fresne me fit signe d'approcher et je fis semblant de ne les pas voir. Ceux qui étaient avec moi m'en avertirent et je feignis de ne l'entendre pas et passai outre, leur disant : Allons faire collation au logis des Quatre-Vents, ce que nous fîmes. Je ne fus pas plutôt retourné chez moi qu'une femme veuve qui était notre confidente me vint trouver et me demanda fort brusquement quel sujet m'avait obligé de fuir l'honneur d'accompagner les demoiselles du Fresne à Saint-Pater; que la du Lis en était outrée de colère au dernier point et ajouta que je pensasse à

réparer cette faute. Je fus fort surpris de ce discours
et, après lui avoir fait le récit de ce que je vous viens
de dire, je l'accompagnai à la porte du parc où elles
étaient. Je la laissai faire mes excuses, car j'étais si
troublé que je n'avais pu leur dire que de mauvaises
raisons. Alors la mère, s'adressant à moi, me dit que je
ne devais pas être si crédule, que c'était quelqu'un
qui voulait troubler notre contentement et que je fusse
assuré que je serais toujours le bienvenu dans leur
maison où nous allâmes. J'eus l'honneur de donner la
main à la du Lis, qui m'assura qu'elle avait eu bien de
l'inquiétude surtout quand j'avais feint de ne pas voir
le signe que sa sœur m'avait fait. Je lui demandai pardon
et lui fis des mauvaises excuses, tant j'étais transporté
d'amour et de colère. Je me voulais venger de ce jeune
homme, mais elle me commanda de n'en pas parler seulement, ajoutant que je devais être content d'expéri-
menter le contraire de ce qu'il m'avait dit. Je lui obéis,
comme je fis toujours depuis. Nous passions le temps le
plus doucement qu'on puisse imaginer, et nous expéri-
mentions, par des véritables effets, ce que l'on dit, que
le mouvement des yeux est le langage des amants, car
nous l'avions si familier que nous nous faisions entendre
tout ce que nous voulions. Un dimanche au soir, au sortir
de vêpres, nous nous dîmes avec ce langage muet qu'il
fallait aller après souper nous promener sur la rivière
et n'avoir que telles personnes que nous désignâmes.
J'envoyai aussitôt retenir un bateau à l'heure dite; je
me transportai avec ceux qui devaient être de la promenade à la porte du parc où les demoiselles nous attendaient; mais trois jeunes hommes qui n'étaient pas
de notre cabale s'arrêtèrent avec elles. Elles firent bien
tout ce qu'elles purent pour s'en défaire, mais eux, s'en
étant aperçus, ils s'opiniâtrèrent à demeurer, ce qui fut
cause que, quand nous abordâmes la porte du parc,
nous passâmes outre sans nous y arrêter et nous nous
contentâmes de leur faire signe de nous suivre et nous les
allâmes attendre au bateau. Mais, quand nous aperçûmes

ces fâcheux avec elles, nous avançâmes sur l'eau et
allâmes aborder à un autre lieu, proche d'une des portes
de la ville, où nous rencontrâmes le sieur du Fresne,
lequel me demanda où j'avais laissé ses filles. Je ne
pensai pas bien à ce que je lui devais répondre, mais lui
dis franchement que je n'avais pas eu l'honneur de les
voir ce soir-là. Après nous avoir donné le bonsoir, il prit
le chemin du parc à la porte duquel il trouva ses filles,
auxquelles il demanda d'où elles venaient et avec qui.
La du Lis lui répondit : Nous venons de nous promener
avec un tel, et me nomma. Alors son père lui accompagna
un vous en avez menti d'un soufflet, ajoutant que si
j'eusse été avec elles, quand même il aurait été plus tard,
il ne s'en fût pas mis en peine. Le lendemain cette veuve
dont je vous ai déjà parlé me vint trouver pour me dire
ce qui s'était passé le soir précédent, et que la du Lis en
était fort en colère, non pas tant du soufflet comme de
ce que je ne l'avais pas attendue, parce qu'au bateau son
intention était de se défaire accortement de ces fâcheux.
Je m'excusai du mieux que je pus et je laissai passer
quatre jours sans l'aller voir. Mais un jour qu'elle et sa
sœur et quelques demoiselles étaient assises sur un banc
de boutique dans la rue la plus prochaine de la porte de
la ville, par laquelle j'allais sortir pour aller au faubourg,
je passai devant elles en levant un peu le chapeau, mais
sans les regarder ni leur rien dire. Les autres demoiselles
leur demandèrent que voulait dire ce procédé qui paraissait incivil. La du Lis ne répondit rien, mais sa sœur
aînée dit qu'elle en ignorait la cause et qu'il la fallait
savoir de lui-même; et, pour ne le pas manquer, allons,
dit-elle, nous poster un peu plus près de la porte, au delà
de cette petite rue par où il nous pourrait éviter, ce
qu'elles firent. Comme je repassais devant elles, cette
bonne sœur se leva de sa place et me prit par mon manteau en me disant : Depuis quand, monsieur le glorieux,
fuyez-vous l'honneur de voir votre maîtresse ? et à
même temps, me fit asseoir auprès d'elle; mais, quand
je la voulus caresser et lui dire quelques douceurs, elle

fut toujours muette et me rebuta furieusement. Je demeurai là quelque peu de temps bien entrepris; après quoi je les accompagnai jusques à la porte du parc d'où je me retirai, résolu de n'y aller plus. Je demeurai donc encore quelques jours sans y aller et qui me furent autant de siècles; mais un matin j'eus une rencontre de mademoiselle du Fresne, la mère, laquelle m'arrêta et me demanda pourquoi l'on ne me voyait plus. Je lui répondis que c'était la mauvaise humeur de sa cadette. Elle me répliqua qu'elle voulait faire notre accord et que je l'allasse attendre à la maison. J'en mourais d'impatience et je fus ravi de cette ouverture. J'y allai donc et, comme je montais à la chambre, la du Lis, qui m'avait aperçu, en descendit si brusquement que je ne la pus jamais arrêter. J'y entrai et je trouvai sa sœur qui se mit à sourire, à laquelle je dis le procédé de sa cadette; et elle m'assura que tout cela n'était que feinte et qu'elle avait regardé plus de cent fois par la fenêtre pour voir si je paraîtrais et qu'elle en témoignait une grande inquiétude, qu'elle était sans doute dans le jardin où je pouvais aller. Je descendis l'escalier et m'approchai de la porte du jardin, que je trouvai fermée par dedans; je la priai plusieurs fois de l'ouvrir, ce qu'elle ne voulut point faire. Sa sœur, qui l'entendait du haut de l'escalier, descendit et me la vint ouvrir, car elle en savait le secret. J'entrai et la du Lis se mit à fuir, mais je la poursuivis si bien que je la pris par une des manches de son corps de jupe et je l'assis sur un siège de gazon où je me mis aussi. Je lui fis mes excuses du mieux qu'il me fut possible, mais elle me parut toujours plus sévère. Enfin, après plusieurs contestations, je lui dis que ma passion ne souffrait point de médiocrité et qu'elle me porterait à quelque désespoir, de quoi elle se repentirait après, ce qui ne la rendit pas plus exorable. Alors je tirai mon épée du fourreau et la lui présentai, la suppliant de me la plonger dans le corps, lui disant qu'il m'était impossible de vivre privé de l'honneur de ses bonnes grâces. Elle se leva pour s'enfuir en me répondant qu'elle n'avait jamais tué personne et

que, quand elle en aurait quelque pensée, elle ne commencerait pas par moi. Je l'arrêtai en la suppliant de
me permettre de l'exécuter moi-même et elle me répondit
froidement qu'elle ne m'en empêcherait pas. Alors j'appuyai la pointe de mon épée contre ma poitrine et me
mis en posture pour me jeter dessus, ce qui la fit pâlir et,
à même temps, elle donna un coup de pied contre la
garde de l'épée qu'elle fit tomber à terre, m'assurant que
cette action l'avait beaucoup troublée et me disant que
je ne lui fisse plus voir de tels spectacles. Je lui répliquai :
Je vous obéirai pourvu que vous ne me soyez plus si
cruelle, ce qu'elle me promit. Ensuite nous nous caressâmes si amoureusement que j'eusse bien souhaité d'avoir
tous les jours une querelle avec elle pour l'appointer avec
tant de douceur. Comme nous étions dans ces transports,
sa mère entra dans le jardin et nous dit qu'elle serait
bien venue plus tôt, mais qu'elle avait bien jugé que
nous n'avions pas besoin de son entremise pour nous
accorder.

Or, un jour que nous nous promenions dans une des
allées du parc, le sieur du Fresne, sa femme, la du Lis et
moi, qui allions après eux et qui ne pensions qu'à nous
entretenir, cette bonne mère se tourna vers nous et nous
dit qu'elle plaidait bien notre cause. Elle le put dire
sans que son mari l'entendît, car il était fort sourd ; nous
la remerciâmes plutôt d'action que de parole. Un peu
de temps après, monsieur du Fresne me tira à part et me
découvrit le dessein que lui et sa femme avaient formé
de me donner leur plus jeune fille en mariage devant qu'il
partît pour aller en cour servir son quartier et qu'il ne
fallait plus faire de dépense en sérénade ni autrement
pour ce sujet. Je ne lui fis que des remercîments confus,
car j'étais si transporté de joie d'un bonheur si inopiné
et qui faisait le comble de ma félicité que je ne savais
ce que je disais. Il me souvient bien que je lui dis que je
n'eusse pas été si téméraire que de la lui demander,
attendu mon peu de mérite et l'inégalité des conditions ;
à quoi il me répondit que, pour du mérite, il en avait

assez reconnu en moi et que, pour la condition, j'avais
de quoi suppléer à ce défaut, sous-entendant du bien.
Je ne sais ce que je lui répliquai, mais je sais bien qu'il
me convia à souper, après quoi il fut conclu que le dimanche suivant nous assemblerions nos parents pour
faire les fiançailles. Il me dit aussi quelle dot il pouvait
donner à sa fille; mais à cela je répondis que je ne lui
demandais que la personne et que j'avais assez de bien
pour elle et pour moi. J'étais le plus content homme du
monde et la du Lis aussi contente, ce que nous connûmes
dans la conversation que nous eûmes ce soir-là et qui fut
la plus agréable que l'on puisse imaginer. Mais ce plaisir
ne dura guère, car l'avant-veille du jour que nous devions
fiancer, nous étions, la du Lis et moi, assis sur l'herbe,
quand nous aperçûmes de loin un conseiller du présidial,
proche parent du sieur du Fresne, lequel lui venait rendre
visite. Nous en conçûmes la même pensée elle et moi et
nous nous en affligeâmes, sans savoir au vrai ce que
nous appréhendions; ce que l'événement ne nous fit que
trop connaître. Car, le lendemain, comme j'allais prendre
l'heure de l'assemblée, je fus furieusement surpris quand
je trouvai à la porte de la basse-cour la du Lis qui pleurait. Je lui dis quelque chose et elle ne me répondit rien.
J'entrai plus avant et je trouvai sa sœur au même état.
Je lui demandai que voulaient dire tant de pleurs et elle
me répondit, en redoublant ses sanglots, que je ne le
saurais que trop. Je montais à la chambre quand la
mère en sortait, laquelle passa sans me rien dire; car les
larmes, les sanglots et les soupirs la suffoquaient si fort
que tout ce qu'elle put faire, ce fut de me regarder pitoya-
blement et dire : Ha! pauvre garçon! Je ne comprenais
rien en un si prompt changement, mais mon cœur me
présageait tous les malheurs que j'ai ressentis depuis.
Je me résolus d'en apprendre le sujet et je montai à la
chambre où je trouvai monsieur du Fresne assis dans
une chaise, lequel me dit fort brusquement qu'il avait
changé d'avis et qu'il ne voulait pas marier sa cadette
devant son aînée; que, quand il la marierait, ce ne serait

qu'après le retour de son voyage de la cour. Je lui répondis sur ces deux chefs, au premier, que sa fille aînée
n'avait aucune répugnance que sa sœur fût mariée la
première, pourvu que ce fût avec moi parce qu'elle
m'avait toujours aimé comme un frère; que pour un
autre elle s'y serait opposée (je vous puis assurer qu'elle
m'en avait fait la protestation plusieurs fois); et sur le
second, que j'attendrais aussi bien dix ans que les trois
mois qu'il serait à la cour. Mais il me dit tout net que
je ne pensasse plus au mariage de sa fille. Ce discours,
si surprenant et prononcé du ton que je vous viens
dire, me jeta dans un si horrible désespoir que je sortis
sans lui répliquer et sans rien dire aux demoiselles qui
ne me purent rien dire aussi. Je m'en allai à ma maison,
résolu de me donner la mort, mais, comme je tirais
mon épée à dessein de me la plonger dans le corps, cette
veuve confidente entra chez moi et empêcha l'exécution
de ce mortel dessein en me disant, de la part de la du
Lis, que je ne m'affligeasse point, qu'il fallait avoir
patience et qu'en pareilles affaires il arrivait toujours
du trouble, mais que j'avais un grand avantage d'avoir
sa mère et sa sœur aînée pour moi et elle plus que tous
qui était la principale partie; qu'elles avaient résolu que
quand son père serait parti, qui serait dans huit ou dix
jours, que je pourrais continuer mes visites et que le temps
était un grand opérateur. Ce discours était fort obligeant,
mais je n'en pus point être consolé; aussi je m'abandonnai à la plus noire mélancolie que l'on puisse imaginer et qui me jeta enfin dans un si furieux désespoir
que je me résolus de consulter les démons. Quelques jours
devant le départ de monsieur du Fresne, je m'en allai
à demi-lieue de cette ville, dans un lieu où il y a un bois
taillis de fort grande étendue, dans lequel la croyance
du vulgaire est qu'il y habite de mauvais esprits, d'autant que ç'a été autrefois la demeure de certaines fées
qui étaient sans doute des fameuses magiciennes. Je
m'enfonce dans le bois, appelant et invoquant ces esprits
et les suppliant de me secourir en l'extrême affliction où

j'étais; mais, après avoir bien crié, je ne vis ni n'ouïs
que des oiseaux qui, par leur ramage, semblaient me
témoigner qu'ils étaient touchés de mes malheurs. Je
retournai à ma maison où je me mis au lit, atteint d'une
si étrange frénésie que l'on ne croyait pas que j'en pusse
réchapper, car j'en fus jusques à perdre la parole. La du
Lis fut malade à même temps et de la même manière
que moi, ce qui m'a obligé depuis de croire à la sympathie; car, comme nos maladies procédaient d'une même
cause, elles produisaient aussi en nous de semblables
effets; ce que nous apprenions par le médecin et apothicaire qui étaient les mêmes qui nous servaient; pour les
chirurgiens, nous avions chacun le nôtre en particulier.
Je guéris un peu plus tôt qu'elle et je m'en allai ou, pour
mieux dire, je me traînai à sa maison où je la trouvai
dans le lit (son père était parti pour la cour). Sa joie ne
fut pas médiocre, comme la suite me le fit connaître,
car, après avoir demeuré environ une heure avec elle,
il me sembla qu'elle n'avait plus de mal; ce qui m'obligea
à la presser de se lever, ce qu'elle fit pour me satisfaire.
Mais sitôt qu'elle fut hors du lit, elle évanouit entre mes
bras. Je fus bien marri de l'en avoir pressée, car nous
eûmes beaucoup de peine à la remettre; quand elle fut
revenue de son évanouissement, nous la remîmes dans
le lit où je la laissai pour lui donner moyen de reposer,
ce qu'elle n'eût peut-être pas fait en ma présence. Nous
guérîmes entièrement et nous passâmes agréablement
le temps tout celui que son père demeura à la cour. Mais
quand il fut revenu il fut averti, par quelques ennemis
secrets, que j'avais toujours fréquenté dans sa maison
et pratiqué fort familièrement sa fille, à laquelle il fit
de rigoureuses défenses de me voir et se fâcha fort contre
sa femme et sa fille aînée de ce qu'elles avaient favorisé
nos entrevues; ce que j'appris par notre confidente,
ensemble la résolution qu'elles avaient prise de me voir
toujours et par quels moyens. Le premier fut que je
prenais garde quand cet injuste père venait à la ville,
car aussitôt j'allais dans sa maison où je demeurais

jusques à son retour que nous connaissions facilement à sa manière de frapper à la porte, et aussitôt je me cachais derrière une pièce de tapisserie; et, quand il entrait, un valet ou une servante ou quelquefois une de ses filles lui ôtait son manteau, et je sortais facilement sans qu'il le pût ouïr; car, comme je vous ai déjà dit, il était fort sourd, et, en sortant, la du Lis m'accompagnait toujours jusques à la porte de la basse-cour. Ce moyen fut découvert et nous eûmes recours au jardin de notre confidente dans lequel je me rendais par un autre de nos voisins, ce qui dura assez; mais à la fin il fut encore découvert. Nous nous servîmes ensuite des églises, tantôt l'une, tantôt l'autre, ce qui fut encore connu, tellement que nous n'avions plus que le hasard, quand nous pouvions nous rencontrer dans quelques-unes des allées du parc, mais il fallait user de grande précaution.

Un jour que j'y avais demeuré assez longtemps avec la du Lis (car nous nous étions entretenus à fond de nos communs malheurs et avions pris des fortes résolutions de les surmonter), je la voulus accompagner jusques à la porte de la basse-cour où étant, nous aperçûmes de loin son père qui venait de la ville et tout droit à nous. De fuir, il n'y avait lieu, car il nous avait vus. Elle me dit alors de faire quelque invention pour nous excuser; mais je lui répondis qu'elle avait l'esprit plus présent et plus subtil que moi et qu'elle y pensât. Cependant il arriva et, comme il commençait à se fâcher, elle lui dit que j'avais appris qu'il avait apporté des bagues et autres joailleries (car il employait ses gages en orfévreries pour y faire quelque profit, étant aussi avare qu'il était sourd), et que je venais pour voir s'il voudrait m'accommoder de quelques-unes pour donner à une fille du Mans à laquelle je me mariais. Il le crut facilement; nous montâmes et il me montra ses bagues. J'en choisis deux, un petit diamant et une rose d'opale. Nous fûmes d'accord du prix que je lui payai à l'heure même. Cet expédient me facilita la continuation de mes visites, mais, quand il vit que je ne me hâtais point d'aller au Mans, il en parla à

sa jeune fille, comme se doutant de quelque fourbe et
elle me conseilla d'y faire un voyage, ce que je fis. Cette
ville-là est une des plus agréables du royaume et où il y a
du plus beau monde et du plus civilisé et où les filles
y sont les plus accortes et les plus spirituelles, comme
vous savez fort bien; aussi j'y fis en peu de temps des
grandes connaissances. J'étais logé au logis des Chênes-
Verts, où était aussi logé un opérateur qui débitait ses
drogues en public sur le théâtre en attendant l'issue d'un
projet qu'il avait fait de dresser une troupe de comédiens.
Il avait déjà avec lui des personnes de qualité, entre
autres le fils d'un comte que je ne nomme pas par discrétion, un jeune avocat du Mans qui avait déjà été en
troupe, sans compter un sien frère et un autre vieux
comédien qui s'enfarinait à la farce; et il attendait une
jeune fille de la ville de Laval qui lui avait promis de
se dérober de la maison de son père et de le venir trouver.
Je fis connaissance avec lui et, un jour, faute de meilleur
entretien, je lui fis succinctement le récit de mes malheurs; ensuite de quoi il me persuada de prendre parti
dans sa troupe et que ce serait le moyen de me faire
oublier mes disgrâces. J'y consentis volontiers et, si la
fille fût venue, j'aurais certainement suivi. Mais les
parents en furent avertis, ils prirent garde à elle; ce
qui fut la cause que le dessein ne réussit pas, ce qui
m'obligea à m'en revenir. Mais l'amour me fournit une
invention pour pratiquer encore la du Lis sans soupçon,
qui fut de mener avec moi cet avocat dont je vous viens
de parler et un autre jeune homme de ma connaissance,
auxquels je découvris mon dessein et qui furent ravis
de me servir en cette occasion. Ils parurent en cette
ville sous le titre, l'un de frère, et l'autre de cousin germain d'une maîtresse imaginaire. Je les menai chez le
sieur du Fresne que j'avais prié de me traiter de parent,
ce qu'il fit. Il ne manqua pas aussi à leur dire mille biens
de moi, les assurant qu'ils ne pouvaient pas mieux loger
leur parente et ensuite nous donna à souper. L'on but à
la santé de ma maîtresse et la du Lis en fit raison. Après

qu'ils eurent demeuré cinq ou six jours en cette ville,
ils s'en retournèrent au Mans. J'avais toujours libre
accès chez le sieur du Fresne, lequel me disait sans cesse
que je tardais trop à aller au Mans achever mon mariage,
ce qui me fit appréhender que la feinte ne fût à la fin
découverte et qu'il ne me chassât encore une fois honteu-
sement de sa maison; ce qui me fit prendre la plus cruelle
résolution qu'un homme désespéré puisse jamais avoir,
qui fut de tuer la du Lis de peur qu'un autre n'en fût
possesseur. Je m'armai d'un poignard et l'allai trouver,
la priant de venir avec moi faire une promenade, ce
qu'elle m'accorda. Je la menai insensiblement dans un
lieu fort écarté des allées du parc et où il y avait des
broussailles. Ce fut là où je lui découvris le cruel dessein
que le désespoir de la posséder m'avait fait concevoir,
tirant à même temps le poignard de ma poche. Elle me
regarda si tendrement et me dit tant de douceurs qu'elle
accompagna de protestations de constance et de belles
promesses qu'il lui fut facile de me désarmer. Elle saisit
mon poignard que je ne pus retenir et le jeta au travers
des broussailles et me dit qu'elle s'en voulait aller et
qu'elle ne se trouverait plus seule avec moi. Elle me
voulait dire que je n'avais pas sujet d'en user ainsi quand
je l'interrompis pour la prier de se trouver le lendemain
chez notre confidente où je me rendrais et que là nous
prendrions les dernières résolutions. Nous nous y rencontrâmes à l'heure dite. Je la saluai et nous pleurâmes
nos communes misères et, après des longs discours, elle
me conseilla d'aller à Paris, me protestant qu'elle ne
consentirait jamais à aucun mariage et, quand je demeu-
rerais dix ans, qu'elle m'attendrait. Je lui fis des promesses réciproques, que j'ai mieux tenues qu'elle n'a fait.
Comme je voulais prendre congé d'elle (ce qui ne fut
pas sans verser beaucoup de larmes), elle fut d'avis que
sa mère et sa sœur fussent de la confidence. Cette veuve
les alla querir et je demeurai seul avec la du Lis. Ce fut
alors que nous nous ouvrîmes nos cœurs mieux que
nous n'avions jamais fait et elle en vint jusques à me dire

que, si je la voulais enlever, elle y consentirait volontiers et me suivrait partout et que, si l'on venait après nous et qu'on nous attrapât, elle feindrait d'être enceinte. Mais mon amour était si pur que je ne voulus jamais mettre son honneur en compromis, laissant l'événement à la conduite du sort. Sa mère et sa sœur arrivèrent et nous leur déclarâmes nos résolutions, ce qui fit redoubler les pleurs et les embrassements. Enfin je pris congé d'elles pour aller à Paris. Devant que de partir, j'écrivis une lettre à la du Lis, des termes de laquelle je ne me saurais souvenir, mais vous pouvez bien vous imaginer que j'y avais mis tout ce que je m'étais figuré de tendre pour leur donner de compassion. Aussi notre confidente, qui porta la lettre, m'assura qu'après la lecture de cette lettre, la mère et les deux filles avaient été si affligées de douleur que la du Lis n'avait pas eu le courage de me faire réponse. J'ai supprimé beaucoup d'aventures qui nous arrivèrent pendant le cours de nos amours pour n'abuser pas de votre patience; comme les jalousies que la du Lis conçut contre moi pour une demoiselle sa cousine germaine qui l'était venue voir et qui demeura trois mois dans la maison; la même chose pour la fille de ce gentilhomme qui avait amené ce galant que je fis en aller, non plus que plusieurs querelles que j'eus à démêler et des combats en des rencontres de nuit où je fus blessé par deux fois au bras et à la cuisse. Je finis donc ici la digression pour vous dire que je partis pour Paris où j'arrivai heureusement et où je demeurai environ une année. Mais, ne pouvant pas y subsister comme je faisais en cette ville, tant à cause de la cherté des vivres que pour avoir fort diminué mes biens à la recherche de la du Lis pour laquelle j'avais fait des grandes dépenses, comme vous avez pu apprendre de ce que je vous ai dit, je me mis en condition en qualité de secrétaire d'un secrétaire de la chambre du roi, lequel avait épousé la veuve d'un autre secrétaire aussi du roi. Je n'y eus pas demeuré huit jours que cette dame usa avec moi d'une familiarité extraordinaire à laquelle je ne fis point pour

lors de réflexion; mais elle continua si ouvertement que
quelques-uns des domestiques s'en aperçurent, comme
vous allez voir. Un jour qu'elle m'avait donné une commission pour faire dans la ville, elle me dit de prendre le
carrosse dans lequel je montai seul et je dis au cocher de
me mener par le Marais du Temple, tandis que son mari
allait par la ville à cheval, suivi d'un seul laquais; car elle
lui avait persuadé qu'il ferait mieux ses affaires de la
sorte que de traîner un carrosse qui est toujours embarrassant. Quand je fus dans une longue rue où il n'y avait
que des portes cochères et, par conséquent, l'on n'y
voyait guère de monde, le cocher arrêta le carrosse et
descendit. Je lui criai pourquoi il arrêtait ? Il s'approcha
de la portière et me pria de l'écouter, ce que je fis. Alors
il me demanda si je n'avais point pris garde au procédé
de madame sur mon sujet. A quoi je lui répondis que non,
et qu'est-ce qu'il voulait dire. Il me répondit alors que
je ne connaissais pas ma fortune et qu'il y avait beaucoup de personnes à Paris qui eussent bien voulu en avoir
une semblable. Je ne raisonnai guère avec lui, mais je
lui commandai de remonter sur son siège et me conduire
à la rue Saint-Honoré. Je ne laissai pas de rêver profondément à ce qu'il m'avait dit et, quand je fus de retour
à la maison, j'observai plus exactement les actions de
cette dame dont quelques-unes me confirmèrent en la
croyance de ce que m'avait dit le cocher. Un jour que
j'avais acheté de la toile et de la dentelle pour des collets,
que j'avais baillés à faire à ses filles de service, comme
elles y travaillaient, elle leur demanda pour qui étaient
ces collets; elles répondirent que c'était pour moi. Et
alors elle leur dit qu'elles les achevassent, mais que, pour
la dentelle, elle la voulait mettre. Un jour qu'elle l'attachait, j'entrai dans sa chambre et elle me dit qu'elle
travaillait pour moi, dont je fus si confus que je ne fis
que des remercîments de même. Mais un matin que
j'écrivais dans ma chambre, qui n'était pas éloignée de
la sienne, elle me fit appeler par un laquais et, quand
j'en approchai, j'entendis qu'elle criait furieusement

contre sa demoiselle suivante et contre sa femme de
chambre. Elle disait : Ces chiennes, ces vilaines ne sauraient rien faire adroit[ement]; sortez de ma chambre!
Comme elles en sortaient j'y entrai et elle continua à
déclamer contre elles et me dit de fermer la porte et de
lui aider à s'habiller; et aussitôt elle me dit de prendre
sa chemise qui était sur la toilette et de la lui donner;
et à même temps elle dépouilla celle qu'elle avait et
s'exposa à ma vue toute nue, dont j'eus une si grande
honte que je lui dis que je ferais encore plus mal que ses
filles, qu'elle devait faire revenir, à quoi elle fut obligée
par l'arrivée de son mari. Je ne doutai donc plus de son
intention, mais, comme j'étais jeune et timide, j'appréhendai quelque sinistre accident; car, quoiqu'elle fût déjà
avancée en âge, elle avait pourtant encore des beaux restes,
ce qui me fit résoudre à demander mon congé, ce que je
fis un soir après que l'on eut servi le souper. Alors, sans
me rien répondre, son mari se retira à sa chambre et elle
tourna sa chaise du côté du feu, disant au maître d'hôtel
de remporter la viande. Je descendis pour souper avec
lui; comme nous étions à table, une sienne nièce, âgée
d'environ douze ans, descendit et, s'adressant à moi,
me dit que madame sa tante l'envoyait pour savoir si
j'avais bien le courage de souper, elle ne soupant point.
Je ne me souviens pas bien de ce que je lui répondis,
mais je sais bien que la dame se mit au lit et qu'elle fut
extrêmement malade. Le lendemain, de grand matin,
elle me fit appeler pour donner ordre d'avoir des médecins;
comme j'approchai de son lit, elle me donna la main et
me dit ouvertement que j'étais la cause de son mal, ce
qui fit redoubler mon appréhension, en sorte que le même
jour je me mis dans des troupes qu'on faisait à Paris pour
le duc de Mantoue [156], et je partis sans en rien dire à
personne. Notre capitaine ne vint pas avec nous, laissant
la conduite de sa compagnie à son lieutenant, qui était
un franc voleur aussi bien que les deux sergents, car ils
brûlaient presque tous les logements et nous faisaient
souffrir; aussi ils furent pris par le prévôt de Troyes en

Champagne, lequel les y fit pendre, excepté l'un des
sergents qui se trouva frère d'un des valets de chambre
de monseigneur le duc d'Orléans [157], lequel le sauva. Nous
demeurâmes sans chef et les soldats, d'un commun
accord, firent élection de ma personne pour commander
la compagnie qui était composée de quatre-vingts soldats.
J'en pris la conduite avec autant d'autorité que si j'en
eusse été le capitaine en chef. Je passai en revue et tirai
la montre que je distribuai, aussi bien que les armes que
je pris à Sainte-Reine en Bourgogne [158]. Enfin nous
filâmes jusques à Embrun [159] en Dauphiné, où notre
capitaine nous vint trouver, dans l'appréhension qu'il
n'y avait pas un soldat à sa compagnie.

Mais quand il apprit ce qui s'était passé et que je lui
en fis paraître soixante-huit (car j'en avais perdu douze
dans la marche), il me caressa fort et me donna son
drapeau et sa table. L'armée, qui était la plus belle qui
fût jamais sortie de France, eut le mauvais succès que
vous avez pu savoir, ce qui arriva par la mauvaise intelligence des généraux. Après son débris je m'arrêtai à
Grenoble, pour laisser passer la fureur des paysans de
Bourgogne et de Champagne qui tuaient tous les fugitifs
et le massacre en fut si grand que la peste se mit si furieusement dans ces deux provinces qu'elle s'épandit par
tout le royaume. Après que j'eus demeuré quelque temps
à Grenoble, où je fis des grandes connaissances, je résolus
de me retirer dans cette ville, ma patrie, mais en passant
par des lieux écartés du grand chemin, pour la raison que
j'ai dite. J'arrivai à un petit bourg appelé Saint-Patrice [160], où le fils puîné de la dame du lieu, qui était veuve,
faisait une compagnie de fantassins pour le siège de Montauban. Je me mis avec lui, et il reconnut quelque chose
sur mon visage qui n'était pas rebutant. Après m'avoir
demandé d'où j'étais et que je lui eus dit franchement la
vérité, il me pria de prendre le soin de conduire un sien
frère jeune garçon, chevalier de Malte, auquel il avait
donné son enseigne, ce que j'acceptai volontiers. Nous partîmes pour aller à Noves [161], en Provence, qui était le lieu

d'assemblée du régiment; mais nous n'y eûmes pas
demeuré trois jours que le maître d'hôtel de ce capitaine
le vola et s'enfuit. Il donna ordre qu'il fût suivi, mais en
vain. Ce fut alors qu'il me pria de prendre les clefs de
ses coffres que je ne gardai guère, car il fut député du
corps du régiment pour aller trouver le grand cardinal
de Richelieu, lequel conduisait l'armée pour le siège de
Montauban et autres villes rebelles de Guyenne et Languedoc. Il me mena avec lui, et nous trouvâmes son Éminence dans la ville d'Albi ; nous la suivîmes jusques à
cette ville rebelle qui ne le fut plus à l'arrivée de ce grand
homme, car elle se rendit, comme vous avez pu savoir.
Nous eûmes pendant ce voyage un grand nombre d'aventures que je ne vous dis point pour ne vous être pas ennuyeux, ce que j'ai peut-être déjà trop été. Alors l'Étoile
lui dit que ce serait les priver d'un agréable divertissement
s'il ne continuait jusques à la fin. Il poursuivit donc
ainsi : Je fis des grandes connaissances dans la maison
de cet illustre cardinal, et principalement avec les pages
dont il y en avait dix-huit de Normandie et qui me
faisaient de grandes caresses aussi bien que les autres
domestiques de sa maison. Quand la ville fut rendue,
notre régiment fut licencié et nous nous en revînmes à
Saint-Patrice. La dame du lieu avait un procès contre
son fils aîné et se préparait pour aller le poursuivre à
Grenoble. Quand nous arrivâmes, je fus prié de l'accompagner, à quoi j'eus un peu de répugnance, car je voulais me retirer, comme je vous ai dit; mais je me laissai
gagner dont je ne me repentis pas, car, quand nous
fûmes arrivés à Grenoble, où je sollicitai fortement le
procès, le roi Louis XIIIe, de glorieuse mémoire, y passa
pour aller en Italie et j'eus l'honneur de voir à sa suite
les plus grands seigneurs de ce pays, et, entre autres
le gouverneur de cette ville, lequel connaissait fort
monsieur de Saint-Patrice, auquel il me recommanda;
et, après m'avoir offert de l'argent, lui dit qui j'étais,
ce qui l'obligea à faire plus d'estime de moi qu'il n'avait
pas fait, bien je n'eusse pas sujet de me plaindre. Je

vis encore cinq jeunes hommes de cette ville, qui étaient
au régiment des gardes, trois desquels étaient gentilshommes et auxquels j'avais l'honneur d'appartenir.
Je les traitai du mieux qu'il me fut possible, et à la
maison, et au cabaret. Un jour que nous venions de
déjeuner d'un logis du faubourg de Saint-Laurent, qui
est au delà du pont, nous nous arrêtâmes dessus pour
voir passer des bateaux et alors un d'eux me dit qu'il
s'étonnait bien fort que je ne leur demandasse point
de nouvelles de la du Lis. Je leur dis que je n'avais osé
de peur de trop apprendre. Ils me repartirent que j'avais
bien fait et que je devais l'oublier puisqu'elle ne m'avait
pas tenu parole. Je pensai mourir à cette nouvelle, mais
enfin il fallut tout savoir. Ils m'apprirent donc qu'aussitôt que l'on eut appris mon départ pour l'Italie qu'on
l'avait mariée à un jeune homme qu'ils me nommèrent
et qui était celui de tous ceux qui y pouvaient prétendre
pour qui j'avais le plus d'aversion. Alors j'éclatai et dis
contre elle tout ce que la colère me suggéra. Je l'appelai
tigresse, félonne, perfide, traîtresse; qu'elle n'eût pas osé
se marier me sachant si près, étant bien assurée que je la
serais allé poignarder avec son mari jusque dedans son
lit. Après, je sortis de ma poche une bourse d'argent et
de soie bleue à petit point qu'elle m'avait donnée, dans
laquelle je conservais le bracelet et le ruban que je lui
avais gagné. Je mis une pierre dedans et la jetai avec
violence dans la rivière, en disant : Ainsi se puisse effa-
cer de ma mémoire celle à qui ont appartenu ces choses,
de même qu'elles s'enfuiront au gré des ondes. Ces messieurs furent étonnés de mon procédé et me protestèrent qu'ils étaient bien marris de me l'avoir dit, mais
qu'ils croyaient que je l'eusse su d'ailleurs. Ils ajou-
tèrent, pour me consoler, qu'elle avait été forcée à se
marier et qu'elle avait bien fait paraître l'aversion
qu'elle avait pour son mari, car elle n'avait fait que
languir depuis son mariage et était morte quelque temps
après. Ce discours redoubla mon déplaisir et me donna,
à même temps, quelque espèce de consolation. Je pris

congé de ces messieurs et me retirai à la maison, mais si
changé que mademoiselle de Saint-Patrice, fille de cette
bonne dame, s'en aperçut. Elle me demanda ce que
j'avais, à quoi je ne répondis rien; mais elle me pressa
si fort, que je lui dis succinctement mes aventures et
la nouvelle que je venais d'apprendre. Elle fut touchée
de ma douleur, comme je le connus par les larmes qu'elle
versa. Elle le fit savoir à sa mère et à ses frères qui me
témoignèrent de participer à mes déplaisirs, mais qu'il
fallait se consoler et prendre patience. Le procès de la
mère et du fils se termina par un accord, et nous nous en
retournâmes. Ce fut alors que je commençai à penser à
une retraite. La maison où j'étais était assez puissante
pour me faire trouver des bons partis et l'on m'en proposa plusieurs, mais je ne pus jamais me résoudre au
mariage. Je repris le premier dessein que j'avais eu
autrefois de me rendre capucin et j'en demandai l'habit,
mais il y survint tant d'obstacles dont la déduction ne
vous serait qu'ennuyeuse, que je cessai cette poursuite.
En ce temps-là le roi commanda l'arrière-ban de la
noblesse du Dauphiné, pour aller à Casal [162]. Monsieur
de Saint-Patrice me pria de faire encore ce voyage avec
lui, ce que je ne pus honorablement refuser. Nous partîmes, et nous y arrivâmes. Vous savez ce qu'il en réussit.
Le siège fut levé, la ville rendue, et la paix faite par
l'entremise de Mazarin. Ce fut le premier degré par où
il monta au cardinalat et à cette prodigieuse fortune qu'il
a eue ensuite du gouvernement de la France. Nous nous
en retournâmes à Saint-Patrice où je persistai toujours
à me rendre religieux. Mais la divine Providence en disposait autrement. Un jour, monsieur de Saint-Patrice
me dit, voyant ma résolution, qu'il me conseillait de
me faire prêtre séculier, mais j'appréhendai de n'avoir
pas assez de capacité et il me repartit qu'il y en avait
de moindres. Je m'y résolus et je pris les ordres sur un
patrimoine que madame sa mère me donna de cent
livres de rente qu'elle m'assigna sur le plus liquide de
son revenu. Je dis ma première messe dans l'église de la

paroisse et ladite dame en usa comme si j'eusse été son propre enfant, car elle traita splendidement une trentaine de prêtres qui s'y trouvèrent et plusieurs gentilshommes du voisinage. J'étais dans une maison trop puissante pour manquer de bénéfices; aussi, six mois après, j'eus un prieuré assez considérable avec deux autres petits bénéfices. Quelques années après, j'eus un gros prieuré et une fort bonne cure, car j'avais pris grande peine à étudier et je m'étais rendu jusqu'au point de monter en chaire avec succès et devant les beaux auditoires et en présence même de prélats. Je ménageai mes revenus et amassai une notable somme d'argent, avec laquelle je me retirai dans cette ville où vous me voyez maintenant ravi du bonheur de la connaissance d'une si charmante compagnie et d'avoir été assez heureux de lui rendre quelque petit service.

L'Étoile prit la parole, disant : Mais le plus grand que vous sauriez nous avoir jamais rendu... Elle voulait continuer, quand Ragotin se leva pour dire qu'il voulait faire une comédie de cette histoire et qu'il n'y aurait rien de plus beau que la décoration du théâtre : un beau parc avec son grand bois et une rivière; pour le sujet des amants, des combats et une première messe. Tout le monde se mit à rire et Roquebrune, qui le contrariait toujours, lui dit : Vous n'y entendez rien; vous ne sauriez mettre cette pièce dans les règles, d'autant qu'il faudrait changer la scène et demeurer trois ou quatre ans dessus. Alors le prieur leur dit : Messieurs, ne disputez point pour ce sujet, j'y ai donné ordre il y a longtemps. Vous savez que monsieur du Hardi [163] n'a jamais observé cette rigide règle des vingt-quatre heures, non plus que quelques-uns de nos poëtes modernes, comme l'auteur de Saint-Eustache [164], etc.; et monsieur Corneille ne s'y serait pas attaché, sans la censure que monsieur Scudéry voulut faire du *Cid* [165], aussi tous les honnêtes gens appellent ces manquements des belles fautes. J'en ai donc composé une comédie que j'ai intitulée : *La fidélité conservée après l'espérance perdue*

et, depuis, j'ai pris pour devise un arbre dépouillé de
sa parure verte et où il ne reste que quelques feuilles
mortes (qui est la raison pourquoi j'ai ajouté cette couleur à la bleue), avec un petit chien barbet au pied, et
ces paroles pour âme de la devise : *Privé d'espoir, je
suis fidèle.* Cette pièce roule les théâtres il y a fort longtemps. Le titre en est aussi à propos que vos couleurs
et votre devise, dit l'Étoile, car votre maîtresse vous a
trompé et vous lui avez toujours gardé la fidélité, n'en
ayant point voulu épouser d'autre. La conversation
finit par l'arrivée de M. de Verville et de M. de la Garouffière. Et je finis aussi ce chapitre, qui sans doute
a été bien ennuyeux, tant pour sa longueur que pour
son sujet.

CHAPITRE XIV

RETOUR DE VERVILLE, ACCOMPAGNÉ DE M. DE LA GAROUF-
FIÈRE. MARIAGES DES COMÉDIENS ET COMÉDIENNES,
ET AUTRES AVENTURES DE RAGOTIN.

Tous ceux de la troupe furent étonnés de voir monsieur
de la Garouffière; pour Verville, il était attendu avec
impatience, principalement de ceux et celles qui se
devaient marier. Ils lui demandèrent quelles bonnes
affaires il avait en cette ville et il leur répondit qu'il
n'en avait aucune, mais que monsieur de Verville lui
ayant communiqué quelque chose d'importance, il avait
été ravi de trouver une occasion si favorable pour les
revoir encore une fois et leur offrit la continuation de
ses services. Verville lui fit signe qu'il n'en fallait parler
qu'en secret et, pour lui en rompre les discours, il lui
présenta le prieur de Saint-Louis, avec lequel il avait
fait grande amitié, lui disant que c'était un fort galant
homme. Alors l'Étoile leur dit qu'il venait d'achever
une histoire aussi agréable que l'on en pût ouïr. Ces

deux messieurs témoignèrent avoir du regret de n'être
pas venus plus tôt pour avoir eu la satisfaction de l'entendre. Alors Verville passa dans une autre chambre
où Le Destin le suivit et, après y avoir demeuré quelques
moments, ils appelèrent l'Étoile et Angélique et ensuite
Léandre et la Caverne que monsieur de la Garouffière
suivit. Quand ils furent assemblés, Verville leur dit
qu'étant à Rennes il avait communiqué au sieur de la
Garouffière le dessein qu'ils avaient fait de se marier,
et qu'ils devaient repasser par Alençon pour être de la
noce, et qu'il avait témoigné vouloir être de la partie.
Il en fut très humblement remercié et on lui témoigna
de même l'obligation qu'on lui avait d'avoir voulu
prendre cette peine. Mais à propos, dit monsieur de Verville, il faudrait faire monter cet honnête homme qui
est en bas, ce que l'on fit. Quand il fut entré, la Caverne
le regarda fixement et la force du sang fit un si merveilleux effet en elle qu'elle s'attendrit et pleura sans
en savoir la cause. On lui demanda si elle connaissait
cet homme-là et elle répondit qu'elle ne croyait pas
l'avoir jamais vu. On lui dit de le regarder avec attention,
ce qu'elle fit et, pour lors elle trouva sur son visage tant
de traits du sien qu'elle s'écria : Serait-ce point mon
frère? Alors il s'approcha d'elle et l'embrassa, l'assurant
que c'était lui-même que le malheur avait éloigné si
longtemps de sa présence. Il salua sa nièce et tous ceux
de la compagnie et assista à la conférence secrète où il
fut conclu que l'on célébrerait les deux mariages, savoir,
du Destin avec l'Étoile, et de Léandre avec Angélique.

Toute la difficulté consistait à savoir quel prêtre les
épouserait. Alors le prieur de Saint-Louis (que l'on
avait aussi appelé à la conférence) leur dit qu'il se char-
geait de cela et qu'il en parlerait aux curés des deux paroisses de la ville et à celui du faubourg de Monsort;
que, s'ils en faisaient quelque difficulté, ils retourne-
raient à Séez et qu'il en obtiendrait la permission du
seigneur évêque; que, s'il ne voulait pas la lui accorder,
il irait trouver monseigneur l'évêque du Mans, de qui

il avait l'honneur d'être connu, d'autant que sa petite
église était de sa juridiction et qu'il ne croyait pas d'en
être refusé. Il fut donc prié de prendre ce soin-là. Cependant l'on fit secrètement venir un notaire et l'on passa
les contrats de mariage. Je ne vous en dis point les clauses,
car cette particularité n'est pas venue à ma connaissance,
oui bien qu'ils se marièrent. Messieurs de Verville, de la
Garouffière et de Saint-Louis furent les témoins. Ce
dernier alla parler aux curés, mais aucun d'eux ne voulut
les épouser, alléguant beaucoup de raisons que le prieur
ne put surmonter parce qu'il n'en était peut-être pas
capable, ce qui le fit résoudre d'aller à Séez. Il prit le
cheval de Léandre et un de ses laquais et alla trouver
le seigneur évêque, lequel répugna un peu à lui accorder
sa requête, mais le prieur lui remontra que ces gens-là
n'étaient véritablement de nulle paroisse, car ils étaient
aujourd'hui dans un lieu et demain dans un autre;
que pourtant l'on ne pouvait pas les mettre au rang des
vagabonds et gens sans aveu (qui était la plus forte
raison sur laquelle les curés avaient fondé leur refus),
car ils avaient bonne permission du roi et avaient leurs
ménages et, par conséquent, étaient censés sujets des
évêques dans le diocèse desquels ils se trouvaient lors
de leur résidence en quelque ville; que ceux pour qui
il demandait la dispense étaient dans celle d'Alençon
où il avait juridiction, tant sur eux que sur les autres
habitants, et que, partant, il les pouvait dispenser,
comme il l'en suppliait très humblement parce que,
d'ailleurs, ils étaient fort honnêtes gens. L'évêque
donna les mains et pouvoir au prieur de les épouser en
quelle église qu'il voudrait. Il voulait appeler son secrétaire pour faire la dispense en forme, mais le prieur lui
dit qu'un mot de sa main suffisait, ce que le bon seigneur
fit aussi agréablement qu'il lui donna à souper. Le
lendemain il s'en retourna à Alençon où il trouva les
fiancés qui préparaient tout ce qui était nécessaire pour
les noces. Les autres comédiens, qui n'avaient point
été du secret, ne savaient que penser de tant d'appareil

et Ragotin en était le plus en peine. Ce qui les obligeait
à tenir la chose ainsi secrète, n'était que ce que vous
avez appris du Destin; car, pour Léandre et Angélique, cela était connu de tous et aussi la crainte de ne
réussir pas à la dispense. Mais quand ils en furent assurés, l'on rendit la chose publique et l'on récita les
contrats de mariage devant tous et l'on prit jour pour
épouser. Ce fut un furieux coup de foudre pour le pauvre
Ragotin, auquel la Rancune dit tout bas : « Ne vous
l'avais-je pas bien dit? Je m'en étais toujours défié. »
Le pauvre petit homme entra en la plus profonde mélancolie que l'on puisse imaginer, laquelle le précipita
dans un furieux désespoir, comme vous apprendrez au
dernier chapitre de ce roman. Il devint si troublé que,
passant devant la grande église de Notre-Dame, un
jour de fête que l'on carillonnait, il tomba dans l'erreur
de la plupart des gens du vulgaire qui croient que les
cloches disent tout ce qu'ils s'imaginent. Il s'arrêta pour
les écouter, et il se persuada facilement qu'elles disaient :

> Ragotin, ce matin,
> A bu tant de pots de vin,
> Qu'il branle, qu'il branle.

Il entra en une si furieuse colère contre le campanier
qu'il cria tout haut : Tu as menti; je n'ai pas bu aujour-
d'hui extraordinairement. Je ne me serais pas fâché si
tu leur faisais dire :

> Le mutin du Destin
> A ravi à Ragotin
> L'Étoile, l'Étoile,

car j'aurais eu la consolation de voir les choses inanimées
témoigner avoir du ressentiment de ma douleur, mais de
m'appeler ivrogne, ah! tu la payeras. Et aussitôt il enfonça son chapeau et entra dans l'église par une des
portes où il y a un degré en vis par lequel il monta à
l'orgue. Quand il vit que cette montée n'allait pas au
clocher, il la suivit jusques au plus haut, où il trouva une
porte fort basse par laquelle il entra et suivit, sous le

toit des chapelles, sous lequel il faut que ceux qui y
passent se baissent; mais lui y trouva un plancher fort
élevé. Il chemina jusques au bout où il trouva une porte
qui va au clocher où il monta. Quand il fut au lieu où les
cloches sont pendues, il trouva le campanier qui carillonnait toujours et qui ne regardait point derrière lui.
Alors il se met à lui crier des injures, l'appelant insolent,
impertinent, sot, brutal, maroufle, etc. Mais le bruit
des cloches l'empêchait de l'entendre. Ragotin s'imagina
qu'il le méprisait, ce qui le fit impatienter et s'approcher
de lui et, à même temps, lui bailler un grand coup de
poing sur le dos. La campanier, se sentant frappé, se
tourna et, voyant Ragotin, lui dit : Hé! petit escargot,
qui diable t'a mené ici pour me frapper ? Ragotin se
mit en devoir de lui en dire le sujet et de lui faire ses
plaintes; mais le campanier, qui n'entendait point de
raillerie, sans le vouloir écouter, le prit par un bras et,
en même temps, lui bailla un coup de pied au cul qui le
fit culbuter le long d'un petit degré de bois jusque sur
le plancher d'où l'on sonne les cloches à branle. Il tomba
si rudement la tête la première qu'il donna du visage
contre une des boîtes par où l'on passe les cordes, et
se mit tout en sang. Il pesta comme un petit démon et
descendit promptement; il passa au travers de l'église
d'où il alla trouver le lieutenant criminel, pour se plaindre
à lui de l'excès que le campanier avait commis en sa
personne. Ce magistrat, le voyant ainsi sanglant, crut
facilement ce qu'il disait, mais, après en avoir appris le
sujet, il ne put s'empêcher de rire et connut bien que le
petit homme avait le cerveau mal timbré. Pourtant,
pour le contenter, il lui dit qu'il ferait justice, et envoya
un laquais dire au campanier qu'il le vînt trouver. Quand
il fut venu, il lui demanda pourquoi il faisait injurier
cet honnête homme par ses cloches; à quoi il lui répondit
qu'il ne le connaissait point et qu'il carillonnait à son
ordinaire :

Orléans, Beaugency,
Notre-Dame de Cléry,
Vendôme, Vendôme.

mais qu'ayant été frappé et injurié, il l'avait poussé et
qu'ayant rencontré le haut de l'escalier, il en était tombé.
Le lieutenant criminel lui dit : Une autre fois soyez plus
avisé; et à Ragotin : Soyez plus sage et ne croyez pas votre
imagination touchant le son des cloches. Ragotin s'en
retourna à la maison où il ne se vanta pas de son accident. Mais les comédiens, voyant son visage écorché en
trois ou quatre endroits, lui en demandèrent la raison,
ce qu'il ne voulut pas dire; mais ils l'apprirent par la
voix commune, car cette disgrâce avait éclaté et dont ils
rirent bien fort aussi bien que messieurs de Verville et
de la Garouffière.

Le jour des épousailles des comédiennes étant venu, le
prieur de Saint-Louis leur dit qu'il avait fait choix de
son église pour les épouser. Ils y allèrent à petit bruit et
il bénit les mariages, après avoir fait une très belle exhor-
tation aux mariés, lesquels se retirèrent à leur logis où
ils dînèrent; après quoi l'on demanda à quoi l'on passerait
le temps jusques au souper. La comédie, les ballets et les
bals leur étaient si ordinaires que l'on trouva bon de
faire le récit de quelque histoire. Verville dit qu'il n'en
savait point. Si Ragotin n'eût pas été dans sa noire
mélancolie, il se fût sans doute offert à en débiter quelqu'une, mais il était muet. L'on dit à la Rancune de
raconter celle du poëte Roquebrune, puisqu'il l'avait
promis quand l'occasion s'en présenterait et qu'il n'en
pourrait jamais trouver de plus belle, la compagnie étant
beaucoup plus illustre que quand il la voulait commencer.
Mais il répondit qu'il avait quelque chose dans l'esprit
qui le troublait et que, quand il l'aurait assez libre, qu'il
ne voulait pas rendre ce mauvais office au poëte de
faire son éloge, dans lequel il faudrait comprendre sa
maison, et qu'il était trop de ses amis pour débiter une
juste satire. Roquebrune pensa troubler la fête, mais le
respect qu'il eut pour les étrangers qui étaient dans la
compagnie calma tout cet orage; ensuite de quoi monsieur de la Garouffière dit qu'il savait beaucoup d'aventures dont il avait été témoin oculaire; on le pria d'en

faire le récit, ce qu'il fit comme vous verrez au chapitre
suivant.

CHAPITRE XV

HISTOIRE DES DEUX JALOUSES

Les divisions qui mirent la maîtresse ville du monde
au rang des plus malheureuses, furent une semence qui
s'épandit par tout l'univers et en un temps où les hommes
ne doivent avoir qu'une âme, comme au berceau de
l'Église, puisqu'ils avaient l'honneur d'être les membres
de ce sacré corps; mais elles ne laissèrent pas d'éclore
celles des Guelfes et des Gibelins et, quelques années
après, celles des Capelets et des Montesches. Ces divisions, qui ne devaient point sortir de l'Italie où elles
avaient eu leur origine, ne laissèrent pas de se dilater
par tout le monde et notre France n'en a pas été exempte;
et il semble même que c'est dans son sein où la pomme de
discorde a plus fait éclater ses funestes effets; ce qu'elle
fait encore à présent, car il n'y a ville, bourg ni village
où il n'y ait divers partis d'où il arrive tous les jours de
sinistres accidents. Mon père, qui était conseiller au
parlement de Rennes et qui m'avait destiné pour être,
comme je suis, son successeur, me mit au collège pour
m'en rendre capable; mais, comme j'étais dans ma patrie,
il s'aperçut que je ne profitais pas, ce qui le fit résoudre
à m'envoyer à la Flèche où est, comme vous savez,
le plus fameux collège que les Jésuites aient dans ce
royaume de France. Ce fut dans cette petite ville-là où
arriva ce que je vous vais apprendre et, au même temps
que j'y faisais mes études.

Il y avait deux gentilshommes qui étaient les plus
qualifiés de la ville, déjà avancés en âge, sans être pourtant mariés, comme il arrive souvent aux personnes de
condition, ce que l'on dit en proverbe : *Entre qui nous*

veut et qui nous ne voulons pas, nous demeurons sans nous
marier. A la fin tous deux se marièrent. L'un, qu'on
appelait monsieur de Fondsblanche, prit une fille de
Châteaudun, laquelle était de fort petite noblesse, mais
fort riche. L'autre, qu'on appelait monsieur du Lac,
épousa une demoiselle de la ville de Chartres, qui n'était
pas riche, mais qui était très belle et d'une si illustre
maison qu'elle appartenait à des ducs et pairs et à des
maréchaux de France. Ces deux gentilshommes, qui pouvaient partager la ville, furent toujours de fort bonne
intelligence, mais elle ne dura guère après leurs mariages,
car leurs deux femmes commencèrent à se regarder d'un
œil jaloux, l'une se tenant fière de son extraction et l'autre
de ses grands biens. Madame de Fondsblanche n'était
pas belle de visage, mais elle avait grand'mine, bonne
grâce et était fort propre; elle avait beaucoup d'esprit et
était fort obligeante. Madame du Lac était très belle,
comme j'ai dit, mais sans grâce; elle avait de l'esprit
infiniment, mais si mal tourné que c'était une artificieuse
et dangereuse personne. Ces deux dames étaient de l'humeur de la plupart des femmes de ce temps, qui ne croi-
raient pas être du grand monde si elles n'avaient chacune
une douzaine de galants; aussi elles faisaient tous leurs
efforts et employaient tous leurs soins pour faire des
conquêtes, à quoi la du Lac réussissait beaucoup mieux
que la Fondsblanche, car elle tenait sous son empire
toute la jeunesse de la ville et du voisinage; s'entend des
personnes très qualifiées, car elle n'en souffrait point
d'autres; mais cette affectation causa des murmures
sourds qui éclatèrent enfin ouvertement en médisance
sans que pour cela elle discontinuât de sa manière d'agir;
au contraire, il sembla que ce lui fût un sujet pour prendre
plus de soin à faire des nouveaux galants. La Fondsblanche n'était pas du tout si soigneuse d'en [avoir] [166] et
elle en avait pourtant quelques-uns qu'elle retenait avec
adresse, entre lesquels était un jeune gentilhomme très
bien fait dont l'esprit correspondait au sien et qui était
un des braves du temps. Celui-là en était le plus favori;

aussi son assiduité causa des soupçons et la médisance
éclata hautement. Ce fut là la source de la rupture entre
ces deux dames, car auparavant elles se visitaient civilement, mais, comme j'ai dit, toujours avec une jalouse
envie. La du Lac commença à médire ouvertement de
la Fondsblanche, fit épier ses actions et fit mille pièces
artificieuses pour la perdre de réputation, notamment
sur le sujet de ce gentilhomme que l'on appelait monsieur
du Val-Rocher; ce qui vint aux oreilles de la Fondsblanche, qui ne demeura pas muette, car elle disait par
raillerie que, si elle avait des galants, ce n'était pas à
douzaine comme la du Lac qui faisait toujours des
nouvelles impostures. L'autre, en se défendant, lui baillait le change, si bien qu'elles vivaient comme deux
démons. Quelques personnes charitables essayèrent à
les mettre d'accord, mais ce fut inutilement, car elles ne
les purent jamais obliger à se voir. La du Lac, qui ne
pensait à autre chose qu'à causer du déplaisir à la Fondsblanche, crut que le plus sensible qu'elle pourrait lui
faire ressentir, ce serait de lui ôter le plus favori de ses
galants, ce du Val-Rocher. Elle fit dire à monsieur de
Fondsblanche, par des gens qui lui étaient affidés, que,
quand il était hors de sa maison (ce qui arrivait souvent,
car il était continuellement à la chasse ou en visite chez
des gentilshommes voisins de la ville), que du Val-Rocher
couchait avec sa femme et que des gens dignes de foi
l'avaient vu sortir de son lit où elle était. Monsieur de
Fondsblanche, qui n'en avait jamais eu aucun soupçon,
fit quelque réflexion à ce discours et ensuite fit connaître
à sa femme qu'elle l'obligerait si elle faisait cesser les
visites du Val-Rocher. Elle répliqua tant de choses et le
paya de si fortes raisons qu'il ne s'y opiniâtra pas, la
laissant dans la liberté d'agir comme auparavant. La
du Lac, voyant que cette invention n'avait pas eu l'effet
qu'elle désirait, trouva moyen de parler au Val-Rocher.
Elle était belle et accorte, qui sont deux fortes machines
pour gagner la forteresse d'un cœur le mieux muni;
aussi, encore qu'il eût des grands attachements à la

Fondsblanche, la du Lac rompit tous ces liens et lui
donna des chaînes bien plus fortes, ce qui causa une
sensible douleur à la Fondsblanche (surtout quand elle
apprit que du Val-Rocher parlait d'elle en des termes
fort insolents), laquelle augmenta par la mort de son
mari qui arriva quelques mois après. Elle en porta le
deuil fort austèrement, mais la jalousie la surmonta et
fut la plus forte. Il n'y avait que quinze jours que l'on
avait enterré son mari qu'elle pratiqua une entrevue
secrète avec du Val-Rocher. Je n'ai pas su quel fut leur
entretien, mais l'événement le fit assez connaître, car,
une douzaine de jours après, leur mariage fut publié,
quoiqu'ils l'eussent contracté fort secrètement; et ainsi,
dans moins d'un mois elle eut deux maris, l'un qui
mourut en l'espace de ce temps-là, et l'autre vivant.
Voilà, ce me semble, le plus violent effet de jalousie
qu'on puisse imaginer, car elle oublia la bienséance du
veuvage et ne se soucia de tous les insolents discours
que du Val-Rocher avait faits d'elle à la persuasion de la
du Lac, ce qui justifie assez ce que l'on dit, qu'une femme
hasarde tout quand il s'agit de se venger; mais vous le
verrez encore mieux par ce que je vous vais dire. La du
Lac pensa enrager quand elle apprit cette nouvelle, mais
elle dissimula son ressentiment tant qu'elle put et qu'elle
fut pourtant sur le point de faire éclater, ayant fait
dessein de le faire assassiner en un voyage qu'il devait
faire en Bretagne dont il fut averti par des personnes
à qui elle s'en était découverte, ce qui l'obligea à se bien
précautionner. D'ailleurs, elle considéra que ce serait
mettre ses plus chers amis en grand hasard, ce qui la
fit penser à un moyen le plus étrange que la jalousie
puisse susciter, qui fut de brouiller son mari avec du
Val-Rocher par ses pernicieux artifices. Aussi ils se que-
rellèrent furieusement plusieurs fois et en furent jusqu'au point de se battre en duel, à quoi la du Lac poussa
son mari qui n'était pas des plus adroits du monde,
jugeant bien qu'il ne durerait guère au Val-Rocher,
lequel, comme j'ai dit, était un des braves du temps;

se figurant qu'après la mort de son mari, elle le pourrait
encore ôter à la Fondsblanche, de laquelle elle se pourrait facilement défaire, ou par poison, ou par le mauvais
traitement qu'elle lui ferait donner. Mais il en arriva
tout autrement qu'elle n'avait projeté, car du Val-Rocher,
se fiant en son adresse, méprisa du Lac (qui au commencement se tenait sur la défensive), ne croyant pas qu'il
osât lui porter; et ainsi il se négligeait, en sorte que du
Lac le voyant un peu hors de garde, lui porta si justement qu'il lui mit son épée au travers du corps et le
laissa sans vie et s'en alla à sa maison où il trouva sa
femme, à laquelle il raconta l'action dont elle fut bien
étonnée et marrie tout ensemble de cet événement si
inopiné. Il s'enfuit secrètement et s'en alla dans la
maison d'un des parents de sa femme, lesquels, comme
j'ai dit, étaient des grands et puissants seigneurs qui
travaillèrent à obtenir sa grâce du roi. La Fondsblanche
fut fort étonnée quand on lui annonça la mort de son
mari et qu'on lui dit qu'il ne fallait pas s'amuser à verser
d'inutiles larmes, mais qu'il fallait le faire enterrer secrètement pour éviter que la justice n'y mît pas la main;
ce qui fut fait, et ainsi elle fut veuve en moins de six
semaines. Cependant du Lac eut sa grâce qui fut enté-
rinée au parlement de Paris, nonobstant toutes les oppo-
sitions de la veuve du mort qui voulait faire passer l'action pour un assassinat, ce qui la fit résoudre à la plus
étrange résolution qui puisse jamais entrer dans l'esprit
d'une femme irritée. Elle s'arma d'un poignard et, passant une fois par-devant du Lac, qui se promenait à la
place avec quelques-uns de ses amis, elle l'attaqua si
furieusement et si inopinément qu'elle lui ôta le moyen
de se mettre en défense et lui donna à même temps deux
coups de poignard dans le corps dont il mourut trois
jours après. Sa femme la fit poursuivre et mettre en
prison; on lui fit son procès, et la plupart des juges opi-
nèrent à la mort à quoi elle fut condamnée. Mais l'exécution en fut retardée, car elle déclara qu'elle était
grosse, et ce qui est à remarquer, c'est qu'elle ne savait

duquel de ses deux maris. Elle demeura donc prisonnière, mais comme c'était une personne fort délicate, l'air renfermé et puant de la conciergerie, avec les autres incommodités que l'on y souffre, lui causèrent une maladie et sa délivrance avant le terme et ensuite sa mort; néanmoins le fruit eut baptême et, après avoir vécu quelques heures, il mourut aussi. La du Lac fut touchée de Dieu; elle rentra en soi-même, fit résolution, sur tant de sinistres accidents dont elle était cause, mit ordre aux affaires de sa maison et entra dans un monastère de religieuses réformées de l'ordre de Saint-Benoît, au lieu d'Almenesche, au diocèse de Séez. Elle voulut s'éloigner de sa patrie pour vivre avec plus de quiétude et faire plus facilement pénitence de tant de maux qu'elle avait causés. Elle est encore dans ce monastère où elle vit dans une grande austérité, si elle n'est morte depuis quelques mois.

Les comédiens et comédiennes écoutaient encore, quoique monsieur de la Garouffière ne dît plus mot, quand Roquebrune s'avança pour dire à son ordinaire que c'était là un beau sujet pour un poëme grave et qu'il en voulait composer une excellente tragédie qu'il mettrait facilement dans les règles du poëme dramatique. L'on ne répondit pas à sa proposition, mais tous admirèrent le caprice des femmes quand elles sont frappées de jalousie et comme elles se portent aux dernières extrémités. Ensuite de quoi l'on disputa si c'était une passion, mais les savants conclurent que c'était la destruction de la plus belle de toutes les passions, qui est l'amour. Il y avait encore beaucoup de temps jusques au souper et tous trouvèrent bon d'aller faire une promenade dans le parc, où étant, ils s'assirent sur l'herbe. Lors Le Destin dit qu'il n'y avait rien de plus agréable que le récit des histoires. Léandre, qui n'avait point entré dans la belle conversation depuis qu'il était dans la troupe, y ayant toujours paru en qualité de valet, prit la parole, disant que, puisque l'on avait fini par le caprice des femmes, si la compagnie agréait qu'il fît le récit de ceux d'une

jeune fille qui ne demeurait pas loin d'une de ses maisons.
Il en fut prié de tous et, après avoir toussé cinq ou six
fois, il débuta comme vous allez voir.

CHAPITRE XVI

HISTOIRE DE LA CAPRICIEUSE AMANTE

Il y avait dans une petite ville de Bretagne, qu'on
appelle Vitré, un vieux gentilhomme, lequel avait longtemps demeuré marié avec une très vertueuse demoiselle,
sans avoir des enfants. Entre plusieurs domestiques qui
le servaient, étaient un maître d'hôtel et une gouvernante, par les mains desquels passait tout le revenu de
la maison. Ces deux personnages, qui faisaient comme
font la plupart des valets et servantes (c'est-à-dire
l'amour), se promirent mariage et tirèrent si bien chacun
de son côté que le bon vieux gentilhomme et sa femme
moururent fort incommodés et les deux domestiques
vécurent fort riches et mariés. Quelques années après,
il arriva une si mauvaise affaire à ce maître d'hôtel qu'il
fut obligé de s'enfuir et, pour être en assurance, d'entrer
dans une compagnie de cavalerie et de laisser sa femme
seule et sans enfants, laquelle ayant attendu environ
deux ans sans avoir aucune de ses nouvelles, elle fit
courir le bruit de sa mort et en porta le deuil. Quand il
fut un peu passé, elle fut recherchée en mariage de plusieurs personnes, entre lesquelles se présenta un riche
marchand, lequel l'épousa; et, au bout de l'année, elle
accoucha d'une fille, laquelle pouvait avoir quatre ans
quand le premier mari de sa mère arriva à la maison.
De vous dire quels furent les plus étonnés, des deux
maris ou de la femme, c'est ce que l'on ne peut savoir;
mais comme la mauvaise affaire du premier subsistait
toujours, ce qui l'obligeait à se tenir caché, et d'ailleurs,

voyant une fille de l'autre mari, il se contenta de quelque
somme d'argent qu'on lui donna, et céda librement sa
femme au second mari sans lui donner aucun trouble.
Il est vrai qu'il venait de temps en temps, et toujours
fort secrètement, querir de quoi subsister, ce qu'on ne
lui refusait point. Cependant la fille, que l'on appelait
Marguerite, se faisait grande, et avait plus de bonne grâce
que de beauté et de l'esprit assez pour une personne de sa
condition. Mais, comme vous savez que le bien est depuis
longtemps ce que l'on considère le plus en fait de mariage,
elle ne manquait pas de galants, entre lesquels était le
fils d'un riche marchand qui ne vivait pas comme tel,
mais en demi-gentilhomme, car il fréquentait les plus
honorables compagnies où il ne manquait pas de trouver
sa Marguerite qui y était reçue à cause de sa richesse.
Ce jeune homme, que l'on appelait le sieur de Saint-
Germain, avait bonne mine et tant de cœur qu'il était
souvent employé en des duels qui, en ce temps-là, étaient
fort fréquents. Il dansait de bonne grâce et jouait dans
les grandes compagnies et était toujours bien vêtu. Dans
tant de rencontres qu'il eut avec cette fille, il ne manqua
pas à lui offrir ses services et à lui témoigner sa passion
et le désir qu'il avait de la rechercher en mariage; à
quoi elle ne répugna point et même lui permit de la voir
chez elle, ce qu'il fit avec l'agrément de son père et de
sa mère qui favorisaient sa recherche de tout leur pouvoir. Mais au temps qu'il se disposait pour la leur demander en mariage, il ne le voulut pas faire sans son
consentement, croyant qu'elle n'y apporterait aucun
obstacle; mais il fut fort étonné quand elle le rebuta si
furieusement de parole et d'action qu'il s'en alla le plus
confus homme du monde. Il laissa passer quelques jours
sans la voir, croyant de pouvoir étouffer cette passion;
mais elle avait pris de trop profondes racines, ce qui
l'obligea à retourner la voir. Il ne fut pas plutôt entré
dans la maison qu'elle en sortit et alla se mettre en une
compagnie de filles du voisinage où il la suivit après
avoir fait ses plaintes au père et à la mère du mauvais

traitement que lui faisait leur fille sans lui en avoir donné
aucun sujet; de quoi ils témoignèrent être marris et lui
promirent de la rendre plus sociable. Mais, comme elle
était fille unique, ils n'osèrent lui contredire ni la presser
sur cette matière-là, se contentant de lui remontrer doucement le tort qu'elle avait de traiter ce jeune homme
avec tant de rigueur après avoir témoigné de l'aimer.
A tout cela elle ne leur répondait rien, et continuait dans
sa mauvaise humeur, car, quand il voulait approcher
d'elle, elle changeait de place et il la suivait; mais elle
le fuyait toujours, en sorte qu'un jour il fut obligé, pour
l'arrêter, de la prendre par la manche de son corps de
jupe dont elle cria, lui disant qu'il avait froissé ses bouts
de manche et que s'il y retournait qu'elle lui donnerait un
soufflet et qu'il ferait beaucoup mieux de la laisser. Enfin,
tant plus il s'empressait pour l'accoster, plus elle faisait
de diligence pour le fuir et, quand l'on allait à la promenade, elle aimait mieux aller seule que de lui donner la
main. Si elle était dans un bal et qu'il la voulût prendre
pour la faire danser, elle lui faisait affront, disant qu'elle
se trouvait mal et, à même temps, elle dansait avec un
autre. Elle en vint jusques à lui susciter des querelles et
elle fut cause que par quatre fois il se porta sur le pré d'où
il sortit toujours glorieusement, ce qui la faisait enrager
au moins en apparence. Tous ces mauvais traitements
n'étaient que jeter de l'huile sur la braise, car il en était
toujours plus transporté et ne relâchait point du tout de
ses visites. Un jour, il crut que sa persévérance l'avait un
peu adoucie, car elle se laissa approcher de lui et écouta
attentivement les plaintes qu'il lui fit de son injuste
procédé, en telles ou semblables paroles : Pourquoi
fuyez-vous celui qui ne saurait vivre sans vous ? Si je
n'ai pas assez de mérite pour être souffert de vous, au
moins considérez l'excès de mon amour et la patience
que j'ai à endurer toutes les indignités dont vous usez
envers moi, qui ne respire qu'à vous faire paraître à
quel point je suis à vous ! Eh bien, lui répondit-elle, vous
ne le **me** sauriez mieux persuader qu'en vous éloignant de

moi et, parce que vous ne le pourriez pas faire si vous
demeuriez en cette ville, s'il est vrai, comme vous
dites, que j'aie quelque pouvoir sur vous, je vous ordonne
de prendre parti dans les troupes qu'on lève; quand vous
aurez fait quelques campagnes, peut-être me trouverez-
vous plus flexible à vos désirs. Ce peu d'espérance que
je vous donne vous y doit obliger, sinon perdez-la tout
à fait. Alors elle tira une bague de son doigt, la lui présenta en lui disant : Gardez cette bague qui vous fera
souvenir de moi et je vous défends de me venir dire
adieu; en un mot, ne me voyez plus. Elle souffrit qu'il la
saluât d'un baiser et le laissa, passant dans une autre
chambre dont elle ferma la porte. Ce misérable amant
prit congé du père et de la mère qui ne purent contenir
leurs larmes et qui l'assurèrent de lui être toujours
favorables pour ce qu'il souhaitait. Le lendemain il se
mit dans une compagnie de cavalerie qu'on levait pour
le siège de la Rochelle. Comme elle lui avait défendu de
la plus voir, il n'osa pas l'entreprendre; mais la nuit
devant le jour de son départ il lui donna des sérénades à
la fin desquelles il chanta cette complainte qu'il accorda
aux tristes et doux accents de son luth en cette sorte :

> *Iris, maîtresse inexorable,*
> *Sans amour et sans amitié,*
> *Hélas! n'auras-tu point pitié*
> *D'un si fidèle amant que tu rends misérable ?*
>
> *Seras-tu toujours inflexible ?*
> *Ton cœur sera-t-il de rocher ?*
> *Ne le pourrai-je point toucher ?*
> *Ne sera-t-il jamais à mon amour sensible ?*
>
> *Je t'obéis, fille cruelle!*
> *Je te dis le dernier adieu ;*
> *Jamais, dedans ce triste lieu,*
> *Tu ne verras de moi que mon cœur trop fidèle.*
>
> *Lorsque mon corps sera sans âme,*
> *Quelque mien ami l'ouvrira,*
> *Et mon cœur il en sortira*
> *Pour t'en faire un présent où tu verras ma flamme.*

Cette capricieuse fille s'était levée et avait ouvert le

volet d'une fenêtre, n'ayant laissé que la vitre au travers
de laquelle elle se fit ouïr, faisant un si grand éclat de
rire que cela acheva de désespérer le pauvre Saint-Germain, lequel voulut dire quelque chose, mais elle referma
le volet en disant tout haut : Tenez votre promesse pour
votre profit, ce qui l'obligea à se retirer. Il partit quelques
jours après avec la compagnie qui se rendit au camp de
la Rochelle, là où, comme vous avez pu savoir, le siège
fut fort opiniâtré, le roi à l'attaquer et les assiégés à se
défendre; mais enfin il fallut se rendre à la discrétion
d'un monarque auquel les vents et les éléments rendaient
obéissance. Après que la ville fut rendue, on licencia
plusieurs troupes du nombre desquelles fut la compagnie
où était Saint-Germain, lequel s'en retourna à Vitré où
il ne fut pas plutôt qu'il alla voir sa rigoureuse Marguerite, laquelle souffrit d'en être saluée; mais ce ne fut que
pour lui dire que son retour était bien prompt et qu'elle
n'était pas encore disposée à le souffrir, et qu'elle le
priait de ne la point voir. Il lui répondit ces tristes paroles :
Il faut avouer que vous êtes une dangereuse personne et
que vous ne désirez que la mort du plus fidèle amant qui
soit au monde, car vous m'avez par quatre fois procuré des moyens d'éprouver sa rigueur quoique glorieusement, mais qui eût pourtant été pour moi très [fu-
neste][167]. Je la suis allé chercher là où des plus malheureux
que moi l'ont fatalement trouvée sans que je l'aie jamais
pu rencontrer, mais puisque vous la désirez avec tant
d'ardeur, je la chercherai en tant de lieux qu'à la fin elle
sera obligée de me satisfaire pour vous contenter. Mais
peut-être ne pourrez-vous pas vous empêcher de vous
repentir de me l'avoir causée, car elle sera d'un genre si
étrange que vous en serez touchée de pitié. Adieu donc,
la plus cruelle qui soit dans l'univers. Il se leva et la
voulait laisser, quand elle l'arrêta pour lui dire qu'elle
ne souhaitait du tout point sa mort et que, si elle lui avait
procuré des combats, ce n'avait été que pour avoir des
preuves certaines de sa valeur et afin qu'il fût plus digne
de la posséder, mais qu'elle n'était pas encore en état de

souffrir sa recherche; que peut-être le temps la pourrait adoucir et elle le laissa sans lui en dire davantage. Ce peu d'espérance l'obligea à user d'un moyen qui pensa tout gâter qui fut de lui donner de la jalousie. Il raisonnait en lui-même que, puisqu'elle avait encore quelque bonne volonté pour lui, elle ne manquerait pas d'en prendre s'il lui en donnait le sujet. Il avait un camarade qui avait une maîtresse dont il était autant chéri que lui était maltraité de la sienne. Il le pria de souffrir qu'il accostât cette bonne maîtresse et que lui pratiquât la sienne pour voir quelle mine elle tiendrait. Son camarade ne voulut pas lui accorder sans en avoir averti sa maîtresse, laquelle y consentit. La première conversation qu'ils eurent ensemble (car ces deux filles n'étaient guère l'une sans l'autre), ces deux amants firent échange, car Saint-Germain approcha de la maîtresse de son camarade, lequel accosta cette fière Marguerite, laquelle le souffrit fort agréablement. Mais quand elle vit que les autres riaient, elle s'imagina que ce changement était concerté, de quoi elle entra en de si furieux transports qu'elle dit tout ce qu'une amante irritée peut dire en cas pareil. Elle fut outrée à tel point qu'elle laissa la compagnie en versant beaucoup de larmes. Ce qui fit que cette obligeante maîtresse alla auprès d'elle et lui remontra le tort qu'elle avait d'en user de la sorte; qu'elle ne pouvait espérer plus de bonheur que la recherche d'un si honnête homme et si passionné pour elle et que sa politique était tout à fait extraordinaire et inusitée entre des amants; qu'elle pouvait bien voir de quelle manière elle en usait avec le sien, qu'elle appréhendait si fort de le désobliger qu'elle ne lui avait jamais donné aucun sujet de se rebuter. Tout cela ne fit aucun effet sur l'esprit de cette bizarre Marguerite, ce qui jeta le malheureux Saint-Germain dans un si furieux désespoir qu'il ne chercha depuis que des occasions de faire paraître à cette cruelle la violence de son amour par quelque sinistre mort, comme il la pensa trouver. Car un soir que lui et sept de ses camarades sortaient d'un cabaret,

ayant tous l'épée au côté, ils firent rencontre de quatre
gentilshommes dont il y en avait un qui était capitaine
de cavalerie, lesquels leur voulurent disputer le haut du
pavé dans une rue étroite où ils passaient; mais ils
furent contraints de céder en disant que le nombre serait
bientôt égal et du même pas allèrent prendre quatre ou
cinq autres gentilshommes, lesquels se mirent à chercher
ceux qui les avaient fait quitter le haut du pavé et qu'ils
rencontrèrent dans la grande rue. Comme Saint-Germain
s'était le plus avancé dans la dispute, il avait été remarqué par ce capitaine, [à] son chapeau bordé d'argent qui
brillait dans l'obscurité; aussi, dès qu'il l'eut aperçu,
il s'adressa à lui en lui donnant un coup de coutelas sur
la tête, qui lui coupa son chapeau et une partie du crâne.
Ils crurent qu'il était mort et qu'ils étaient assez vengés,
ce qui les fit retirer ; et les compagnons de Saint-Germain
songèrent moins à aller après ces braves qu'à le relever.
Il était sans pouls et sans mouvement, ce qui les obligea
à l'emporter à sa maison où il fut visité par les chirurgiens qui lui trouvèrent encore de vie ; ils le pansèrent,
remirent le crâne et mirent le premier appareil. La première dispute avait causé de la rumeur dans le voisinage, mais ce coup fatal y en apporta bien davantage.
Tous les voisins se levèrent et chacun en parlait diver-
sement, mais tous concluaient que Saint-Germain était
mort. Le bruit en alla jusqu'à la maison de cette
cruelle Marguerite, laquelle se leva aussitôt du lit et
s'en alla en déshabillé chez son galant qu'elle trouva
en l'état où je viens de le vous représenter. Quand elle
vit la mort peinte sur son visage, elle tomba évanouie,
en telle sorte que l'on eut de peine à la faire revenir.
Quand elle fut remise, tous ceux du voisinage l'accusèrent
de ce désastre et lui représentèrent que, si elle l'eût souffert auprès d'elle, elle aurait évité cet accident. Alors
elle se mit à arracher ses cheveux et à faire des actions
d'une personne touchée de douleur. Ensuite elle le servit avec une telle assiduité, tout le temps qu'il fut hors
de connaissance qu'elle ne se dépouilla ni coucha pen-

dant ce temps-là et ne permit pas à ses propres sœurs de lui rendre aucun service. Quand il commença à connaître l'on jugea que sa présence lui serait plus préjudiciable qu'utile pour les raisons que vous pouvez entendre. Enfin il guérit et, quand il fut en parfaite convalescence, on le maria avec sa Marguerite, au grand contentement des parents et beaucoup plus des mariés.

Après que Léandre eut fini son histoire, ils retournèrent à la ville où, étant, ils soupèrent et, après avoir un peu veillé, l'on coucha les épousés. Ces mariages avaient été faits à petit bruit, ce qui fut cause qu'ils n'eurent point de visites ce jour-là ni le lendemain; mais deux jours après ils en furent tellement accablés qu'ils avaient peine à trouver quelque moment de relâche pour étudier leurs rôles, car tout le beau monde les vint féliciter et, durant huit jours, ils reçurent des visites. Après la fête passée, ils continuèrent leur exercice avec plus de quiétude, excepté Ragotin, lequel se précipita dans l'abîme du désespoir, comme vous allez voir dans ce dernier chapitre.

CHAPITRE XVII

DÉSESPOIR DE RAGOTIN ET FIN DU ROMAN COMIQUE

La Rancune se voyant hors d'espérance de réussir en l'amour qu'il portait à l'Étoile aussi bien que Ragotin, se leva de bonne heure et alla trouver le petit homme qu'il trouva aussi levé et qui écrivait, lequel lui dit qu'il faisait sa propre épitaphe. Eh quoi! dit la Rancune, l'on n'en fait que pour les morts et vous êtes encore en vie et, ce que je trouve le plus étrange, c'est que vous-même la faites. Oui, dit Ragotin, et je vous la veux faire voir. Il ouvrit le papier qu'il avait plié et lui fit lire ces vers :

> *Ci-gît le pauvre Ragotin,*
> *Lequel fut amoureux d'une très belle Étoile*
> *Que lui enleva le Destin,*
> *Ce qui lui fit faire promptement voile*
> *En l'autre monde, où il sera*
> *Autant de temps qu'il durera.*
> *Pour elle il fit la comédie,*
> *Qu'il achève aujourd'hui par la fin de sa vie.*

Voilà qui est magnifique, dit la Rancune, mais vous n'aurez pas la satisfaction de la voir dessus votre sépulture, car l'on dit que les morts n'y voient ni entendent rien. Ah! dit Ragotin, que vous êtes en partie cause de mon désastre! car vous me donniez toujours des grandes espérances de fléchir cette belle et vous saviez bien tout le secret. Alors la Rancune lui jura sérieusement qu'il n'en savait rien positivement, mais qu'il s'en doutait, comme il lui avait dit quand il lui conseillait d'étouffer cette passion, lui remontrant que c'était la plus fière fille du monde. Et il semble, ajouta-t-il, que la profession qu'elle fait doive licencier les femmes et filles de cet orgueil, qui est ordinaire à celles d'autre condition; mais il faut avouer qu'en toutes les caravanes de comédiens, l'on n'en trouvera point une si retenue et qui ait tant de vertu et elle a mis Angélique à ce pli-là, car de son naturel elle a une autre pente et son enjouement le témoigne assez. Mais enfin il faut que je vous découvre une chose que je vous ai tenue cachée jusques à présent, c'est que j'étais aussi amoureux d'elle que vous et je ne sais qui serait l'homme qui, après l'avoir pratiquée comme j'ai fait, s'en serait pu empêcher; mais, comme je me vois hors d'espérance aussi bien que vous, je suis résolu de quitter la troupe, d'autant que l'on y a reçu le frère de la Caverne. C'est un homme qui ne saurait faire d'autres personnages que ceux que je représente et ainsi l'on me congédiera sans doute; mais je ne veux pas attendre cela, je les veux prévenir et m'en

aller à Rennes trouver la troupe qui y est où je serai
assurément reçu puisqu'il y manque un acteur. Alors
Ragotin lui dit : Puisque vous étiez frappé d'un même
trait, vous n'aviez gardé de parler pour moi à l'Étoile.
Mais la Rancune jura comme un démon qu'il était homme
d'honneur et qu'il n'avait pas laissé de lui en faire des
ouvertures; mais, comme il lui avait déjà dit, elle
n'avait jamais voulu écouter. Eh bien, dit Ragotin,
vous avez résolu de quitter la troupe et moi aussi;
mais je veux bien faire un plus grand abandonnement,
car je veux quitter tout à fait le monde. La Rancune
ne fit point de réflexion sur son épitaphe qu'il lui avait
baillée; il crut seulement qu'il avait fait résolution d'entrer dans un couvent, ce qui fut cause qu'il ne prit point
garde à lui, ni n'en avertit personne que le poëte auquel
il en bailla une copie. Quand Ragotin fut seul, il songea
au moyen qu'il pourrait tenir pour sortir du monde.
Il prit un pistolet qu'il chargea et y mit deux balles pour
s'en donner dans la tête; mais il jugea que cela ferait
trop de bruit. Ensuite il mit la pointe de son épée contre
sa poitrine, dont la piqûre lui fit mal, ce qui l'empêcha
de l'enfoncer. Enfin il descendit à l'écurie cependant
que les valets déjeunaient, il prit des cordes, qui étaient
attachées au bât d'un cheval de voiture et en accom-
moda une au râtelier et la mit autour de son col; mais
quand il voulut se laisser aller, il n'en eut pas le courage
et attendit que quelqu'un entrât. Il y arriva un cavalier
étranger et alors il se laissa aller, tenant toujours un
pied sur le bord de la crèche; pourtant s'il y eût demeuré
longtemps, il se serait enfin étranglé. Le valet d'étable,
qui était descendu pour prendre le cheval du cavalier,
voyant Ragotin ainsi pendu, le crut mort et cria si fort
que tous ceux du logis descendirent. On lui ôta la corde
du col et on le fit revenir, ce qui fut assez facile. On
lui demanda quel sujet il avait de prendre une si étrange
résolution; mais il ne le voulut pas dire. Alors la Rancune tira à part mademoiselle de l'Étoile (que je pourrais
appeler mademoiselle du Destin; mais étant si près de

la fin de ce roman, je ne suis point d'avis de lui changer
de nom), à laquelle il découvrit tout le mystère de quoi
elle fut fort étonnée; mais elle le fut bien davantage
quand ce méchant homme fut assez téméraire pour lui
dire qu'il était aux mêmes termes, mais qu'il ne prenait
pas une si sanglante résolution, se contentant de demander son congé. A tout cela elle ne répondit pas une
parole et le laissa. Quelque peu de temps après, Ragotin
déclara à la troupe le dessein qu'il avait d'accompagner
le lendemain M. de Verville et de se retirer au Mans.
Cette circonstance fit que tous y consentirent, ce qu'ils
n'eussent pas fait s'il eût voulu s'en aller seul, attendu
ce qui était arrivé. Ils partirent le lendemain de bon
matin, après que M. de Verville eut fait mille protestations de continuation d'amitié aux comédiens et comédiennes et principalement au Destin qu'il embrassa, lui
témoignant la joie qu'il avait de voir l'accomplissement
de ses désirs. Ragotin fit un grand discours en forme de
compliment, mais si confus que je ne le mets point ici.
Quand ils furent au point de partir, Verville demanda
si les chevaux avaient bu. Le valet d'étable répondit
qu'il était trop matin et qu'ils les pourraient faire boire
en passant la rivière. Ils montèrent à cheval, après avoir
pris congé de monsieur de la Garouffière, lequel s'était
aussi disposé à partir et qui fut civilement remercié
par les nouveaux mariés de la peine qu'il s'était donnée
de venir de si loin pour honorer leurs noces de sa présence. Après cent protestations de services réciproques,
il monta à cheval et la Rancune le suivit, lequel, nonobstant son insensibilité, ne put pas empêcher le cours
de ses larmes qui attirèrent celle du Destin, se ressou-
venant (nonobstant le naturel farouche de la Rancune)
des services qu'il lui avait rendus et principalement à
Paris, sur le pont Neuf, lorsqu'il y fut attaqué et volé
par la Rappinière. Quand Verville et Ragotin eurent
passé les ponts, ils descendirent à la rivière pour faire
boire leurs chevaux. Ragotin s'avança par un endroit
où il y avait rive taillée où son cheval broncha si rude-

ment que le petit bout d'homme perdit les étriers et sauta par-dessus la tête du cheval dans la rivière qui était fort profonde en cet endroit-là; il ne savait pas nager; et, quand il l'aurait su, l'embarras de sa carabine, de son épée et de son manteau l'aurait fait demeurer au fond, comme il fit. Un des valets de Verville était allé prendre le cheval de Ragotin qui était sorti de l'eau et un autre se dépouilla promptement et se jeta dans la rivière au lieu où il était tombé; mais il le trouva mort. L'on appela du monde et on le sortit. Cependant Verville envoya avertir les comédiens de ce malheur et, à même temps, son cheval [168]. Tous y accoururent et, après avoir plaint son sort, ils le firent enterrer dans le cimetière d'une chapelle de Sainte-Catherine qui n'est guère éloignée de la rivière. Cet événement funeste vérifie bien le proverbe commun : Qui a pendre n'a pas noyer.

Ragotin n'avait pas le premier puisqu'il ne put s'étrangler; mais il avait le second, puisqu'il fut effectivement noyé. Ainsi finit ce petit bout d'avocat comique dont les aventures, disgrâces, accidents et la funeste mort seront dans la mémoire des habitants du Mans, d'Alençon, aussi bien que les faits héroïques de ceux qui composaient cette illustre troupe. Roquebrune, voyant le corps mort de Ragotin, dit qu'il fallait changer deux vers à son épitaphe dont la Rancune lui avait baillé une copie, comme je vous ai déjà dit, et qu'il fallait la mettre comme s'ensuit :

> *Ci-gît le pauvre Ragotin,*
> *Lequel fut amoureux d'une très belle Étoile*
> *Que lui enleva le Destin,*
> *Ce qui lui fit faire promptement voile*
> *En l'autre monde sans bateau ;*
> *Pourtant il y alla par eau.*
> *Pour elle il fit la comédie,*
> *Qu'il achève aujourd'hui par la fin de sa vie.*

Les comédiens et comédiennes s'en retournèrent à leur logis et continuèrent leur exercice avec l'admiration ordinaire.

FIN

NOTES

1. Jean-François-Paul de Gondi, cardinal de Retz, fils de Phi-
lippe-Emmanuel de Gondi, comte de Joigny, et de Françoise-Mar-
guerite de Silly, né au château de Montmirail, en septembre 1613
(baptisé le 20), d'abord connu sous le nom d'abbé de Buzay,
coadjuteur de Jean-François de Gondi, archevêque de Paris,
en 1643, sacré archevêque de Corinthe le 22 janvier 1644, cardinal le 19 février 1652, archevêque de Paris en 1654, démission-
naire en 1662 et nommé abbé de Saint-Denis, mort le 24 août 1679.
Il a laissé, en plus d'un petit volume tendancieux : *Conjuration
de Jean-Louis de Fiesque*, 1665, quelques *Mazarinades*, dont
C. Moreau (*Bibliographie des Mazarinades*, 1851, 3 vol. in-8°)
fournit les titres et des *Mémoires* publiés, pour la première fois,
à Amsterdam en 1717, où il conte avec cynisme et talent les aventures de son existence désordonnée. Ses *Œuvres complètes* (Paris,
Hachette, 1870-1920, 11 vol. in-8°) ont été réunies et annotées
par A. Feillet, Gourdault, R. Chantelauze et Claude Cochin à la
Collection des *Grands Écrivains de la France*. Ses *Mémoires*
viennent d'être réimprimés par M. Georges Mongrédien dans la
collection des *Classiques Garnier* (4 vol. in-18).

Scarron avait connu Retz dans sa jeunesse, comme il le précise
dans une lettre (*Les Dernières Œuvres de M. Scarron*, 1663, I, 204).
Il le vit de nouveau paraître à ses côtés pendant la Fronde alors
qu'il jouissait d'une immense renommée. Peut-être ne comprit-il
point que Retz, activement mêlé à la rébellion, le cajolait dans le
but d'obtenir de lui la publication de *la Mazarinade*, terrible
pamphlet qu'il venait d'écrire pour se venger de l'indifférence et
du mépris du cardinal-ministre. Il crut en son amitié. Il lança,
pour lui plaire, la *Mazarinade*. Il lui lut des chapitres du *Roman
comique* au fur et à mesure qu'ils sortaient de son imagination et,
heureux d'avoir reçu ses encouragements, il lui dédia la première
partie de l'ouvrage.

2. La première partie du *Roman comique* parut sous le titre sui-
vant : [LE | ROMANT | COMIQVE | A PARIS, | chez TOVSSAINCT
QVINET, | au Palais sous la montée de la | Cour des Aydes. |
M. DC. LI. | *AVEC PRIVILEGE DV ROY*. | In-8°.]

8 feuillets non chiffrés pour le frontispice représentant une scène théâtrale et daté de 1652, le titre, la dédicace au Coadjuteur, Au Lecteur, la Table des chapitres. P. 1 à 527. Au verso et, sur les 2 feuillets non chiffrés suivants, le Privilège du Roi accordé le 20 août 1650, pour 7 ans, à Toussainct Quinet. Achevé d'imprimer, pour la première fois, le 15 septembre 1651.

3. Le tripot de la Biche, c'est-à-dire à l'enseigne de la Biche, était situé, au Mans, à proximité des Halles. Il était composé d'une maison avec cour et d'un jeu de paume. Scarron lui a conservé, dans le roman, son véritable nom. Gabriel Despins et Françoise Boutevin, son épouse, gouvernaient cette hôtellerie fort bien achalandée à l'époque où Le Destin et sa troupe survinrent dans la cité mancelle. Voir Henri Chardon : *Scarron inconnu et les types des personnages du Roman comique*, 1904, II, 190 et s.

4. On a longtemps pensé que Scarron avait peint dans le *Roman comique* les aventures dans le Maine de la troupe de Molière. Henri Chardon a démontré, dans son ouvrage : *La troupe du Roman comique dévoilée et les comédiens de campagne au* XVIIᵉ *siècle*, 1876, que Molière et Armande Béjart n'avaient pu fournir à l'écrivain des modèles de Le Destin et de l'Étoile, mais il n'est pas parvenu à identifier ces deux personnages qui sont probablement nés de la fantaisie imaginative de leur créateur.

5. Aucune clef du *Roman comique* ne donne le moindre détail sur le comédien La Rancune. Scarron semble cependant avoir croqué sur le vif ce personnage de fripon, fertile en tours de « maître Gonin » et en menteries, et dont les mœurs correspondent exactement à celles que l'on voit d'ordinaire se manifester parmi la gent théâtrale. Pour Tallemant des Réaux, comédien était, au début du XVIIᵉ siècle, synonyme de vaurien.

6. Mˡˡᵉ de La Caverne, la mère, reste parmi les membres de la bande comique dont les érudits n'ont pu découvrir le nom véritable.

7. Sous le nom de M. de La Rappinière, lieutenant de prévôt du Mans, Scarron, au dire d'Henri Chardon (*Scarron inconnu*, II, 102 et s.), a représenté François Nourry, sieur de Vauseillon. Cette identification, nous l'avons indiqué dans notre notice, avait déjà été faite par Daniel Huet, évêque d'Avranches (voir p. XVIII). François Nourry avait épousé le 29 février 1628, Élisabeth du Mans qui paraît aussi, comme personnage épisodique, dans le roman. L'homme, licencié ès droit de l'Université de Reims, le 20 septembre 1629, eut ses lettres de provision de lieutenant de prévôt le 3 octobre 1629. Il exerça cette charge avec vigueur dans un pays où des troubles éclataient souvent. Il semble avoir manifesté dans ses actes des scrupules médiocres et quelque peu mérité de figurer en coquin dans l'œuvre de Scarron.

8. La troupe dite « du prince d'Orange » subsista, ce semble, pendant près d'un demi-siècle, autorisée à prendre cette dési-

gnation par Maurice, Frédéric-Henri et Guillaume de Nassau, princes d'Orange et stathouders des Provinces-Unies, amateurs de fêtes et de théâtre qui la protégèrent tour à tour. Cette troupe menait existence nomade, jouant dans les jeux de paume ou sur les scènes théâtrales de Hollande, des Flandres, d'Allemagne même. De temps à autre elle séjournait à Paris où elle prenait à bail la salle de l'Hôtel de Bourgogne ou bien elle parcourait les provinces de France. Il est très malaisé de préciser son histoire. Disons qu'elle eut pour chef, à l'origine de ses pérégrinations, Valéran le Comte, acteur de talent, et qu'au cours du temps, elle compta, parmi ses associés, La Porte, Le Noir, le fameux Mondory, futur créateur du Cid, Charles Guérin, Pierre Marcoureau, dit de Beaulieu, etc... En 1655, elle prit le nom de troupe de « la reine de Suède ». Elle avait alors pour chef Jean-Baptiste de Mouchaingre, dit Filandre. Voir : Eudore Soulié : *Recherches sur Molière*, 1863; Eugène Rigal, *Le Théâtre français avant la période classique*, 1901; Henri Liebrecht : *Histoire du Théâtre français à Bruxelles au* xviie *et au* xviiie *siècle*, 1923; J. Fransen : *Les Comédiens français en Hollande au* xviie *et au* xviiie *siècle*, 1925.

9. La troupe que Jean-Louis de Nogaret, duc d'Epernon, ancien favori d'Henri III, gouverneur de Guyenne, entretenait à Bordeaux, ne semble pas avoir joui, au début du xviie siècle, d'une réputation bien établie. A notre connaissance, elle ne figure pas parmi les documents concernant le théâtre de cette époque. M. Léo Mouton, dans les deux volumes qu'il a consacrés au seigneur fastueux et brouillon qui la protégeait, ne donne aucun renseignement sur elle.

10. Guillaume des Gilberts, fils de Guillaume et de Catherine Sandry, né à Thiers, le 13 mars 1594. Après avoir commencé en province de solides études, il les vint achever à Paris où, pris de la vocation théâtrale, il les abandonna pour se faire comédien sous le pseudonyme de Mondory. Longtemps obscur acteur ambulant, il sort de l'ombre en 1620. Il est, en 1622, chef de la troupe du prince d'Orange et en 1624 d'une autre bande formée par lui sous le nom de comédiens ordinaires du roi. En 1629, il rencontre à Rouen Pierre Corneille qui lui confie le sort de sa première œuvre : *Mélite*. A Paris, sur des scènes de fortune où il s'installe successivement, il assure le succès de cette comédie et de cinq autres pièces du poète. Le 1er janvier 1635, il ouvre un théâtre stable, le théâtre du Marais, où il achève, entouré d'acteurs de talent, d'établir sa renommée. Distingué par le cardinal de Richelieu, protégé et pensionné par lui, il monte les œuvres que ce prélat fait écrire sur ses canevas par sa brigade des Cinq Auteurs. En janvier 1637, il fait triompher le *Cid* sur sa propre scène. En août, interprétant la *Marianne* de Tristan Lhermite, il est brusquement frappé d'une paralysie de la langue. Sa carrière est dès lors terminée. Il meurt, dit-on,

dans la retraite, entre 1653 et 1654, laissant dans le souvenir de
ses contemporains, de Balzac en particulier, l'image d'un moderne Roscius. Voir sur Mondory, en plus des ouvrages cités,
note 8 : Michel de Marolles : *Mémoires*, 1656, I, 124-125; Abbé
d'Aubignac : *La Pratique du Théâtre,*1657, p. 14, 369;Balzac : *Œuvres*, 1665, I, 419; Tallemant des Réaux : *Historiettes*, édit.
Monmerqué, 1854, II, 395; V, 104; VII, 119, 171 et s., 186;
Chappuzeau : *Le Théâtre français*, édit. de 1867, p. 95, 133;
Frères Parfaict : *Hist. du Théâtre français*, 1745, V, 96 et s.;
Revue de Paris du 30 octobre 1838; F. Bouquet : *Corneille et
l'acteur Mondory*, 1869; Jal : *Dictionnaire de biographie*, 1872,
art. *Mondory;* Georges Mongrédien : *Les grands Comédiens du
XVIIᵉ siècle*, 1927, p. 21 et s.; Jean Lemoine : *La Première du
Cid*, 1937; E. Cottier : *Mondory*, 1937.

11. Le Destin et ses compagnons interprétèrent à l'hôtellerie
de la Biche *La Marianne*, tragédie de Tristan Lhermite, Paris,
Augustin Courbé, 1637, in-4º. Sur cette tragédie, voir N.-M. Ber-
nardin : *Un précurseur de Racine. Tristan Lhermite, sieur du
Solier, sa famille, sa vie, ses œuvres*, 1895, in-8º.

12. Élisabeth du Mans. Voir note 7.

13. Pierre Le Messier, dit Bellerose. On ignore tout de ses origines. Son nom paraît pour la première fois, en 1623, dans le
contrat de mariage du comédien Nicolas Lyon et ainsi apprend-
on qu'il faisait, à cette date, partie du théâtre de l'Hôtel de Bourgogne. Il fut, plus tard, le directeur de ce théâtre et passait pour
en être le meilleur acteur, bien que les contemporains trouvassent unanimement son jeu sans naturel. Il tint différents rôles
dans des pièces de Corneille et, d'original, le rôle de Cinna dans
la tragédie de ce nom. Il avait épousé, le 7 février 1630, Nicole
Gassot, veuve de Mathias Meslier, comédienne de grand mérite
qui le seconda dans sa tâche, mais qui, de mœurs relâchées,
lui valut les railleries des satiriques. En 1643, il vendit à Floridor
sa fonction de directeur et ses hardes de théâtre. Il mourut le
25 janvier 1671. Nous renvoyons, sur ce curieux homme, au feuil-
leton que nous lui avons consacré dans *Comœdia du 6 décembre* 1922.

14. Josias de Soulas, écuyer, seigneur de Primefosse et du
Taut, dit Floridor, appartenait à une famille de noblesse authentique et ancienne. Fils de Georges de Soulas, ministre de la religion réformée, et de Judith d'Aunay, né en 1608 à Fontainebleau,
il reçut une instruction achevée, embrassa la carrière des armes,
et participa vaillamment aux guerres du temps dans les régi-
ments des gardes-françaises et de Rambures où il était enseigne.
On ignore pour quelle raison il troqua la casaque militaire pour
le harnais comique. Après avoir appris son métier dans les troupes
de campagne, il entre dans celle de Mondory au théâtre du
Marais. Quand ce dernier abandonne, à D'Orgemont, la direction

de sa scène, Floridor s'efforce, par son talent, de maintenir le prestige de cette scène. Après la mort de D'Orgemont, il achète, comme nous l'avons dit plus haut, la direction de l'Hôtel de Bourgogne. C'est sur ce théâtre qu'il établit définitivement sa réputation. Il interpréta les plus grands rôles du théâtre classique, et les deux Corneille aussi bien que Racine lui durent grande partie de leur gloire. Il avait épousé, en février 1638, Marguerite Baloré. Il mourut le 14 août 1671, emportant l'admiration du roi qui l'appelait souvent à la cour, des écrivains et du public. Voir l'étude où nous avons condensé les principaux faits, connus ou inconnus, de sa vie et de sa carrière, dans *Comœdia du 13 avril* 1923.

15. Se fariner à la farce, se grimer pour jouer la farce. Expression souvent employée par les écrivains du grand siècle, mais qui ne figure pas dans les dictionnaires du temps.

16. Mlle de L'Étoile, héroïne charmante et modeste du *Roman comique*, n'a pu être identifiée. Scarron semble l'avoir placée, dans son œuvre, pour établir un contraste entre ses grâces ingénues, ses malheurs immérités et les vices triomphants des personnages qui l'entourent.

17. Bonnétable, petite ville du département de la Sarthe à 23 km. de Mamers. Scarron s'y rendit maintes fois, en été, en compagnie de son évêque. A proximité s'élevait le château de Bonnétable où Anne de Montafié, comtesse de Soissons, épouse de Louis de Bourbon, comte de Soissons, prince du sang, donnait des fêtes à ses bonnes amies de Paris et aux gens de qualité du Maine. De curieuses lithographies représentent ce château dans son état actuel. On les trouvera à la Bibliothèque nationale, département des Estampes, Va 194.

18. L'Olive. Ce comédien de la troupe de Destin joue, dans le roman, un rôle de comparse. Rien de ce que Scarron en dit ne permet de le reconnaître.

19. Domfront-en-Passais (Sarthe). Dans le curé de cette bourgade, Henri Chardon a réussi à identifier Ambroise Le Rées, bachelier en théologie, mort en mai 1655. (*Scarron inconnu*, précité, II, 163.)

20. Bellême (Eaux de). Aux environs de cette petite cité, voisine de Mortagne (Orne), coulaient les eaux minérales de la Herse. On voit, en octobre 1653, Mme de Longueville quitter Paris pour s'aller guérir, au bord de ces fontaines, de quelque maladie de précieuse. Voir Loret : *Muze historique du 4 octobre* 1653.

21. Il s'agit ici du poète Roquebrune. Nous le retrouverons plus loin.

22. La plupart des « regrattiers de lettres » qui se voulaient donner quelque prestige aux yeux des badauds, se vantaient d'avoir fait la débauche, en quelque taverne parisienne, avec

le poète Saint-Amant. En réalité, Marc-Antoine Girard, dit le sieur de Saint-Amant, fils d'Antoine Girard, maître verrier, et d'Anne Hatif, né à Rouen en septembre 1594 (baptisé le 30), savait trier ses relations et, même au cabaret, où il passa, à « caqueter » le vin, les plus belles heures de sa vie, il n'admettait dans sa compagnie que gens d'esprit et de bel air. Il fut magnifiquement un poète bachique, disciple d'une part des épicuriens, d'autre part des sceptiques. Il s'essaya, en différents autres genres, satires, poèmes lyriques et héroïques, mais sans grand succès. Il fut compris parmi les quarante premiers académiciens. Il parcourut le monde, mêlé à bien des aventures guerrières, à la suite, tantôt du duc de Retz, tantôt du comte d'Harcourt, tantôt du maréchal de Créquy. Il alla vivre aussi en Pologne, auprès de la reine Louise-Marie, en Suède, auprès de la reine Christine, qui aimaient ses écrits et le protégèrent. Il mourut en décembre 1661, dans une situation voisine de la misère. Nous renvoyons, pour l'histoire de sa vie, à l'ouvrage de Paul Durand-Lapie : *Saint-Amant, son temps, sa vie, ses poésies*, 1898, in-8; pour la bibliographie de ses poèmes, à l'ouvrage de M. Frédéric Lachèvre : *Bibliographie des Recueils collectifs de poésies publiés de 1597 à 1700*, II, 1903, p. 443 et s., 726 et s.,; III, 1904, p. 513; IV, 1905, p. 181.

23. Charles Beys, né à Paris en 1610, mort le 26 septembre 1659 (d'après Loret : *Muze historique du 4 octobre* 1659). On ne connaît guère de sa vie que ce qu'il en laisse entrevoir dans ses *Œuvres poétiques*, Paris, Toussainct Quinet, 1654, in-4°, c'est-à-dire peu de chose. Le poète Du Pelletier en a résumé, ce semble, les aspects particuliers dans ce distique en forme d'épitaphe :

> *Cy gist Beys qui sçavoit à merveille*
> *Faire des vers et vuider la bouteille.*

Bon ouvrier du vers de la lignée de Saint-Amant, Beys a laissé quelques tragi-comédies; un poème héroïque : *Les Triomphes de Louis-le-Juste, XIIIe du nom*, 1649, in-f°, et une interprétation des *Odes d'Horace en vers burlesques*, 1649. On lui attribue, de plus, une diatribe en mille vers contre le cardinal de Richelieu : *Le Gouvernement présent ou Eloge de Son Eminence. Satyre ou La Miliade* (vers 1635), dont il repoussa toujours la paternité. Voir, sur le poète : Goujet : *Bibliothèque françoise*, t. XVI, p. 293 et s.; Frères Parfaict : *Hist. du Théâtre françois*, 1745, V, 121 et s.; Comte de Puymaigre : *Un poète apologiste du roi Louis XIII*, 1898.

24. Jean de Rotrou, fils de Jean et d'Élisabeth Lefacheux, naquit à Dreux en août 1609 (baptisé le 20) et fut inhumé dans cette ville ce 28 juin 1650. Il sortait d'une famille d'authentique noblesse. Il débuta à l'âge de 19 ans dans les lettres par une tragi-comédie : *L'Hypocondriaque ou le Mort amoureux*, et par une comédie, *La Bague de l'Oubli*. Au cours d'une existence souvent

tourmentée par la gêne, il devait successivement donner au
théâtre trente-quatre autres pièces dont les meilleures sont :
Hercule mourant, 1636, in-4º; *Les Menechmes*, 1636, in-4º; *Le
véritable Saint-Genest*, 1648, in-4º; *Venceslas*, 1648, in-4º;
Cosroès, 1649, in-4º. Après avoir été (préfiguration du Roquebrune du *Roman comique*) une sorte de poète à gages de l'Hôtel
de Bourgogne, il acheta, le 20 janvier 1639, la charge de lieutenant particulier au bailliage de Dreux dont les revenus le
mirent à l'abri du dénuement et lui permirent d'épouser, le
9 juillet 1640, Marguerite Le Camus dont il eut trois enfants.
Il était alors célèbre. Le cardinal de Richelieu l'avait agrégé à
l'équipe dramatique des cinq Auteurs et lui avait donné, auprès
de lui, une charge de gentilhomme ordinaire. Les *Œuvres* de Rotrou
ont été réunies par Viollet-le-Duc (Paris, 1820-1823, 5 vol. in-8º).

Scarron avait connu le poète à Paris. Il le retrouva, comme
nous le disons dans notre notice, lors de son séjour au Mans,
auprès du comte de Belin, enragé contre le succès du *Cid*. Loin
de suivre l'exemple de Mairet et de Scarron, Rotrou, qui était
l'ami et avait été le conseiller littéraire de Corneille, ne voulut
point fustiger ce dernier d'un pamphlet. Dans la querelle du
Cid, il prit figure de médiateur et de défenseur dans une prose :
L'Inconnu et véritable ami de messieurs de Scudery et de Corneille,
1637, où il désapprouva les violences du premier de ces écrivains.
Rotrou a été l'objet de nombreuses études. Citons : Jarry :
Essai sur les Œuvres dramatiques de Rotrou, 1868; Milon de
Lernay : *Jean Rotrou, dit le grand*, 1869; Jal : *Dict.* précité,
art. *Rotrou*; L. Person : *Hist. du véritable Saint-Genest et Hist.
de Venceslas*, 1882; Henri Chardon : *La Vie de Rotrou mieux
connue*, 1884; Curnier : *Etude sur Jean Rotrou*, 1885; Vianey :
Deux Sources inconnues de Rotrou, 1891; Peyssonnié : *Rotrou
magistrat*, 1899, etc.

25. Henri Chardon : *La troupe du Roman comique dévoilée*,
1676, *passim*, et *Scarron inconnu* précité, II, p. 228 et s., s'est
efforcé de démontrer que, sous le masque d'Angélique La Caverne, se cacherait la véritable personnalité d'Angélique Mounier,
comédienne, femme de Jean-Baptiste de Mouchaingre, dit Filandre. Ses hypothèses sont appuyées sur des arguments plus sentimentaux qu'historiques. Rien, dans ces arguments, ne prouve
que Scarron ait jamais connu la troupe de Filandre à Paris,
ni même que cette troupe ait passé dans le Maine à l'époque où
le poète y séjournait.

26. On appelait, au xviiº siècle, « patineurs » des gens qui
avaient la fâcheuse habitude, en parlant aux femmes, de leur
prendre les mains et de les caresser. Gilles Ménage, poète, grammairien et philologue, comptait au nombre de ces importuns.

27. L'adjectif « gracieuzeux » est ici forgé par Scarron, dans le
sens de cajoleurs. Cet adjectif n'a pas été recueilli dans le *Dic-*

tionnaire de Furetière qui contient pourtant beaucoup de « mots nouveaux », souvent inventés par les précieuses.

28. Scarron donne au substantif « pointe » son acception véritable; mais les pointes n'étaient pas des jeux d'esprit seulement employés dans la province. Il semble que Cyrano de Bergerac en ait été, au moins dans sa jeunesse, sinon l'inventeur, du moins le grand maître. On en trouve, en effet, d'innombrables dans ses œuvres où figurent aussi des « entretiens pointus », de qualité parfois assez vulgaire. Or Cyrano était Parisien.

29. Avec Ragotin, dont Scarron vient de tracer, avec une agréable verve, le portrait singulièrement pittoresque, survient, un peu tardivement, le personnage culminant du *Roman comique*. On a longuement cherché à démasquer, sous son étrange nom, diminutif de l'adjectif « ragot » appliqué jadis aux petits hommes « engoncés et trapus », le fol qui harcèle les comédiens de son empressement malencontreux. Les clefs le désignaient, nous l'avons précisé dans notre notice, sous le nom de René Denisot. Muni de ce renseignement approximatif, Henri Chardon a prouvé, dans son *Scarron inconnu*, II, p. 16 et s., 30 et s., que René Denisot ne pouvait avoir fourni à Scarron le modèle de son héros principal, mais qu'Ambroïs Denisot présentait les plus grandes chances d'avoir été la victime de l'écrivain. Comme Ragotin, Ambroïs Denisot était-il petit et de physique ridicule? On ne le peut établir; mais, comme Ragotin, il était avocat, veuf, vaniteux, pédant et touchait à la cinquantaine. Au surplus, il put nuire, et il déplut sûrement à Scarron avec lequel il eut un contact quotidien, exerçant, auprès de l'évêque du Mans, les fonctions de secrétaire. Pour quelles raisons déplut-il à Scarron? Autre énigme impossible à éclaircir. Henri Chardon croit, avec raison, qu'il y avait entre les deux hommes incompatibilité d'humeur, l'un, Scarron, représentant à l'évêché le rire, le naturel, la simplicité, l'autre, Denisot, l'austérité et la solennité doctorales. Au demeurant, Denisot ne méritait peut-être pas le traitement que lui infligea son ennemi. Il appartenait à une famille surtout composée de magistrats, bien apparentée. Il était né au Mans, de Michel Denisot, procureur du roi au grenier à sel de La Ferté-Bernard, et de Jeanne Girard, le 14 mars 1584. Il avait fait de bonnes études et maniait à merveille le latin. Il fut nommé secrétaire de l'évêché le 14 juillet 1622. Il avait épousé, le 27 novembre 1613, Anne Esnault qui lui donna neuf enfants et mourut, ce semble, des suites de sa neuvième couche (vers 1636). A la mort de l'évêque Beaumanoir-Lavardin, survenue en 1637, Denisot entra dans les ordres. (Depuis la mort de sa petite femme, écrit Scarron, Ragotin avait menacé les femmes de la ville... de se faire prêtre.) Il mourut en mai 1647. Ainsi ne connut-il pas l'amertume de se voir portraituré à la farce dans le *Roman comique*.

30. Scarron a emprunté cette nouvelle, pour l'adapter à son récit, à l'ouvrage de don Alonso Castillo Solorzano : *Los Alivios de Cassandra*, Barcelone, 1640, in-12.

31. *Polexandre*, roman de Marin Le Roy, sieur du Parc et de Gomberville. L'ouvrage parut d'abord en deux volumes, sous le titre : *L'Exil de Polexandre*, Paris, Toussaint du Bray, 1629. in-8°, puis, d'édition en édition, en 8 volumes.

32. *Ibrahim ou l'illustre Bassa. Dédié à Mademoiselle de Rohan*, Paris, Antoine de Sommaville, 1641, 4 vol. in-8°. Roman de Madeleine de Scudéry.

33. *Artamène ou le grand Cyrus. Dédié à M*me *la duchesse de Longueville. Par M. de Scudéry, gouverneur de Notre-Dame de la Garde*, Paris, Augustin Courbé, 1649-1653, 10 vol. in-8°. Roman de Madeleine de Scudéry publié sous le nom de Georges, son frère.   Mandane, héroïne du roman, d'après une clef du temps, fournie par Victor Cousin dans *La Société française au XVIIe siècle d'après le Grand Cyrus*, personnifiait Anne-Geneviève de Bourbon, duchesse de Longueville.

34. Esplandian, héros du roman de chevalerie : *Les Exploits du très valeureux chevalier Esplandian*, suite de l'*Amadis de Gaule* attribuée à Garci Ordoñez de Montalvo. L'ouvrage original, en langue espagnole, parut en 1521 à Tolède.

35. Amadis, dit le chevalier du Lion ou le beau Ténébreux, héros du roman de chevalerie *Amadis de Gaule*. Ce roman fut, dit-on, composé en quatre livres au XIVe siècle par Vasco de Loveira et porté à 24 livres par les continuateurs de celui-ci. Il fut traduit en français, pour la première fois, par Nic. d'Herberay (Paris, 1500).

36. La fée Urgande paraît dans le roman d'Esplandian, ci-dessus désigné.

37. Bronchade, faux pas de cheval (Furetière).

38. Renaud et Armide, personnages imaginaires figurant dans le poème du Tasse, la *Jérusalem délivrée*. L'enchanteresse Armide retint, par sa beauté et son pouvoir de séduction, dans ses jardins merveilleux, Renaud, le plus brave des croisés, jusqu'au moment où celui-ci, écoutant le devoir plus fort que l'amour, échappa à son empire.

39. Voir note 26.

40. Rentraire : raccommoder une étoffe sans laisser paraître la couture.

41. « Ma mère, dit Ragotin, était filleule du poète Garnier. » Ce propos a-t-il été proféré par Ambroïs Denisot et cueilli sur les lèvres de celui-ci par Scarron? Rien ne s'oppose à ce que la mère d'Ambroïs Denisot ait été tenue sur les fonts baptismaux par Robert Garnier; celui-ci, en effet, était originaire de La Ferté-Bernard, petite ville du Maine où il naquit en l'an 1534.

Ambroïs Denisot se vante évidemment en parlant d'écrire une
comédie en vers français. En fait, il n'écrivait qu'en vers latins.
Henri Chardon a retrouvé, en tête d'ouvrages, deux de ses productions de poète néo-latin occasionnel.

42. Allusion aux pièces de théâtre que les jésuites faisaient
jouer à leurs élèves dans leurs collèges. Sur l'organisation de ces
théâtres scolaires, voir Ernest Boysse : *Le Théâtre des Jésuites*,
1880. Voir également, L.-V. Gofflot : *Le Théâtre au Collège du
Moyen Age à nos jours*, 1907, qui donne, en particulier (p. 99),
le répertoire des pièces représentées à La Flèche.

43. Les Ponts-de-Cé, petite ville voisine d'Angers (Maine-et-
Loire). En 1620, le duc de Créquy y battit l'armée de Marie de
Médicis en rébellion contre son fils Louis XIII.

44. *Pyrame et Thisbé*, tragédie de Théophile de Viau. Elle
parut, pour la première fois, dans *Œuvres du sieur Théophile,
seconde partie*, Paris, Pierre Billaine, 1623, in-8°, puis, à part,
sous le titre suivant : *Les Amours tragiques de Pyrame et Thisbé
mis en vers françois par le sieur Théophile*, Paris, Jean Martin,
1626, in-8°.

45. Alexandre Hardy, auteur dramatique fécond, né vers
1560, mort en 1632. Il vécut quasi toute son existence, plus ou
moins nomade, à la solde de comédiens auxquels il fournit une
grande quantité de pièces. Beaucoup de ces pièces, dont quelques-unes connurent le succès et même la vogue, ne furent pas
imprimées. Hardy en tirait les sujets du théâtre espagnol, mais
aussi de sa propre imagination; il avait un vif sentiment de la
vie et le goût du naturel qu'il communiquait à ses personnages.
Il réunit, avant de mourir, un certain nombre de ses œuvres
sous le titre : *Le théâtre d'Alexandre Hardy, Parisien. Dédié à
Monseigneur le duc de Montmorency*, Paris, 1623-1628, 6 vol.
in-8°. Voir sur cet auteur, la thèse d'Eugène Rigal : *Alexandre
Hardy et le Théâtre français à la fin du XVIᵉ siècle et au commencement du XVIIᵉ siècle*, 1889, in-8°.

46. L'Hôtel de Bourgogne et le Marais. Anciens théâtres
parisiens. Le premier fut bâti en 1548, au coin des rues Mau-
conseil et Françoise, par les Confrères de la Passion, chassés de
l'Hôtel des Flandres où ils jouaient auparavant des mystères
et moralités. Il servit de cadre aux nouvelles représentations
de ces Confrères. Déserté bientôt par un public devenu indifférent aux œuvres religieuses, il fut loué, pour des délais plus ou
moins longs, à des troupes de passage, françaises, espagnoles
ou italiennes. A partir de 1628, il fut plus particulièrement
occupé par la bande des comédiens du roi que dirigèrent Bellerose et Floridor. Voir, sur ses origines, Frères Parfaict : *Hist.
du Théâtre françois*, III, 1745, *passim*; Soulié : *op. cit., passim*;
J. Fransen : *Documents inédits sur l'Hôtel de Bourgogne* dans
Revue d'hist. littéraire de la France, juillet-septembre 1927.

Le Théâtre du Marais, fondé, comme nous le disons plus haut, par le comédien Mondory, était situé rue Vieille-du-Temple, dans un jeu de paume dit Jeu de paume des Marais. A en croire la *Gazette de France* du 6 *janvier* 1635, il ouvrit ses portes le 1er janvier de cette même année. Sur sa scène fut donnée la première représentation du *Cid*. Jean Lemoine : *La première du Cid* précité a publié les actes relatifs à l'origine de ce théâtre.

47. Renvier. « Enchérir sur ce qu'un autre a fait auparavant » (Furetière).

48. Bouquin, vieux bouc.

49. Samuel Gaudon, sieur de La Rallière, financier et spéculateur de la fin du règne de Louis XIII et du début du règne de Louis XIV. Il épousa, le 7 février 1630, Anne Menjot. Il fut mis à la Bastille pendant la Fronde. Les frondeurs le tenaient en particulière exécration. Cinq mazarinades furent lancées contre lui. L'une d'elles : *La Réponse de La Rallière à l'Adieu de Catelan, son associé, ou l'Abrégé de la vie de ces deux infâmes ministres et auteurs des principaux brigandages, voleries et extorsions de la France*, 1649, in-4°, semble particulièrement violente. La Rallière mourut avant 1653.

50. Voir note 33.

51. *Le grand et dernier Soliman ou la mort de Mustapha, tragédie dédiée à* Mme *la duchesse de Montmorency*, Paris, Courbé, 1639, in-4°. Jean de Mairet, né à Besançon, le 4 janvier 1604, mort le 31 janvier 1686. Il débuta, à son dire, dans les lettres, à l'âge de seize ans. Il fut l'un des premiers à appliquer la règle des trois unités à la scène et, par là, se rendit agréable au cardinal de Richelieu, partisan des disciplines théâtrales, qui l'agréa dans sa troupe des Cinq Auteurs. Il a laissé douze tragédies ou tragi-comédies dont plusieurs, la *Silvie*, 1630, la *Virginie*, 1635, la *Sophonisbe*, 1635, connurent le succès. Détrôné de son prestige par Corneille, il voua à celui-ci un ressentiment qui se traduisit par de violents pamphlets, lors de la querelle du *Cid*. Ses poésies diverses ont paru à la suite de la *Silvie* et de la *Silvanire*. Nous avons vu que Scarron connaissait Mairet et le rencontra, en 1637, dans la maison du comte de Belin. Voir la thèse de Gaston Bizos : *Etude sur la vie et les œuvres de Mairet*, 1877.

52. Voir note 17.

53. Voir note 46.

54. Voir note 35.

55. Roman d'Honoré d'Urfé qui connut une grande vogue pendant tout le cours du xviie siècle.

56. On appelait « académies » des écoles particulières où les jeunes garçons de la noblesse apprenaient l'équitation, l'escrime, la fortification, les mathématiques. Beaucoup de ces académies

furent célèbres, entre autres celles des sieurs Arnolphini, Benjamin, etc.

57. C'est-à-dire sans parler, comme il est d'usage chez les chartreux.

58. Église romaine au pied de laquelle habita, pendant une bonne part de sa vie, le peintre Nicolas Poussin, que Scarron connut lors de son voyage en Italie.

59. Voir note 19.

60. Étui de carte, étui de carton.

61. Gorron, petite ville voisine de Mayenne (Mayenne).

62. « Assurèrent » dans le texte original.

63. Théophile de Viau, fils de Jacques, né en 1590 à Clairac en Agenois, mort le 15-16 septembre 1626. Excellent poète, auteur dramatique et philosophe, il fut, au début du XVIIᵉ siècle, le doctrinaire et le propagandiste le plus actif du libertinage et, par là, s'aliéna les Jésuites qui le poursuivirent de leur haine, parvinrent à le faire emprisonner et à obtenir, contre lui, du Parlement de Paris, à défaut d'un arrêt de mort, une condamnation au bannissement. Nous renvoyons, pour l'histoire de sa vie tourmentée, de ses œuvres et de ses idées à l'ouvrage de M. Frédéric Lachèvre : *Le Libertinage devant le Parlement de Paris. Le Proc du Poète Théophile de Viau*, Paris, Honoré Champion, 1909, 2 vol. in-8º et à celui de M. Antoine Adam : *Théophile de Viau et la libre pensée française en* 1620, Paris, E. Droz, 1937, in-8º.

64. Le Cours la Reine, lieu de promenade situé au sud-est de Paris, au bord de la Seine. On y parvenait par la porte de la Conférence. Elle se composait de belles allées d'ormes, coupées en leur milieu par un vaste rond-point, et closes entre des murs. On y entrait par une porte monumentale au fronton orné du blason royal. Les carrosses et les cavaliers, parfois en si grand nombre qu'ils ne pouvaient circuler, empruntaient l'allée médiane, les chaises et les piétons les allées parallèles encombrées aussi de boutiques en plein vent où des marchands débitaient confitures, gâteaux, sucreries et boissons. Ce promenoir fut toujours fréquenté par les gens de bel air et les coquettes, dont maints romanciers et poètes ont célébré les aventures galantes. Le roi, de temps à autre, y faisait quelques tours de carrosse. Marcel Poète a consacré au Cours la Reine un chapitre de son ouvrage : *La Promenade à Paris au XVIIᵉ siècle*, 1913, p. 109 et s.

65. Le Marais, quartier de Paris situé entre les paroisses Saint-Paul et Saint-Nicolas-des-Champs. En grande partie construit sous Henri IV et Louis XIII, il englobait de magnifiques hôtels et passait pour donner asile aux gens d'esprit raffiné, aux libertins, aux coquets et aux coquettes. Scarron lui a consacré un de ses poèmes : *Adieux aux Marais et à la Place Royale* dans son *Recueil de quelques vers burlesques*, 1643, p. 5 et s.

66. Bâtie sous Henri IV, la Place Royale (actuellement **Place des Vosges**) fut, sous le règne de Louis XIII, le lieu de réunion et de promenade des gens de qualité. On y donna, en 1612, à l'occasion des mariages espagnols, le fameux *Carrousel des chevaliers de la Gloire*, organisé par Bassompierre et dont les graveurs du temps nous ont transmis, en estampes magnifiques, le décor, les manifestations équestres, les feux d'artifice. Cette place, de forme carrée, était (et est encore)composée de 37 pavillons à trois étages de même structure, construits en pierres mêlées de briques, ornés d'entablements, de bossages, de pilastres, de fenêtres à frontons et couverts d'ardoises. A leurs pieds courait une galerie voûtée supportée par des arcades à colonnes doriques. Dans son grand espace, resté longtemps nu, réservé à des fêtes royales, plus tard on dressa la statue équestre de Louis XIII et on établit des parterres en broderies. Ajoutons que les duellistes du temps choisirent cette place pour y vider, l'épée à la main, leurs différends, entre autres, François de Montmorency-Bouteville qui paya de sa tête son infraction aux édits contre les duels. Corneille fit de la Place Royale le décor de sa comédie de ce nom, publiée en 1635. Voir Lucien Lambeau : *La Place royale*, 1906; *L'Iconographie de la Place Royale*, 1907; *La Place Royale, Nouvelle contribution à son histoire*, 1915.

67. Mère, vieux mot, employé autrefois dans le sens de matrice.

68. Marguerite de Valois, fille de Henri II, roi de France, et de Catherine de Médicis, née en 1553, mariée, en 1572, à Henry de Bourbon, alors prince de Navarre, répudiée par celui-ci, devenu roi de France, en 1599. Elle vécut, après son divorce, généralement en province, entourée d'une cour de favoris, de poètes, de savants. Plus tard, elle s'installa dans un magnifique hôtel sis à Paris sur le bord de la Seine, en face du Louvre et dont on voit les bâtiments et les jardins sur le plan de Mérian (1615). Elle mourut en 1615. Elle a laissé de courts, mais curieux *Mémoires* publiés en 1628, des *Lettres* et des *Poésies*.

69. « la rendaient » dans le texte original.

70. Cabane, chambre ou loge qui tenait le milieu des coches d'eau.

71. Les plus beaux jardins de Saint-Cloud entouraient alors la maison des champs de Jean-François de Gondi, archevêque de Paris. Voir notre ouvrage: *Le Château de Saint-Cloud*, Paris, Calmann-Lévy, 1932, in-18.

72. Tire-laine, voleur, coupeur de bourses. Parmi les tire-laine dont parle Destin, se trouvait, au dire de Scarron, comme on le verra dans la suite, le sieur de La Rappinière, plus tard lieutenant de prévôt du Mans.

73. En le seigneur Ferdinandi Ferdinando, opérateur, gentilhomme vénitien, natif de Caen en Normandie, et dona Inézilla

del Prado, son épouse, Henri Chardon (*Scarron inconnu* précité, II, p. 240) a cru reconnaître Pierre Metro ou Methereau, également opérateur, et Jehanne Jehan, sa femme, qui firent baptiser un enfant à Baugé (Maine-et-Loire) le 25 juin 1638. Document bien incertain, car rien ne prouve que le couple passa d'Anjou dans le Maine où Scarron eût pu le rencontrer.

74. Héroïne du *Cid.*

75. Ici le poète de la troupe des comédiens que nous avons vu déjà paraître dans le récit de Scarron, est nommé pour la première fois. Henri Chardon (*op. cit.,* II, 252 et s.) s'est efforcé de percer le mystère de son nom de bataille; il ne semble guère y avoir réussi. Aucun des documents qu'il cite, pour démontrer que Roquebrune fut, en réalité, Nicolas-Marie Desfontaines, poète à gages, puis directeur de troupes nomades, auteur de treize pièces de théâtre, n'indique que ce personnage ait séjourné dans le Maine à l'époque où Scarron s'y trouvait. On ne voit pas, d'autre part, que le dit Scarron l'ait connu à aucun moment de sa vie.

76. Mithridate. «Espèce de thériaque ou antidote ou composition qui sert de remède ou préservatif contre les poisons où il entre plusieurs drogues, comme opium, vipères, seilles, agaric, stine, etc. » (*Dictionnaire de Furetière.*) Sur cette mixture, que vendaient les opérateurs, spécialement à Paris, sur le Pont-Neuf, voir *La Composition de la thériaque du Mithridate des confections d'hyacinthe et d'Al Kermès et de l'opiate de Salomon faite publiquement dans l'Hôtel de ville de Toulouse, par J. L. Rigaud, B. Barthe et J. Boutes, marchands et maîtres apothicaires en ladite ville,* Toulouse, Dominique Desclassan, 1689, in-12.

77. Terme de manège. « Saut qui tient le devant et le derrière du cheval à une égale hauteur, en sorte qu'il trousse ses jambes de derrière sous son ventre » (Furetière).

78. Voir plus loin, note 89, l'identification de ce jeune conseiller au Parlement de Rennes.

79. *Cassandre, Cléopâtre,* romans de Gautier de Costes, sieur de La Calprenède. Pour *Polexandre* et *Cyrus,* voir notes 31 et 33.

80. Cette nouvelle, comme la précédente, a été empruntée par Scarron à l'ouvrage de don Alonso Castillo Solorzano, déjà cité note 30.

81. « Ce prétendu intrigue » dans le texte original.

82. Léandre, valet de Destin, n'a encore paru que sous l'anonymat dans le roman. Il n'a tenu dans la troupe aucun rôle de comédien. Il ne sera, dans la suite du récit, que le héros d'une aventure amoureuse. Cependant, Henri Chardon, dans les deux ouvrages que nous avons précédemment cités, s'est évertué de convaincre ses lecteurs qu'ils devaient voir, dans ce jou-

venceau, la personnification de Jean-Baptiste de Mouchaingre,
illustre sur les théâtres du xviie siècle, sous le pseudonyme de
Filandre, époux d'Angélique Mounier en laquelle, nous l'avons
dit ci-dessus, il discerne le vrai visage d'Angélique La Caverne.
En réalité aucun fait de la vie de Filandre et d'Angélique Mounier
ne peut être rapproché de ce que Scarron nous rapporte des
gestes de Léandre et de Mlle de La Caverne. Filandre et son
épouse traversèrent-ils jamais Le Mans entre 1634 et 1641?
Scarron connut-il ce couple de comédiens? Qui le pourrait affirmer? Henri Chardon a dû prendre, cette fois, ses rêves pour
des réalités. Tout au plus peut-on admettre que l'on trouve,
entre Filandre et Léandre, bizarre consonance de noms et, entre
Angélique Mounier et Angélique La Caverne, étrange similitude
de prénoms.

83. Marie-Madeleine de Castille-Villemareuil, fille de François, président aux requêtes du Palais, née en 1633, mariée,
le 5 février 1651, à Nicolas Foucquet, morte en 1716. Autant
que son époux Mme Foucquet s'intéressait aux poètes et leur
faisait du bien. Quelque générosité discrète lui valut cette dédicace de Scarron, lequel avait, d'autre part, récompensé le surintendant de son aide constante à son endroit en plaçant son nom
en tête de plusieurs de ses œuvres. Voir notre ouvrage, *Scarron
et son milieu,* Nouvelle édition, 1924, *passim.*

84. Cette seconde partie du *Roman comique* parut sous le titre
suivant :
LE | ROMANT | COMIQUE. | DE Mr SCARRON. | SECONDE PAR-
TIE. | *DÉDIÉE* | A MADAME | FOUCQVET | LA SVRINTENDANTE. | A
PARIS, | Chez GVILLAVME DE LVYNE, Libraire | Iuré, au Palais,
dans la Salle des Merciers, | à la Iustice. | M.DC.LVII. |
AVEC PRIVILE GE DV ROY. | In-8°.

7 feuillets non chiffrés pour le titre, la dédicace, la Table des
chapitres. P. 1 à 541. Au verso et sur le feuillet non chiffré suivant, le Privilège accordé, le 18 décembre 1654, pour 6 ans, à
Guillaume de Luyne. Achevé d'imprimer, pour la 1re fois, du
20 septembre 1657.

85. Voir notes 44 et 63.

86. Vieux mot. Menu plomb dont on charge un fusil pour
chasser le petit gibier.

87. Voir note 41.

88. « Duretail », lire Durtal, petite ville voisine de Baugé
(Maine-et-Loire).

89. Nous avons déjà vu (note 78) La Garouffière paraître,
dans le *Roman comique*, sous l'appellation « un conseiller au
Parlement de Rennes ». Henri Chardon (*Scarron inconnu*, II, 149
et s.) nous avertit que l'écrivain, pour désigner le dit conseiller
l'affubla, purement et simplement, d'un nom emprunté à l'un

des coteaux qui dominaient Le Mans. De ce personnage, il a pu aisément, et d'une façon certaine, nous dire qu'il se nommait, dans la réalité, Jacques Chouet, sieur de La Gandie, qu'il était fils de Zacharie Chouet, sieur des Fourches, et de Renée Leroy, qu'il fut nommé conseiller au Parlement de Bretagne par lettres de provisions du 7 février 1622, qu'il épousa, le 23 novembre 1625, Anne Le Vayer, et qu'il fut inhumé le 13 juin 1662. Il semble que Scarron l'a connu assez étroitement bien qu'il appartînt à cette société mancelle érudite qu'il ne pouvait souffrir. Il l'a peint sous des dehors plaisants et il a même traduit, par son entremise, ses propres opinions sur la littérature de son temps.

90. Nous avons parlé de Mme Bouvillon dans notre notice et dit, toujours d'après Henri Chardon, qu'elle se nommait réellement Marguerite Le Divin, veuve de Jehan Bautru, sieur des Matras, bailli de Vendôme. Elle était née en 1589 (baptisée le 8 février), de Claude Le Divin, conseiller au Parlement de Bretagne, et de Marguerite Hoyau. Elle appartenait à une ancienne et riche famille mancelle et elle épousa, le 10 février 1611, le représentant provincial d'une autre famille fort célèbre à la cour. Elle mourut le 4 juillet 1645. Scarron, nous l'avons vu, avait été son compère à un baptême. Quel ressentiment l'excita à la portraiturer sous des traits aussi ridicules? Mystère. Henri Chardon présume que le petit chanoine avait pu subir de la part de cette dame-mastodonte et encore amoureuse, malgré la cinquantaine, la tentative de séduction à laquelle il la fait se livrer, sous son nom de roman, auprès du malheureux Destin.

91. Le marié dont il est question dans ce chapitre, fils de Mme Bouvillon, se nommait Jacques Bautru. Il était conseiller au Parlement de Rouen. Il épousa le 17 novembre 1641 (date à laquelle Scarron habitait encore Le Mans) Marie Marest en la paroisse de la Couture.

92. Prêtre Jean. Personnage fabuleux qui aurait vécu en Orient, disent les uns, en Abyssinie, disent les autres, à la fois empereur et pontife d'une religion se rapprochant du nestorianisme. Il apparaît au XIIe siècle dans les mémoires et les romans de chevalerie. M. Fernand Fleuret lui a consacré un chapitre de son livre : *Serpent-de-Mer et Cie*, Paris, Mercure de France, 1936, p. 9 et s.

93. « Ils » dans le texte original.

94. Tapabor. Vieux mot. « Bonnet à l'anglaise qui sert le jour et la nuit et dont on abat les bords pour se garantir du vent ou du hâle » (Furetière).

95. « Mademoiselle de L'Estoile » dans le texte original. Le sens indique qu'il s'agit ici de mademoiselle Angélique. Il est curieux que Scarron, ayant revu et corrigé son ouvrage, n'ait pas aperçu cette confusion de nom.

96. Il doit s'agir ici de Bourbon-l'Archambault (Allier), station thermale fort à la mode au xviie siècle et où les troupe de comédiens trouvaient toujours des auditeurs attentifs et des profits sérieux. Scarron fit deux séjours dans ce lieu pour tenter de guérir son rhumatisme. Il a chanté la station thermale, dont les eaux ne lui firent aucun bien, dans ses deux *Légendes de Bourbon*. Voir *Recueil de quelques vers burlesques*, 1643, in-4°. Voir aussi notre volume, *Scarron et son milieu*, précité, p. 87 et s., 98 et s.

97. Cette nouvelle a été empruntée par Scarron aux *Novelas exemplares y amorosas* de Maria de Zayas y Sotomayor, Barcelone, 1634.

98. « Avec lui » dans le texte original.

99. « De la sienne » dans le texte original.

100. « Celle » dans le texte original.

101. « Tirer la laine », voler.

102. Sillé-le-Guillaume (Sarthe), petite ville voisine du Mans·

103. Le grand prévôt du Maine était, au temps où Scarron habitait Le Mans, Daniel Neveu, sieur des Étrichés, marié en 1626 à Marie Portail, laquelle sortait d'une famille de parlementaires qui donna un président au Parlement de Paris. Ragotin était plutôt apparenté aux Neveu qu'aux Portail.

104. Charles de La Grave de La Roche, chef des Égyptiens, au service du duc de Cossé-Brissac, assassiné « sur le chemin des Ponts-de-Cé », inhumé, le 27 mai 1629, à Brissac. Voir *Revue d'Anjou, mai-juin* 1887, p. 153.

105. Nous avons déjà, dans notre notice, donné le nom de l'abbesse d'Etival, Claire Nau. Elle prit possession de l'abbaye le 8 décembre 1627. Austère, habituée à observer la règle un peu rude de l'ordre cistercien, elle voulut réformer la maison des bénédictines, aux mœurs plus douces, dont elle prenait la direction spirituelle et temporelle. Ainsi souleva-t-elle contre elle un troupeau de religieuses jusqu'alors conduit avec plus de mansuétude et qui n'hésita pas à la combattre, même par les voies judiciaires. Voir cette affaire dans Chardon : *op. cit.*, II, p. 168 et s. Pourquoi Scarron s'amusa-t-il à mettre Ragotin nu en présence de l'abbesse rigoriste ? Sans doute pour ridiculiser cette pieuse dame dont il avait connu (et désapprouvé *in petto*) les excès de sévérité. Claire Nau vivait encore lorsque parut le *Roman comique*, mais il semble improbable qu'elle ait connu l'existence de cet ouvrage.

106. Selon Henri Chardon : *op. cit.*, II, 184-185, le révérend Giflot pourrait avoir été Geoffroy Bellaillé, curé d'Etival, chanoine prébendé au chapitre du Mans et, par suite, confrère de Scarron à ce chapitre.

107. « L'élu du Rignon » se nommait en réalité François Lespinay, sieur du Bignon. Il était président en l'élection de La Ferté

et avait épousé Marguerite Mairesse. Scarron a déformé à peine son nom dans son roman (Chardon : *op. cit.*, II, 213).

108. La Baguenodière semble être un personnage imaginé par Scarron bien que la clef mancelle du *Roman comique* dise de lui qu'il était le « fils de M. Pilon, avocat au barreau du Mans ».

109. En cet endroit de son œuvre, Scarron rend hommage, sous le nom du marquis d'Orsé, à François de Faudoas d'Averton, comte de Bélin, fastueux protecteur de poètes et de comédiens qui lui donna souvent l'hospitalité dans ses châteaux du Maine. Sur Belin, voir notre ouvrage, *Scarron et son milieu*, précité, *passim*.

110. Gaston-Jean-Baptiste de Roquelaure, fils d'Antoine et de Suzanne de Bassabat, marquis, puis duc de Roquelaure, né vers 1615, marié, le 17 septembre 1653, à Charlotte-Marie de Daillon du Lude, mort le 11 mars 1683. Tallemant des Réaux (*Historiettes*, édit. Monmerqué, V, 352 et s.) a consacré à Roquelaure des pages qui rendent bien la physionomie morale de ce seigneur, esprit fort, insolent, paillard et quelque peu dénué de scrupules.

111. Charles de Blanchefort, sire de Créquy, né en 1571, maréchal de France, plus tard duc de Lesdiguières, marié en mars 1595 à Madeleine de Bonne, en 1623 à Françoise de Bonne, mort le 15 mars 1638. Voir, sur lui, Tallemant des Réaux : *op. cit.*, I, 127 et s.; E. de Lanouvelle : *Le maréchal de Créquy*, s. d., p. 19 et s.

112. Probablement Malo, marquis de Coetquen, comte de Combourg, gouverneur de Saint-Malo, capitaine de la compagnie des gens d'armes du cardinal de Richelieu, marié à Françoise Giffard de la Marzellière.

113. Drap d'Usseau. Drap fabriqué à Usseau (Aude), village de Languedoc voisin de Carcassonne.

114. *Don Japhet d'Arménie*, comédie de Scarron, publiée à Paris, chez Augustin Courbé, 1653, in-4° et souvent réimprimée. Elle eut, au XVIIe siècle, un grand succès et fut même reprise au XVIIIe.

115. En cet endroit de son roman, Scarron, qui avait jadis écrit contre Corneille des proses si violentes, pour plaire au comte de Bélin, lors de la querelle du *Cid*, fait amende honorable au poète tragique. Voir notre notice.

116. « Spagirique est une épithète qu'on donne aux médecins qui ne sont pas de la Faculté et qui se qualifient de médecins chimiques et spagiriques » (Furetière).

117. « Ne lui devait pas être difficile » dans le texte original.

118. Matras. « Vaisseau de verre dont se servent les chimistes pour leurs distillations... Il est fait en forme d'une bouteille qui a un col fort long et étroit » (Furetière).

119. Cette nouvelle est traduite de l'original de Don Alonso Solorzano précédemment cité.

120. Voir note 44.

121. « Vient » dans le texte original.

122. On n'est pas encore fixé sur la date exacte de première publication de la troisième partie du *Roman comique*. Cette troisième partie figure, p. 456-622, dans une édition rare du Roman, *suivant la Copie, à Paris*, 1662, in-12, conservée à Saint-Firmin dans la bibliothèque de Mme la duchesse de Chartres. Elle a été vue, pour nous, par défunt Gustave Macon, de son vivant conservateur du Musée Condé à Chantilly. Nous avons peine à croire que la date de 1662 de cette édition soit exacte, car, comment la troisième partie du roman eût-elle pu y paraître, puisque son rédacteur précise, dans un Avis au Lecteur, qu'il attendit trois ans après la mort de Scarron, survenue en 1660, pour la publier; d'autre part, Antoine Offray, éditeur de cette troisième partie, dut certainement en conserver le droit de premier lancement. Pour nous, cet éditeur dut la comprendre dans une réimpression de la prose scaronnesque qui parut en 1663 et qui semble ne figurer dans aucune bibliothèque de France. Nous avons indiqué, dans notre notice, qu'Henri Chardon (*Scarron inconnu*, II, 277 et s.) attribuait le texte complémentaire du roman au chanoine Jean Girault. Cette attribution, et les raisons qui en sont fournies par cet érudit, nous paraissent assez aventurées.

123. Monsort, faubourg d'Alençon, et non Montfort, comme le portent plusieurs éditions du XVIIe siècle.

124. « Auquel » dans le texte de 1695.

125. La Grande Étoile d'Or était située rue de la Perle, près les Halles. Voir Henri Chardon : *Nouveaux documents sur les comédiens de campagne*, 1886, I, 58 et s.

126. *Andromède, tragédie représentée avec les machines sur le Théâtre Royal de Bourbon*, Rouen, Laurens Maury, 1651, in-4°, par Pierre Corneille. Cette tragédie fut donnée sur la scène en 1650.

127. Voir note 44.

128. Au temps où vivait Scarron, le marquis de Lavardin était Henry-Charles de Beaumanoir. Il épousa Marguerite-Renée de Rostaing et mourut en 1644. Le fils de ce marquis, Henry-Charles de Beaumanoir, épousa, en 1667 (contrat du 2 février), Françoise-Paule-Charlotte d'Albert de Luynes, puis, le 12 juin 1680, Louise-Anne de Noailles. Il fut lieutenant général en Bretagne, ambassadeur à Rome et mourut le 20 août 1701. C'est probablement de ce dernier, qui possédait, dans le Maine, les châteaux de Malicorne et de Vernie, qu'il est question dans ce chapitre du roman.

129. « Du temple » dans les textes de 1693 et 1695.

130. La Guerche, bourg du département de la Sarthe.

131. « Vivain » dans les textes anciens. Petite ville voisine de Beaumont-sur-Sarthe (Sarthe).

132. Saint-Pater, bourgade du département de la Sarthe.

133. Les Chênes-Verts, auberge sise à Monsort, faubourg d'Alençon. Voir Pesche : *Dictionnaire de la Sarthe*, 1842, V, 491.

134. Beaumont-le-Vicomte (Sarthe).

135. Fresnay-le-Vicomte (Sarthe).

136. Nom ancien de Perseigne. Voir sur cette forêt, Pesche : *Dictionnaire de la Sarthe*, 1842, IV, 406; VI, 723.

137. « C'est eux » dans les textes anciens.

138. « Ce qu'elle ayant aperçu » dans les textes anciens.

139. « D'ailleurs que c'était » dans les textes anciens.

140. Zani, bouffon de la comédie italienne.

141. Godenot, petite marionnette dont se servaient les bateleurs pour divertir le public sur le Pont-Neuf.

142. « M. de Rogula » dans les textes anciens. Claude Favre de Vaugelas, né à Meximieux en Bresse (Ain), en 1585 (baptisé le 6 janvier), fils d'Antoine et de Benoiste Favre, mort en février 1650, inhumé le 27. Élu membre de l'Académie française en 1634, il fut l'un des plus actifs rédacteurs du *Dictionnaire* de cette Académie. Philologue et grammairien, il publia des *Remarques sur la Langue françoise utiles à ceux qui veulent bien parler et bien escrire*, Paris, Vᵉ Camusat, 1647, in-4º, vite fameuses et qui furent maintes fois réimprimées au cours du XVIIᵉ siècle. Mˡˡᵉ Jeanne Streicher vient d'en donner une réimpression photographique (Paris, E. Droz, 1934, 3 vol. in-8º), accompagnée de savants commentaires. Nous renvoyons à son ouvrage pour la biographie de Vaugelas.

143. Sous-entendu : « d'achever ».

144. Voir note 51.

145. L'auteur de la troisième partie du *Roman comique* met ici, dans la bouche de cette fille prétentieuse, des titres imaginaires de pastorales de Racan. Sur Honorat de Bueil, marquis de Racan, fils de Louis et de Marguerite de Vendômois, né au manoir de Champmartin, paroisse d'Aubigné, le 5 février 1589, marié le 5 mars 1628 à Madeleine du Bois, membre de l'Académie française en 1635, mort à Paris le 21 janvier 1670, nous renvoyons à l'ouvrage de M. Louis Arnould : *Honorat de Bueil, seigneur de Racan*, 1901, in-8º, qui donne une biographie complète et analyse l'œuvre de ce poète.

146. Tragédies de Pierre Corneille.

147. « Il était déjà fort avancé » dans les textes anciens.

148. *Les Œuvres de Clément Marot de Cahors en Quercy, valet de chambre du Roy*. Reveues et augmentées... Niort, 1596, in-12, p. 427, *A Jane*. Il semble que, dans le texte de cette édition

de Marot, le troisième vers de ce huitain contienne une erreur d'impression : « *Puis*, à la place de *Qui* ».

149. « Parier » mis sans doute pour « apparier ».

150. Ces événements politiques datent de 1626. Henri de Talleyrand-Périgord, comte de Chalais, troisième fils de Daniel, comte de Grignols, prince de Chalais, et de Jeanne-Françoise de Montluc, né en 1599, grand maître de la garde-robe du roi, marié, en 1623, à Charlotte de Castille, fut accusé d'avoir trempé, de concert avec Marie de Rohan, duchesse de Chevreuse, dans une conspiration contre le cardinal de Richelieu. Arrêté à Nantes et mis en jugement, il fut décapité le 19 août 1626. Voir, parmi les mémoires du temps, Bassompierre : *Journal de ma vie*, édit. de Chanterac, 1875, III, 246 et s., 252, 254 ; *Mémoires du cardinal de Richelieu*, 1925, VI, *passim*. Sur les faits généraux », voir A. Bazin : *Histoire de France sous Louis XIII*, 1842, II, p. 143 et s.

151. « Sens » dans le texte de 1695, mais il faut lire Séez, la fonction religieuse du prieur de Saint-Louis relevant du diocèse de Séez et non de celui de Sens. Cette erreur est rectifiée dans le texte de 1693. François Rouxel de Médavy occupait le siège épiscopal du diocèse.

152. La Fresnaye, bourg voisin de Mamers (Sarthe).

153. Ballon, bourgade du département de la Sarthe à 25 km· au nord du Mans.

154. Le divertissement que décrit, en cet endroit, le prieur de Saint-Louis, s'appelait au XVIIe siècle « porter un mommon ». Il se donnait, d'ordinaire, en temps de carnaval.

155. Voir note 132.

156. Charles Ier de Gonzague-Mantoue, duc de Nevers et de Réthelois, fils de Louis et de Henriette de Clèves, né en 1580, marié, en février 1599, à Catherine de Lorraine, mort en octobre 1637. Il eut la réputation d'un très valeureux guerrier et celle, au surplus, d'un fameux chimérique. Il fut le fondateur de Charleville. Il rêva, pendant quelque temps de sa vie, d'organiser une croisade des chrétiens contre les Turcs et il échoua dans ce projet. A la mort de Vincent II de Gonzague, son cousin, il se posa en héritier du duché de Mantoue contre les prétentions de César de Gonzague, duc de Guastalla, et du duc de Savoie. La France soutint sa candidature à ce trône contre l'Espagne et les impériaux et la fit triompher par les armes en 1629-1630. Voir sur les affaires du duché de Mantoue, la bibliographie publiée par M. Louis André : *Les sources de l'histoire de France*, XVIIe siècle, t. V, *Histoire politique et militaire*, no 3573 et s.

157. Gaston de Bourbon, duc d'Orléans, frère puîné de Louis XIII, né le 25 avril 1608, mort le 2 février 1660. Ce prince, pourtant intelligent et docte, mais de faible caractère, influencé par son entourage de brouillons, a été étroitement mêlé à toutes

les conspirations contre Richelieu et même contre le roi. Il a laissé, dans l'histoire, le fâcheux souvenir d'un homme qui abandonnait lâchement ses complices quand ses rébellions contre la couronne prenaient, pour lui, méchante tournure. Tallemant des Réaux : *op. cit.*, II, 281, a tracé de lui un vivant et pittoresque portrait.

158. Alise ou Sainte-Reine, bourgade de la Côte-d'Or, à 12 km. au nord de Semur.

159. Embrun, petite ville du département des Hautes-Alpes.

160. Saint-Patrice, probablement faubourg de Grenoble.

161. Noves, bourgade des Bouches-du-Rhône.

162. Casal, ville forte du duché de Montferrat que se disputèrent Français et Espagnols. Le maréchal de Toiras la défendit victorieusement, en 1629, contre les assauts de Spinola.

163. Alexandre Hardy. Voir note 45.

164. Boissin de Gaillardon, en 1619, in-4°; Desfontaines, en 1634, in-4°; Balthazar Baro, en 1649, in-8°, ont publié des tragédies intitulées *Saint-Eustache*. Nous ignorons de laquelle de ces pièces parle le prieur de Saint-Louis.

165. Georges de Scudéry publia, entre autres pièces contre le *Cid : Observations sur le Cid*, Paris, Aux despens de l'Autheur, 1637, in-4°. Pour les pamphlets qui suivirent cette première attaque, voir *Bibliographie des Œuvres de Georges et Madeleine de Scudéry*, par Georges Mongrédien, dans *Revue d'histoire littéraire de la France*, avril-juin et juillet-septembre 1933, p. 225 et s., 410 et s.

166. « D'en advertir » dans le texte de 1693. « D'en avoir » dans le texte de 1695.

167. « Très honneste » dans le texte de 1693. « Très funeste » dans le texte de 1695.

168. Il manque évidemment un mot, à la fin de cette phrase, dans les textes de 1693 et 1695.

TABLE DES MATIÈRES

LE ROMAN COMIQUE

PREMIÈRE PARTIE

TABLE 438

TABLE 440

ACHEVÉ D'IMPRIMER
PAR L'IMPRIMERIE TARDY QUERCY AUVERGNE
A BOURGES
LE 30 MARS 1973

Numéro d'éditeur : 1527
Numéro d'imprimeur : 7267
Dépôt légal : 1er trim. 1973

Printed in France